Jak napisać
SCENARIUSZ
FILMOWY

Jak napisać
SCENARIUSZ
FILMOWY

Wydawnictwo Wojciech Marzec
Warszawa 2011

Jak napisać scenariusz filmowy

Tytuł oryginału:
Screenplay: writing the picture

Autorzy:
Rubin U. Russin i William Missouri Downs

Tłumaczenie:
Ewa Spirydowicz

Redakcja:
Renata Warchał
Michał Talarek

Projekt okładki:
Paweł Rosołek

Skład:
Renata Mianowska

Druk i oprawa:
Drukarnia Greg

ISBN 978-83-922604-0-0

Wydanie VI

ul. Klimczaka 8 lok. 35 kl. C
02-797 Warszawa
tel. 22 550 15 60, 22 550 15 62
e-mail: w-wm@w-wm.pl

www.w-wm.pl

Wydawnictwo Wojciech Marzec
2011

Spis treści

Słowo od Juliusza Machulskiego

Szczerze mówiąc uważam, że pisania scenariuszy nie można się nauczyć z żadnego podręcznika. Jeżeli ma się coś naprawdę zajmującego do opowiedzenia, widziało się odpowiednią ilość filmów i przeczytało odpowiednią ilość powieści, to nie ma takiej siły, która przeszkodziłaby przyszłemu scenarzyście zaistnieć. A jednak ...

Gdybym w 1977 roku, kiedy zabierałem się do pisania „Vabanku" miał w ręku książkę Russina i Downsa, zaoszczędziłoby mi to dużo czasu i energii, których potrzebowałem na wyważenie dawno otwartych drzwi.

Dwa lata później, kręcąc „Vabank" uniknąłbym wielu stresów na planie filmowym, gdzie na gorąco musiałem poprawiać niedoskonały scenariusz, wzbogacać nie do końca wymyślone postaci czy puentować niedokończone sceny.

Od tamtej pory napisałem kilkadziesiąt scenariuszy, przeczytałem kilkanaście podręczników pisania scenariuszy a w dodatku, przez dwa semestry uczyłem scenopisarstwa amerykańskich studentów w Hunter College w Nowym Jorku. Wydawało mi się, że już trochę wiem na temat pisania dla kina, a jednak wiele bym dał, by przeczytać książkę Russina i Downsa kilka lat wcześniej. Jest wszechstronna i porządkuje wszystko. Począwszy od wyglądu profesjonalnego scenariusza, skończywszy na tym jak go sprzedać.

Autorzy sypią przykładami rozwiązań pozornie nierozwiązywalnych problemów – natury technicznej i metafizycznej – z którymi borykają się wszyscy piszący scenariusze. Podają przykłady wielkich filmów z historii kina, których scenarzyści często zaczynali wątpić w to co robią, ale nie tracili ducha poprawiając swoje teksty do pomyślnego końca. To ośmiela i dodaje otuchy.

Bardzo się cieszę, że znalazł się wydawca, który spowodował, że książka zaistniała po polsku. Jest dziś potrzebna bardziej niż kiedykolwiek.

Dla studentów szkół filmowych i filmowców – to lektura obowiązkowa, dla kinomanów – czysta przyjemność.

Juliusz Machulski

Słowo od Wydawcy

Szanowni Państwo, czytając te słowa dowodzicie właśnie, że jesteście marzycielami, których największym marzeniem jest to, aby na podstawie napisanego przez Was scenariusza (może kolejnego) został wyprodukowany film (może kolejny). Niezależnie od tego czy jesteście profesjonalistami czy amatorami, to jedno jest pewne - macie nieodpartą ochotę na zdobycie lub jedynie doszlifowanie swoich umiejętności z zakresu sztuki pisania scenariuszy.

W zakresie scenopisarstwa intuicja, a nawet talent nie jest wystarczający, aby odnieść sukces. Sukces odnoszą ludzie o ugruntowanej wiedzy z zakresu danej dziedziny. Wiedzę trzeba zdobywać, ale trzeba mieć ją skąd zdobywać. Dlatego też, obserwując rynek naszego przemysłu filmowego, ilości i jakości pokazywanych dzieł filmowych i dodatkowo znikome ilości pozycji wydawniczych podobnych do trzymanej przez Was obecnie w ręku, to jestem pewien, że podręcznik ten przyczyni się do poszerzenia kręgu osób, które pisząc swoje scenariusze spowodują rewolucję na rodzimym rynku filmowym. Po przestudiowaniu tej pozycji każdy pozyska „narzędzia", którymi posługują się nieliczni i będzie merytorycznie gotowy do spełnienie swojego marzenia jak również będzie umiał inaczej patrzeć na film podczas jego projekcji w kinie. Ta książka odsłania dotąd niedostrzegalne tajemnice, którymi rządzi się film.

Każdy dobry podręcznik kojarzy się z progresywnym, systematycznym i poukładanym sposobem przekazania wiedzy. Ten podręcznik takim jest, ale jednocześnie zaznajamia czytelnika z otoczeniem bliższym i dalszym towarzyszącym scenarzyście. Znajdziecie zatem w tej książce anegdoty, odniesienia do znanych filmów, opowiadania i opisy zdarzeń, które nie są związane z samą sztuką pisania, ale dają pogląd jak wygląda życie osoby decydującej się pisać, z jakimi problemami się styka i jak je rozwiązuje.

Nigdy wcześniej w Polsce w takim stopniu nie można było samemu posiąść tajników sztuki pisania filmów, aż do tej pory, do wydania tego podręcznika.

Wojciech Marzec

Podziękowania

Podziękowania należą się wielu osobom. Są wśród nich: Lew Hunter, Howard Suber, Richard Walter, Hal Ackerman, Bill Froug, Stirling Silliphant, Jerzy Antczak i inni ze szkoły filmowej UCLA, którzy pokazali nam właściwy kierunek; Steve Peterman tolerował nasze pytania, jak być zabawnym; Lou Anne Wright poświęciła wiele miesięcy na redakcję niniejszej książki; Sandra J. Payne, Ken Jones, Cathlynn Richard Dodson i Rich Burlingham czytali manuskrypt i udzielali rad, dzięki którym stała się lepsza; Katherine Kirkaldie zadbała o bezokoliczniki; Barbara J.C. Rosenberg, David Hall i Matt Ball wpakowali nas w ten ambaras; Michelle Vardemann sprawiła, że z chaosu wyłonił się ład; Gwen Feldman wreszcie sprawiła, że książka trafiła w ręce czytelników.

R. U. Russin
W. M. Downs

Dziękuję Robertowi i Adeli Russinom, że wychowali mnie w przekonaniu, że życie artysty to coś dla mnie, skoro i oni wybrali taką drogę; Sarah Russin, że mnie toleruje (nie wspomnę już o płaceniu rachunków przez te wszystkie lata); moim dzieciom, Olivii i Benowi za to, że przypominali mi, co liczy się naprawdę; Jamesowi i Cookie Goldstone'om za to, że jako pierwsi wprowadzili mnie w świat filmu i za lata przyjaźni; i Milah Wermer, patronce wszytkiego, co dramatyczne, ekstatyczne i wspaniałe!

Robin

Lucy, dziękuję za dwadzieścia lat miłości; dziękuję Oliverowi Walterowi, Rebecce Hilliker i University of Wyoming; Cliffowi Marksowi i Jeannie Holland, bo dzięki nim Wyoming to wspaniałe miejsce; Pameli Hunter, Fredowi Berry'emu, Jimowi Patchiouli, Peterowi Grego, Pam Wick i Rickowi i Laurze Hall'om za to, że dzięki nim L.A. to wspaniałe miejsce; Davey'owi Marlinowi Jonesowi, najlepszemu nauczycielowi dramatopisarstwa na świecie; Caroline Rule, Tory Mell, Jacobowi Sherlockowi, Brianowi Bingstonowi, Andy'emu Brysonowi, Joe Greggowi i the Center for Teaching Excellence za pomoc; Melissie Martin, Williamowi i Doris Streibom i Richowi Burkowi za trwanie przy mnie; i wreszcie doktorowi Jamesowi Livingstone.

Bill

FADE IN...

ZOSTAĆ SCENARZYSTĄ

Co to znaczy: pisać?
Trzeba po prostu notować słowo po słowie
Irving Thalberg

Książka, którą trzymasz w ręku, to nie dzieło bogów scenopisarstwa. Nie oferujemy tajemnych wzorców, sekretnych przepisów, taśm, programów komputerowych czy błyskawicznych trzydniowych kursów. Nie dostaniesz instrukcji „Jak napisać scenariusz w dwa dni" czy „Dwanaście kroków do napisania scenariusza", nie usłyszysz, że do sukcesu prowadzi tylko jedna droga. Nie licz na proste rozwiązania.

Nie, ta książka to rzemieślniczy podręcznik, napisany przez dwóch scenarzystów, którzy przyjechali do Los Angeles z serca Ameryki, dostali się do słynnej kalifornijskiej szkoły filmowej UCLA, pisali przez lata, popełniali wiele błędów i koniec końców odnieśli umiarkowany sukces. Nasze scenariusze trafiły na ekrany, obaj zarabiamy pisaniem na życie. Podzielimy się tym, czego nauczyliśmy się podczas lat codziennego pisania.

W tworzeniu scenariusza nie pomogą magiczne wzorce i formuły; potrzebne są talent, znajomość podstaw i ciężka praca. Dzięki naszej książce poznasz podstawy i odnajdziesz w sobie talent. Ciężka praca to już twoja działka.

Nie będziemy cię zwodzić, że sukces jest na wyciągnięcie ręki. Ba, jeśli pisanie scenariuszy, czy to filmowych, czy telewizyjnych, nie jest twoim największym marzeniem, radzimy: zastanów się poważnie, zanim się za to zabierzesz. Jak powiedział Gene Fowler, dziennikarz, scenarzysta, autor biografii Johna Barrymore'a: „Pisanie to prosta sprawa. Siedzisz tylko i gapisz się w pustą kartkę, aż na czole wystąpi krwawy pot." Ze scenariuszem jest jeszcze gorzej. Filmy i telewizja to współczesne Eldorado; wszyscy chcą się tam znaleźć. Oczywiście, jeśli ci się uda, satysfakcja, artystyczna i finansowa, jest ogromna. Lecz sukces jest pisany tylko nielicznym z was, i tylko ułamkowi waszej pracy. To fakt; jeśli ktoś twierdzi co innego, nie ma pojęcia, o czym mówi. Oczywiście, zawsze warto spróbować.

Czy masz talent? Pokaże to czas i ciężka praca. Nad talentem nikt nie zapanuje. Skup się na technikach, które scenarzysta musi opanować, by pisać ciekawe, wciągające, dobrze skonstruowane scenariusze; jeśli naprawdę masz talent, napiszesz świetne dzieło.

I o tym jest nasza książka. Omawiamy podstawy i szczegóły, które inne książki na ten temat pomijają albo traktują bardzo pobieżnie. Podzieliliśmy ją na pięć części; możesz ją czytać jak podręcznik, przewodnik albo po prostu przestudiować od deski do deski. Część pierwsza omawia podstawy: kto przeczyta twój scenariusz? Jak mu zaimponować? Jeśli nie przekonasz do siebie recenzenta, cała praca pójdzie na marne. A przekonujesz go, pisząc we właściwym formacie, wybierając odpowiednią problematykę, tworząc fascynujący świat i ciekawych bohaterów.

Część druga poświęcona jest strukturze. Zamiast oprzeć się na jednej teorii, przedstawiamy najważniejsze podejścia do struktury, poczynając od Arystotelesa, kończąc na programach komputerowych. Omówimy zasady konstrukcji konfliktu i władzy, pokażemy, jak je obrazować w ujęciach, scenach i sekwencjach. Nauczymy cię planować scenariusz na fiszkach i budować z nich dzieło, które przykuje uwagę recenzenta. Na zakończenie części drugiej omawiamy poszczególne gatunki filmowe. Każdy wywodzi się z innych uczuć, każdy rządzi się własnymi prawami.

Część trzecia odsłania tajniki warsztatowe. Wytłumaczymy, jak pisać intrygujące wskazówki sceniczne i wciągające dialogi. Skończyłeś pierwszą wersję? Czas na poprawki. Skąd wiadomo, co trzeba zmienić, dodać, wyrzucić? Ile wersji musisz napisać, zanim osiągniesz perfekcję? Skąd wiadomo, ile warte twoje dzieło? Kiedy możesz pokazać je ludziom? Przeczytaj, a poznasz odpowiedzi na te pytania.

Część czwarta to techniki sprzedaży. To smutne, lecz po miesiącach ciężkiej pracy autora większość scenariuszy trafia na śmietnik. Kiedy twój będzie gotowy, musisz zrobić wszystko, żeby go sprzedać. Z tej części dowiesz się, jak zdobyć agenta i rozmawiać z producentem, mówiąc krótko, jak się odnaleźć w gąszczu filmowego światka. Czy to łatwe? Nie, to bardzo trudne. Ale wskażemy ci właściwą drogę.

I wreszcie część piąta, poświęcona dziedzinom pokrewnym. Z rozdziału siedemnastego dowiecie się, jak pisać dla telewizji. Rozdział osiemnasty to podstawy pisania dramatów. Może twój pomysł sprawdzi się lepiej na scenie? Dramat to świetny sprawdzian umiejętności; zresztą szanse, że twoje dzieło trafi na scenę są większe, niż że zobaczysz je na ekranie. Ba, może się okaże, że scena pociąga cię bardziej niż kino, albo uznasz, jak wielu twórców, że nie chcesz się ograniczać do jednego gatunku.

Mówiąc krótko; niniejsza książka ma ci pomóc wybrać, udoskonalić i rozwinąć umiejętności, nauczyć, jak unikać najczęstszych błędów i przyspieszyć twój rozwój jako profesjonalnego scenarzysty; chcemy, żebyś wyglądał na człowieka, który napisał już tuzin scenariuszy (a nie jeden czy dwa). Co więcej, będziesz wiedział, co dalej. Mówi się, że ludzie znajdują szczęście, szukając go i nie marnując okazji. Nasza książka to twoja okazja.

I jeszcze jedno: obaj studiowaliśmy scenopisarstwo w szkole filmowej UCLA i obaj jesteśmy z tego bardzo dumni. Dzięki wykładowcom takim jak Lew Hunter, Richard Walter, Hal Ackerman, Bill Froug, Howard Suber, Cynthia Whitcomb i wielu innych UCLA słynie jako jedna z najlepszych na świecie szkół scenopisarstwa, a wśród absolwentów uczelni są setki czynnych zawodowo scenarzystów. Podczas niedawnej ceremonii wręczania nagród absolwentom UCLA James Cameron oznajmił, z typową dla niego rezerwą, że teraz, gdy uhonorował go UCLA, krytycy niech idą do diabła. Bill Downs niedawno poszedł do kina z Lew Hunterem. Lew spojrzał na plakaty do wyświetlanych filmów, uśmiechnął się i powiedział, że pięć na dziesięć napisali absolwenci UCLA. Choć niniejsza książka zawiera przede wszystkim nasze przemyślenia i doświadczenia, mamy wielki dług wdzięczności wobec naszych mentorów z UCLA. Dobrze nas nauczyli.

CZĘŚĆ I

PODSTAWY

JAK ZAIMPONOWAĆ RECENZENTOWI

FORMAT

PROBLEM, PRZESŁANIE, UCZUCIE

ŚWIAT OPOWIEŚCI

BOHATER

ROZDZIAŁ 1

JAK ZAIMPONOWAĆ RECENZENTOWI?

Dlaczego czytam te bzdury?

W dzisiejszych czasach autorzy scenariuszy to najbardziej inteligentni, kreatywni i uzdolnieni bajarze. Jedno jednak trzeba powiedzieć od razu; piszą (a Ty, miejmy nadzieję, będziesz pisał) filmy. Pisanie scenariuszy to specyficzna forma opowieści. To rzemiosło, nie tylko sztuka. Podstawowa i może najtrudniejsza dla wielu adeptów zasada brzmi: *scenariusz to nie literatura*. To plan filmu. I tak samo jak plan domu ukazuje ogólny zarys, elementy i strukturę budynku, tak scenariusz stanowi tylko ogólny zarys, elementy i strukturę filmu. Jeśli chcesz napisać coś, po co inni sięgną szukając wartości literackiej, zajmij się powieścią, nowelą, poezją czy dramatem, nie scenariuszem. Owszem, obecnie drukuje się niektóre scenariusze, ale zazwyczaj jest to działanie marketingowe uruchamiane po filmie, który okazał się wielkim sukcesem. Zresztą zazwyczaj nie są to oryginalne scenariusze, ale jedynie transkrypty filmu.

Zabierasz się do skryptu, czyli materiału, do którego masz prawa autorskie. Nic jeszcze nie zostało sprzedane. To przeciwieństwo scenariusza gotowego, kupionego i przygotowanego. Pisanie skryptu nie ma być sztuką dla sztuki; tym bardziej czytanie go. Piszesz go, żeby przekonać bardzo nieliczną grupę ludzi (agentów, producentów, zawodowych recenzentów, reżyserów i/lub aktorów), że to dobra podstawa czegoś zupełnie innego; filmu, który trzeba zobaczyć.

Nie znaczy to wcale, że nie ma znaczenia czy scenariusz napisany jest źle, czy dobrze. Ma to znaczenie, i to ogromne. Twój skrypt to nie tylko plan, lecz także sposób sprzedaży. Liczysz, że czytający kupi twój pomysł na film - im lepiej więc opowiesz swoją historię, im lepsza narracja i ciekawsze dialogi, tym lepiej odebrane będzie twoje dzieło. Nieczytelny, przegadany scenariusz zniechęci czytającego, tak samo jak niewyraźny plan zniechęca budowniczego. Dobrze napisany szkic to znak dla producenta, że nawet jeśli nie jest to scenariusz dla niego, to ma do czynienia z uzdolnionym, kreatywnym twórcą, którego warto zapamiętać.

Może początkowo wyda ci się dziwne, że tyle uwagi poświęca się temu, kto będzie czytał twoje dzieło. Co czytający może mieć wspólnego z tym, co napiszesz?

Przecież jeszcze nawet nie zacząłeś. A jednak właśnie dlatego to ogromnie ważne - myśl o recenzencie, zanim zaczniesz pisać bo, w pewnym sensie, będzie to pierwszy człowiek, który zobaczy twój film. Twój *film*, a nie scenariusz.

Co to za goście?

Jeśli masz naprawdę wielkie szczęście, twój scenariusz przeczyta ważny agent, producent, reżyser albo aktor. To jednak rzadko się zdarza. Najprawdopodobniej pierwszym człowiekiem, który przeczyta twoje dzieło, oczywiście poza rodziną i przyjaciółmi, będzie zawodowy recenzent scenariuszy, którego właśnie w tym celu zatrudnił wyżej wspomniany agent, producent, reżyser albo aktor. Oni sami nie robią tego nie dlatego, że nie chcą. Po prostu fizycznie nie są w stanie – zdarza się, że tygodniowo dostają nawet ponad trzydzieści scenariuszy, od agentów, menadżerów, przyjaciół i gości, który stali za nimi w kolejce w kawiarni i nie dawali im spokoju, póki nie obiecano im, że rzuci się okiem na scenariusz. Agenci, producenci, reżyserzy i aktorzy czytają scenariusze, tyle że wybierają te, które mają największą szansę na realizację, a więc zostały przesłane przez kogoś, kto stoi na tyle wysoko w hierarchii show biznesu, że można liczyć na kontrakt. Scenariusze ze znaczącymi załącznikami – a więc z gwiazdorską obsadą, dobrym reżyserem czy obietnicą dofinansowania - czyta się w pierwszej kolejności, i to bardzo starannie.

Pozostałe scenariusze, w tym twój, trafiają do ich wynajętych, przemęczonych recenzentów. Zazwyczaj jest to inteligentny młody człowiek, który skończył lub kończy studia filologiczne albo filmowe, sam napisał jeden czy dwa scenariusze (oczywiście nie zrealizowano ich – wtedy nie czytałby twojego) i jest bardzo krytycznie nastawiony do twojego dzieła. Dlatego właśnie robi to, co robi, choć zapewne w głębi duszy jest trochę rozgoryczony („Niby dlaczego czytam wypociny tego gościa? Wszyscy powinni się zainteresować moim scenariuszem"). Recenzent stoi na najniższym szczeblu drabiny produkcyjnej; to plankton w burzliwym oceanie hollywoodzkich produkcji. A jednocześnie, w pewnym sensie, to najbardziej wpływowy człowiek w branży. To odźwierny, pierwsza linia obrony. Nic, co mu się nie spodoba, nie przejdzie dalej. Jeśli wyrok brzmi: „Zobaczymy", niewykluczone, że dany scenariusz przeczytają ci wyżej postawieni. Recenzent wydaje jedynie wyroki śmierci, nie ma mocy, by tchnąć życie. Jego streszczenie i opinia trafiają do komputera – do systemu. Jeśli opinia jest negatywna, tylko cud może sprawić, że ktoś jeszcze w tej firmie spojrzy na twoją pracę – muszka przy skroni producenta albo jego ukochany aktor błagający na kolanach o rolę w filmie według twojego scenariusza.

I tak oto ten nic nie znaczący, a jednak potężny recenzent ze znużeniem patrzy na jakieś dziesięć scenariuszy, czyli mniej więcej tysiąc dwieście stron, które musi ocenić do poniedziałku, a chciałby jeszcze przecież popracować nad własnym. I to wszystko za czterdzieści, pięćdziesiąt dolarów od scenariusza. Tak więc wspaniała historia, którą żyłeś przez ostatnie pół roku, którą koniecznie trzeba sfilmować, którą już widzisz na ekranie, leży na jego zawalonym biurku, wśród tekstów innych marzycieli. Módl się, aby nie leżała na samym dnie. Módl się, żeby nie opuścił kciuka w dół z sobie tylko znanych powodów. Los scenariusza, a więc i twój, spoczywa w rękach recenzenta.

Wyrok: Tak albo nie

Opinia recenzenta zawiera podstawowe dane, takie jak: twoje nazwisko, tytuł, długość i rodzaj scenariusza, datę lektury, przez kogo został złożony, a przez kogo przeczytany. Zawiera także króciutkie, jedno- lub dwuzdaniowe streszczenie całości i kilka słów na temat zalet scenariusza lub ich braku. W specjalnej tabelce ocenione zostają poszczególne aspekty scenariusza – główny wątek, styl, postacie, czasami dialogi – w skali świetne/dobre/przeciętne/słabe. Jeśli ostateczny werdykt brzmi: świetne lub dobre, jest szansa, że producent sięgnie po scenariusz, jeśli przeciętne lub słabe, twoje dzieło przepadło. Opinie różnią się w różnych agencjach i firmach producenckich, ale wszystkie mają jedną cechę wspólną: autor nigdy nie ma do nich dostępu, choćby o to prosił. Opinia jest przeznaczona jedynie do wglądu producenta. W dalszej części zobaczycie przykłady opinii.

Choć wydaje się to niesprawiedliwe, kilka zdań napisanych przez najmniej doświadczoną osobę w firmie decyduje o losie twojego dzieła.

Trzeba więc mieć trochę szczęścia i liczyć na w miarę obiektywną ocenę. Mimo tylu przeszkód, a może właśnie ze względu na nie, twój scenariusz musi być bardzo mocny i wciągający.

Czego szukają?

Jeśli pominąć kwestię osobistych gustów, uprzedzeń i słabości, pojawia się pytanie: czego recenzenci szukają w scenariuszu? Co zapewni mu pozytywną decyzję? Co sprawi, że rzuci na niego okiem wpływowy agent, producent, reżyser czy aktor? To proste; szukają scenariusza, z którego powstanie przebój kinowy, film, którego wstyd nie zobaczyć. Twój scenariusz musi charakteryzować się wyczuciem filmowym, mieć dobrze skonstruowaną fabułę i wyraziste postacie, być napisany świetnym stylem, prosto i zwięźle. To mniej więcej tyle.

Poszedłbyś na to?

Teraz już wiesz, dla kogo piszesz. Kolejne pytanie: co to znaczy napisać dobry film? Wyraziste postacie? Ciekawa fabuła? Oczywiście, ale to nie wszystko. Postaw się na miejscu recenzenta: czy ten scenariusz zapowiada się na wielkie przeżycie? A może to tylko ciekawy film, na który kiedyś się wybierzesz, ale niekoniecznie

CREATIVE ARTISTE FILMS

TYTUŁ: „TRZY TYSIĄCE"
AUTOR: J.F. LAWTON
ZŁOŻONY PRZEZ: G.G.
FORMA: SCENARIUSZ
RECENZENT: R.R.
CZAS AKCJI: TERAŹNIEJSZOŚĆ
ZŁOŻONE DO: M.S.
DATA ZŁOŻENIA: 7 GRUDNIA
OBJĘTOŚĆ: 120 STRON
MIEJSCE AKCJI: LOS ANGELES
GATUNEK: DRAMAT

JEDNYM ZDANIEM: Prostytutka dostanie 3000 dolarów, jeśli przez tydzień będzie towarzyszyła milionerowi.

„TRZY TYSIĄCE" – STRESZCZENIE

VIVIAN, 22, to twarda, ładna prostytutka z Hollywood, na ulicy od szesnastego roku życia. Opiekuje się inną prostytutką, KIT, bardzo dziecinną narkomanką. Pewnego wieczora Vivian zaczepia EDWARD, facet w średnim wieku. Jedzie wynajętym mercedesem, pomylił się i wjechał na Hollywood Boulevard. To multimilioner, z majątku rodziny zrobił niewyobrażalną fortunę. Przyjechał do Los Angeles, żeby przejąć firmę chorego producenta broni. Zły na swoją dziewczynę, modelkę z Nowego Jorku, pod wpływem impulsu zabiera Vivian do apartamentu w hotelu Beverly Wilshire.

Bez ulicznych ciuchów i agresywnego makijażu Vivian okazuje się śliczną dziewczyną. Edwarda fascynuje jej twardy charakter i nieokrzesanie. Po pierwszej nocy proponuje jej 3000 dolarów, plus ciuchy i biżuterię, której będzie potrzebowała, by przez tydzień mu towarzyszyć. Vivian jest nieufna i przerażona, ale zgadza się ze względu na pieniądze. Edward rozkoszuje się władzą; zmusza THOMASA, menadżera hotelu, żeby zaakceptował fakt, że ma w pokoju prostytutkę.

Obecnie pochłania go przede wszystkim rozgrywka z KROSSEM, twórcą firmy zbrojeniowej, którą Edward chce zniszczyć. Każe Vivian kupić nowe ubranie i zabiera ją na kolację z Krossem.

Vivian jedzie do Beverly Hills w starych ciuchach i przeżywa bolesne upokorzenie w drogich sklepach. Prosi Thomasa o pomoc; okazuje się, że to przyzwoity człowiek. Umawia ją ze znajomymi i Vivian wraca odmieniona. Wygląda, choć wcale się tak nie czuje, jak wyrafinowana dama. Kolacja jest dla niej męcząca – nie ma pojęcia o interesach, ale zna się na ludziach. Kross to żywa legenda, stworzył połowę amerykańskiej floty wojennej, ale Edward pozbawia go resztek godności, kiedy przystępują do interesów. Kross początkowo chce walczyć, ale Edward wie, że tylko blefuje.

Vivian denerwuje się jeszcze bardziej, gdy Edward zaprasza na drinka WILLIAMA, jednego ze swoich prawników i właściciela agencji towarzyskiej. Żartują sobie z niej, Edward nawet proponuje Williamowi jej usługi. Vivian jest wściekła; jakim prawem traktuje ją jak przedmiot? Sama ustala warunki i decyduje, z kim się zadaje. Edward jest zaskoczony i wzruszony jej podejściem do sprawy i przeprasza. Vivian ma rację – myślał, że to, że traktuje ją jak królewnę, nie ma dla niej znaczenia, ale najwyraźniej się pomylił.

Postanawia zabrać Vivian na wycieczkę swoim odrzutowcem; lecą do San Francisco, do opery. Edward tłumaczy jej, że operę ma się we krwi; kochasz ją albo nie, pochodzenie nie ma tu nic do rzeczy. Wypożycza dla niej piękne futro na ten wieczór. Vivian jest zachwycona. Oglądają *Aidę* Vivian godzinami szlocha nad losem pięknej niewolnicy zakochanej w synu faraona. Jej uczuciowość zarazem intryguje i drażni Edwarda. Kiedy zasypia, Vivian szepce po raz pierwszy: „Kocham cię". Ale nie ma złudzeń.

Vivian robi sobie wolne popołudnie i jedzie limuzyną odwiedzić Kit, głodną i naćpaną. Kit, widząc ją, mówi, że Edward na pewno się z nią ożeni. Zdenerwowana Vivian każe jej się zamknąć i obiecuje, że kiedy minie tydzień, zabierze ją do Disneylandu.

Przeżywa mocno kolejną kolację z Edwardem i Krossem, który załamał się całkowicie. Sprawy się pogarszają, gdy William proponuje jej pracę w swojej agencji. Odmawia w gniewie, a William usiłuje ją wykorzystać. Edward wymierza mu cios, jednak najpierw ucierpiała Vivian.

Tydzień dobiegł końca. Edward odwozi Vivian na bulwar. Pozwala jej zatrzymać wszystkie ciuchy, oprócz wypożyczonego futra.

Przez całą drogę Vivian jest zamyślona i smutna.Edward się złości, przekonany, że dąsa się o futro. Perspektywa powrotu do brzydkiego, nędznego świata sprawia, że Vivian traci panowanie nad sobą i rzuca się na niego, wali pięściami
w samochód. Zdenerwowany Edward zarzuca jej niewdzięczność i wypycha z samochodu ją i jej trzy tysiące.

Zmęczona i zobojętniała, zabiera Kit do Disneylandu.

__XXX___ POLECAM _____ DO ROZWAŻENIA _____ODRZUCAM

	ŚWIETNE	DOBRE	ZNOŚNE	ZŁE
WĄTEK GŁÓWNY	X			
POSTACIE		X		
OPOWIADANIE	X			
STRUKTURA		X		
DIALOGI			X	
ORYGINALNOŚĆ		X		

KOMENTARZ: Świetny scenariusz. Postacie bardzo wiarygodne, bez jednej fałszywej nuty. Vivian jest twarda i samodzielna w swoim świecie, ale dziecinnie bezradna w luksusowym apartamencie. Edward to potentat, kontroluje życie wszystkich dokoła, nie do końca zdając sobie z tego sprawę. Rozmowy o interesach są potrzebne, nigdy nudne – to bezlitosne, twarde negocjacje, w wyniku których fortuny powstają i upadają. To nie jest baśń z happy endem, to opowieść o biednych, bogatych i przepaści, która ich dzieli. Bardzo mądra i poruszająca historia i warto przyjrzeć się jej uważniej.

MAGELLAN FILMS, INC.

TYTUŁ: „PHOTOPLAY"
AUTOR: GIL SMITH
FORMA: SCENARIUSZ
OBJĘTOŚĆ: 139 STRON
RECENZENT: B.S.
GATUNEK: THRILLER
ZŁOŻONY PRZEZ: GIL SMITH
DATA ZŁOŻENIA: 27 STYCZNIA
CZAS AKCJI: ROK 1945
MIEJSCE AKCJI: NOWY JORK

W SKRÓCIE: Fotograf wdaje się w romans z żoną gangstera i wplątuje się w morderstwo.

STRESZCZENIE: Floogee, fotograf, który tematów do zdjęć szuka na ulicy –fotografuje wozy strażackie, włóczy się po ciemnych zaułkach – odnosi nieoczekiwany sukces, ma wystawę w Museum of Modern Art. Poznaje tam SHERRY, damę z towarzystwa. Kobieta jest nim zafascynowana, chce wyjechać na weekend, by odpocząć od męża, bogatego brutala, JAMESA. Jednak ktoś zniszczył najlepsze zdjęcia fotografa; grozi mu niejaki BRUISER, i to akurat teraz, gdy ma się ukazać album z jego pracami. Podczas spaceru z Sherry Floogee znajduje zwłoki na chodniku i fotografuje je. Policjanci, wszyscy skorumpowani i w jakiś sposób powiązani z Jamesem, który z kolei macza palce w ciemnych interesach, chcą go wrobić w to morderstwo. Okazuje się, że Bruiser to kochanek Sherry, a udaje jej brata, żeby James go zatrudniał w swoim klubie nocnym. Zniszczone zdjęcia, z czego Floogee nie zdawał sobie sprawy, przestawiały Sherry, wówczas prostytutkę, w objęciach Bruisera, zrozumiałe więc, że wzbudziły jego panikę. Nieboszczyk to także dzieło Bruisera – działał w obronie interesów Jamesa. W końcu Bruiser chce zamordować Floogee, lecz Sherry, teraz zakochana w fotografie, zabija dawnego kochanka. Ciemne interesy Jamesa wychodzą na jaw; ujawniona jest także korupcja policji.

KOMENTARZ: Niezrozumiała plątanina niedokończonych wątków. Bohaterowie ciekawi, ale między nimi nie iskrzy; nie budzą sympatii. Floogee zbyt mało wyrazisty; zarozumiały bubek, który zna życie ulicy i jednocześnie nie ma o nim pojęcia; fotografuje wszystko i nie wie, co to znaczy, ma pamięć fotograficzną i nie poznaje kobiety ze swoich zdjęć. Kiedy już wiadomo, o co w tym wszystkim chodzi, przychodzi rozczarowanie. Niewarta zachodu, przesadnie rozdmuchana wersja nieskomplikowanej fabuły. Ciekawy jest jedynie pomysł z fotografem, lecz czytałem wiele scenariuszy, gdzie tego bohatera wykorzystano znacznie efektywniej. Czas akcji właściwie nie ma znaczenia.

	ŚWIETNIE	DOBRE	PRZECIĘTNE	SŁABE
FABUŁA			X	
BOHATEROWIE				X
MIEJSCE AKCJI				X
OPŁACALNOŚĆ				X

POLECAM

DO ROZWAŻENIA

X   ODRZUCAM

OPOWIEŚCI Z FRONTU

Robin

Przez wiele lat, zanim sprzedałem pierwszy własny scenariusz, pracowałem jako recenzent. W tym czasie przeczytałem prawie dwa tysiące scenariuszy. Starałem się być obiektywny, jak większość recenzentów, ale prawda jest taka, że zwykle są to ludzie przepracowani, kiepsko opłacani, żyjący nadzieją na lepszą pracę i czasami niesprawiedliwi. Po lekturze stu szkolnych romansów i futurystycznych filmów akcji łatwo jest popaść w zgorzknienie czy sarkazm. Najmniejsza fałszywa nuta, każdy zgrzyt, każdy banał wystarczy, żeby scenariusz trafił do śmieci (chyba że pracuje się dla molocha; wtedy banał jest jak najbardziej pożądany). Z drugiej strony, recenzent to twój sprzymierzeniec; szuka idealnego scenariusza, żeby udowodnić producentowi, że zasłużył na awans. I tylko oni muszą przeczytać, a przynajmniej przebiec wzrokiem twój tekst od deski do deski, żeby go streścić. Nie dawaj im powodów, żeby odrzucali twoje dzieło. Mówię to z własnego doświadczenia.

OPOWIEŚCI Z FRONTU

Bill

Wiele lat temu, podczas studiów w szkole filmowej UCLA, pracowałem w Interscope, hollywoodzkiej wytwórni filmowej. Moim zadaniem było wysyłanie scenariuszy do recenzentów. Było to zajęcie tak banalne, że wpadłem na szatański pomysł. Wysłałem jeden z moich scenariuszy, pod pseudonimem, żeby szef nie wiedział, co zamierzam. Gdyby opinia była pozytywna, miałem zamiar podsunąć mu moje dzieło. Opinia była miażdżąca: „najgorszy scenariusz, jaki w życiu czytałem". Wysłałem go więc do innej recenzentki, kobiety, i zmieniłem pseudonim na kobiecy. Wrócił z opinią: „Niezłe, powinna nam pokazać, co jeszcze napisała". W końcu wsadziłem mój scenariusz do teczki z logo agencji Williama Morrisa i napisałem na pierwszej stronie: „Nowy scenariusz Williama Goldmana Juniora". Podawałem się za syna faceta, który napisał *Butch Cassidy i Sundance Kid* i *Maratończyka*, jednego z najbardziej znanych, utalentowanych i bogatych scenarzystów Hollywood. Tym razem opinia brzmiała: „Trochę rzeczy do poprawki, ale ogólnie świetny". Nie zmieniłem ani słowa w całym scenariuszu. Opinia nigdy nie jest sprawiedliwa, to zło konieczne. Musisz robić co w twojej mocy, by zminimalizować ryzyko błędu.

taki, na który chcesz iść w pierwszej kolejności? Bo właśnie tego wymagasz od widowni. Wyobraź sobie: to twoja szansa ucieczki. Po ciężkim tygodniu w pracy czy w szkole pożyczasz pieniądze od tatusia albo bierzesz zaliczkę od szefa, załatwiasz opiekunkę dla dzieciaków, jedziesz do miasta, idziesz do restauracji i do kina... Czy na ten właśnie film? Właśnie to pytanie zadaje sobie recenzent analizując twój scenariusz.

Tu ziemia

Musisz twardo stąpać po ziemi. Jeśli pracujesz nad, powiedzmy, wielką tragedią czy dziełem epickim, redukujesz szanse na ekranizację scenariusza, choćby był doskonały. Wbrew przebojom kasowym, które zdawałyby się potwierdzać co innego, studia filmowe nie uważają takich tematów za dochodowe, chyba że łączą się z nimi znane nazwiska. Czasami jednak nawet to nie wystarczy. Mało brakowało, a nie powstałyby filmy, które zdobyły Oscary - *Angielski pacjent* i *Braveheart*. Nie powstałyby na pewno, gdyby ich scenariusze trafiły w ręce recenzentów. *Angielski pacjent* powstał na podstawie wielokrotnie nagrodzonej powieści, ulubionej lektury doświadczonego producenta i utytułowanego reżysera; mimo tego na miesiąc przed rozpoczęciem produkcji wytwórnia Fox wpadła w panikę i zażądała, by w głównej roli kobiecej obsadzono niepasującą tu (ale popularną) Demi Moore zamiast Kristin Scott Thomas. Producenci mądrze odmówili i szczęśliwie znaleźli Miramax, inną wytwórnię zainteresowaną tym obrazem. Mogło jednak skończyć się inaczej. W przypadku filmu *Braveheart* autorem scenariusza był przyjaciel Mela Gibsona i osobiście poprosił go o przeczytanie go, a i tak minęło wiele lat, zanim Gibson zdecydował się zanieść tekst do Warner Bros. Nawet jego osobiste zaangażowanie nie przekonało władz wytwórni. Dopiero udział innej firmy, gotowej pokryć część kosztów, zdecydował o realizacji filmu. Nie chcemy przez to powiedzieć: nie pisz filmów historycznych czy innych, mało komercyjnych. Chcemy ci tylko uświadomić, że jeśli się na to decydujesz, czeka cię o wiele trudniejsza droga. A przy okazji, z omawianych przykładowo scenariuszy, zrealizowano *Trzy tysiące* – jako *Pretty Woman*. Scenariusz był na tyle dobry, że go kupiono, ale wytwórnia nie zaakceptowała smutnego zakończenia. I tak z tragicznej, gorzkiej antybaśni o Kopciuszku powstało coś zupełnie innego – słodka komedia z happy endem.

Filmowy sens i nonsens

Są rzeczy, które film może i których nie zrobi. Możemy w nim wiele zobaczyć i usłyszeć: środowisko, postacie reagujące na otaczający je świat albo na siebie nawzajem. Film pokaże nam zderzenia planet i nerwowy tik oka. Huknie wystrzałami armat i szepnie głosem kochanka. Nie pokaże stanu ducha bohatera, nie zdradzi jego przeszłości i marzeń, chyba że te uczucia da się przedstawić obrazem lub dźwiękiem. Emocje, zapachy, smaki, poglądy – wszystko trzeba opisać w taki sposób, żeby reżyser to zobaczył, aktor zagrał, operator sfilmował, a dźwiękowiec zarejestrował. Jeśli czegoś nie widzisz, nie słyszysz, a aktor tego nie zagra, zapomnij o tym. Autor scenariusza, który ma wyczucie filmowe, zabiera recenzenta w podróż nie po świecie słów, ale obrazów. Recenzent szuka scenariusza, który pozwoli mu *zobaczyć* film.

Krótko i słodko

Już Szekspir powiedział, że *zwięzłość jest duszą sensu*[1]. Rozwlekłość jest nudna, a nuda to grzech śmiertelny we wszystkich opowieściach, zwłaszcza w filmach. Zwrot „cięcie do pościgu" pochodzi z języka amerykańskich montażystów; ścinali dłużące się sceny do tej, w której wreszcie coś się działo, na przykład właśnie do pościgu. Co więcej, cięli wszystko, co w jakikolwiek sposób spowalniało akcję. Nie dawaj im ku temu okazji. Niech w twoim scenariuszu każdy moment będzie znaczący. Pisz krótko i zwięźle; nie używaj trzech słów, jeśli wystarczą dwa. To dotyczy także dialogów; nawet jeśli twój bohater jest gadułą, każde jego słowo musi mieć znaczenie. Przemysł filmowy ginie pod zalewem scenariuszy, w większości złych, tak więc ten, kto sięgnie po twój, będzie chciał jak najszybciej się przekonać, czy tekst jest cokolwiek wart. Zwięzły, oszczędny styl ułatwia lekturę.

Istotą filmu jest ruch. Przelewasz na papier nie malowidło, lecz żywy obraz. Każda strona to mniej więcej minuta na ekranie. Twoim zadaniem jest sprawić, by recenzent zapomniał, że czyta słowa, lecz by zobaczył film, scena po scenie, żywe postacie w konkretnym czasie i przestrzeni. Powieść pozwala na luksus długich opisów ludzi i miejsc; w scenariuszu taki opis natychmiast blokuje akcję.

To oznacza, że nie możesz sobie pozwolić na rozwlekłe, kwieciste akapity. Recenzent najbardziej nie znosi stron wypełnionych bitym tekstem bez jednego dialogu. Oczywiście zawsze zdarzają się wyjątki, tak jak pamiętny początek *Forresta Gumpa* Erica Rotha. Był to jednak scenariusz pisany na zamówienie, co pozwalało Rothowi na większą swobodę, a i tak długie, poetyckie opisy Forresta i piórka zajmują tylko stronę, dalej tekst jest już dużo luźniejszy. Również dialogi powinny być ekonomiczne. I znowu można by wyliczać wyjątki, jak choćby długie, zabawne dialogi z *Pulp Fiction*. Ten film odniósł sukces, bo Quentin Tarantino ma wyjątkowy dar. Kilka lat temu w Hollywood roiło się od scenariuszy naśladujących jego styl. Tylko nieliczne trafiły na ekrany.

Zawsze znajdą się wyjątki, jednak podstawowa zasada to pisać tak zwięźle, jak na to pozwalają postacie i sytuacja. Im więcej na kartce czystej przestrzeni, tym łatwiej zabrać się za lekturę i tym większa szansa, że tekst oddaje dynamikę przyszłego filmu.

Pisać z klasą

Nawet biorąc pod uwagę wspomniane czynniki: zwięzłość, przejrzystość i wyczucie filmowe, każdy autor ma własny styl, który zarazem kształtuje i jest kształtowany przez to, co się pisze. Wrodzony styl do pewnego stopnia zdradza, jakie filmy najlepiej udadzą się autorowi. I tak film akcji jest zazwyczaj napisany ostrym,

---

[1] Wiliam Shakespeare *Hamlet, książę Danii*, przekład Stanisław Barańczak, Poznań 1990, s. 65.

agresywnym językiem, z minimalną ilością dialogów, co pozwala recenzentowi błyskawicznie ogarnąć całość. Jeśli to twój styl, zajmij się kinem akcji. Dramat czy komedia romantyczna wymagają bardziej wyrazistych bohaterów i relacji między nimi, więcej zależy od nastroju i dialogu. Jeśli piszesz w ten sposób, może jesteś twórcą kolejnych *Skazanych na Shawshank* czy *Bezsenności w Seattle*, a nie *Szklanej pułapki* czy *Zabójczej broni*. Innymi słowy pisz w sposób, który przychodzi ci najłatwiej, ale niech twój styl odpowiada gatunkowi filmowemu, który sobie wybrałeś. W innym przypadku zmień styl albo gatunek (więcej o gatunkach w rozdziale 11).

Niektórzy twierdzą, że dobrze, by początkujący scenarzyści zmierzyli się z kilkoma stylami i gatunkami, zanim ostatecznie przekonają się, co im najbardziej odpowiada, i to zapewne prawda, jeśli mówimy o terminowaniu w zawodzie. Jednak jeśli już określisz swoje preferencje, trzymaj się ich. W świecie coraz bardziej zatłoczonym musisz stworzyć dla siebie spójną tożsamość. Producenci mają ograniczoną ilość czasu i uwagi i zazwyczaj poświęcają je scenariuszom pochodzącym ze sprawdzonych źródeł. Kiedy masz ku temu okazję chcesz, żeby zauważyli cię i zapamiętali twoje nazwisko.

Starannie wybieraj gatunek, w którym być może przyjdzie ci pracować przez kilka następnych lat. To przykre, ale Hollywood szufladkuje autorów. Zaganiany producent i recenzent będzie zawsze łączył nazwisko autora z jego pierwszym scenariuszem i zdziwi się, widząc na biurku coś odmiennego.

Nie chodzi o to, że nie powinieneś pisać różnych scenariuszy, tylko żebyś określił, w czym naprawdę jesteś dobry, co cię interesuje, i na tym skupił się przede wszystkim. Tym sposobem szybciej dotrzesz do upragnionego celu. Kiedy już zadomowisz się w jednej dziedzinie (i wystarczająco dużo na tym zarobisz), zaryzykuj i przełam schemat.

Na zakończenie

Morał z tego rozdziału przypomina fizykę kwantową: obserwator ma wpływ na przedmiot obserwacji, czyli twój scenariusz. W przeciągu lat proces czytania i oceniania scenariuszy umożliwił definicję dobrego scenariusza, co z kolei pozwoliło określić oczekiwania recenzenta. Pamiętaj, to twój pierwszy widz. Jest zmęczony, znudzony i zasypany koszmarnymi scenariuszami, a jednocześnie szuka planu wspaniałego filmu. Mamy za sobą pierwsze lekcje. Zabierzmy się za pisanie filmu, któremu nie oprze się żaden recenzent.

Ćwiczenia

1. Przygotuj listę dziesięciu ulubionych filmów i określ co ci się podoba w każdym z nich.

2 Przeczytaj dowolny scenariusz i sam napisz mu opinię. Posłuż się opiniami przedstawionymi w tym rozdziale jako wzorcami.

ROZDZIAŁ 2

FORMAT

Odpowiedni wygląd

Pierwsze, na co recenzent zwraca uwagę, to format. Wiele podręczników traktuje tę kwestię jako zło konieczne, które ma niewiele wspólnego z twoim scenariuszem. W rzeczywistości odpowiedni format, efekt wieloletniej ewolucji, jest dla scenariusza tym, czym metrum dla poezji. Nie napiszesz sonetu, jeśli nie opanowałeś odpowiedniej formy. Scenariusz działa tak samo; ma określoną strukturę, a format ją zarazem odzwierciedla i tworzy.

Nieodpowiedni format to najprostsza droga do kosza na śmieci. Mylisz się sądząc, że usterki techniczne nie liczą się i nie mają nic wspólnego z treścią. Jeśli doświadczony recenzent bierze w ręce scenariusz, który wygląda nieprofesjonalnie, od razu zakłada, że jego autor nie jest zawodowcem. I zazwyczaj ma rację. Również literówki, błędy interpunkcyjne i gramatyczne irytują recenzentów. Skoro autor nie wie, jak scenariusz ma wyglądać, nie zna zasad ortografii i interpunkcji, jakim cudem mógłby napisać dobrą historię? Stare powiedzenie: „nie szata zdobi człowieka" nie sprawdza się w przypadku scenariusza. Producenci, reżyserzy i recenzenci zawsze oceniają scenariusz po wyglądzie.

Poniżej omówimy, jak powinien wyglądać szkic. Większość scenariuszy, które można kupić w księgarniach, to scenariusze produkcyjne i różnią się nieco wyglądem od skryptu. Trzymaj się przedstawionego poniżej formatu, a sprawisz wrażenie profesjonalisty. Ten schemat odpowiada także produkcjom telewizyjnym - serialom takim jak *Ostry dyżur* czy *Z Archiwum X*. Seriale komediowe posługują się odmiennym formatem, opisanym w rozdziale 17.

Okładka

Okładka nie jest niezbędna. Niektórzy się na nią decydują; większość profesjonalistów nie. Jeśli scenariusz jest obłożony, okładkę dodała zapewne agencja albo menadżer. Każda agencja ma własne okładki, które z dumą ogłaszają, kto przedłożył dany scenariusz. Jeśli chcesz mieć okładkę, niech będzie prosta, zwykła – z tektury w jednym kolorze. Niczego na niej nie pisz, nie drukuj, nie rysuj, nie przyklejaj, żadnych cytatów, obrazków, ozdobników czy zdjęć, nie umieszczaj nawet tytułu czy nazwiska.

Strona tytułowa

Strona tytułowa to biała kartka, która zarazem stanowi okładkę. Nie powinna mieć żadnych ozdóbek, rysunków, wydumanej czcionki czy innych dodatków. Początkujący scenarzyści łudzą się, że atrakcyjna strona tytułowa przykuje uwagę recenzenta. Rzeczywiście tak jest – od razu wiadomo, że to dzieło amatora. Oczywiście znajdziesz wyjątki, przede wszystkim wśród scenariuszy horrorów, gdzie tytuły spływają krwistymi literami albo/i straszą rysunkami, ale pamiętaj, że ozdobniki te dodano prawdopodobnie później, kiedy film wszedł do produkcji.

Dobra strona tytułowa zawiera:

* Intrygujący tytuł, napisany wersalikami i wyśrodkowany, mniej więcej w jednej trzeciej wysokości strony. Można go podkreślić albo wziąć w cudzysłów, ale nie jedno i drugie.
* Twoje nazwisko, wyśrodkowane, poniżej tytułu, z podwójnym odstępem między wierszami, zwykłymi literami. Między tytułem a nazwiskiem można napisać „scenariusz oryginalny".
* Adres kontaktowy (agent, menadżer, twój numer telefonu, adres pocztowy i poczty elektronicznej), zwykłą czcionką, w prawym dolnym rogu.
* Jeśli scenariusz jest oparty na innych materiałach (powieści, historii, noweli czy sztuce, które możesz zaadaptować), zaznacz to pod nazwiskiem, wyśrodkowane, zwykłą czcionką.

Czego unikać: Nie popełniaj następujących błędów (to, że inni je popełniają, nie zmienia faktu, że to błędy).

Nie używaj wymyślnej czcionki. Najlepszy jest Courier 12, choć stosuje się także New York, Bookman i Times New Roman.

Nie zaznaczaj na stronie tytułowej, że masz prawa autorskie do tekstu. To strata czasu i atramentu. Według prawa masz prawa autorskie do dzieła, które napisałeś, a gdyby ktoś naprawdę chciał ukraść twój pomysł, taka informacja go nie powstrzyma (więcej o prawie autorskim w rozdziale 15).

Nie licz, że komentarze w stylu „Własność Harry'ego Jonesa i Spółki" czy „Własność Johnson Films" dodadzą scenariuszowi powagi. Nikogo w ten sposób nie oszukasz. Środowisko filmowe to zamknięty światek i każdy kto w nim pracuje, zna większość działających firm. Nawet jeśli naprawdę założyłeś firmę ze względu na podatki, umieszczanie tej informacji na pierwszej stronie nie pomoże scenariuszowi. Co gorsza, może sprawiać wrażenie, że jest już z nim związany

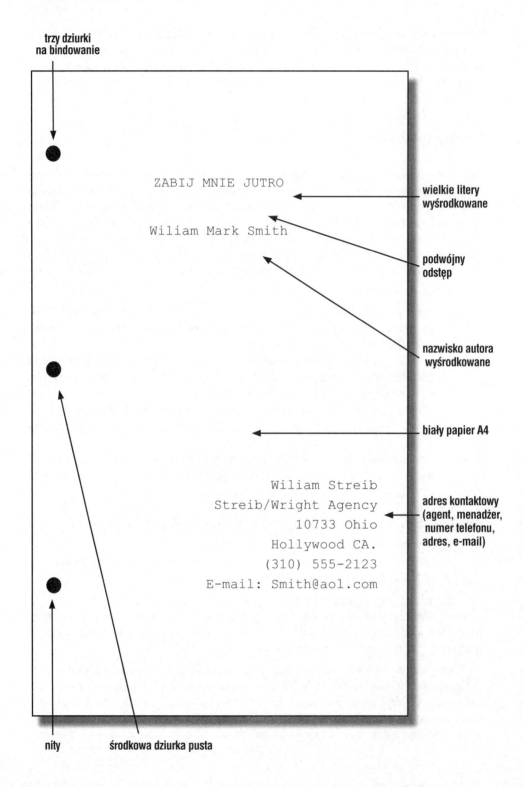

trzy dziurki
na bindowanie

ZABIJ MNIE JUTRO

wielkie litery
wyśrodkowane

Wiliam Mark Smith

podwójny
odstęp

nazwisko autora
wyśrodkowane

biały papier A4

Wiliam Streib
Streib/Wright Agency
10733 Ohio
Hollywood CA.
(310) 555-2123
E-mail: Smith@aol.com

adres kontaktowy
(agent, menadżer,
numer telefonu,
adres, e-mail)

nity   środkowa dziurka pusta

producent, a większość firm preferuje scenariusz bez takich obciążeń, chyba że producent jest znany i ma liczne koneksje w branży – zazwyczaj jednak ma własną ekipę i nie chce ponosić dodatkowych kosztów czy dzielić się zyskiem. Tak więc tego rodzaju próba dodania sobie splendoru może w rzeczywistości zaszkodzić twojemu scenariuszowi.

Nie określaj czy jest to pierwsza, druga czy trzecia wersja. Te informacje są przeznaczone tylko dla ciebie, nie powinny znaleźć się na stronie tytułowej. Nikogo nie obchodzi, która to wersja; wiedzą jedynie, że mają ją przeczytać. Inne informacje to zbędne dodatki. Co więcej, jeśli napiszesz „pierwsza wersja", recenzent może uznać, że nie zadałeś sobie trudu, by przysłać dopracowany scenariusz, a „druga" czy „trzecia" mogą sugerować, że twój scenariusz trafiał już do innych recenzentów i ciągle jest z nim coś nie tak. To jak ze sprzedawaniem parówek: wolisz, żeby kupujący nie wiedział, jak się je robi.

Bindowanie

Scenariusze binduje się bardzo prosto. Strony dziurkujemy w trzech miejscach i spinamy mosiężnym nitem. Plastikowe segregatory, wymyślne spinacze, wyszukane zszywki, okładki ze sztucznej skóry czy segregatory z „wąsami" są nie do przyjęcia. W branży przyjęło się, że stosujemy wyłącznie okrągłe nity. Warto zwrócić uwagę, że większość zawodowców używa tylko dwóch nitów, w górnej i dolnej dziurce. Środkowa zostaje pusta. Taka moda.

Lista postaci, cytaty, dedykacje

Lista występujących postaci to rzecz normalna w sztuce, ale nie do przyjęcia w scenariuszu. Po stronie tytułowej zaczyna się właściwy tekst. Nie umieszczamy także głębokich cytatów, mających wprowadzić czytelnika w odpowiedni nastrój, ani żadnych dedykacji.

Papier

Pisz na zwykłym gładkim papierze z trzema dziurkami. Żadnych kolorowych kartek, ornamentów, papeterii; zwykły, staroświecki biały papier. Pisze się tylko po jednej stronie. (Niektóre firmy piszą dwustronnie ze względu na oszczędność papieru. Zapewne się z tym spotkasz, ale nie rób tego w skrypcie.)

OPOWIEŚCI Z FRONTU

Robin

Na wszystkich zajęciach, które prowadziłem, studenci zauważali, że scenariusz *Zabójczej broni* Shane'a Blacka zawiera wyjątki do omawianych reguł. To prawda i dlatego scenariusz ów znany jest w branży jako ten, w którym złamano wszystkie zasady, a mimo to trafił na ekrany. Trzeba zapamiętać kluczowe słowo: to jedyny senariusz, w którym złamano wszystkie zasady, a mimo to trafił na ekrany. Podczas czterech lat pracy jako recenzent przeczytałem chyba setkę scenariuszy imitujących odważny styl Shane'a, ale żaden nie powtórzył jego sukcesu. Jeśli chcesz, dziękuj żonie, nauczycielowi czy przyjaciółce, ale to tylko sprawi, że twoje dzieło wyglądać będzie nieprofesjonalnie. Podziękuj im osobiście, nie w scenariuszu.

Czcionka i drukarka

Choć twój komputer może wyczarować różne piękne czcionki, scenariusz ma wyglądać jak napisany na maszynie do pisania, co oznacza, że idealną czcionką jest Courier 12. Koniec, kropka. Żadnych pogrubień, kursywy, czcionek różnego rozmiaru. Profesjonalista nie bawi się czcionką. Ma sprawić, że to opowieść, a nie litery, przekazuje dramatyzm sytuacji. Czcionka powinna też być dobrze widoczna, więc drukuj swoje dzieło na drukarce atramentowej albo laserowej; igłowe nie wchodzą w grę.

Marginesy

Norma to 2,5 centymetra jako margines górny, dolny i prawy. Lewy jest nieco szerszy (3,5 cm), ze względu na dziurki i nity. Możesz ewentualnie zmniejszyć prawy margines do 2 cm, ale nie bardziej.

Spacja

Najważniejsze jest pierwsze wrażenie. Dobrze sformatowany scenariusz zawiera dużo wolnego miejsca. Wydaje się, że dominuje w nim biel papieru, nie atrament. Kiedy reżyser, producent czy recenzent otwiera scenariusz i widzi ciasne, nabite akapity, nieczytelną czcionkę i niewłaściwe spacje, zaraz traci zainteresowanie. Dobrze sformatowany scenariusz daje czytelnikowi swobodę.

Numerowanie

Strony numerujemy w prawym górnym rogu. Strona tytułowa nie jest numerowana.

Pierwsza strona

Na pierwszej stronie nie umieszczamy tytułu; jest on już na stronie tytułowej. Strona pierwsza zaczyna się słowem: FADE IN umieszczonym przy lewym marginesie:

```
FADE IN:
```

Nagłówki scen

Nagłówki scen to informacje o tym, gdzie i kiedy rozgrywa się dana scena. Najpierw określamy miejsce: PLENER albo WNĘTRZE; później, po myślniku, porę dnia (prawie zawsze tylko DZIEŃ albo NOC, bardzo rzadko ŚWIT, ZMIERZCH). Miejsce i czas umieszcza się zaraz przy lewym marginesie (3 cm od krawędzi strony), piszemy je wielkimi literami i zawsze stosujemy po nich podwójną spację. Oto przykłady:

```
PLENER. BASEN GENE'A - NOC


WNĘTRZE. PSIA BUDA - DZIEŃ


PLENER. STARA STACJA BENZYNOWA - ZMIERZCH


WNĘTRZE. SALA KONFERENCYJNA HOTELU HOLIDAY INN - NOC
```

W skrypcie nie numeruje się scen. To problem produkcji - numery dodaje się dopiero wtedy, kiedy scenariusz wchodzi w fazę produkcji, czyli kiedy zostanie sprzedany i trzeba go dostosować do potrzeb wytwórni. Musisz jednak pamiętać, że jeśli kilka razy wracasz w scenariuszu w to samo miejsce, to jego określenie musi brzmieć zawsze tak samo, chyba że różnią się pory dnia To bardzo ważne z punktu widzenia produkcji, bo dzięki temu ekipa widzi, ile scen trzeba nakręcić w danym miejscu i o danej porze. To ważne także dla recenzentów, bo zaznaczenie powtarzającego się miejsca pozwala swobodnie śledzić przebieg akcji.

Wskazówki sceniczne

Po nagłówkach scen stosujemy podwójny odstęp, a potem pojawią się wskazówki sceniczne. Określają akcję, miejsce i nastrój. Mają sprawić, by czytający *zobaczył* film. Piszemy z pojedynczą spacją, na całą szerokość strony, na ile pozwalają marginesy. Nie wyrównujemy do prawego marginesu.

Oto przykład:

```
PLENER. DOMKI SZEREGOWE - NOC

Rząd starych szeregowców w Chicago połączonych
zniszczonymi ścianami i płotami. Sznur tanich
okiennic ciągnie się aż po horyzont; ciemna smuga
na jasnej plamie miasta.
```

Piszemy prosto, w czasie teraźniejszym, a tekst dzielimy na krótkie, przystępne akapity (więcej na ten temat w rozdziale 12). Dwa elementy wyróżniamy wielkimi literami: po pierwsze, nazwiska postaci, gdy pojawiają się po raz pierwszy, chyba że zmienia się aktor grający danego bohatera. Jeśli poznajemy SAMA jako dziecko, a później dorosłego (zmiana aktora), dorosły Sam znowu pojawiłby się wielkimi literami. Po drugie, możemy w ten sposób podkreślać dźwięki (muzykę albo efekty dźwiękowe):

```
KONIGSBERG zamyka oczy, wzdryga się i naciska
spust. BUM! Strzał.
```

Pisanie dźwięków wielką literą podkreśla ich rolę, ale to pozostałość po dawnych czasach, gdy autorzy posyłali zaakceptowany scenariusz od razu na plan. Wielkie litery sygnalizowały duże znaczenie efektów dźwiękowych i ten sposób ich zapisywania stał się normą. Choć nie jest to wymogiem, pisarze starszej daty stosują tę metodę z przyzwyczajenia. Młodzi od niej odchodzą. W tej kwestii masz wolną rękę.

Postacie

Nazwiska postaci określa się tuż nad dialogiem, wielkimi literami i z siedmiocentymetrowym wcięciem od lewego marginesu. Nigdy ich nie wyśrodkowujemy. Po nich, w odstępie jednego wiersza, zapisujemy kwestię albo wskazówki aktorskie.

Kwestie

Kwestie piszemy z wyrównaniem do lewej, 7 cm od lewego brzegu strony, 4 od prawego, z pojedynczym odstępem między wersami, bez wyrównania do prawej. Oto przykład postaci i kwestii:

WALTER CRONKITE

Dzisiaj Sąd Najwyższy Stanów
Zjednoczonych odroczył wyrok w sprawie
doktora Benjamina Spocka, autora
„Rzeczowego podręcznika opieki
nad dziećmi". Doktor Spock został
aresztowany pod zarzutem oszustwa
podatkowego...

Nie wolno przerywać płynności wypowiedzi końcem strony albo komentarzem
narracyjnym. Oto przykład źle rozwiązanego dialogu:

BILL, środkowy napastnik, wychodzi z tunelu
oddalonego o dwadzieścia metrów.

BILL

Ej, Mark, daj spokój. To już koniec.

Pot kapie Markowi z nosa. Nie odpowiada. Nie rusza
się.

Mark, to już koniec. Chodźmy.

Kolejna linia tekstu musi być poprzedzona określeniem postaci. Niektórzy autorzy
dodają (CD), żeby zaznaczyć ciągłość wypowiedzi, jeśli w jej trakcie pojawił się
element opowiadania:

BILL

Ej, Mark, daj spokój. To już koniec.

Pot kapie Markowi z nosa. Nie odpowiada. Nie rusza
się.

BILL (CD)
Mark, to już koniec. Chodźmy.

Jest to jednak dość męczące, jeśli przeklejasz sceny dialogowe i zapominasz usunąć „CD" z wypowiedzi, których nic nie przerywa. To kolejne dodatki, zbędne
w dobrym scenariuszu. Skrót ten jest niezbędny tylko w jednym wypadku, – gdy
koniec strony przerywa wypowiedź. Jeśli tak się zdarza, skrót albo słowo „dalej"
powinny się pojawić na dole strony, a wypowiedź zakończyć się na następnej. Oto
przykład:

                  WALTER CRONKITE

      Dzisiaj Sąd Najwyższy Stanów
      Zjednoczonych odroczył wyrok w sprawie
      doktora Benjamina Spocka, autora
      „Rzeczowego podręcznika opieki nad
      dziećmi".

                           (CD)

_____ (podział strony)

                WALTER CRONKITE (CD)

      Doktor Spock został aresztowany pod
      zarzutem oszustwa podatkowego.

Nie dopuść, żeby koniec strony przerwał zdanie; niech strona kończy się po całym zdaniu. Jeśli zmagasz się z bardzo długą frazą i musisz ją przerwać, na końcu pierwszej części i na początku drugiej zastosuj wielokropek:

                    WALTER CRONKITE

      Dzisiaj Sąd Najwyższy Stanów
      Zjednoczonych odroczył wyrok w sprawie
      doktora Benjamina Spocka, autora
      „Rzeczowego podręcznika opieki nad
      dziećmi"...

                           (CD)

_____ (podział strony)

                WALTER CRONKITE (CD)

      ...uważanego przed niezliczonych
      rodziców ery powojennej za najwyższy
      autorytet w sprawach wychowania dzieci.
      Doktor Spock został aresztowany
      i oskarżony o oszustwa podatkowe.

Samotnik

Samotnik to nazwa postaci (WALTER CRONKITE, BLONDYN) albo określona scena (PLENER. DOMKI SZEREGOWE – NOC) pozostawione na dole strony, podczas gdy dialog albo opowiadanie znajdują się na kolejnej. Na przykład:

```
PLENER. BRAMA WIĘZIENIA STANOWEGO JOLIET – DZIEŃ

_____ (podział strony)
Strażnicy przeszukują teczkę FREDERICKA SHA-
PIRO. Starannie wykrochmalony kołnierzyk
i złota spinka do krawata wyróżniają go spo-
śród obrońców z urzędu, którzy zazwyczaj
wchodzą tym wejściem.
```

Samotnik sprawia, że scenariusz wygląda nieprofesjonalnie, a można tego łatwo uniknąć. Jeśli pracujesz na komputerze, stwórz styl, który gwarantuje połączenie określenia postaci czy sceny z opowiadaniem i dialogiem (na przykład program Microsoft Word pozwala określić, kiedy ma się pojawić znak podziału.) Zawsze zwracaj uwagę na podział na strony. Jeśli określenie sceny albo postaci przypada na końcu strony, przenieś je na następną.

Wskazówki aktorskie

Wskazówki aktorskie to zwięzłe instrukcje dla aktora, umieszczane w nawiasach, między nazwą postaci a dialogiem. Zazwyczaj są wcięte ok. 8 cm od lewej strony arkusza. Piszemy je z odstępem jednego wiersza, poniżej określenia postaci.

```
Jim obejmuje Sama z przesadnym entuzjazmem. Betty
obserwuje ich zirytowana.

                    JIM
                (ironicznie)
          Kocham cię, stary.
                (do Betty, po francusku)
          Ciebie oczywiście też, kochanie.
```

Większość początkujących autorów nadużywa wskazówek aktorskich. Zawodowcy starają się ich unikać. Wskazówki sceniczne i dialog powinny być napisane na tyle dobrze, że nie trzeba żadnych dodatkowych informacji. Aktorzy i reżyserzy z zasady ich nie znoszą, uważają, że w ten sposób scenarzyści ingerują w ich pracę, i wykreślają wszystko, jeśli w ogóle sięgną po taki tekst. Wskazówki aktorskie są do przyjęcia, jeśli informują, że postać mówi w innym języku (a tekst jest napisany w ojczystym języku, żeby czytelnik wiedział, o co chodzi), albo jeśli w scenie występuje kilka postaci, a osoba mówiąca zwraca się najpierw do jednej, potem do drugiej. W powyższym przykładzie, drugi nawias jest do zaakceptowania, pierwszy nie.

Inne uznawane wyjątki to (Z OFFU, inaczej OFF SCREEN, skrót OS). Wskazówka ta oznacza wypowiedź, którą widz słyszy w kinie, ale nie bohaterowie na ekranie. Na przykład, kiedy jedna z postaci „po cichu" wyjawia najskrytsze myśli albo kiedy narrator opisuje scenę. Kiedy jeden z bohaterów mówi coś spoza kadru (nie widzimy go, ale słyszymy jego głos) zaznaczamy to używając wskazówki (OFF).

```
            MARTY (OFF)
        Złaźcie na dół, i to już!
```

Niektórzy autorzy lubią skróty; inni chcą za wszelką cenę unikać nawiasów i zamiast (OFF) używają słowa GŁOS:

```
            GŁOS MARTY'EGO
        Idziecie czy nie?
```

Kolejny czasem używany nawias to (pauza), który sugeruje chwilę wahania czy przerwy; akceptowany, jeśli jest stosowany z umiarem i w odpowiednich momentach (więcej o nawiasach w rozdziale 13).

Cięcia, przejścia, kontynuacje

Na zakończenie sceny scenarzyści czasem umieszczają słowa CIĘCIE: z dwukropkiem, wyrównane do prawego marginesu:

```
                                    CIĘCIE:
```

Wskazówka ta oznacza po prostu, że film zmienia miejsce albo czas akcji, nie trzeba jednak umieszczać tych słów po każdej scenie. To oczywiste, że skoro pojawia się określenie miejsca, zmienia się scena, więc po co się powtarzać? Czasami używa się słów: PRZEJŚCIE DO: albo ŁAGODNE PRZEJŚCIE DO: żeby dać do zrozumienia, że jedna scena płynnie przechodzi w następną. Należy jednak używać tego środka ostrożnie i dla osiągnięcia określonego efektu, na przykład gdy przechodzimy w sekwencję snu albo do retrospekcji, albo gdy między pokazywanymi scenami jest duża różnica czasu. CIĘCIE powinno ograniczać się do scen, w których zależy ci na podkreśleniu zmiany otoczenia, na przykład gdy kamera przeskakuje między ścigającym a ściganym, czy kiedy ze sceny bardzo cichej przechodzimy do bardzo głośnej.

Na planie filmowym skrót (CD) pojawia się na górze i dole każdej strony, żeby ekipa wiedziała, że dana scena zaczęła się na poprzedniej stronie, ewentualnie jest kontynuowana na następnej. Te skróty to tradycja, ale nie opieraj się na niej w swoim skrypcie; zaśmiecają stronę, a niczego nie wnoszą. Większość programów edytorskich do formatowania scenariuszy ma opcję włączania lub wyłączania tej funkcji. Radzimy ją wyłączyć; oszczędzisz papier i miejsce.

Zakończenie

Ostatnia linia tekstu to FADE OUT, napisane wielkimi literami i wyrównane do prawego marginesu.

Wielkie litery

Kiedy używamy wielkich liter:

MIEJSCE
POSTACI nad kwestią
DŹWIĘKI w opowiadaniu
Nazwiska nowych POSTACI, kiedy po raz pierwszy występują w narracji, a także kiedy znaną już postać gra inny aktor (postać znana jako dziewczynka powraca jako kobieta).

Odstępy

Odstęp pojedynczy:

We wskazówkach scenicznych
Między postacią a kwestią
W kwestii

Odstęp podwójny:

Między miejscem a wskazówkami scenicznymi
Między wskazówkami scenicznymi a postacią
Po kwestii
Między poszczególnymi akapitami we wskazówkach scenicznych
Przed i po CIĘCIE: i PRZEJŚCIE:

Praca kamery

Wskazówki dla kamery (ZBLIŻENIE, DALEKI PLAN, ŚREDNI PLAN, NAJAZD KAMERY), dawniej bardzo popularne w scenariuszach, miały pokazać reżyserowi, jak pracować z danym tekstem. Dzisiaj uważa się je za przestarzałe i niepotrzebne. Nie baw się w reżysera, chyba że naprawdę zamierzasz samemu wyreżyserować swój film. Wskazówki dla kamery tylko zaśmiecają skrypt i prędzej zirytują niż natchną potencjalnych reżyserów. Niech twój tekst sprawi, że i recenzent, i reżyser *zobaczą* twój film.

Spacja w scenariuszu

FADE IN:

PLENER. DZIELNICA KLASY ŚREDNIEJ – DZIEŃ

Późna jesień. Małe miasteczko na
środkowym Zachodzie. Rok 1969.

Nie żeby jesień wtedy znacząco się
różniła od jesieni dzisiaj. Po prostu
wtedy można było palić liście na
chodniku.

PAN STRAYER właśnie to robi. Dym
z trzaskającego ogniska oplata nagie
gałęzie drzew, sprawia, że wszystko
zdaje się żyć i wołać: „szybciej, zanim
nadejdzie zima".

LISTONOSZ, gruby, ale w dobrej formie,
mija kolorowy wóz z lodami pana Strayera
i wręcza Strayerowi garść ulotek.

                    PAN STRAYER
          Znowu to samo, Joe?

                    LISTONOSZ
          Znowu to samo.

Pan Strayer ze złością ciska ulotki
między płonące liście.

                    NARRATOR (OFF)
          Dorastałem w obrazie Normana
          Rockwella. No, powiedzmy. Nasz
          listonosz był gejem, ale nie było tego
          widać, więc nikogo to nie obchodziło.

                    PAN STRAYER
          Może loda? Na koszt firmy.

                    LISTONOSZ
              (ironicznie)
          Muszę uważać na linię.

Adnotacje (marginalia):

- podwójna spacja po **FADE IN**
- podwójna spacja po nagłówku sceny
- wskazówki sceniczne podzielone na krótkie akapity
- postać po raz pierwszy wielkimi literami
- po nazwie postaci pojedynczy odstęp
- podwójny odstęp po kwestii
- podwójny odstęp po wskazówkach scenicznych
- kwestia pojedynczy odstęp

Marginesy w scenariuszu

trzy dziurki   lewy margines ok. 3,5 cm   górny margines ok. 2,5 cm

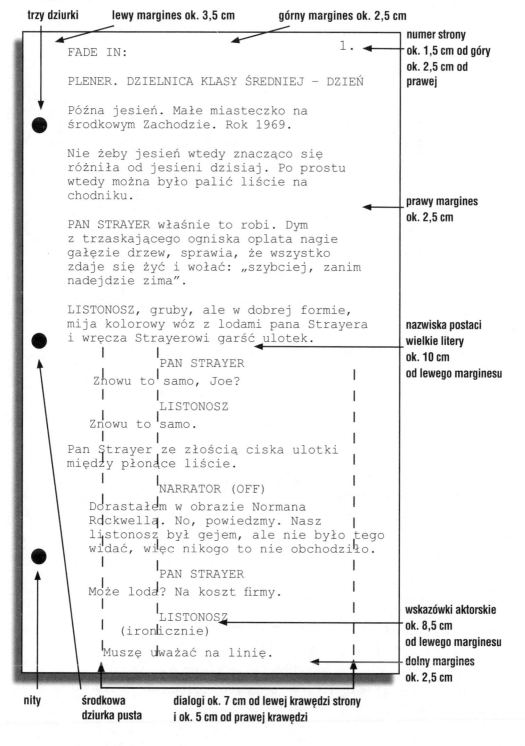

numer strony
ok. 1,5 cm od góry
ok. 2,5 cm od prawej

FADE IN: 1.

PLENER. DZIELNICA KLASY ŚREDNIEJ - DZIEŃ

Późna jesień. Małe miasteczko na
środkowym Zachodzie. Rok 1969.

Nie żeby jesień wtedy znacząco się
różniła od jesieni dzisiaj. Po prostu
wtedy można było palić liście na
chodniku.

prawy margines
ok. 2,5 cm

PAN STRAYER właśnie to robi. Dym
z trzaskającego ogniska oplata nagie
gałęzie drzew, sprawia, że wszystko
zdaje się żyć i wołać: „szybciej, zanim
nadejdzie zima".

LISTONOSZ, gruby, ale w dobrej formie,
mija kolorowy wóz z lodami pana Strayera
i wręcza Strayerowi garść ulotek.

nazwiska postaci
wielkie litery
ok. 10 cm
od lewego marginesu

            PAN STRAYER
  Znowu to samo, Joe?

            LISTONOSZ
  Znowu to samo.

Pan Strayer ze złością ciska ulotki
między płonące liście.

            NARRATOR (OFF)
  Dorastałem w obrazie Normana
  Rockwella. No, powiedzmy. Nasz
  listonosz był gejem, ale nie było tego
  widać, więc nikogo to nie obchodziło.

            PAN STRAYER
  Może loda? Na koszt firmy.

            LISTONOSZ
    (ironicznie)
  Muszę uważać na linię.

wskazówki aktorskie
ok. 8,5 cm
od lewego marginesu

dolny margines
ok. 2,5 cm

nity   środkowa
dziurka pusta   dialogi ok. 7 cm od lewej krawędzi strony
i ok. 5 cm od prawej krawędzi

Porównaj dwa podejścia do tej samej sceny. Najpierw sposób staroświecki:

```
PLENER. STADION PIŁKARSKI - NOC

DALEKI PLAN na stadion piłkarski, zalany światłem
reflektorów, w środku ciemnego miasta.

ŚREDNI PLAN na stadion: Tłumy się rozeszły. Na
środku boiska jeden zawodnik, MARK, quarterback,
klęczy, jakby się modlił, z pochyloną głową.

ZBLIŻENIE: jedną ręką opiera się na piłce.

ŚREDNI PLAN na środkowego napastnika, BILLA, który
wychodzi z tunelu.

                    BILL
        Ej, Mark, stary, daj spokój. Już po
        wszystkim.

ŚREDNI PLAN na Marka. Nie odpowiada, nie rusza się.

ZBLIŻENIE twarzy Marka: pot kapie mu z nosa.

                    BILL (OFF)
        Mark, już zamykają. Chodź.

ZBLIŻENIE jego zamkniętych oczu. Spływają z nich
kolejne krople - łzy, a nie pot. Nagle światła
zaczynają gasnąć. Słychać TRZASK.

                    MARK (OFF)
        To był najgorszy dzień mojego życia.
        Przegrałem Super Bowl. Nie moja
        drużyna. Ja.

DALEKI PLAN na stadion, w miarę jak wielkie
reflektory gasną jeden po drugim.
```

A teraz ta sama scena bez określeń pozycji kamery. Zauważcie, iż jest oczywiste,
że przechodzimy od ogólnej panoramy do dużego zbliżenia, nie zaśmiecając tekstu
wytycznymi.

PLENER. STADION PIŁKARSKI - NOC

Wśród ciemnego miasta lśni szmaragdowy owal -
stadion piłkarski, zalany światłem reflektorów.

Trybuny są puste, stragany pozamykane. Na środku
boiska klęczy jeden zawodnik, MARK, quarterback.
Pochyla głowę, jakby się modlił. Opiera dłoń na
piłce.

BILL, środkowy napastnik, wychodzi z tunelu
oddalonego o dwadzieścia metrów.

                    BILL
      Ej, Mark, stary, daj spokój. Już po
      wszystkim.

Z nosa Marka spływa pojedyncza kropla potu.
I kolejna. Nie odpowiada, nie rusza się.

                  BILL (OFF)
      Mark, już zamykają. Chodź.

Mark zaciska oczy. W ich kącikach pojawiają się
następne krople - nie pot, lecz łzy. Nagle światła
się ściemniają. Słychać TRZASK wyłączanych lamp.

                  MARK (OFF)
      To był najgorszy dzień mojego życia.
      Przegrałem Super Bowl. Nie moja
      drużyna. Ja.

Ogromne reflektory nad stadionem gasną jeden po
drugim.

Jedyny uznawany komentarz co do pracy kamery to PUNKT WIDZENIA (PW),
stosowany, żeby czytelnik „widział" scenę oczyma konkretnego bohatera.

PW GEORGE'A -- Mecenas Johanson wygląda jak
ogromne przedpotopowe ptaszysko, które chce go
pożreć.

Zamiast podwójnego myślnika możesz zastosować dwukropek. Żeby wyjść z „PW",
zaznacz zmianę miejsca albo postaci, na którą teraz patrzymy:

```
                    SALLY:

        Odciąga George'a od Johansona, rozgląda się po
        pokoju szukając drogi ucieczki.
```

Tę technikę często się stosuje w horrorach; albo żeby nam pokazać „PW" potwora, który widzi ofiarę, my natomiast jeszcze nie wiemy, jak wygląda samo monstrum, albo żeby przedstawić punkt widzenia ofiary, gdy w pojedynkę schodzi do piwnicy. Ta technika ogranicza nasze pole widzenia do tego, co widzi bohater, i potęguje uczucie zagrożenia i klaustrofobii.

Rzecz w tym, że opis sceny powinien sugerować czytelnikowi, jak ją sfilmować. Jeśli nauczysz się zwracać uwagę na takie szczegóły, będziesz coraz lepszym scenarzystą. Pamiętaj: twój scenariusz ma sprawić, że czytelnik zobaczy go oczami wyobraźni. Ma widzieć film, nie plan filmowy.

Przebitka

Przebitka to seria krótkich scen, stanowiących tło opowieści albo pokazujących upływ czasu. Przykładowo, jeśli bohater chce się nauczyć jeździć na nartach i scenarzysta pokazuje, jak przebiegała nauka, mogłoby to wyglądać tak:

```
PLENER GÓRSKIE ZBOCZE - DZIEŃ


PRZEBITKA:
1) Larry po raz pierwszy staje na nartach.
   Przewraca się.

2) Robi kilka kroków.

3) Wpada na kobietę. Nie jest tym zachwycona.

4) Jest coraz lepszy. Zakręca, i dumny z siebie
   uśmiecha się szeroko. Mija go czterolatka, która
   radzi sobie o wiele lepiej od niego.

5) Larry siedzi w pubie i przechwala się, jak
   dobrze mu dzisiaj poszło. Widzi kobietę, na
   którą wpadł. Nie imponuje jej.

6) Jeździ coraz lepiej. Mknie w dół zbocza.

7) Skręca idealnie, w ostatniej chwili omija
   drzewo.

8) Omawia technikę z instruktorem.

9) Odważa się na skok. Udaje mu się.
```

Retrospekcje

Jeśli w twojej opowieści ma się pojawić retrospekcja, wprowadza się ją za pomocą wskazówki PRZEJŚCIE: z wyrównaniem do prawego marginesu i słowem RETRO-SPEKCJA w określeniu sceny, o tak:

                                        PRZEJŚCIE DO:

    PLENER. DŻUNGLA WIETNAMSKA - NOC (RETROSPEKCJA)

Po retrospekcji koniecznie trzeba dać czytelnikowi do zrozumienia, że wracamy do teraźniejszości. Poinformuje o tym kolejne PRZEJŚCIE: albo CIĘCIE: i ponowne określenie czasu w nagłówku sceny:

    PLENER.
    CENTRAL PARK - NOC (TERAŹNIEJSZOŚĆ)

Czasami niezbędne jest nagłe, szybkie wspomnienie, przebłysk pamięci. To krótkie sekwencje obrazów i dźwięków, które pokazują wspomnienia bohatera. To zabieg podobny do „PW", tyle że przedstawia myśli postaci, a nie to, co ona widzi. Po przypływie wspomnień stosujemy podwójny myślnik: ·

    Ogromny Podejrzany ani drgnie. Rock do niego
    celuje, ale dzieli ich koło trzydziestu metrów
    - za daleko.

    Ken jest zrozpaczony, z przerażeniem patrzy w lufę
    pistoletu.

    WSPOMNIENIE -- Ken widzi uśmiechniętą twarz synka.
    Roześmiany, rozbawiony, malec bawi się plastikowym
    pistoletem.

    Podejrzany celuje mu w głowę, jakby szykował
    się do egzekucji... BUM!

    Krew tryska z ucha Podejrzanego. Piękny strzał,
    w głowę. Stoi jeszcze przez chwilę, zdumiony. Nie
    żyje, ale jeszcze o tym nie wie.

    Z pistoletu Rocka unosi się smużka dymu.

Rozmowy telefoniczne

Jeśli wprowadzasz rozmowę telefoniczną, w której widz nie słyszy jednego z rozmówców, zaznaczasz jego wypowiedzi wielokropkami:

<pre>
                    GRACE
               (przez telefon)

     No co ty! Naprawdę poprosił cię o rękę?
     Kiedy?... Żartujesz!...Co?
</pre>

Jeśli słyszymy drugiego rozmówcę, zaznacz to używając (OFF):

<pre>
                    GRACE
               (przez telefon)

     No co ty! Naprawdę poprosił cię o rękę?
     Kiedy?

                    SUE (OFF)
     Dzisiaj rano. W łóżku.

                    GRACE
     Żartujesz!

                    SUE (OFF)
     Nie zgodziłam się.

                    GRACE
     Co?
</pre>

Możesz także z góry zaznaczyć zmiany miejsca, pisząc w nagłówku sceny CIĘCIE i opisywać akcję, jakby chodziło o pojedynczą scenę:

<pre>
PLENER RUCHLIWA ULICA - DZIEŃ

Bill biegnie przez ulicę do budki telefonicznej.
Wciska monety w otwór i nerwowo wybiera numer.
Przyciska wolną dłoń do ucha, żeby zagłuszyć
uliczny hałas.

                    BILL
     No dalej, odbierz!

WNĘTRZE. MIESZKANIE JOE - DZIEŃ

Niechlujna kawalerska nora. Joe wyleguje się
na tapczanie i je chipsy. Podnosi słuchawkę.

                    JOE
     Tak?
</pre>

```
NA ZMIANĘ: MIESZKANIE JOE I BUDKA TELEFONICZNA
BILLA - DZIEŃ

                    BILL
    Joe? Joe, musisz mi pomóc!

                    JOE
    Kto mówi?

Bill rozgląda się nerwowo. Nikt go nie śledzi.

                    BILL
    A jak sądzisz? Twój brat. Joe, mam
    kłopoty.

Joe siada, odsuwa chipsy.

                    JOE
    Bill? Gdzie jesteś?
```

Języki obce

Jeśli bohater mówi w obcym języku, piszesz jego słowa w twoim języku ojczystym, żeby czytelnik wiedział, o co chodzi. Informację o języku obcym i napisach umieszczamy we wskazówkach scen albo aktorskich.

```
Hitlerowiec uderza Meyera i krzyczy do niego po
niemiecku (napisy):

                    HITLEROWIEC
    Powinienem cię od razu zabić, ale to
    byłoby za proste. Głupi Żydzie, nie
    wiesz nawet, co do ciebie mówię, tak?

Meyer odpowiada po angielsku:

                    MEYER
    Doskonale rozumiem. I wiem, że pan
    rozumie mnie. Może więc zechce się pan
    odwrócić?

Hitlerowiec się odwraca. Trzech UCZESTNIKÓW RUCHU
OPORU celuje do niego z karabinów.
```

Albo:

```
Hitlerowiec uderza Meyera:

                HITLEROWIEC
          (po niemiecku, napisy)

     Powinienem cię od razu zabić, ale to
     byłoby za proste. Głupi Żydzie, nie
     wiesz nawet, co do ciebie mówię, tak?

                MEYER
          (po angielsku)

     Doskonale rozumiem. I wiem, że pan
     rozumie mnie. Może więc zechce się pan
     odwrócić?


Hitlerowiec się odwraca. Trzech UCZESTNIKÓW RUCHU
OPORU celuje do niego z karabinów.
```

Tym sposobem czytamy dialog bez przeszkód i wiemy, że dzięki napisom będzie zrozumiały także na ekranie. Rezygnujemy z napisów, jeżeli wprowadzamy obcy język jako środek spotęgowania atmosfery tajemnicy i zagubienia, albo jeśli chcemy coś ukryć przed widownią lub innym bohaterem, który nie zna danego języka.

Oprogramowanie

Chcąc osiągnąć odpowiedni format nie musisz godzinami ręcznie ustawiać podziału strony, rozmiaru czcionki i szerokości marginesów. Jest wiele programów komputerowych, które ułatwiają życie scenarzystom filmowym i telewizyjnym. Ich koszt to kwota rzędu 200-400 dolarów, w zależności od rodzaju komputera.

Jeśli nie masz pieniędzy na specjalistyczne oprogramowanie, podobne efekty osiągniesz pracując z edytorem tekstu, tyle że zajmie ci to więcej czasu. Odkurz podręcznik obsługi twojego edytora i dowiedz się, jak jedno kliknięcie myszką pozwoli formatować dialogi, opisy i wskazówki sceniczne.

Jeśli to przerasta twoje siły, skorzystaj z zasobów Internetu. Na wielu stronach znajdziesz gotowe wzorce styli do Worda, Mac Write Pro i edytorów tekstu pakietu Windows. Wpisz w wyszukiwarkę „screenwriting" i „formatting".

Ćwiczenia

1. Sformatuj scenę długości strony, która zawiera retrospekcję i rozmowę przez telefon; jedna osoba mówi po angielsku, druga po chińsku.

2. Napisz scenę, która sprawia, że czytelnik zobaczy przejście kamery od ogólnej panoramy po zbliżenie, bez wskazówek dla kamery.

3. Napisz dwie krótkie sceny, które płynnie przechodzą jedna w drugą, bez konieczności dodawania PRZEJŚCIE. Następnie napisz dwie krótkie sceny, w których PRZEJŚCIE: sugeruje zmianę nastroju, czasu albo miejsca.

4. Napisz dialog ze wskazówkami aktorskimi dla każdej postaci. Następnie usuń jak najwięcej z nich, zachowaj tylko niezbędne, i uzupełnij wskazówki sceniczne.

ROZDZIAŁ 3

PROBLEM, PRZESŁANIE, UCZUCIE

O czym to właściwie jest?

Podobno jeden z krytyków literackich pochwalił wiersz Roberta Frosta *Spacer w lesie w zimowy wieczór*. Szczególnie spodobał mu się powtórzony dwukrotnie ostatni wers, *Wiele mil przede mną, zanim zasnę*. Wers ten, jak powiedział, bardzo prosto, a zarazem głęboko wyraża ludzką świadomość nieuchronności śmierci, która jednocześnie ogranicza i wytycza cel naszej drogi. Frost skomentował: Tak? *Moim zdaniem to po prostu dobrze brzmiało*. Nieważne, czy tak było naprawdę; ta anegdota zawiera głęboką prawdę o pisaniu i uczeniu się tej sztuki; czasami rzeczy wielkie powstają przez przypadek i nie sposób ich przewidzieć czy wymusić. Pisarz, kierując się instynktem lub talentem, nieświadomie buduje wielowarstwowe znaczenia, z których tylko jedno, często najbardziej powierzchowne, było jego zamysłem. Inne dostrzegamy gdy dzieło już powstało. Akt twórczy i krytyka to nie to samo; często są to pojęcia sprzeczne, a autor jest ostatnią osobą, którą należałoby pytać o jego dzieło. Może, ale nie musi wiedzieć, dlaczego wypowiedział się akurat tak, a nie inaczej. Wielu twórców, zwłaszcza w dziedzinie sztuk plastycznych, nie umie tego określić, a jednak ich sztuka zachwyca i zmusza do myślenia. Przypomina to koan (paradoks, który ma uczyć) filozofii Zen: *Czy drzewo, które runęło w głębi lasu, wydało dźwięk?* Pisarz jest w podobnej sytuacji: to, co tworzy, nabiera znaczenia dopiero w zetknięciu z inteligencją odbiorców. Niektórzy pisarze twierdzą, że piszą pod wpływem impulsu i nie starają się analizować powodów, które każą im wyrażać się w określony sposób; przynajmniej nie przy pierwszej wersji. Dają się ponieść słowom, a później czytają co stworzyli i doskonalą efekty swojej pracy.

Doświadczony pisarz polega na instynkcie i ufa, że nie sprowadzi go on na manowce. Lecz początkujący często ponoszą klęskę, bo instynktu tego nie mają i piszą opowieść, która zmierza do bezsensownego zakończenia. Ponieważ najlepsze dzieła często powstają przypadkiem, a ich wielkość wychodzi na jaw dużo później, nie sposób zaplanować i przewidzieć wszystkich znaczeń w scenariuszu. Trzeba jednak umieć dostrzec intelektualny i emocjonalny kręgosłup opowiadanej historii i dopasować do niego poszczególne elementy.

Pisz sercem (uczucia)

Robert McKee w świetnej książce *Story* określa cel scenarzysty jako „dobrze opowiedzianą, dobrą historię". Historia musi budzić uczucia. Publiczność żąda uczuć. Najważniejsze są te elementy, które potęgują napięcie emocjonalne - inne są zbędne. Arystoteles uważał katharsis (oczyszczenie uczuciowe i duchowe) za cel tragedii, a katharsis wywoływane jest przez grozę i strach. Po co nam jednak oczyszczenie, od czego chcemy się uwolnić i dlaczego akurat za sprawą skrajnych emocji? Równie dobrze możemy zadać sobie pytanie, dlaczego w ogóle lubimy opowieści. Może pragniemy okiełznać bezsensowny chaos naszego życia? Rzeczywiste postacie i wydarzenia są surowe, niezorganizowane; opowieść natomiast porządkuje życie, tworzy z niego spójną całość. Porządek nadaje znaczenie. Arthur Miller, jeden z największych dramaturgów amerykańskich, napisał: *Potrzeba pisania rodzi się z wewnętrznej potrzeby uporządkowania chaosu, nadania mu znaczenia.* Dobrze opowiedziana historia daje widzom, choćby na kilka godzin, wrażenie sensu, nawet jeśli poczucie to umacnia jedynie przeświadczenie, że nasze życie jest bezcelowym nieładem. To nie tylko doświadczenie intelektualne. Musimy poczuć to w trzewiach, by nabrało wyrazistości, posmakować jego prawdziwość, by nas zadowoliło. Potrzebujemy, pragniemy, jednego i drugiego – zrozumienia i uczucia. Bez któregoś z tych elementów nie może być mowy o dobrze opowiedzianej historii.

Potrzebny konkret (temat)

Wielu początkujących scenarzystów niechętnie wypowiada się o problematyce swojej historii. Na pytanie, co to za opowieść, odpowiedzą: „Na 120 stron". Temat to podstawowa informacja, sens historii, główny przekaz. Czasami może się wyrażać w prostym zdaniu, na przykład: „Dom bez fundamentów długo nie postoi", czy „Kobieta zmienną jest", często jednak jest dużo bardziej złożony – staje się moralną deklaracją czy prawdą o naturze ludzkiej, do której doszedł autor. Każda historia jest o czymś. Nie w tym sensie, że *Terminator* jest o kobiecie, która ucieka przed robotem czy *Frankenstein* o naukowcu, który stara się poskromić potwora, którego sam stworzył, ale raczej *Terminator* i *Frankenstein* opowiadają o ludzkiej potrzebie odpokutowania za grzech pychy. Obie historie pasują do definicji Arystotelesa dotyczącej kwestii katharsis, podobnie jak, na przykład, *Nocny kowboj* czy *Szepty i krzyki*. Autor komedii zapewne posłuży się śmiechem i kpiną, by w ten sposób doprowadzić do katharsis i przedstawić chaos życia jako pogodnie absurdalny czy złośliwie ironiczny, a nie przerażający. *Annie Hall* opowiada o facecie, który za wszelką cenę chce uchronić przed rozpadem związek, ale także o tym, że potrzebny nam w życiu konkretny cel – mimo trudności z nawiązaniem bliskości, wszyscy wciąż próbujemy, bo pragniemy miłości. Każda historia powinna mieć jasne przesłanie dotyczące postaci i ich konfliktów. Ma wywołać w widzach silne uczucia.

Od czego zacząć? Studenci mają zazwyczaj głowy pełne pomysłów: *chcę napisać thriller o policjantce z małego miasteczka, która odkrywa, że pozornie bezsensowne morderstwo ma związek z grupą neonazistów albo o grubej dziewczynie, która marzy o karierze tancerki i wbrew przeciwnościom losu odnosi sukces.* Zazwyczaj te pierwsze pomysły dotyczą fabuły i bohaterów. W porządku, ale czegoś tu brakuje: idei, sensu całości. W takim momencie nie powinno się pytać: „Co jest przesłaniem?", bo autor może się denerwować, że narzuca mu się interpretację. Lepiej zapytać, dlaczego chce napisać akurat o tym? Bardzo często odpowiedzią jest chwila ciszy i mruknięcie: „No, bo to fajny pomysł" czy coś podobnego. Trzeba to jednak rozwinąć: co tak naprawdę fascynuje cię w fabule czy postaci, którą wymyśliłeś? Dlaczego to „fajny pomysł"? Kiedy to zrozumiesz, dostrzeżesz motywy, świadome i nieświadome, które tobą kierują. Zobaczysz swój temat.

To proste, choć takie się nie wydaje. W przypadku historii o neonazistach, autora zafascynowała wizja wyrzutka i outsidera (policjantki), który dzięki inteligencji i odwadze, mimo nieufnośći kolegów i ich uprzedzeń wobec kobiet zwalcza kryjące się w ludziach zło. Wystarczyło zidentyfikować antagonistę, przywódcę grupy neonazistowskiej, i zrobić z niego byłego kochanka głównej bohaterki, by opowieść nabrała tempa. Każda scena, każdy dialog zaczęły odnosić się do uprzedzeń i seksizmu. W rozterkach, wahaniach, wspomnieniach i załamaniach protagonistki były prawdziwe emocje, także wtedy, gdy w końcu zdecydowała się ujawnić drugą twarz byłego kochanka. W historii tancerki, choć to tylko lekka komedia, główny problem stanowić miał upór jednostki w walce z własnymi ograniczeniami. Kiedy to stało się jasne, autor skupił się na podstawowej treści i zrezygnował z niepotrzebnych dialogów i scen dotyczących innych kwestii. Humor nie wyrastał z przypadkowych kawałów o grubasach, lecz z serii niewyobrażalnych sytuacji, kiedy bohaterka wymyśla coraz to dziwniejsze sposoby, by dostać się do szkoły baletowej i pokazać, co potrafi. Podobnym filmem jest *Wesele Muriel*. Pozornie jest to historia grubej dziewczyny, która chce wyjść za mąż. Lecz głównym tematem jest opowieść o kobiecie, która nie pozwala, by rodzina i defekty urody stanęły jej na drodze do szczęścia.

Rzecz w tym, że konkretne historie, konkretne filmy przemawiają do ciebie z konkretnego powodu. Zastanów się i postaw sobie pytanie: dlaczego? Może odzwierciedlają twój światopogląd, twoją uczuciowość, twoje obawy, odpowiadają twojemu poczuciu humoru Jeśli nie, poszukaj innej historii. Pisanie scenariusza to wiele miesięcy ciężkiej pracy; żyjesz swoją historią, więc musisz mieć do niej stosunek emocjonalny. Scenariusz musi być napisany z pasją, w innym wypadku nie wzbudzi pasji ani w recenzencie, ani w widzu. Osiągniesz to tylko w jeden sposób – wiedząc, dlaczego to, co piszesz, jest dla ciebie ważne. Tylko wtedy zrozumiesz, jak ma wyglądać twój świat, jakim językiem mają przemawiać bohaterowie, co jest niezbędne, a bez czego możesz się obejść. Mówiąc krótko, będziesz wiedzieć, co jest najważniejsze.

Tłumacz, nie nauczaj (przesłanie)

I znów, zastanów się, dlaczego dana historia cię pociąga, a nie dlaczego powinieneś ją napisać. Autor, który narzuca opowieści problem zamiast odnaleźć go dzięki analizie powodów, dla których opowiedział taką, a nie inną historię, często popada w mentorski ton. Mentorskie scenariusze próbują dowieść prawdy problemu kosztem bohaterów i fabuły. Powstają dzieła propagandowe, w których postacie głoszą poglądy autora. Bez względu na to, czy jest to rozbudowane przesłanie czy nieskomplikowany przekaz, temat powinien być głęboko zakorzeniony w akcji, wpleciony w postacie, a nie przedstawiony wprost - chyba że uda ci się to zrobić naturalnie w jednej ze scen (więcej na ten temat w rozdziale 13). Unikniesz mentorstwa rezygnując z tematów, które brzmią jak slogany polityczne, motta życiowe czy złote myśli. Pisarz ma sugerować, nie nauczać. Pozwól widzom pomyśleć, a przede wszystkim poczuć. Nie nauczasz, tylko zabawiasz, a popadając w mentorstwo, wywołasz irytację. Przede wszystkim pozwól bohaterom żyć, niech nie będą jedynie marionetkami, które reprezentują określoną ideologię czy filozofię. Stereotypy i mentorstwo znudzą publiczność równie szybko jak bezsensowne dialogi i płaskie postacie. Rozpoznanie tematu to dopiero początek, fundament, na którym zbudujesz bogaty świat bohaterów.

Spójrzmy na film *Siedem*; opowiada o wszechobecności zła uosabianego przez fanatyka, który mordując ludzi, pragnie ich ukarać za popełnione grzechy (siedem grzechów głównych). Udowadnia, że nikt nie stoi ponad grzechem, nawet dobry policjant, który w końcu zabije mordercę. Świat jest ciemny, deszczowy, wszystko zdaje się być w stanie rozkładu. Bohaterowie to albo cynicy niezdolni przyznać się do bezsilności wobec sił, które sprzysięgły się przeciwko nim, albo niewinni, których ta cecha zgubi. W dialogach znajdziemy mnóstwo nawiązań do Biblii i religii chrześcijańskiej, lecz w tym wypadku to nie razi, bo wpisuje się w sposób działania antagonisty. Przestępstwa to coś więcej niż morderstwa, to akty niewyobrażalnego okrucieństwa. Kiedy w końcu uciekamy z klaustrofobicznego miasta, trafiamy na martwą pustynię, na której nikt nie usłyszy głosu dobroci i rozsądku. To film kryminalny, ale zarazem tragiczna opowieść o młodym policjancie, który ślepo wierzy, że dobro zawsze zwycięża i którego wiara ta niszczy. Cały film obraca się wokół tego tematu, budząc prawdziwie arystotelesowską grozę i przerażenie.

W *Głupim i głupszym* życie jest jednym wielkim komicznym absurd, a najlepszą obroną przed jego pułapkami jest być może kompletna głupota. Inteligencja to pułapka - stwarza pozory kontroli, które zawodzą antagonistów; ich intrygi nie zdają się na nic wobec bezmyślnej niewinności. W *Wielkim Małym Człowieku* staruszek siedzi w ciemności i pozwala, by nagrywano na magnetofon opowieść o dawnych wspaniałych czasach, o czasach sprzed epoki magnetofonów. Świat jego wspomnień to jednocześnie przeciwieństwo i ofiara sił postępu, które ostatecznie uczyniły współczesny świat takim, jaki jest – miejscem smutku i wspomnień. Indianie są dowcipni, pełni życia, inteligentni. Biali – głupi, skorumpowani i chciwi. Ich sukces zrodził mrok, w którym bohater ostał się jako relikt przeszłości. Wszystko tutaj wiąże się z tematem niewinności utraconej na rzecz postępu.

Na zakończenie

Dlaczego to mnie obchodzi? Spójrz na dowolny film dowolnego gatunku, a zobaczysz, że dotyczy konkretnego tematu, który nadaje mu głębię emocjonalną. Przyjrzyj się swojej opowieści. Zastanów się, dlaczego chcesz ją opowiedzieć, co chcesz przez nią powiedzieć i co zrobisz, żeby nas ona poruszyła.

Ćwiczenia

1. Wypisz trzy tematy z twojego życia, na podstawie których, według ciebie, powstałby dobry film.

2. Zrób listę dziesięciu twoich ulubionych filmów. Określ temat każdego z nich.

ROZDZIAŁ 4

ŚWIAT OPOWIEŚCI

Gdzie my właściwie jesteśmy?

Gdzie ja jestem? To jedno z pytań, które zadajemy sobie najczęściej, gdy zaczynamy nową książkę albo gdy w sali kinowej gaśnie światło. Jesteśmy jak pacjent budzący się z narkozy, zdezorientowani, obcy w nowym, dziwnym świecie. Dotyczy to szczególnie kina; siedzimy w ciemności, a na ekranie pojawia się powiększona, ogromna nowa rzeczywistość. Świat filmu to pora roku, położenie geograficzne, środowisko i okres historyczny, w którym rozgrywa się akcja. Ten świat może być nieskończony jak przestrzeń kosmiczna i malutki jak płomyk świecy. Bywa prosty i banalny, jak „Dawno, dawno temu, za siedmioma górami", czyli wprowadzenie do każdej bajki, a także złożony i kompleksowy, jak społeczeństwo w *Wojnie i pokoju*. W pewnym sensie świat filmu to kolejna postać, z charakterystycznym wyglądem i osobowością, która ma wpływ na przebieg akcji. Świat kreuje atmosferę, określa protagonistę, temat, antagonistę. Zresztą czasami właśnie świat jest antagonistą, jak w *Alive: Dramat w Andach* czy w filmach katastroficznych. Widz powinien mieć wrażenie, że twoi bohaterowie, twoja historia są niezbędne w tym świecie; czuć, że akurat ta historia może się rozegrać tylko w tym świecie. Świat scenariusza to podstawa; bez niego nie uda się dobrze nakreślić postaci. Jednak początkujący scenarzyści bardzo często ignorują ten element.

Wiele lat temu scenograf teatralny po prostu malował odpowiednie dekoracje na płaskiej powierzchni. Drzwi, klamki, okna, nawet meble i drzewa były płaskie, dwuwymiarowe, a aktorzy grali obok nich, nie z nimi. Starano się, by dekoracje były jak najbardziej neutralne, żeby można było je wykorzystać w wielu przedstawieniach. Niektórzy scenarzyści w podobny sposób podchodzą do świata fabuły. Uważają środowisko za ozdobnik i tło, a nie kluczowy składnik opowieści. Łudzą się, że dialogi oddadzą stan uczuć bohaterów i ignorują ogromny potencjał, jaki reprezentuje wielki ekran kinowy.

Każda historia, każda postać zachowywałaby się inaczej, gdybyśmy umieścili ją w innym otoczeniu. Świąteczny klasyk *Cud na 34 ulicy* byłby innym filmem, gdyby zdarzył się na dusznym, parnym Południu; czarny humor *Fargo* odbierałoby się inaczej, gdyby akcja rozgrywała się na Hawajach. W tych filmach zmieniłoby się wszystko: fabuła, postacie, może nawet problematyka. Zmień otoczenie, a zmienisz fabułę i bohaterów. Zauważ, że nawet sztuki Szekspira, oparte głównie na dialogu, zmieniają się, gdy reżyser filmowy przenosi akcję w nieoczekiwane miejsca: skomplikowana polityka średniowiecznej Anglii to nagle szorstkie groźby młodego faszyzmu w *Ryszardzie III* Iana McKellana, a renesansowa tragedia *Romeo i Julia* nabiera nowego wyrazu w ultranowoczesnej wersji o gangach młodzieżowych z Leonardem di Caprio. Fabuła i dialogi prawie się nie zmieniły, lecz inne miejsce drastycznie zmienia wydźwięk opowieści. Autor scenariusza musi na początku pracy zadać sobie następujące pytania: Czy wybrałem właściwy świat dla moich bohaterów? Czy moi bohaterowie pasują do danego świata? W jaki sposób ta rzeczywistość wpływa na fabułę i postacie? I odwrotnie: w jaki sposób fabuła i bohaterowie wpływają na rzeczywistość?

Przez lustro (rzeczywistość i fabuła)

Widz chce, żeby film przeniósł go w nowe, cudowne miejsca, albo przynajmniej pragnie zobaczyć znany świat w nowy sposób. Film, którego akcja rozgrywa się w interesującym otoczeniu, bardziej przyciąga uwagę, to oczywiste, lecz wybór spektakularnego miejsca to nie wszystko. Scenariusz pełen szalonych imprez, rozwrzeszczanych fanów na zatłoczonych stadionach i kiczowatych zachodów słońca oferuje rozbudowaną rzeczywistość, ale niekoniecznie ciekawą fabułę. Miejsce, w którym rozgrywa się każda scena, musi oddawać charakter owego świata, musi nawiązywać do dramaturgii fabuły. W niektórych filmach twórcy posuwają się do tego, że dają im tytuły określające filmową rzeczywistość: *Fort Apache w Bronx, Titanic, Halloween, Podróż do wnętrza Ziemi, Jak zdobywano Dziki Zachód, Wall Street.* Świat to boisko, na którym rozgrywa się fabuła; określony świat narzuca określone reguły.

Oddając nastrój twojej opowieści, świat tworzy odpowiednią atmosferę, perspektywę, ton i kontekst, w którym rozgrywają się poszczególne sceny. Wszystkie sceny w *Sling Blade,* zarówno te w szpitalu psychiatrycznym i małym miasteczku na Południu, wpływają na to, jak Karl Childers chodzi, żyje, jakie decyzje podejmuje. W *Rozważnej i romantycznej* świat narzuca kodeks moralny, który jasno określa, co dana postać może powiedzieć i zrobić, a konsekwencje działania są widoczne dzięki otoczeniu, w jakim żyją bohaterowie. Życie towarzyskie odbija się w fakturze otoczenia. Wszystko, od pięknych domów po morskie pejzaże, określa, co im wolno, a czego nie.

Świat wpływa na fabułę także bardziej bezpośrednio: podsuwa źródła konfliktu, zastawia pułapki, stawia przeszkody przed bohaterami. Tylko bohater doskonały, z odpowiednimi cechami charakteru, zdoła je pokonać. W *Pieskim popołudniu* policjanci łapią, na gorącym uczynku, dwóch niekompetentnych rabusiów, którzy napadli na bank. Przyziemny, szary świat banku to jednocześnie źródło ich nadziei (pieniądze) i desperacji. Są zamknięci w środku równie bezpieczni jak pieniądze, po które przyszli. Świat tego filmu to klaustrofobiczny bluszcz, który narzuca bohaterom konfrontację z własnymi pragnieniami. W *Oknie na podwórze* Alfreda Hitchcocka Jimmy Stewart ma złamaną nogę i to zamyka jego świat w widoku z okna. To ograniczenie czyni z niego podglądacza i sprawia, że wszystko wyolbrzymia i przeinacza, aż sam już nie wie, co jest prawdą, a co nie. W *Ostatnim seansie filmowym* nastolatki duszą się w ograniczeniach małego teksańskiego miasteczka. Zakurzone ulice, ponure domy, tandetna rozrywka i bezkresne jałowe równiny, które ich otaczają, odzwierciedlają frustrację i pustkę życia. W *Tragedii Posejdona* luksusowy statek pasażerski dosłownie stawia świat bohaterów do góry nogami – przewraca się do góry dnem, co zmusza ich do walki o życie. W powyższych przykładach świat jest tłem i zarazem źródłem głównego konfliktu; zmusza bohaterów, by dostrzegli swoje ograniczenia i marzenia, czego nie zrobiliby w normalnych okolicznościach, nie w taki sposób. W innych sytuacjach te historie po prostu nie miałyby miejsca.

Właściwy człowiek na właściwym miejscu (postać i świat)

Postacie wyrastają z określonego środowiska, które znają i które definiuje ich osobowość. Dotyczy to zwłaszcza najbliższego otoczenia bohatera: domu, biura, samochodu, sypialni czy innego miejsca związanego z daną postacią. Gust, styl życia, dochody, praca, wykształcenie i temperament, wszystko to odbija się na otoczeniu i zarazem pośrednio charakteryzuje daną postać. Wiemy, jaka jest, bo widzimy, jak mieszka.

Dźwięk to także część świata postaci. O ile *Powiększenie* to bardzo plastyczna opowieść o fotografie - podglądaczu, który bawi się w detektywa, *Rozmowa i Wybuch* opowiadają o postaciach, których życie określa dźwięk. W *Annie Hall* Woody Allena zabawną metaforę hałaśliwego cyrku życia stanowi nieustający ryk diabelskiego młyna nad domem dzieciństwa głównego bohatera na Coney Island.

Podstawowe zadanie to znaleźć znaczące szczegóły, które odzwierciedlają charakter bohatera. Jak sprawić, by świat zewnętrzny harmonizował ze światem wewnętrznym postaci? Spójrzmy na mieszkanie Joan Wilder w *Miłość, szmaragd i krokodyl*: jest bardzo kobiece, mamy w nim rozpieszczonego kota, buteleczki alkoholu z samolotu i karteczki z odsyłaczami do innych karteczek, które przypominają, o czym zapomniała. To wnętrze mówi nam dużo o jej osobowości i stylu życia: Joan Wilder mieszka sama (stąd rozpieszczony kot), jest romantyczką (kobiece elementy w mieszkaniu, kontrastujące z męską, oszczędną w wyrazie okładką jej książki na plakacie), dużo podróżuje (buteleczki alkoholu), ma napięty plan dnia i jest roztargniona (karteczki). Wiemy tak dużo, a nie padło ani jedno słowo na ten temat.

Obcy w obcym świecie

Bardzo często świat jest bezpośrednim źródłem konfliktu, bo kontrastuje z bohaterem; nie uzupełnia go, lecz jest jego przeciwieństwem. Główny bohater nagle znajduje się w obcym świecie, w którym, z braku doświadczenia i ekwipunku, nie umie się odnaleźć. Jest jak ryba wyjęta z wody. Bohater jedzie do obcego kraju albo nagle zdaje sobie sprawę, że nie zna świata, który wydawał mu się bardzo bliski. Pomysł takiego filmu polega na tym, by wyjąć bohatera ze znanego mu świata i osadzić w całkowicie obcej rzeczywistości. W filmie *Miłość, szmaragd i krokodyl* fantazje Joan Wilder (plakat je sygnalizował) stają się rzeczywistością, gdy wybiera się do południowoamerykańskiej dżungli. Wyjeżdżając z przytulnego nowojorskiego mieszkanka staje się rybą wyjętą z wody. Nadal jednak jest odpowiednią bohaterką tej historii, bo znamy już jej romantyczne usposobienie, zresztą nawet jej nazwisko (Wilder) implikuje drapieżną stronę jej natury, która z czasem się ujawni.

W *Adwokacie diabła* bohater grany przez Keanu Reevesa to młody zdolny prawnik z Południa. Przeprowadza się z żoną do eleganckiego apartamentowca w Nowym Jorku, którego właścicielem jest nie kto inny, jak diabeł we własnej osobie. Dla jego żony, dziewczyny z małego miasteczka, obcy jest nie tylko ekskluzywny apartament, lecz cały świat nowojorskiej elity; ich spotkania w interesach i grzeszna zmysłowość stanowią całkowite przeciwieństwo jej niewinności. Ten nowy świat, świat Diabła, doprowadza ją, dosłownie, do utraty zmysłów. Podobny los spotkał naiwnie idealistyczną amerykańską aktorkę, graną w *Małej Doboszce* przez Diane Keaton. Gubi się w labiryncie szpiegowskich intryg na Bliskim Wschodzie, nie jest w stanie zrozumieć niuansów tego świata. W *Krokodylu Dundee* dziennikarka z metropolii znajduje się nagle w australijskim buszu; następnie bohater interioru trafia do wielkiego miasta, które dla niego jest równie obcym miejscem. W *Wystarczy być* niepiśmienny, dziecinny ogrodnik wkracza w świat polityki Waszyngtonu. W *Pretty Woman* ładna prostytutka nagle znajduje się w świecie bogaczy z Beverly Hills. Najbardziej dosłowna opowieść o rybie wyjętej z wody to, ma się rozumieć, *Plusk*, w którym syrena trafia na suchy ląd. W każdym z wyżej wymienionych filmów bohater i świat stanowią główną oś konfliktu; to kręgosłup scenariusza.

Rzeczywistość, w której rozgrywa się dana opowieść, może pełnić wiele funkcji. Zastanawiając się, czy to właściwe miejsce dla tej sceny czy historii, zadajesz sobie jednocześnie wiele pytań:

W jaki sposób ten świat wpływa na bohaterów?

W jaki sposób bohaterowie wpływają na otaczający ich świat?

Czy ten świat oddaje charakter postaci?

Czy ma wpływ na fabułę?

Czy fabuła ma wpływ na świat?

Czy odzwierciedla temat scenariusza?

Czy wpływa na temat scenariusza?

Czy jest atrakcyjny?

Jeśli znasz odpowiedź na te pytania, znalazłeś swój świat.

Chichot na cmentarzu (kontrast i ironia)

Kontrast to kwintesencja sztuki, ba, całej percepcji. Włóż rękę do delikatnie podgrzewanej wody, a ugotujesz sobie dłoń, nawet o tym nie wiedząc. Włóż ją gwałtownie do wrzątku i od razu poczujesz ból. Nie zwracamy uwagi na miliardy dźwięków, które bezustannie nas otaczają, ale wystarczy nowy, nieoczekiwany bodziec, jak dzwonek do drzwi czy ludzki głos, a odbieramy informację i reagujemy. Podobnie ma się rzecz z obrazem. Pragniemy kontrastu; bez niego nie sposób określić perspektywy, granic, wyobraźnię. Przedmioty skontrastowane wzajemnie się definiują, implikują dobro i zło, pierwszy plan i tło, przekazują informację. Sposób jej przekazu określa nastrój i efekt obrazu. Rembrandt i Caravaggio przesadnie eskponowali źródło światła, żeby uzyskać efekt głębokich cieni. Ciemne tło potęgowało atmosferę tajemniczości i skupienia. Picasso sprowadzał przestrzeń do dwóch wymiarów, obrysowywał przedmioty wyraźnymi konturami i ostrymi barwami, żeby podkreślić formę i zmienić naturalną perspektywę. Margitte i Dali bardzo realistycznie malowali wizje nierzeczywiste, które kwestionują nasze postrzeganie świata. Scenarzysta może osiągnąć ten sam efekt, kontrastując bohaterów, akcję i świat, w którym wszystko ma miejsce. Kontrast wizualny i dźwiękowy sprawi, że nudna scena wyda się ciekawa. Mężczyzna czytający książkę w gabinecie jest nudny. Mężczyzna czytający książkę na placu budowy intryguje.

Kiedy scenarzysta jasno i wyraźnie zaznacza różnicę między intencją a efektem, mamy do czynienia z ironią. Nawet nudne sceny nabierają mocy, zapadają w pamięć. W *Harold i Maude* mamy nieciekawą scenę pogrzebu, której jednak nie sposób zapomnieć, bo tłem jest pochód orkiestry. W *Szczękach* plażowa beztroska kontrastuje z koszmarnym atakiem rekina, zaledwie kilka metrów dalej. W *Blues Brothers* zwykły pościg samochodowy nabiera wyrazu, bo ma miejsce w centrum handlowym pełnym ludzi. Te kontrasty zdradzają treść filmu. Kontrast między ponurą atmosferą pogrzebu i nieprzystającą do sytuacji radosną beztroską orkiestry świetnie oddaje temat filmu *Harold i Maude* – radość życia pokona smutek śmierci. Niebezpieczeństwo czające się pod powierzchnią naszej codzienności to przesłanie *Szczęk*; ludzka wszechwładza to iluzja, za którą kryje się prymitywny chaos świata zewnętrznego i naszej podświadomości. Pościg samochodowy w centrum handlowym w *Blues Brothers* nawiązuje do spontanicznej anarchii, natchnionego szaleństwa, które zakłóca monotonię codzienności.

Początkujący scenarzysta pisał o romansie studentów medycyny. W jednej ze scen bohater zaprasza dziewczynę na randkę. Scena rozgrywała się w szpitalnym korytarzu i była nudna – on zaprasza, ona odmawia. Nie było w tym nic wyjątkowego. Miejsce – szpital psychiatryczny – niosło wiele możliwości, ale autor nie wykorzystał ich w pełni. Otoczenie nie odzwierciedlało ani nie wpływało na bohaterów i akcję, a zatem nie miało znaczenia dla fabuły:

WNĘTRZE. KORYTARZ - DZIEŃ

Richard widzi Leslie koło pojemnika z wodą.
Podchodzi śmiało.

              RICHARD

       Może gdzieś razem wyskoczymy? Proponuję
       najpierw kąpiel w błocie, potem
       naświetlanie laserem.

              LESLIE

       Nie jesteś w moim typie.

              RICHARD

       Niby dlaczego?

              LESLIE

       Nie umawiam się z pacjentami.

Odchodzi.

W poprawionej wersji autor wykorzystał szanse, jakie dawała lokalizacja. Przeniósł
scenę z nudnego korytarza do sali operacyjnej:

WNĘTRZE. SALA OPERACYJNA - DZIEŃ

Lekarze i pielęgniarki pochylają się nad stołem
operacyjnym. Pacjent przechodzi lobotomię.
Otwierają mu prawe oko i wsuwają koszmarnie długą
igłę przez górną powiekę, do mózgu. Pacjent
drga.

Stażyści przyglądają się operacji. Richard
przysuwa się do Leslie.

              RICHARD

       Może gdzieś razem wyskoczymy? Proponuję
       najpierw kąpiel w błocie, potem
       naświetlanie laserem.

              LESLIE

       Nie jesteś w moim typie.

              RICHARD

       Niby dlaczego?

```
          LESLIE
Nie umawiam się z pacjentami.
```

```
Pacjent na stole operacyjnym wzdryga się, gdy
lekarz porusza igłą.
```

Autor nie zmienił ani słowa, jednak kontrast między otoczeniem a działaniem bohaterów sprawia, że nudna scena nabiera wyrazu. Zmiana miejsca pozwala także lepiej zrozumieć bohaterów. Richard umawia się na randkę podczas lobotomii i powód, dla którego Leslie odmawia, jest bardziej widoczny – to dziwny typ. Widowiskowa strzelanina między gangsterami i policjantami na Grand Central Station staje się ciekawsza, gdy na linii ognia pojawia się dziecięcy wózek *(Nietykalni)*. Żołnierz umierający w okopach nie budzi tylu refleksji, co żołnierz, który umiera, wyciągając rękę po motyla fruwającego nad polem bitwy *(Na Zachodzie bez zmian)*. Kłótnia kochanków w pokoju nie intryguje tak bardzo, jak kłótnia kochanków na ślubie *(Arthur)*. Kontrast nadaje scenie atrakcyjności i pozwala lepiej określić bohaterów, zasygnalizować temat, przyspieszyć przebieg akcji w nietypowy, zaskakujący sposób.

Kontrast wizualny może nawet definiować całą historię. *Świadek* byłby zwykłym filmem kryminalnym, gdyby akcji nie osadzono w pokojowej społeczności Amiszów. Romans w *Wielkim Gatsbym* nie byłby tak interesujący, gdyby nie kontrast między wystawnymi przyjęciami i biedą. *Upiór w Operze* byłby kolejnym horrorem, gdyby nie sprzeczności w filmowym świecie. Zdeformowany samotnik porywa piękną sopranistkę i zabiera ją z blichtru paryskiej opery w labirynt podziemnych kanałów; sztuka i mrok to dwie sprzeczne, a jednocześnie współistniejące, oblicza jego świata. Kontrast i ironia mogą sprawić, że dany film wyróżnia się spośród innych, bez względu na gatunek.

Odbicie od ściany (interakcja ze światem)

Nośnikiem rzeczywistości są wskazówki sceniczne i trzeba je pisać bardzo ostrożnie. Recenzent często je pomija, jeśli uzna, że niewiele wnoszą do akcji albo są zbyt rozbudowane. Problemy ze wskazówkami scenicznymi sprowadzają się zazwyczaj do zbędnych szczegółów, które niczego nie wnoszą ani do akcji, ani do charakterystyki bohatera, albo scenarzysta stworzył świat nudny i nieciekawy, który w żaden sposób nie wpływa na bohaterów.

Poniżej przedstawiamy scenę z długiej sekwencji walki. Dwóch policjantów bije się na piętrowym parkingu. Autorka nie wykorzystała lokalizacji, by ubarwić scenę:

```
Buddy celuje w Nicka z pistoletu.

          NICK
Pozwól mi zabrać Kevina, a dam ci
spokój.
```

                    BUDDY
          O, stawiamy warunki.

Nick przewraca Buddy'ego, wali jego dłonią
o ziemię.

Buddy wypuszcza pistolet. Obaj jednocześnie
sięgają po broń. Buddy dopada jej pierwszy. Celuje
z srebrnego półautomatu w skroń Nicka.

NICK - jest zbyt zmęczony, by walczyć dalej. Czeka
na śmierć. Pot Buddy'ego kapie mu na twarz.

                    BUDDY
          Nieoznakowana spluwa. Żegnaj, dupku.

                    NICK
          Bądź dobry dla mojego dzieciaka.

                    BUDDY
          Pieprzyłem twoją żonę, odkąd się
          pobraliście! Niby skąd wiesz, że Kevin
          jest twoim synem?

Nick atakuje z nową siłą. Walczą nad bronią.
Nick podbija rękę Buddy'ego. BUM! BUM! BUM! BUM!
Pistolet wystrzela.

Buddy wali Nicka w twarz rozpaloną lufą. Krew
zalewa Nickowi oczy.

Ostatkiem sił Nick wali Buddy'ego w szczękę. Buddy
osuwa się nieprzytomny na ziemię. ˙

Chcąc poprawić tę scenę, autorka wykorzystała lokalizację. Dodała nowe szczegóły
– mercedesa i staroświecką windę samochodową, które zmuszają bohaterów do interakcji z otoczeniem. Innymi słowy, miejsce miało znaczący wpływ na rozwój akcji:

Buddy przytrzymuje Nicka nogą i wyciąga rękę
do dźwigni. Zawiasy skrzypią. Staroświecka winda
podnosi się na dwie stopy. Buddy wpycha głowę
Nicka do szybu. Wolną ręką szarpie dźwignię. Winda
powoli zbliża się do głowy Nicka.

                    NICK

        Pozwól mi zabrać Kevina, a dam ci
        spokój.

                    BUDDY

        O, stawiamy warunki.

Nick wbija zęby w kostkę Buddy'ego. Buddy
z wrzaskiem opuszcza dźwignię. Nick odsuwa głowę
w ostatniej chwili.

Nick odpycha Buddy'ego i rzuca się po broń.
Walczą. Winda z jękiem i stękaniem znika w szybie.

ŁUP! ŁUP! Nick wali dłonią Buddy'ego w metalowy
próg szybu.

Broń wypada z dłoni Buddy'ego. STUK, Stuk, stuk.
Każde kolejne uderzenie pistoletu o ściany szybu
jest coraz cichsze.

Walczą nadal, tarzają się w plamach oleju. Wpadają
do szybu.

ŁUP! Lądują na cienkim dachu windy. Spadli tylko
kilka stóp.

Kable uderzają o siebie. Winda zjeżdża coraz
niżej.

Nick uwalnia się od Buddy'ego, lecz przy pierwszym
kroku zarywa się pod nim cienki dach i wpada
do windy, na maskę mercedesa.

BUDDY – skacze do windy, otwiera schowek od strony
pasażera, wyjmuje srebrzysty pistolet i wymierza
w skroń Nicka.

NICK – jest zbyt zmęczony, by walczyć dalej. Czeka
na śmierć. Pot Buddy'ego kapie mu na twarz.

                    BUDDY

        Nieoznakowana spluwa. Żegnaj, dupku.

                    NICK

        Bądź dobry dla mojego dzieciaka.

                         BUDDY
          Pieprzyłem twoją żonę, odkąd się
          pobraliście! Niby skąd wiesz, że Kevin
          jest twoim synem?

Nick atakuje z nową siłą. Walczą nad bronią. BUM!
Pierwszy strzał rozbija przednią szybę mercedesa.
Na mężczyzn spadają odłamki szkła.

Nick podbija rękę Buddy'ego. BUM! BUM! BUM! BUM!
Pistolet wystrzela.

KULE - trafiają w sfatygowane kable windy. Sznury
puszczają. Winda huczy złowieszczo, gwałtownie
opada na trzy stopy. Kable pękają jeden po drugim.

W SAMOCHODZIE -

Zerwany sznur spada na przednie siedzenie.

Buddy wali Nicka w twarz rozpaloną lufą. Krew
zalewa Nickowi oczy.

PYK,PYK. Kable pękają cicho, jak daleki odgłos
wystrzałów.

Nagle pękają WSZYSTKIE.

Strzelają jak gigantyczna proca. Nick chwyta się
jednego i podjeżdża do góry, podczas gdy winda,
a w niej zabytkowy mercedes, mknie na dół.

Słychać jedynie szum powietrza, a potem WYBUCH,
gdy winda uderza o dno szybu pięć pięter niżej.

Potem...

Cisza.

Wyczerpany Nick wisi na naoliwionym, plecionym
sznurze.

Ześlizgują mu się ręce. Trzyma się coraz słabiej.
Patrzy w dół.

PW Nicka - Buddy trzyma się jego nóg.

W drugiej wersji wykorzystano miejsce. Otoczenie dostarcza przeszkód i komplikacji, a zatem wzmaga konflikt i zainteresowanie. Wzlot protagonisty, upadek i zniszczenie dóbr luksusowych, nabytych niezgodnie z prawem (mercedes) nawiązują do tematu filmu i potęgują wydźwięk opowieści.

Zobaczyć i powiedzieć (świat i jego prezentacja)

Świat filmu to jego kluczowy element. W sztuce teatralnej podstawowym środkiem przekazu jest słowo, bo dramatopisarza ograniczają wymogi i konwencja teatru. Ponad dwa i pół tysiąca lat temu pierwsi greccy dramatopisarze pisali sztuki, które wystawiano w ogromnych amfiteatrach, mieszczących do piętnastu tysięcy widzów. Aktorzy byli ledwie widoczni z ostatnich rzędów, a maski uniemożliwiały rozbudowaną mimikę. Przestrzeń i czas ograniczały akcję. Te czynniki zmuszały autorów do pisania bardzo jasnych dialogów i werbalnej prezentacji świata. W porównaniu z nimi scenarzysta ma proste zadanie. Kamera może wyłuskać mały, ale istotny detal i dzięki niemu pokazać na ekranie cechy, których nie odda się słowem.

W poniższej scenie młody scenarzysta opisuje Kasey, trzydziestolatkę, która nadal mieszka z rodzicami. Właśnie pokłóciła się z ojcem i chce uciec. Idzie do sypialni, żeby się spakować. Towarzyszy jej zatroskany brat. Scenarzysta chce nam pokazać, że Kasey nigdy nie dorosła. Można to zrobić na dwa sposoby: kazać jej postąpić niedojrzale albo pokazać jej dziecinność poprzez otoczenie. Autor decyduje się na pierwsze rozwiązanie, nawet nie opisuje jej pokoju, i w efekcie otrzymujemy scenę oczywistą, przegadaną i mdłą.

```
WNĘTRZE. POKÓJ KASEY - NOC


Kasey wpada do pokoju, zaczyna się pakować. Norman
wchodzi za nią.

                  NORMAN JUNIOR

     Co ty wyprawiasz? Nie masz pieniędzy ani
     mieszkania. Kasey, zachowujesz się
     jak dziecko.

                  KASEY

     Wiesz co, zrób coś dla mnie: załatw
     tego drania. Dlaczego mnie nie
     broniłeś? Dlaczego stałeś jak kołek?

                  NORMAN JUNIOR

     Sam nie wiem. Też się go boję.
```

>   KASEY
>
> Odwal się, Norman.
>
>   NORMAN JUNIOR
>
> Kasey, nie powinnaś tego robić.
>
>   KASEY
>
> Sugerujesz, że sama sobie nie poradzę?
>
>   NORMAN JUNIOR
>
> Tego nie powiedziałem.
>
>   KASEY
>
> Ale pomyślałeś.
>
>   NORMAN JUNIOR
>
> Zachowujesz się dziecinnie jak na swój
> wiek.
>
>   KASEY
>
> Nieprawda! Jestem dorosła!
>
>   NORMAN JUNIOR
>
> Ciągle bawisz się lalkami.
>
>   KASEY
>
> Kolekcjonuję je!

> Pokazuje mu środkowy palec i wychodzi przez okno.
>
>   CIĘCIE:

A teraz ta sama scena z większym udziałem otoczenia:

> WNĘTRZE. POKÓJ KASEY - NOC
>
> Kasey mocuje się z zamkiem w starej walizce
> z wizerunkiem lalki Barbie. W końcu otwiera ją
> energicznie i wrzuca skromny dobytek:
> sukienki wieczorowe, dziennik, porcelanowe
> laleczki. Norman wbiega do pokoju.
>
>   NORMAN JUNIOR
>
> Przykro mi.

    KASEY

Wiesz co, zrób coś dla mnie: załatw tego
drania.

Zdejmuje ze ścian zdjęcia The Bee Gees i The
Monkees i wrzuca do podręcznej torby z wizerunkiem
Kena.

    KASEY

Dlaczego mnie nie broniłeś? Dlaczego
stałeś jak kołek?

    NORMAN JUNIOR

Sam nie wiem. Też się go boję.

    KASEY

Odwal się, Norman.

Pokazuje mu środkowy palec, ściąga troczki
w różowej torebce i wychodzi przez okno.

Pokazując kluczowe elementy jej świata, pokazujemy niedojrzałość Kasey bez niepotrzebnej gadaniny. Otoczenie odgrywa tu ważną rolę. Z drugiej strony, nie dodawaj zbędnych szczegółów. Jeśli to robisz, zastanów się jeszcze raz nad tematem filmu, bo nadmierne skupienie na wskazówkach scenicznych może sugerować, że nie wiesz do końca, o czym opowiada. Czujesz, że zostało ci trochę czasu, i usiłujesz go sztucznie zapełnić.

I ja tam byłem (badania i wiarygodność)

Ważne, aby wykreowany świat był prawdziwy i wiarygodny. Wyobraźnia bywa wspaniała, ale myląca. W tym wypadku o wiele ważniejsze są solidne badania. Musisz znać miejsca, o których piszesz. Badania to nie zapożyczenia z innych filmów czy książek, które rozgrywają się w podobnym otoczeniu. Musisz poznać na wylot miejsce, ludzi, czasy, kulturę. Brak takich badań bywa katastrofalny, jeśli autor usiłuje przedstawić kulturę czy społeczność, której nie rozumie i nie zna. Ktoś, kto wybrał się na wakacje do Wyoming, być może poznał ten stan na tyle, że napisze dobry scenariusz o wakacjach w Wyoming, ale nie o mieszkańcach tego stanu, ich życiu, problemach, osobowościach. Pewna studentka przedstawiła kiedyś scenariusz, którego akcja dzieje się w latach 50., w środowisku telewizyjnym. Był źle napisany, pełen sprzeczności, błędów i stereotypów. Na pytanie o badania odpowiedziała, że oglądała wszystkie odcinki serialu *Dick Van Dyke Show*. To nie są badania.

Książki, gazety i Internet to świetne źródła informacji, ale jeszcze lepszym jest wyprawa w dane miejsce i rozmowa z danymi ludźmi. Piszesz o kowbojach? – Pogadaj z nimi. Kiedyś, podczas pracy nad kryminałem, Bill został zatrzymany przez drogówkę – przekroczył limit prędkości o piętnaście mil. Od razu dostrzegł okazję do przeprowadzenia badań. Policjant sprawdzał jego dane, a on powiedział, że pisze scenariusz kryminalny. Dwadzieścia minut później poznał życiorys policjanta, kilka kawałów o cywilach i skończyło się tylko na upomnieniu. Ludzie lubią opowiadać o swoim życiu, problemach, pracy, marzeniach, dzieciństwie. Wyobraźnia jest bardzo ważna, scenarzysta nie może bez niej pisać, ale badania dają jej odpowiednią pożywkę i ramy.

Badania mogą dotyczyć:

CZASU	POGODY
MIEJSCA	JĘZYKA
ZWYCZAJÓW	ARCHITEKTURY
ZWYCZAJÓW W PRACY	HISTORII
KRAJOBRAZU	KULTURY

Na zakończenie

Otoczenie to bardzo istotny element treści, tematu i bohatera. Odzwierciedla wszystkie te elementy, jednak scenarzysta nie może sobie pozwolić na rozwlekłe opisy. Musi, jak poeta, znaleźć kilka słów, które najpełniej oddadzą obraz, który ma przed oczami, które przedstawią szczegóły, które charakteryzują bohaterów i wpływają na akcję. Wszystko, co zbędne, musi zniknąć. Zadaniem scenarzysty jest wykreować wyrazisty i zarazem przejrzysty świat, który będzie oczywisty dla odbiorcy, ale nie na tyle sztampowy, by ten go zlekceważył. Idealny świat to świat drobiazgów. Znajdź takie, które wpływają na bohaterów i odzwierciedlają ich charaktery, a także opowieść i temat, a odnalazłeś swoje miejsce w filmowym świecie.

Ćwiczenia

1   Opisz liść unoszący się na jeziorze. Skup się na liściu, ale z opisu powinniśmy wiedzieć coś o jeziorze.

2   Napisz krótki opis wnętrza (dom, pokój, gabinet) i przeczytaj koledze. Czy z twojego opisu można wywnioskować, czym się zajmuje właściciel pomieszczenia? Jaki jest?

ROZDZIAŁ 5

BOHATER

Smith, bardzo mi miło

Do tej pory wszystko w porządku. Masz pomysł, świat jest gotów, fabuła się rozwija, masz w głowie mnóstwo świetnych scen. A jednak nie możesz się oprzeć wrażeniu, że coś jest nie tak.

Prawdopodobnie to kwestia bohatera; jeśli nie zadbałeś o niego odpowiednio, nie pociągnie fabuły. Młodzi scenarzyści często poświęcają zbyt dużo uwagi treści, a za mało bohaterom. Głowią się: co teraz, zamiast rozważać: kto to?

Chwileczkę, powiecie: niby skąd mam wiedzieć, jacy są bohaterowie, póki nie mam historii? A może odwrotnie? Co jest ważniejsze: bohater czy historia? Dobre pytanie. I nie ma na nie jednoznacznej odpowiedzi.

Co było pierwsze: miód czy pszczoła?

Arystoteles stwierdził w *Poetyce* (lekturze obowiązkowej we wszystkich szkołach filmowych), że bohater jest mniej istotny od historii. Argumentował to twierdząc, że dramat ma odzwierciedlać przebieg wydarzeń, a nie obrazować bohatera: *Dramat nas interesuje nie dlatego, że ilustruje naturę ludzką, ale głównie ze względu na sytuację, a dopiero później ze względu na uczucia tych, których dotyczy.* Współcześni autorzy uważają, że Arystoteles podszedł do problemu od niewłaściwej strony. Bez odpowiednich bohaterów nie napiszesz dobrej historii. Scenarzysta John Howard Lawson powiedział, że w treści *możemy mieć pojedynek w każdej scenie, bitwę w każdym akcie, a widz i tak zaśnie, a jeśli nie, to tylko przez hałas.* Albo, co gorsza, po prostu wyjdzie.

W *The Art Of Dramatic Writing* (inna lektura obowiązkowa w szkołach filmowych) Lajos Egri narzeka: *Co sobie o nas pomyśli odbiorca, jeśli dojdziemy do wniosku, że dla ludzkości miód ma znaczenie pierwszorzędne, natomiast pszczoła nie, wobec czego jest tylko dodatkiem do swego produktu?* Według niego miodem jest fabuła, pszczołą – bohater.

Można by zapytać Arystotelesa: jaka to możliwe, żeby zainteresowała nas opowieść bez ciekawego, wielowymiarowego bohatera? Egri zapomina jednak, że bez przemyślanej historii nawet najciekawsi bohaterowie plączą się bez sensu, jak, no cóż, pszczoły. Oba podejścia: przedkładanie fabuły nad bohatera i bohatera nad fabułę mogą zakończyć się klęską. Nie zauważysz granicy i wyprodukujesz kolejną hollywoodzką papkę, której bohaterowie są tylko marionetkami w rozwoju wydarzeń; posuniesz się za daleko w drugą stronę, a otrzymasz film, w którym wszyscy tylko, gadają nic się nie dzieje i nic do niczego nie prowadzi. To, czego szukasz, kryje się pośrodku.

Więc co robić? Skoro i bohater, i historia są równie ważni, od czego zacząć? To coś więcej niż debata o kurze i jajku; to kwintesencja każdej opowieści.

Odpowiedź jest jedna: trzeba pracować nad obydwoma elementami jednocześnie. Są nierozerwalnie złączone i definiują się wzajemnie. Mówiąc najprościej: fabuła to bohater w akcji, przy czym bohatera definiuje jego akcja, jego działanie. Musisz znać swoich bohaterów, gdy planujesz ich historię, musisz wiedzieć, jak postąpiliby w danej sytuacji. I jednocześnie musisz pamiętać, o czym ma być twoja opowieść, bo to ona stwarza sytuację, w której bohater musi się realizować.

Jak na filmie

Bohaterowie różnią się w zależności od gatunku; są inni w powieściach, kreskówkach, serialach komediowych i operze. Każda forma ma pewne ograniczenia i wymogi, które określają rodzaj ekspresji bohatera. Powieściopisarz może przedstawić charakter bohatera poprzez opis w trzeciej osobie albo długie wewnętrzne monologi. W operze wszystko zdradza głos – protagonista śpiewa tenorem, antagonista – basem.

Bohaterów filmowych określa głos, zewnętrzna manifestacja wszystkiego, co jest w środku. Ożywają nie kiedy czują czy myślą, lecz kiedy działają, czyli robią i mówią rzeczy, które wyrażają ich myśli i uczucia. Nie wystarczy, żeby po prostu byli, w każdym razie nie, jeśli są to postacie pierwszoplanowe, które znacząco wpływają na rozwój akcji. Akcja oznacza działanie bohatera, jego reakcję na daną sytuację, co z kolei wpływa na rozwój całej fabuły. Dlatego najaktywniejszy bohater ma największy wpływ na przebieg akcji.

Lecz akcja to nie wszystko; musi mieć konkretny cel i poważne przeszkody. Innymi słowy, musi być dramatyczna. Musi zawierać konflikt, stawka musi być odpowiednio wysoka. Nikogo nie obchodzi samotny wyścig. Bohaterka, powiedzmy, że jest to młoda kobieta, o nic nie gra, jeśli ktoś jej nie goni, ona nie goni nikogo albo jeśli nie chce pobić własnego rekordu (z powodu, który znamy i z którym się identyfikujemy; wówczas mamy do czynienia z konfliktem wewnętrznym). Akcja dramatyczna oznacza albo walkę z ogarniającą bohatera niemocą, z jego lękami i obawami, albo próbę przeciwstawienia się wpływom innych postaci, ich pragnieniom i czynom. Akcja oznacza działanie wbrew prawu, sprzeciwianie się autorytetom, wyrażanie niepopularnej opinii. Akcja jest w walce zbrojnej i pocałunku, o ile jedno i drugie to zamierzony akt i o ile wynikają z niego konsekwencje.

A zatem akcja to wszystko, co bohater robi ze względu na konsekwencje, albo przeciwnie, nie zważając na nie. To problem, który się pojawia, gdy piszesz traktując bohaterów jak zwykłych ludzi. Choć co jakiś czas wszyscy działamy, na co dzień staramy się unikać konfliktów. Szef nas uraził? Znosimy to, zamiast zrobić mu awanturę. Zostajemy w domu, zamiast wyjść w szalejącą wichurę. Prawdziwi ludzie starają się utrzymać istniejący status quo, z rzadka przeżywają coś głęboko, jeszcze rzadziej coś z tym robią. To zabójstwo dla bohatera filmowego, bo dopóki nie zrobi on czegoś, co zmieni jego sytuację, jego świat, nie zapanujemy nad nim, nie wzbudzimy sympatii widza. W przeciwieństwie do prawdziwych ludzi, bohaterowie filmowi drążą temat, dążą do konfliktu, działają – i dlatego chcemy ich oglądać. Bohater jest metaforą; robi to, o czym marzymy.

A zatem bohater filmowy wcale nie musi być rzeczywisty, musi natomiast pasować do świata, tematu, celu i konfliktu, który dla niego wymyślisz. Bohater to wytwór wyobraźni; w filmach jego osobowość, działanie i znaczenie odzwierciedla i zarazem determinuje funkcję, której służy.

Co on tu robi, do cholery? (funkcja bohatera)

Nie wystarczy zadać sobie pytania: kim są moi bohaterowie?. Zastanów się także, po co w ogóle umieściłeś ich w scenariuszu. W jaki sposób wyrażają temat? Co nimi kieruje? Skąd się wziął konflikt między nimi? Ile musimy o nich wiedzieć? I przede wszystkim: czy naprawdę są potrzebni? Dlaczego akurat oni mają się znaleźć w tej historii? Bohater bez funkcji jest zbędny. Każdy ma określony cel, temperament i zadanie, powód istnienia; bez niego scenariusz byłby mniej skuteczny, ba, możliwe, że w ogóle nie miałby sensu.

Kwestia raz, dwa, trzy

W aktorstwie istnieje pojęcie podwójnego gestu. Mamy z nim do czynienia, gdy aktor wykonuje obiema rękami ten sam gest: pokazuje, macha, błaga. Uważa się to za źle zagrane, bo obie ręce wyrażają to samo uczucie. Jedna z pierwszych zasad aktorstwa brzmi: jeden gest, ewentualnie dwa różne, kontrastujące, o wiele bardziej przemawiają do widza niż gest podwójny. To samo dotyczy pisania. Jeśli dwie postacie spełniają podobną funkcję, mają podobny charakter, trzeba się zastanowić, czy nie należałoby z jednej z nich zrezygnować, stworzyć jedną z dwóch albo jakoś je zróżnicować (chyba że chcesz osiągnąć określony efekt, zazwyczaj komiczny, na przykład bliźniacy, którzy zawsze robią i mówią to samo, ale to w sumie jedna postać). Załóżmy na przykład, że piszesz western. Wprowadzasz dwóch bandytów napadających na pociągi. Obaj są bezwzględni, krwiożerczy i przebiegli. Ponieważ niczym się nie różnią, możesz z jednego zrezygnować, jednocześnie wyraźniej szkicując postać drugiego, albo wyposażyć każdego w inny temperament i wyznaczyć mu inną funkcję. Niech na przykład jeden będzie antagonistą, a drugi jego pomocnikiem. Szef jest mózgiem całej operacji, drugi odwala czarną robotę. W efekcie mamy konflikt – jeden z nich chce obrabować pociąg i uciekać, a drugi świetnie się bawi obserwując przerażenie pasażerów. Obaj są źli, ale mają różne cele, różne temperamenty; wprowadzają konflikt i popychają fabułę do przodu w specyficzny sposób.

Bohaterowie powinni mieć różne charaktery, temperamenty i funkcje także dlatego, że jeśli są zbyt do siebie podobni, konflikt nie jest wystarczająco wyraźny (patrz rozdział 7). Żeby tego uniknąć, zadbaj, by w twoim scenariuszu nie było postaci, które ze wszystkim i na wszystko się zgadzają. Konflikt nie może być im narzucony siłą, musi mieć korzenie w różnicach między nimi i w ich różnych funkcjach w scenariuszu.

Określając różnice między bohaterami, miej na uwadze, w jaki sposób wpływają na rozwój akcji, dlaczego na niego wpływają. Czy dana postać to nauczyciel, mentor, który dostarcza protagoniście wiedzy? A może sprzymierzeniec, który pomaga mu zrealizować plan? A może to fałszywy przyjaciel, zdrajca, który tylko udaje, że mu pomaga, a w rzeczywistości pracuje na korzyść antagonisty? A może to głos rozsądku; ma przestrzec bohatera przed wybraniem takiego a nie innego rozwiązania? Przeszkodzić mu w tym? Czy dana postać ma wątek poboczny? A może symbolizuje nas, widzów, jest muchą na ścianie, obserwuje działania bohatera? (Wiele z tych funkcji pojawia się tylko w poszczególnych gatunkach. Więcej na ten temat w rozdziale 11). Dokładniejszą analizę funkcji postaci podczas „podróży bohatera" znajdziecie w *Podróży autora. Struktury mityczne dla scenarzystów i pisarzy* Christophera Voglera.

Protagonista

Protagonista to postać centralna, główny bohater, najważniejsza osoba w scenariuszu, z którą publiczność ma się utożsamiać lub której ma współczuć. Słowo „protagonista" pochodzi z greki i oznacza, dosłownie, „pierwszego na linii walki", w przenośni pierwszego aktora, który działa lub wypowiada kwestię. Ta zasada sprawdza się do dzisiaj. Protagonista pojawia się już na początku filmu, choć w wielu obrazach najpierw poznajemy antagonistę, żeby od razu wyznaczyć stawkę i pokazać, z jakim problemem będzie się musiał zmierzyć protagonista. Niektóre filmy każą widzowi długo czekać, żeby spotęgować napięcie: kiedy w końcu zobaczymy tego, o którym wszyscy mówią? Wówczas protagonista, choć nieobecny fizycznie, jest cały czas z nami, bo jego bliskość wpływa na innych. Jest to technika stosowana zwłaszcza w westernach, kryminałach i filmach akcji. W innych gatunkach protagonista często pojawia się przez zaskoczenie; świat ogarnął chaos, nikt nie wie, co robić, kiedy nagle do miasteczka wjeżdża bohater.

Zazwyczaj mamy do czynienia z pojedynczym bohaterem, choć czasami zdarzają się duety, jak w *Thelma i Louise* czy *Butch Cassidy i Sundance Kid*. Są to tak zwane *buddy movies*. O wiele rzadziej spotyka się *ensemble movies*, jak *Wielki Kanion* czy *Wielki chłód*, w których mamy wielu bohaterów. W obu typach filmów najczęściej jeden z bohaterów jest ważniejszy niż inni. W *Butch Cassidy i Sundance Kid* Butch jest mózgiem, Sundance tylko realizuje jego pomysły. *Buddy movies* i *ensemble movies* pisze się trudno, więc jeśli pracujesz nad pierwszym scenariuszem, zacznij od filmu z jednym bohaterem.

Protagonista jest siłą napędową głównego konfliktu. Antagonista często powoduje problemy dla większej ilości ludzi, ale nie chce celowo prowokować głównego bohatera. Protagonista ma opory, nie chce się angażować, i przez krótki czas jest bierny; kiedy jednak decyduje się wkroczyć do akcji, jest jej głównym motorem. Inne postacie komplikują sytuację, sprawiają, że staje się nie do zniesienia, ale akcja, a zarazem konflikt, to domena protagonisty. Innymi słowy, on nie ucieka przed czymś, tylko do czegoś zmierza. Nawet w filmie *Ścigany* Richard Kimble nie tylko ucieka przed szeryfem; zmierza także do Chicago, żeby rozwiązać zagadkę morderstwa żony i dowieść swojej niewinności. W *Północ - północny zachód*, klasycznym thrillerze Hitchcocka o biznesmenie, którego mylnie uważa się za szpiega, Cary Grant nie tylko ucieka przed Jamesem Masonem i jego zbirami, ale też chce uwolnić Eve Marie Saint. Różnica wydaje się niewielka, ale ma ogromne znaczenie; często właśnie to decyduje, czy bohater jest ciekawy, czy to tylko ofiara splotu okoliczności. Protagonista bywa ofiarą; widz często się tak czuje. Jednak rzecz w tym, że protagonista się sprzeciwia, mści, dąży do określonego celu i widza przepełnia poczucie siły, gdy się z nim identyfikuje.

I wreszcie widz musi się identyfikować z protagonistą, a przynajmniej mu współczuć. Chcemy, żeby widzowie wczuwali się w jego emocje. Jeśli protagonista jest zbyt zarozumiały, agresywny albo samolubny, publiczność go zlekceważy, chyba że ich zmusimy, by go zauważała; może nasz bohater ma inne, pozytywne cechy, które z czasem się ujawnią. W takiej sytuacji nawet pozornie odpychający bohaterowie, jak detektyw grany przez Bruce'a Willisa w filmie *Ostatni skaut*, prostytutka Jane Fondy z *Klute* czy pisarz Jacka Nicholsona z *Lepiej być nie może* budzą sympatię widowni. Nawet nadzwyczajny bohater musi mieć cechę, dzięki której zwykli ludzie się w nim odnajdą. Najprościej to osiągnąć wyposażając go w słabość: w konflikcie z antagonistą stoi na przegranej pozycji. Słabość może być zabawna, może być wadą charakteru, może też przejawiać się w szczytności celu protagonisty bądź w trudnościach z jego osiągnięciem.

To jednak tylko połowa równania; publiczność musi mieć wrażenie, że inwestuje tyle samo emocji w sukces protagonisty co on sam; i to dopiero wywoła u nich zrozumienie i aprobatę dla jego walki. Empatia zjawia się, gdy motywy postępowania bohatera są jasne, wiarygodne i godne pochwały. Widz musi sobie powiedzieć: „Gdybym był w jego sytuacji, czułbym się tak samo i mam nadzieję, że miałbym dość odwagi, siły i zapału, by postąpić jak on".

Kiedy protagonista zaczyna działać, jego czyny muszą mieć konsekwencje, zwłaszcza dla niego, ale też dla innych. Bohater musi mieć więcej do stracenia czy do zyskania niż inni. Tylko słaby, samolubny bohater walczy wyłącznie o własne życie, o własny dobytek. To kiepska stawka, chyba że piszesz komedię albo bohater staje w obliczu niebezpieczeństwa (jak w *The Naked Prey* czy *The Most Dangerous Game*). Protagonista powinien walczyć także w imieniu tych, których los albo życie ucierpi, jeśli nie podejmie wyzwania. Oczywiście inni mają do stracenia tyle samo co on, ale odpowiedzialność spoczywa wyłącznie na protagoniście, a jego sukces lub klęska będą tym większe, im większą wartość mają cele. W klasycznym westernie *W samo południe* całe miasteczko obawia się, że zapanują w nim wyjęci spod prawa, ale tylko Gary Cooper, protagonista, ryzykuje życiem, by sprzeciwić się siłom zła. Nawet w komedii *Kłamca, kłamca* stawka Jima Carreya (może stracić rodzinę) powiększa się dramatycznie, gdy w grę wchodzi potencjalne nieszczęście innych (jego rodzina straci jego). Protagonista, który stawia czoła przeszkodom, ale osobiście w żaden sposób nie zyska na zwycięstwie, nie jest tak interesujący jak ten, który walczy o życie, miłość czy honor. A protagonista, który walczy tylko za siebie, jest nudniejszy od takiego, który jest gotów poświęcić się dla innych.

Antagonista

Antagonista utrudnia protagoniście osiągnięcie celu. Może to być człowiek, zwierzę, zjawisko przyrodnicze albo nadprzyrodzone, jak również wewnętrzny konflikt albo skaza protagonisty, jak alkoholizm czy brak wiary we własne siły (patrz rozdział 7). Antagonista musi się wydawać silniejszy od protagonisty i sugerować, że kompromis jest niemożliwy. Jeśli antagonista jest słaby, taki będzie także konflikt.

Młodzi scenarzyści często popełniają ten sam błąd; nie poświęcają antagoniście wystarczającej uwagi. Niedopracowany czarny charakter jest nudny. W dobrym scenariuszu antagonista jest co najmniej równie rozbudowany jak bohater pozytywny, o ile nie bardziej. Dlatego konflikt między nimi jest tak pasjonujący. Profesor Moriarty jest równy, a może bardziej złożony niż Sherlock Holmes, jego motywy są bardziej skomplikowane. Scenarzysta musi poznać charakter antagonisty, jego cechy dominujące, przeszłość, uczucia i motywy, które nim kierują (którymi uzasadnia swoje działanie). Antagonista to często przeciwieństwo scenarzysty i dlatego najtrudniej go stworzyć – chyba, że zdasz się na ciemną stronę swojej osobowości. Postaraj się zrozumieć, czemu w ogóle powstają w twojej wyobraźni, i baw się nimi. W filmie *Ojczym* antagonista to schizofrenik, ale scenarzysta zrobił z niego w pełni rozwiniętą postać, która we własnym rozumieniu ma pełne prawo wymordować całą rodzinę (bo nie spełniają jego oczekiwań i nie realizują amerykańskiego marzenia). Jeśli scenarzysta nie nada działaniom antagonisty racjonalnych powodów, w efekcie otrzyma tandetny stereotyp. W dobrym scenariuszu jest złożony, skomplikowany.

Role drugoplanowe

Role drugoplanowe to postacie, które wspierają głównych bohaterów. Są niezbędne dla rozwoju akcji, ale nie przyciągają tyle uwagi, co protagoniści i antagoniści. Choć nie są równie istotne, należy im poświęcić dużo czasu. Należy je potraktować z taką samą troską jak głównych bohaterów, choć kierujące nimi motywy nie muszą być tak rozbudowane. Postacie drugoplanowe wspierają protagonistę i antagonistę w ich działaniach albo realizują wątek poboczny, który podkreśla albo zaprzecza głównemu wątkowi.

Dobrym przykładem niech tu będzie *Żądło*, gdzie wszystkie postacie drugoplanowe są wyjątkowe i wszystkie pomagają Robertowi Redfordowi i Paulowi Newmanowi w ich wielkim przekręcie. Nawet dranie pracujący dla antagonisty są barwni i wielowymiarowi. Przykładem bohaterów drugoplanowych, którzy realizują wątek poboczny niech będzie *Casablanca*, gdzie młoda Bułgarka jest gotowa się poświęcić (przespać z kapitanem Renault) w zamian za bezpieczny wyjazd do Ameryki dla siebie i męża.

Postacie epizodyczne

Nie wszystkie postacie muszą być w pełni rozwinięte. Zadanie postaci epizodycznych to zapełnić fikcyjny świat albo w danym momencie przyśpieszyć rozwój akcji i zniknąć. Nie trzeba tu budować skomplikowanej charakterystyki; to odciągałoby uwagę od głównych bohaterów i zakłóciło równowagę filmu. To jednak nie znaczy, że mają to być postacie bez twarzy – nawet jeśli dany bohater pojawia się tylko raz, warto, żeby miał jakąś cechę dominującą, która go wyróżnia spośród tłumu. Postacie epizodyczne są jak przyprawy – jeśli nieodpowiednio dobrane, cała historia będzie nudna i bezbarwna. Niech mają szczególne maniery, wygląd, umiejętność, wadę wymowy, cokolwiek, byle się wyróżniali.

W scenach, w których jest wielu żołnierzy, studentów czy policjantów, widzimy wiele postaci epizodycznych, wtedy jednak ich zadaniem jest wypełnić filmowy świat i można ich traktować jako jednego bohatera. Na przykład załoga statku w *Star Trek* nie ma żadnej osobowości, nie nawiązuje kontaktu z głównymi bohaterami; wszyscy są tacy sami, tyle że ich śmierć, ewentualnie zagrożenie ich życia, podbija stawkę. Jednak wypełniają filmowy świat i stanowią powód do zemsty lub działania dla głównych bohaterów. Reprezentują życie, które trzeba ocalić albo pomścić.

Akcent. Określając, ile uwagi poświęcić danej postaci, warto posłużyć się niniejszą analogią: film to obraz, a w każdym obrazie mamy pierwszy plan i tło. To samo można powiedzieć o bohaterach. Główne postacie (protagonista i antagonista) są na pierwszym planie. Role drugoplanowe przyciągają nieco mniej uwagi, są lekko zatarte, a postacie epizodyczne stanową tło i zlewają się ze sobą. Można też spojrzeć z innej strony; protagonista i antagonista to bohaterowie najbardziej skomplikowani; kolejne postacie są mniej złożone, aż dochodzimy do bohaterów najmniej istotnych, ledwo zarysowanych i wreszcie statystów. Każda postać musi być wyrazista w oczach widza, ale bohaterowie drugoplanowi nie mogą odwracać uwagi od głównych postaci, tak jak statysta nie może odwracać uwagi od gwiazdy.

Sytuacja (postać i kontekst)

Bez względu na pełnioną funkcję, bohater musi działać, a żeby działać, musi się znajdować w sytuacji, w której chodzi o wysoką stawkę i jednocześnie mieć do wyboru kilka dróg; musi też podjąć decyzję. Dramaturgia narasta, gdy bohater musi dokonać wyboru. Im trudniejszy wybór, im wyższa stawka, tym ważniejsza i ciekawa postać. Bohater, który dokonuje trudnych wyborów moralnych, społecznych czy etycznych, jest fascynujący.

Wyobraźmy sobie Boba, czterdziestoletniego biznesmena. Bob jest średniego wzrostu, pochodzi z klasy średniej, ma troje dzieci, hipotekę do spłacenia, powiększającą się łysinę. Nic się nie zmienia. Nie awansuje, bo nie pracuje w weekendy. W jego życiu zapanowała rutyna i Bob się z tym pogodził. To nieciekawy bohater. Dlaczego? Bo tylko żyje; nie działa.

Ale co, jeśli pewnego dnia Boba okradną? Składał zeznania na policji i spóźnił się do pracy. Szef robi mu wymówki. Co na to Bob? Idzie do biurka i pracuje. Chowa dumę do kieszeni i cieszy się, że nie stracił pracy. Jest bezpieczny. A teraz? Czy Bob stał się ciekawszy? Odpowiedź: to zależy. Tak, działa, zachował pracę, ale dokonał niewłaściwego wyboru; nie wybrał ścieżki, która zmieni jego sytuację. Taka postać funkcjonuje, jeśli jej niechęć do działania w danej sytuacji powróci w innej i bohater dokona innego wyboru (w *Szeregowcu Ryanie* młody tłumacz, sparaliżowany strachem, pozwala, by Niemiec zamordował jego przyjaciela; później z tchórzostwa zrodzi się działanie – zamorduje Niemca). Albo wręcz odwrotnie, niemożność działania w trakcie całej historii odzwierciedla główny problem filmu. W *Okruchach dnia* tragiczna niezdolność wykorzystania okazji do miłości skazuje lokaja na życie w samotności. Takie bierne postacie są tragiczne, symbolizują ograniczenia, jakie narzuca nam życie, i najczęściej pojawiają się w wątkach pobocznych. Ich brak odwagi czy chęci do działania stanowi kontrast dla decyzji protagonisty. Dosyć często są głównymi bohaterami filmów europejskich (*Słodkie życie*). O wiele rzadziej w amerykańskich (chyba że w małych niezależnych produkcjach, jak *The Low Life*); są zbyt bierni, a co za tym idzie, za mało amerykańscy.

Wróćmy do biednego Boba – co, jeśli po tyradzie szefa wstanie i rzuci pracę? Powie szefowi, gdzie może sobie wsadzić swoje awantury, sprzątnie biurko i wyjdzie? Teraz bardziej przypomina amerykańskiego protagonistę. Zaczął działać, co więcej, jego działanie niesie konsekwencje. W obu wypadkach to, co robi (lub nie) określa go o wiele lepiej niż informacja, że ma czterdzieści lat, hipotekę i powiększającą się łysinę. Idealny przykład takiego bohatera znajdziemy w *Truman Show*. Nudny biznesmen zaczyna podejrzewać, że całe jego życie to oszustwo. Zaczyna działać, przeszukuje dom, zastawia pułapki słowne na żonę i sąsiadów. W końcu odkrywa prawdę i podejmuje najtrudniejszą decyzję – porzuca znany świat na rzecz nieznanego.

Nie stój tak (akcja/reakcja)

Podstawa akcji to bohater, który decyduje się działać, a nie tylko reagować na wpływ otoczenia, przy czym jego działanie powinno tworzyć okoliczności korzystne dla zmiany albo umożliwiające działanie innego bohatera. Większość bohaterów, także protagonista, początkowo tylko reaguje na otaczający ich świat. Silna postać w pewnym momencie zaczyna działać, by ten świat zmienić, a słaba tylko reaguje na działania innych. Wyobraźmy sobie Sally, młodą kobietę, która idzie na pogrzeb ojca. Ojciec, filar lokalnej społeczności, molestował ją w dzieciństwie. Matka nigdy w to nie uwierzyła. Sally sama wchodzi do domu pogrzebowego, zalewa się łzami, wali pięściami w zwłoki, i, pewna, że nikt nie słyszy, wykrzykuje oskarżenia pod adresem ojca. O ile z tej sceny nie wynikną jakieś zmiany w jej życiu, Sally jest słabą postacią, bo tylko reaguje w danej sytuacji, i jej reakcja nie ma żadnych konsekwencji. Współczujemy jej, ale poza tym nas nie obchodzi, bo nie robi nic, by poradzić sobie z bólem. Ale co, jeśli Sally się uprze, by wygłosić mowę do wszystkich zebranych i powie, co wyprawiał powszechnie szanowany ojciec? Albo podejdzie do trumny, ale tym razem w obecności matki? A co, jeśli Sally powoli otworzy torebkę, wyjmie wielkie nożyce i na oczach przerażonej matki rozepnie ojcu rozporek i dokona pośmiertnej amputacji? Jej działanie nieodwracalnie zmieni zwłoki ojca i jej stosunki z matką. W powyższych scenariuszach Sally nie ogranicza się do reakcji. Dokonuje świadomego wyboru i działa, a jej działanie ma konsekwencje. Zwróćcie uwagę, że ostatnia scena jest bardziej obrazoburcza i wizualna, a co za tym idzie, bardziej filmowa.

Inny przykład. Jack, policjant, pewnego dnia się dowiaduje, że jego żona sypia z Larrym, jego partnerem i najlepszym przyjacielem. Jack bije Larry'ego i rozwodzi się z żoną. Gniew powoduje, że działa i zmienia swoje życie, ale Jack nadal jest nudnym bohaterem, bo jego działania są przewidywalne. Pobicie Larry'ego i rozwód to reakcje obronne, a nie świadome działanie. A jeśli Jack zdecyduje się na wyrafinowaną zemstę? Uwodzi żonę Larry'ego. Teraz działa, ale nadal nie jest zbyt kreatywny. Więc może Jack znajdzie pretekst, może długie śledztwo, żeby on i Larry chwilowo zamieszkali razem? I wtedy niby przypadkiem opowiada o żonie, o tym, jak się poznali i pokochali, i wybija Larry'emu romans z głowy. Po zadaniu Jack wraca do żony i w żaden sposób nie daje jej do zrozumienia, co wie, co zrobił. Działa nie tylko świadomie, ale i intrygująco. Albo jeszcze inaczej. Załóżmy, że nasi bohaterowie mieszkają w Miami; pewnego dnia Jack zaprasza Larry'ego na wspólne nurkowanie z nim i żoną. Majstruje przy ich butlach tlenowych, tak że niepostrzeżenie kończy im się powietrze, sam wchodzi na pokład i zawraca, zostawiając ich na środku oceanu? I na wszelki wypadek wylewa do wody wiadra krwi, żeby zwabić rekiny? Niezbyt to szlachetne, ale świadome i zamierzone. Mówiąc krótko, bohaterowie powinni działać z własnej woli, nie reagować na działanie innych.

Popatrz tylko! (Przyczyna i skutek)

Z punktu widzenia dramaturgii opowieści najefektywniejsze jest takie działanie, które wywołuje działanie innego bohatera. Przyczyna i skutek, bodziec i reakcja to fundament każdej opowieści. Wróćmy do naszego Boba z powiększającą się łysiną. Załóżmy, że wraca do domu i mówi żonie, że rzucił pracę, a ona przyjmuje to spokojnie. Działanie Boba idzie na marne, to przyczyna bez skutku. Ale jeśli jego żona wyrusza na randkę z szefem, bo ten nadal ma pieniądze albo sama ubiega się o posadę Boba, sprawa ma się inaczej. Działanie Boba zmusiło i ją do działania. Akcja wywołująca akcję (a nie reakcję) to kwintesencja każdej opowieści.

Jednak żadna akcja nie budzi zaufania, jeśli nie stoi za nią silna, osobista i jasna motywacja. Emerson powiedział: *Przyczyna i skutek, środek i cel, ziarno i owoc; nie sposób ich oddzielić, bo skutek żyje w przyczynie, cel istnieje w środku, owoc w ziarnie.*

W scenariuszu oznacza to, że w danej postaci musi być silna podstawa, która umożliwia dane działanie, usprawiedliwia je, sprawia, że jest nieuniknione. Chcąc poznać przyczyny, nie wystarczy przyjrzeć się sytuacji, w której są osadzeni bohaterowie; trzeba także przeanalizować motywy, które skłonią ich do takiego, a nie innego działania. Ziarno czeka na słońce i deszcz; osobowość bohatera i jego potrzeby to podstawa jego motywacji, z której w odpowiedniej chwili zrodzi się działanie.

Motywy można by wyliczać bez końca: zemsta, niesprawiedliwość, ambicja, wspomnienia, źli krewni; to te najprostsze. Trudniej jest zrozumieć, dlaczego jeden bohater będzie działał, a drugi nie. Dlaczego jeden z braci chce pomścić śmierć ojca, a drugi woli o tym zapomnieć? Jeśli ty, autor, nie wiesz, czemu twoi bohaterowie reagują tak a nie inaczej, ich działanie zawsze będzie niejasne i nieprzekonujące. Będą to jednowymiarowe postacie, które działają, ale kierujące nimi motywy są niezrozumiałe. To nie ma sensu, podobnie jak postać o jasnej motywacji, która nic nie robi. W scenariuszach debiutantów bohaterowie często robią rzeczy bez sensu, bo autorowi nie chciało się go szukać. Innymi słowy, nie poznał swoich postaci. Jeśli chcesz uniknąć tego błędu, musisz wyodrębnić elementy, które określają bohaterów.

Elementy bohaterów

Najważniejsze elementy bohatera ukazują jego osobowość, potrzeby i pragnienia, które sprawiają, że zaczyna działać. Musisz się w niego wczuć i zrozumieć, czemu w danej sytuacji postępuje tak a nie inaczej. Żeby naprawdę poznać daną postać, musimy poznać wszystkie elementy, które sprawią, że nasz bohater dokonuje wyboru i działa. W tym celu można sporządzić listę jego cech poprzez zadanie sobie szeregu pytań. Będzie to podstawowy szkic postaci. Lista może zawierać między innymi takie pytania:

OGÓLNE:

Zainteresowania

Maniery/zwyczaje

Gusta

Przekonania polityczne

Kariera zawodowa

Wykształcenie

Zawód

Sytuacja finansowa

ZEWNĘTRZNE/FIZYCZNE:

Problemy zdrowotne

Strój

Wiek i płeć

Wygląd

Stan zdrowia

SPOŁECZNE:

Nadzieje, ambicje, obawy

Zasady moralne

Status społeczny

Rodzina

Narodowość

Wyznanie

PSYCHOLOGICZNE:

Ambicje

Rozczarowania

Zahamowania

Obsesje

Fobie

Przesądy

Zdolności

Filozofia

Temperament

Dzieciństwo

Niektórzy nauczyciele scenopisarstwa radzą nawet, by budować szczegółową biografię bohatera, konstruować jego życie od urodzenia, analizować każdy szczegół. Problem w tym, że taka biografia ciągnie się w nieskończoność, jedne pytania rodzą następne, każde wydarzenie prowadzi do innego... I to wszystko na darmo, jeśli w jakiś sposób nie ma wpływu na scenariusz. Lista czy biografia przestaje spełniać swój cel, kiedy zaczyna przytłaczać; może się okazać, że cię paraliżuje i obezwładnia. Przesadnie szczegółowa biografia nie jest ani potrzebna, ani realistyczna. Całkowity obraz postaci to wizerunek zbyt kompleksowy, by widz go w pełni ogarnął. Nawet przeciętna postać jest zbyt rozbudowana i skomplikowana, by przedstawiać ją w pełnej krasie; najbliżej tego znalazł się chyba James Joyce w *Ulisessie*, a jest to powieść wybitnie niefilmowa (wystarczy się przyjrzeć jedynej próbie ekranizacji).

Nikomu nie polecamy takiego podejścia. Oczywiście, teoretycznie to prawda, że jeśli wiesz, co twój bohater robił w pierwszej klasie, wiesz też, dlaczego teraz postępuje właśnie tak, a nie inaczej. W praktyce to absurd. Chyba że w przeszłości miało miejsce wydarzenie na tyle istotne, że do dzisiaj ma znaczący wpływ na bohatera; może, na przykład, odstrzelił głowę własnemu ojcu, bo myślał, że strzela z zabawki, a nie prawdziwej broni? Jeśli to ma wpływ na jego obecny stan psychiczny, można o tym opowiedzieć, ale darujmy sobie wzmianki, czy nauczył się korzystać z nocnika przed pójściem do przedszkola. Zadaniem scenarzysty nie jest stworzyć postać realistyczną pod każdym względem; tylko postać realistyczną w ramach opowiadanej historii.

Wbrew pozorom, to bardzo proste. Jeśli dany element przeszłości bohatera bezpośrednio wpływa na przebieg akcji, nie wolno go pominąć. Pamiętaj, w filmie wszystko jest w czasie teraźniejszym: akcja, wskazówki sceniczne, nawet retrospekcję opowiada się tak, jakby działa się teraz. To samo dotyczy postaci. Jeśli duchy przeszłości dręczą bohatera, dręczą go tu i teraz, bo to ma wpływ na przebieg akcji i da o sobie znać w którejś scenie.

Natomiast jeśli przeszłość postaci, choćby nie wiadomo jak barwna, nie wpływa bezpośrednio na przebieg akcji, jest niepotrzebna. Przykładowo, w scenariuszu jednego ze studentów było przemówienie prawnika; żałował, że przed laty, podczas pierwszego procesu, nie udało mu się uzyskać wyroku skazującego; morderca wyszedł na wolność i dalej zabijał. Jednak w żadnym momencie scenariusza, w żadnej scenie to wspomnienie nie wpływało na decyzje prawnika, nie zmuszało go do refleksji, nie sprawiało, że postępował inaczej, gdyby nie tamto przeżycie. To było dobre przemówienie, świetnie napisane, ale nie miało znaczenia dla przebiegu akcji i dlatego trzeba je było wyciąć.

Scenarzystę interesują jedynie elementy niezbędne dla opowiadanej historii, które tworzą bohatera jedynego w swoim rodzaju, o specyficznych pragnieniach. Tak więc kiedy pracujesz nad jego biografią, bądź wybredny i zadawaj sobie tylko te pytania, na które odpowiedzi pojawią się w scenariuszu.

Czegoś brak (pragnienia, motywy, cele)

Żeby bohater czegoś pragnął, do czegoś dążył, innymi słowy, żeby miał cel, który stara się osiągnąć, musi tego elementu w jego życiu brakować – utracił go albo jeszcze nie zdobył, choć bardzo pragnie. Ten brakujący element jest bezpośrednio związany z celem bohatera i z jego gotowością do działania, by go osiągnąć. Im ważniejszy brakujący element, tym większa motywacja. Im silniejsza motywacja, tym bardziej zdecydowane działanie.

Najłatwiej zrozumieć motywację, przyglądając się jej z punktu widzenia bohatera, nie autora. Silna postać zawsze stara się obrócić sytuację na swoją korzyść. Innymi słowy, bohaterem kierują określone pragnienia i potrzeby i pod ich wpływem działa. Czy sytuacja jest pozytywna czy nie, zależy od punktu widzenia postaci, nie autora. Dotyczy to zarówno protagonisty, jak i antagonisty.

Bohater może dopuścić się złego czynu, jeśli kieruje nim pozytywna motywacja. Powiedzmy, że pracujesz nad antagonistą, terrorystą, który porywa samolot. Kiepski autor uzna, że terrorysta jest zły i już. Jego motywy i pragnienia zamkną się w krótkiej scence zdradzającej jego szaleństwo, w której wygłosi banalny slogan religijny czy polityczny albo będzie się dopuszczał bezsensownych aktów okrucieństwa. Dobry autor stara się znaleźć pozytywny wynik, który antagonista chce osiągnąć atakiem terrorystycznym. W jaki sposób antagonista doszedł do wniosku, że porwanie samolotu to najlepsze rozwiązanie? Postać nabiera wyrazu i głębi, gdy widzimy powody, dla których dokonuje takich a nie innych wyborów, gdy jest dla nas jasne, że jej zdaniem takie rozwiązanie jest najlepsze.

Klasyczny przykład takiej postaci znajdziemy w *Medei*, antycznej greckiej tragedii o kobiecie, która morduje własne dzieci, bo mąż porzucił ją dla młodszej księżniczki. Zdaniem Medei zabójstwo dzieci ma wiele zalet:

1. Lepsze to niż pozwolić, by umierały z głodu na wygnaniu, a zatem jest to akt miłosierdzia.

2. Tym sposobem ukarze męża, który zasłużył na karę.

3. Lepsze to niż zostawić dzieci przy życiu, by cały czas przypominały jej, co ich ojciec jej zrobił.

Nie ma chyba straszliwszej zbrodni niż zamordowanie własnych dzieci, lecz w przekonaniu Medei jest to pozytywne wyjście z negatywnej sytuacji.

Oczywiście takie działanie zazwyczaj przynosi kolejne negatywne konsekwencje. Choć bohaterowie się łudzą, że ich niszczycielskie działanie przyniesie pozytywny skutek, w efekcie rezultat jest bardziej zbliżony do ich działań niż zamierzeń; kto mieczem wojuje, od miecza ginie. W nieco bliższym nam przykładzie Michael Corleone z *Ojca chrzestnego* każe zabić najpierw szwagra a potem brata za zdradę rodziny. To ironiczne, perwersyjne powielenie schematu więzów rodzinnych, lecz w świecie Michaela lepsze to niż pozwolić, by zdrajca chodził bezkarnie. Koniec końców Michael się dowie, że jego żona wolała usunąć ciążę niż dać mu kolejnego syna, jego córka ginie na jego oczach, a on sam zostaje bez rodziny, sam jak palec. Nieco bardziej optymistycznie: w *Mój chłopak się żeni* Julia Roberts stara się powstrzymać przed ślubem najlepszego przyjaciela; uważa, że to lepsze niż nadal się męczyć ze skrywanym nieodwzajemnionym uczuciem. W końcu zdaje sobie sprawę, że postępuje źle: jest już za późno, sprawiła wszystkim jedynie ból i zrobiła z siebie idiotkę. W *Życie jest cudowne* George Bailey woli się zabić niż znosić pogardę rodziny i społeczności. W szerszej perspektywie pcha go do tego rozczarowanie własnym życiem i niezrealizowane marzenia, które podporządkował rodzinie. Teraz uważa, że zawiódł na całej linii. To jego reakcja na negatywną sytuację. Jest tu jednak pewna znacząca różnica: nie przyniósł wstydu rodzinie, nie zawiódł jej. To świetny facet i jego motywacja ulegnie zmianie, kiedy się przekona, jakie wspaniałe miał życie.

Każda dobrze napisana postać, w każdej chwili, nawet postępując źle, jest pewna, że postępuje słusznie. Może się myli, może wyrządzić więcej szkody niż pożytku, może działa na własną niekorzyść, ale reaguje tak, bo wierzy, że tym sposobem to, co złe, stanie się dobre.

To nie ja! (granice samopoznania)

Arystoteles określa wadę postaci jako skazę, błąd w ocenie czy braki w zachowaniu, zwłaszcza w bohaterach tragicznych. Scenariusze nie opowiadają o ludziach idealnych, którzy widzą życie swoje i innych. Punkt widzenia bohatera jest jak punkt widzenia kamery: zawsze subiektywny, nacechowany jego marzeniami, obawami i lękami. Bohaterowie mają skazy; za bardzo ich pochłania własne życie, by zdobyli się na obiektywizm. Każdy bohater musi się odnaleźć, nauczyć, dostosować, dojrzeć. Hamlet zdobędzie się na zemstę, choć początkowo nie zdaje sobie z tego sprawy. Charlie Sheen w *Wall Street* jest chciwy, ale (przynajmniej na początku) sam o tym nie wie. Bill Murray w *Dniu świstaka* uważa się za świetnego reportera, który nikogo nie potrzebuje i robi wszystko, by przekonać o tym wszystkich dokoła, lecz wkrótce będzie się brzydził sam sobą i zrobi co w jego mocy, by zasłużyć na miłość. Nawet Superman przecenia swoje umiejętności, reaguje niewłaściwie i popełnia błędy. Wynikają one z braku samopoznania, które jest kluczowym elementem każdej opowieści.

Najważniejsze zadanie to znaleźć tę najistotniejszą słabość, wadę, skazę. W przypadku protagonisty skaza jest wyjątkiem na tle innych, silniejszych, pozytywnych cech. Na przykład John jest kochającym mężem, zdolnym maklerem giełdowym i uczciwym biznesmenem, ale za kierownicą traci panowanie nad sobą. Valerie to świetna prawniczka, obrończyni praw kobiet, ale boi się własnego ojca. Kobieta jest dobrą żoną i troskliwą matką, ale przy okazji pracoholiczką. Policjant lubi swoją pracę, jest uczciwy i sprawiedliwy, ale za bardzo ryzykuje. Ludzie nie zdają sobie sprawy z własnych ograniczeń. Wszystkie postacie mają pewne granice: wytrzymałości, pojmowania, energii. Wie o nich autor, ale nie postać. Zdarza się, że sam bohater zdaje sobie z nich sprawę, ale unika konfrontacji. Innymi słowy autor musi znać bohaterów lepiej niż oni samych siebie i zmusić ich do konfrontacji ze skazą. Jeśli skaza jest na tyle silna, że niszczy wszelkie nadzieje na sukces, staje się tragiczna. Jeśli jest to tylko zabawna, nieszkodliwa wada, mamy do czynienia ze skazą komiczną. W przypadku antagonisty skazą często jest najsilniejsza cecha jego charakteru, która zarazem stanie się źródłem jego klęski: na przykład duma go zaślepia albo jest chorobliwie zazdrosny i to nie pozwala mu spokojnie osądzić sytuacji.

Działania bohaterów stopniowo otwierają im oczy na własną motywację, pragnienia, obawy. Kiedy poznają się lepiej, dostrzegą także skazę i wówczas bohater może się z nią uporać i wyjść ze starcia z samym sobą zwycięsko (albo, w przypadku tragedii albo antagonisty, świadomość skazy przyniesie jedynie ból i porażkę). Tym samym konflikt jest rozwiązany, cel osiągnięty albo stracony na zawsze i zaraz nastąpi koniec.

Dopaść ducha (niedokończone sprawy)

Wariacją na temat skazy jest coś, co John Truby i inni określają mianem ducha. Jest to bagaż z przeszłości, który nie daje bohaterowi spokoju, niezałatwione sprawy, które nie pozwalają mu żyć normalnie, póki się z nimi nie rozprawi. W przypadku Hamleta jest to autentyczny duch jego ojca; właśnie duch i pragnienie pomszczenia jego śmierci napędzają akcję dramatu i jednocześnie ograniczają Hamleta, który z jednej strony pragnie zemsty, z drugiej powstrzymuje go delikatny, niezdecydowany charakter. Dzisiaj takim duchem bywa nierozwiązana zagadka śmierci kogoś bliskiego (*Maratończyk*, *Ścigany*), ale i nieszczęśliwy rozwód (*Kłamca, kłamca*), stracona szansa na miłość czy sukces (*Jerry Maguire, Głupi i głupszy*), upokorzenie i hańba (*Rambo, Werdykt*, znowu *Ścigany*) czy inny czynnik z przeszłości, który pochłania uwagę bohatera, póki nie rozprawi się z nim ostatecznie. W filmie *Uwierz w ducha* protagonistę męczy pytanie, dlaczego jest duchem i w jaki sposób zakończyć przerwany związek z ukochaną.

Czasami ducha znamy jedynie z prezentacji; czasami w prologu widzimy, skąd się wziął (*Na krawędzi, Ścigany*). Zazwyczaj stanowi część bagażu emocjonalnego protagonisty, ale dobrze skonstruowany antagonista też ma swoje duchy: kapitan Ahab stracił nogę przez Moby Dicka, Upiora z Opery pozbawiono muzyki, urody i miłości. Dzięki temu antagonista staje się bardziej złożony, a publiczność lepiej go rozumie, ba, nawet mu współczuje. Nieważne, jaki duch nęka twojego bohatera; musi mieć związek z tematem filmu i akcją, inaczej będzie po prostu niepotrzebny.

Bohaterowie bez skazy, bez ducha, są nudni. Naucz się dostrzegać motywy kierujące bohaterami, zobacz ich wady i duchy, a będziesz na najlepszej drodze do skonstruowania ciekawej postaci.

Iść czy zostać? (konflikt wewnętrzny)

Konflikt wewnętrzny to sprzeczność w życiu bohatera, z którą musi się uporać, zmierzyć lub wznieść ponad nią. Konflikt wewnętrzny rodzi się z moralnych rozważań, niezdecydowania, jak postąpić, z różnych czynników, które sprawiają, że bohater w siebie wątpi (więcej na ten temat w rozdziale 7). Konflikt wewnętrzny jest najciekawszy, gdy ścierają się dwa silne, pozytywne pragnienia, równie silne, lecz z zasady przeciwstawne. W *Baby Boom* Diane Keaton chce być dobrą matką, ale uważa także, że musi pokonać szklany sufit w pracy. Te dwa pragnienia – bycia dobrą matką i zrobienia kariery to przeciwieństwa i źródła konfliktu wewnętrznego.

Podobnie jak skaza i duch, konflikt wewnętrzny musi mieć korzenie w charakterze bohatera, jeśli ma go zmusić do działania. Powiedzmy, że Jack to dobry policjant. Zgłosił się na ochotnika do pracy w niebezpiecznej dzielnicy, bo uważa, że tam zdziała najwięcej dobrego. Jack bardzo chciałby mieć dziecko, ale jego żona stawia warunek – musi odejść z policji albo przynajmniej przyjąć bezpieczniejsze stanowisko za biurkiem. Jack zdaje sobie sprawę, że żona ma rację, ale przecież potrzebują go porządni mieszkańcy niebezpiecznej dzielnicy. Dręczy go wewnętrzny konflikt wywołany przez dwa czynniki pozytywne: pragnienie dzieci i chęć niesienia pomocy innym. Źródłem konfliktu jest sam Jack: jest dobrym człowiekiem i dlatego z własnej woli pracuje w złej dzielnicy.

Konflikt wewnętrzny pojawia się także wtedy, gdy cele i potrzeby postaci oznaczają konfrontację ze skazą. Załóżmy, że Jack jako dziecko został bez dachu nad głową. Nigdy o tym nie zapomniał i panicznie boi się utraty pracy. Żona chce, żeby poprosił o przeniesienie na bezpieczniejsze stanowisko, żeby mogli mieć dzieci, on jednak boi się poprosić targany obawą, że straci pracę. Może żona nie daje mu spokoju, wypomina mu jego nieszczęśliwe dzieciństwo i powtarza, że powinien mieć więcej oleju w głowie i nie wykonywać pracy, w której może zginąć i zostawić najbliższych bez środków do życia. W tym wypadku wewnętrzny konflikt rodzą liczne pozytywne pragnienia, pozytywne przynajmniej w oczach bohatera: chęć posiadania dzieci, zachowania posady i obawa o losy rodziny.

Żeby podbić stawkę, zróbmy z biednego Jacka alkoholika. Żona nie zgadza się na dzieci, dopóki ten nie przestanie pić. Pozornie to konflikt między siłą pozytywną i negatywną: dzieci albo alkohol. Jednak alkoholizm Jacka nie jest źródłem konfliktu wewnętrznego, tylko jego skutkiem. Jack pije, bo niszczy go konflikt między pragnieniem a obawą; w kieliszku szuka zapomnienia, i tak alkohol staje się elementem pozytywnym. Autor nie może pomylić konfliktu wewnętrznego z działaniem bohatera. Działanie postaci jest efektem konfliktu wewnętrznego, nie sam konflikt.

Nie wiesz, czego chcesz (potrzeba a pragnienie)

Jak zauważył John Truby, bardzo silnym źródłem konfliktu wewnętrznego jest różnica między tym, czego bohater świadomie pragnie, a czego podświadomie potrzebuje. Dobrym przykładem jest tu *Lepiej być nie może*; Mel z jednej strony pragnie być sam, z drugiej – potrzebuje miłości i obecności drugiego człowieka. Albo załóżmy, że protagonistę spala pragnienie wzbogacenia się; chce dowieść swojej wartości i zdobyć piękną, ale chciwą dziewczynę (u podstaw tego działania leży duch: jego ojciec umarł samotny i ubogi). Tak naprawdę jednak chce być szczęśliwy taki, jaki jest, bogaty czy nie, ze skromną dziewczyną z sąsiedztwa. Zda sobie z tego sprawę dopiero po żmudnej pogoni za obiektem pożądania, gdy się nim rozczaruje. Po drodze uświadomi sobie jeszcze, że ojciec umarł niekochany, bo sam nie kochał, a nie dlatego, że był biedny. Kiedy pozbędzie się wszystkich złudzeń i mylnych wyobrażeń, zdoła znaleźć szczęście, które cały czas miał na wyciągnięcie ręki i wszystko dobrze się skończy. I właśnie dlatego facet zawsze się żeni z kobietą pokroju Doris Day, choć przez cały film uganiał się za Veronicą Lake. Veronica, choć piękniejsza, uosabia złotego cielca, fałszywy obiekt pożądania. Doris, dziewiczo niewinna, jest tym, czego nasz bohater naprawdę potrzebuje do szczęścia. (Hollywood lubi moralizować). Odwróćmy schemat; bohater nie uczy się na własnych błędach albo zdaje sobie z nich sprawę za późno i mamy inne, mroczne zakończenie, jak w *Nagim Instynkcie*, gdzie wybrał on żądzę, nie miłość, czy w *Niebezpiecznych związkach*.

Konflikt między pragnieniem a potrzebą to jedno z najpotężniejszych narzędzi w ręku scenarzysty; pozwoli ci stworzyć nowe pokłady głębi psychologicznej, ale jak wszystko inne zależy od opowiadanej historii. Czasami pragnienia i potrzeby są zbieżne, jak w *Rockym*, gdzie jego pragnienie utrzymania się na nogach podczas walki odzwierciedla potrzebę udowodnienia, że jest kimś więcej niż zwykłym włóczęgą.

Biała kobieta, 30-40, lubi spacery w parku (cechy charakterystyczne)

Oprócz konfliktu wewnętrznego bohatera, jego motywacji i samopoznania, musisz określić jego dominującą cechę charakterystyczną. Posłuchaj, jak ludzie opisują innych. Prawie zawsze wymieniają dominującą cechę charakterystyczną:

„Emily, ta wariatka w ciąży z biura."

„Tybalt, ten nerwus, który się ciągle kłóci."

„Beth, ta świruska, która wiecznie szuka torebki."

„George, ten milczek, który nigdy nie mówi dzień dobry."

„Wanda, ta okularnica, która ma kalkulator w głowie."

Opisując kogoś, odruchowo wymieniamy cechę charakterystyczną. Zdaniem scenarzysty jest odnaleźć te cechy, które mają wpływ na rozwój akcji.

Cecha charakterystyczna sprawia, że bohater jest niezbędny w tej opowieści i to w takiej a nie innej roli. Może się okazać, że dana postać świetnie sobie radzi w sytuacjach stresowych, jest bardzo mądra, naiwna albo wyrachowana. Czasami jest to coś drobnego, nietypowego, ale dana cecha zawsze wyróżnia bohatera spośród innych i określa jego rolę. Spójrzmy na *Szczęki*: każdy z bohaterów ma dominujące cechy charakterystyczne. Quint (Robert Shaw), stary łowca rekinów, jest niezależny, samowystarczalny i uparty; Hooper (Richard Dreyfuss), naukowiec – zarozumiały i egoistyczny; Brody (Roy Scheider), szeryf, to zwykły facet, zmuszony do działania, by uchronić pływaków przed straszliwą śmiercią, a swoje miasteczko przed finansową ruiną. Każdy z nich jest inny, każdy świetnie wpasował się w swoją rolę w historii.

Dominująca emocja to stan uczuciowy bohatera. Wszystkie postacie doświadczają wielu uczuć, ale jedno najpełniej określa daną postać. Czasami jest to nerwowość, smutek, agresja, gniew. W *Czasie zabijania* Matthew McConaughey jest opanowany i skoncentrowany, a Samuel Jackson pełen pasji i przebiegły. Tylko jedno uczucie nie sprawdza się na ekranie – żal nad sobą. Postacie, które użalają się nad sobą zazwyczaj nie działają, a wiemy, że bohater, który nie przystępuje do akcji, jest nudny. Wyjątek to wątek poboczny albo postać komiczna, której użalanie się nad sobą wpływa na innych bohaterów, jak wiecznie cierpiąca żydowska matka czy porzucona narzeczona z niektórych filmów Woody Allena. Nie zapominaj, mówimy o uczuciu dominującym: George Bailey w *Życie jest cudowne* na początku też użala się nad sobą, ale wkrótce powraca jego uczucie dominujące – miłość do bliźnich.

Łuk czy skała (łuk postaci a postać katalityczna)

Zmiana to prawo natury. Wszystko się zmienia: pory roku, rośliny rosną i więdną, góry ulegają erozji. Tak samo ma się sprawa z ludźmi. Kochankowie schodzą się i rozstają, dzieci dorastają, słabi nabierają sił, silni z nich opadają. Zmiana zachodząca w bohaterze w ciągu dwóch godzin filmu to łuk przemiany postaci. Jest to wersja przemyśleń autora na temat podróży przez życie. Bohaterowie dorastają emocjonalnie, intelektualnie i duchowo i tym samym niosą pewną cząstkę prawdy o ogólnoludzkim doświadczeniu. Lajos Egri mówi: *Jest tylko jedna kraina, w której bohaterowie nie podlegają prawom natury i się nie zmienią – kraina złego pisania.* Nie chcemy się z nim spierać, ale nie wszystkie postacie, nawet nie wszyscy protagoniści pokonują tę drogę. Istnieje typ bohatera, którego określamy mianem postaci katalitycznej. Taka postać się nie zmienia; sama jej obecność i jej niezachwiane przekonania zmieniają otaczający ją świat. Przyjrzymy się obu typom bohatera.

Nieokiełznana siła (zmiana)

Łuk przemiany prawie zawsze buduje się na konflikcie. Nie sposób dorosnąć, nie rozkładając samego siebie na czynniki pierwsze, nie analizując i kreując własnego świata. Na przykład studia to czas intensywnego rozwoju, bo to środowisko wysoce konkurencyjne. Jest to czas nerwów, podniecenia, terminów nie do przekroczenia, sprawdzianów, odkryć i wyczerpania. Nie ma wtedy miejsca na medytację, analizę i refleksję. Studia to konflikty, a tam gdzie jest konflikt, jest i rozwój – studenci zaczynają jako dzieci, a opuszczają uniwersytet jako ludzie dorośli (miejmy nadzieję). Jest wiele stresogennych sytuacji, które wpływają na zmianę: wojna, małżeństwo, rozwód – innymi słowy, wiele sytuacji, które widzimy w filmach, bo bohaterowie filmowi także dojrzewają dzięki konfliktom. Budując postać, pamiętaj nie tylko o tym, kim jest ona na początku, ale też kim będzie, kiedy film dobiegnie końca.

Oto przykłady łuku przemiany: W *Blasku* David Helfgott to nieśmiały dziwak, który koniec końców występuje przed tłumem. W *Copland* Sylvester Stallone zaczyna jako cichy policjant, który przymyka oko na korupcję, ale z czasem okaże się porządnym gliniarzem wierzącym w sprawiedliwość dla wszystkich. W *Facetach w czerni* Tommy Lee Jones początkowo jest łowcą obcych oddanym sprawie, a pod koniec chce, żeby mu wymazać pamięć, żeby mógł żyć normalnie. W filmie *Menażeria* John Belushi zaczyna jako pijany student, kończy jako senator.

Rodzaj przemiany i jej stopień zależą od rodzaju opowieści. Nie wszyscy zmieniamy się w tym samym tempie, w tym samym stopniu. Czasami przemiana dokonuje się w chwili kryzysowej, czasami jest to powolny proces. Czasami jest ogromna, jak kiedy świnia staje się bohaterką w filmie *Babe – świnka z klasą*, czasami wyciszona i skromna, jak w *Footloose*, gdzie surowy kaznodzieja Johna Lithgowa, wróg tańca, na koniec tańczy z żoną. Czasami właśnie mała zmiana odnosi największy skutek.

Pod koniec filmu powinniśmy spojrzeć na jego początek i dostrzec, w jaki sposób i dlaczego bohater jest teraz tym, kim jest. Wszystko powinno być spójne. Choć to nie zawsze jasne na początku, ziarna przemiany powinny pojawić się bardzo wcześnie, żeby pod koniec transformacja była nie tyle możliwa, co nieunikniona.

Niewzruszony (przekonania)

Postacie, które się nie zmieniają, o ile są dobrze napisane, muszą mieć tę niezmienność wpisaną w charakter. Zazwyczaj jest to przekonanie, że żyją zgodnie z kodeksem wewnętrznym, który sprawia, że są niewzruszone jak skała w wiecznie zmieniającym się, niestałym świecie. Są nieporuszone są górą, o którą rozbija się przypływ, sprawiają, że akcja toczy się tak, a nie inaczej. Czasami odgrywają ważne role drugoplanowe, bywają sprzymierzeńcami i mentorami (Yoda na przykład), wywołują transformacje w bohaterze. Często jednak są głównym bohaterem. Większość bohaterów granych przez Clinta Eastwooda nie zmienia się ani odrobinę – spójrzmy na Brudnego Harry'ego i Człowieka Bez Nazwiska w westernach Sergio Leone. To samo można powiedzieć o bohaterach, między innymi, Johna Wayne'a, Humphreya Bogarta i Sylvestra Stallone: Roosterze Cogburnie, Samie Spade, Philipie Marlowe'ie czy Rambo, jak również o postaciach z matrycy nadczłowieka: Jamesie Bondzie, Supermanie czy Batmanie. Zmieniają otaczający ich świat i ludzi, bo powstrzymują złoczyńców, doprowadzają ich przed oblicze sprawiedliwości, zabijają albo robią wszystko naraz. Zazwyczaj są samotni i rzadko kiedy się starzeją czy umierają, a to dlatego, że to bardziej ikony niż ludzie z krwi i kości. Można ich torturować i katować, kochanka ginie na ich oczach, ale koniec końców i tak wychodzą z każdej opresji bez szwanku, wynoszą z niej nienaruszone przekonania. I dlatego bohaterski kowboj samotnie odjeżdża w nieznane, odprowadzany wzrokiem wdzięcznych mieszkańców miasteczka; nie sposób sobie wyobrazić, że się ustatkował.

Także dlatego takie postacie świetnie działają w sequelach; są niezmienni. Nieliczne próby zmiany albo choćby postarzenia postaci katalitycznych (Philipa Marlowe'a w filmie *Zbrodnia doskonała*, Piotrusia Pana w *Hooku*, Robin Hooda w *Powrót Robina Hooda* i Jamesa Bonda w *Licencji na zabijanie*) były skazane na porażkę, bo zaprzeczały kwintesencji protagonisty. Taki bohater zawiera niepisaną umowę z publicznością: odpowiada nam, bo wiemy, kim jest, jaki jest, co zrobi, czego nie. Chodzimy go oglądać, żeby się upewnić w jego niezmienności. Jeśli zerwiesz umowę, rozczarujesz widownię. I odwrotnie: właśnie dlatego postacie, w których dokonała się silna przemiana, nie funkcjonują dobrze w sequelach; kontrakt z widownią zakładał zakończenie transformacji, która teraz musi trwać dalej.

Niezmienny bohater to chleb powszedni seriali telewizyjnych. Pozwala powielać ten sam schemat w setkach odcinków. Twój bohater cię nie zawiedzie. Wybieraj, masz ich na pęczki: *Seinfeld, Perry Mason, Bill Cosby Show, MASH, Drużyna A, Portret zabójcy*.

Do pióra (budowanie postaci)

Budowanie postaci to żmudny proces. Zaczyna się, gdy masz pierwszy cień pomysłu na scenariusz, i trwa nieprzerwanie podczas spisania, ewoluuje razem z historią, bo akcja kreuje bohaterów, a bohaterowie tworzą akcję. Jednak często zdarza się, że w efekcie żmudnej pracy otrzymujemy mimo wysiłków nudne, bezbarwne, mało wiarygodne postacie. Bohater staje się wiarygodny, jeśli autor dał mu coś z siebie. Pisarz oddaje cząstkę samego siebie każdej wykreowanej przez siebie postaci. Ich życie wiąże się z twoim, więc musisz im pozwolić się do siebie zbliżyć. Musisz nauczyć się widzieć w nich część samego siebie, musisz uważnie słuchać ich głosu. Nieważne, jak bardzo się różnisz od twojego bohatera; nie wymyśliłbyś akurat takiej postaci, gdyby jakaś cząstka ciebie nie reagowała na takiego bohatera. Bądź szczery; każdy z nas skrywa tysiące fantazji, z których tylko o nielicznych odważysz się opowiadać publicznie, ale z których możesz korzystać, żeby stworzyć wiarygodne postacie. Każdy z nas snuje marzenia o władzy, zemście, uwodzicielskiej sile, upokorzeniu i tak dalej. I to mamy na myśli mówiąc, że twoje postacie mają zawierać cząstkę ciebie; nie chcemy, żeby tworzył swoje kopie, tylko żebyś dał im odrobinę tych oblicz, które skrywasz przed resztą świata. Nawet jeśli brzydzisz się tą stroną własnej osobowości, zdobądź się na odwagę i spraw, by postać stworzona w oparciu o tę cechę była jak najbardziej realistyczna.

Doskonałą techniką, która pomaga odkryć, która twoja cząstka ma się stać postacią, jest zadać sobie magiczne pytanie: Co zrobiłbym na miejscu danego bohatera? Technikę tę stosował Konstantin Stanisławski, wielki rosyjski reżyser i nauczyciel gry aktorskiej. Sprawdza się ona także w przypadku scenarzystów; jakby nie było, ich sceną jest kartka papieru. Jeśli dostrzeżesz podobieństwa między zachowaniem twoim a twoich bohaterów, sprawisz, że staną się bardziej rzeczywiści. Nieważne, ile was dzieli; łączy was ludzkie doświadczenie. Żeby stworzyć Romea, nieśmiały musi odnaleźć w sobie tragicznego kochanka. Strachliwy musi dostrzec w sobie zabijakę, żeby wykreować brutala. Arogant musi się cofnąć do dzieciństwa, by dobrze opisać pierwszy dzień w szkole. Autor, który nie daje cząstki siebie postaciom, nie stworzy wiarygodnego bohatera.

Podczas pisania nadchodzi moment, gdy postacie zaczynają żyć własnym życiem. Pisarze często opowiadają, że po wielu godzinach mozolnego szukania właściwych słów bohaterowie zaczynają mówić sami. Pojawia się nowa kwestia w dialogu i autor zastanawia się, skąd się wzięła. Ma wrażenie, że kto inny wystukał ją na klawiaturze. Nie ma bardziej magicznej chwili niż moment, gdy postacie ożywają. Oczywiście autor nadal je tworzy, ale w takiej chwili nawiązuje prawdziwą łączność ze swoim ukrytym ja.

I właśnie ze względu na tę łączność za wszelką cenę musi zachować krytyczny dystans. Pisarz tworzy postacie, ale nie żyje ich życiem. Pewien młody scenarzysta z rosnącym zdenerwowaniem słuchał krytycznych uwag o swoim protagoniście, aż w pewnej chwili nie wytrzymał i krzyknął: „Wcale bym tak nie postąpił!". Tymi słowami potwierdził, że wpadł w pułapkę czyhającą na początkujących scenarzystów. W pierwszej chwili wydaje się, że wszystko jest w porządku, że zadziałała metoda Stanisławskiego i autor ma rację, broniąc bohatera. W rzeczywistości stworzył swojego sobowtóra, choć świat i temat były zupełnie inne niż rzeczywistość autora. Nie stworzył osobnej postaci i dlatego jego bohater nie był w stanie zaistnieć w danej opowieści. Związek emocjonalny między autorem a bohaterem był tak silny, że postać stała się autorem. Kiedy do tego dojdzie, scenarzysta nie opisuje świata postaci, tylko prowadzi dziennik. A dziennik jest fascynujący dla autora, ale widownię zanudzi. Scenariusz to nie dziennik. Zaprosiliśmy kiedyś producentkę na zajęcia ze scenopisarstwa. Poproszona o radę dla młodych autorów, powiedziała z pasją: „Pamiętajcie, nikogo nie obchodzi wasze życie". Nie chciała przez to powiedzieć, że macie nie pisać o tym, co znacie; nie wolno wam na tym bezgranicznie polegać. Nikogo nie obchodzi twoje życie, chyba że jest naprawdę, ale to naprawdę ciekawe albo udało ci się przedstawić je w bardzo zabawny sposób. Po latach czytania nijakich, bezbarwnych scenariuszy z serii „dziewczyna rzuciła mnie w klasie maturalnej; Jezu, jak ja wtedy cierpiałem" wiedziała, co mówi. Wykorzystaj cierpienie, ale w kontekście historii, którą zechce zobaczyć wielu ludzi.

Zdarza się, że początkujący scenarzyści tworzą postacie drugoplanowe o wiele ciekawsze od głównych bohaterów. Bierze się to stąd, że są tak bardzo związani z protagonistą, że tracą dystans. Widzą opowieść oczami głównego bohatera, a skoro autor uważa się za normalnego, normalny i przeciętny jest też protagonista. Autor ma wolną rękę w tworzeniu postaci drugoplanowej, bo jest z nią mniej związany. Podobnie powinien podejść do protagonisty, bo tylko dystans da obiektywny ogląd sytuacji. Krótko mówiąc, możesz stosować metodę Stanisławskiego, wyobrażać sobie siebie jako bohatera, pod warunkiem, że nie stracisz dystansu. Co więcej, jeśli się okaże, że jedna z postaci drugoplanowych, powiedzmy, sprzymierzeniec, jest nie dość, że bardziej interesująca, ale też lepiej obrazuje temat filmu, zastanów się nad zmianą protagonisty. W takiej sytuacji opowiedz historię z punktu widzenia tej postaci.

Nazywam się Bond

Nazwiska bohaterów często pozwalają lepiej ich poznać; odzwierciedlają ich pochodzenie, dziedzictwo i podejście do życia. Nazwisko tworzy pierwsze wrażenie, które narzuca odbiorcy wizję bohatera. Daj postaci na imię Adolf, a zaraz pomyślimy o Adolfie Hitlerze; przedstaw Jacqueline, a nasunie się na myśl Jacqueline Kennedy Onassis. Nazwiska w filmach o Jamesie Bondzie to osobna historia: Oddjob, Pussy Galore, Plenty O' Toole, Goldfinger, Dr No i tak dalej. Zazwyczaj aluzje nie są tak wyraźne. W *Bez przebaczenia* protagonista nazywa się Will Munny, co oddaje jego aktywną naturę (*will*, bo będzie działał) i źródło jego problemów (brak pieniędzy). Antagonista to Little Bill, co sugeruje, że jest przeciwieństwem protagonisty (obaj mają na imię William). Niektóre imiona kojarzą się z nieociosaną siłą, na przykład Shane czy Matt Helm; inne budzą inne skojarzenia: Scarlett O'Hara, Hans Krueger, Dzwoneczek. Musisz wymyślić nazwisko, które oddaje charakter postaci, tak samo jak opisy oddają jej wygląd, więc nie żałuj na to czasu. Szukaj połączenia dźwięków i obrazów, które pasują do postaci, albo wręcz przeciwnie, stanowią komiczny kontrast. Szukaj w kulturze masowej, tytułach piosenek, w wiadomościach i kronikach towarzyskich. Szukaj imienia, które budzi skojarzenia. Książki telefoniczne i nagrobki to świetne źródło natchnienia; książki z imionami dla dzieci są wręcz niezastąpione. I jeszcze jedno: w żadnym wypadku nie dawaj dwóm postaciom imion na tyle podobnych, że można je pomylić, jak Garry i Barry, Jim i Tim czy nawet Harriet i Hazel. Na świecie jest tyle imion, że możesz sobie pozwolić na wybredność.

W scenariuszach często jest tyle postaci, że można się pogubić w lekturze. Jeśli wszystkim nadasz imiona, recenzent uzna, że są istotni albo że powrócą w dalszej części. Wkrótce straci wątek, starając się zapamiętać coraz więcej nazwisk. Jeśli traci wątek, nie szuka go ponownie, tylko od razu odrzuca scenariusz. Dlatego lepiej nie chrzcić postaci, które pojawiają się raz czy dwa. Załóżmy, że piszemy scenę w sklepie. Protagonista wypytuje sprzedawcę z nocnej zmiany o niedawne morderstwa. Jeśli sprzedawca występuje tylko w tej scenie i nie ma znaczenia dla dalszego rozwoju akcji, zamiast nazwiska lepiej nadać mu przezwisko, które go charakteryzuje: RUDZIELEC albo FAJTŁAPA Z NOCNEJ ZMIANY. Tym sposobem dasz recenzentowi do zrozumienia, że to nieistotna postać.

Z drugiej strony lepiej nie nadawać postaciom mało ważnym numerów, jak GLINA NR 1 i GLINA NR 2, bo to może pozbawić cały scenariusz głębi emocjonalnej i sprawić, że będzie wyglądał jak lista zakupów. Najlepiej, żeby mało ważna postać miała przezwisko, które podsunie recenzentowi jej wizerunek, na przykład: TŁUSTY GLINA, UŚMIECHNIĘTY GLINA, GLINA-BULDOG.

Pisanie pod aktora

Karl Childers ze *Sling Blade* i Randall McMurphy z *Lotu nad kukułczym gniazdem*? Zapewne niewiele osób wie, kogo mam na myśli. Inaczej ma się sprawa, gdy powiem: Billy Bob Thornton w *Sling Blade* i Jack Nicholson w *Locie nad kukułczym gniazdem*. W Hollywood często zdarza się, że to aktor kreuje postać. Reżyserowie często ogłaszają casting na typ. Oznacza to, że szukają aktora, który dokładnie odpowiada postaci. I odwrotnie; chcąc stworzyć realistyczną postać, pisz, mając na myśli konkretnego aktora. Niech jego wiek i sposób bycia nie różnią się od twojego bohatera. I tak, jeśli dana postać jest spokojna i łagodna, pisz mając przed oczami młodego Jimmy'ego Stewarta. Jeśli jest mściwa i skryta, niech to będzie Richard Nixon. Jeśli tworzysz mafiosa, wyobraź sobie Harveya Keitela w tej roli. Nieważne czy Harvey Keitel zagra ją czy nie; udało ci się stworzyć realistyczną postać.

Skutecznym zabiegiem bywa też odwrócenie tej metody: pisz nie pod typ, ale wbrew niemu. Innymi słowy, zamiast budować postać strażaka na aktorze o szorstkiej, męskiej urodzie, jak Kurt Russel, wybierz sobie za wzór Wally Shawna albo Jasona Alexandra i postaraj się wykorzystać elementy ich osobowości w twojej historii. Krwiożerczą czarną wdową w thrillerze zrobisz nie Sharon

Stone, tylko Rosie O'Donnell, antagonistkę niespodziewaną, a więc bardziej niebezpieczną. Początkowo rolę *Rambo* miał zagrać James Woods, nie Sylvester Stallone; wyobrażasz sobie, jak wielkie byłoby zaskoczenie? Pamiętaj, Napoleon i Aleksander Wielki byli niskiego wzrostu, co nie przeszkodziło im podbić świata. Ba, może właśnie niski wzrost podsycał ich zapał. Nie poprzestawaj na stereotypach, a skomponujesz interesującą grupę bohaterów.

Nieważne, którą technikę wybierzesz; musisz mieć przed oczami danego aktora, wyobrazić sobie jego osobowość, słyszeć jego głos. Ta technika sprawdza się na wszystkich ludziach, nie tylko na gwiazdach. Wzory postaci są wszędzie. Każdy może cię zainspirować. Życie jest pełne wzorców.

Wysoki, ciemnowłosy, przystojny (stereotypy)

F. Scott Fitzgerald zauważył: *Zacznij od jednostki, a stworzysz typ; zacznij od typu, a nie stworzysz nic.* Niebezpieczeństwo castingu pod typ z użyciem aktorów znanych z innych ról, ba, z użyciem ludzi, których znasz przelotnie, może zaowocować stworzeniem nie typu, tylko stereotypu. Stereotyp to postać, która odzwierciedla uprzedzenia wobec określonego typu, nie zmienia go ani nie ulepsza. Tacy bohaterowie powielają zużyte kalki i wzorce. Są efektem lenistwa autora. Żeby tego uniknąć, musisz zadać sobie pytanie: jak mogę sprawić, by moja postać się wyróżniała? Dlaczego mój bohater jest inny? Różnica między stereotypem i postacią jest taka sama, jak między postacią zapożyczoną a zmodyfikowaną. Postać zapożyczona z innego filmu może spełniać w twoim scenariuszu te same funkcje, ale nie powielaj jej zachowań. To plagiat. Znajdź elementy, które sprawiają, że twój bohater jest jedyny w swoim rodzaju.

Poznaj swoją postać

Widziałeś mnóstwo bohaterów filmowych i prawdziwych ludzi, słyszałeś ich, obsadzałeś w różnych rolach w scenariuszu, ale to nie znaczy, że ich znasz. Wszystko znowu się sprowadza do dania każdej postaci cząstki samego siebie. Tworząc bohaterów musisz łączyć w spójną całość elementy innych ludzi z cząstką siebie. Tylko w ten sposób będziesz naprawdę znał swoich bohaterów. Jeden ze studentów stworzył nudnego, przeciętnego bohatera. Na pytanie, czy naprawdę go zna, odparł: „Pewnie, wzoruję go na moim koledze z akademika". Rzecz w tym, że możesz spędzić z kimś wiele lat i wcale go nie poznać. Poznanie bohatera to coś więcej niż znajomość jego cech, nawyków i wad. Jeśli znasz daną postać, nie zastanawiasz się, co powie; nie wahasz się, bo twoja postać zrobi to, co ty zrobiłbyś na jej miejscu. Jak już mówiliśmy, nie oznacza to, że bohater ma być twoim sobowtórem; nie, to ty masz wiedzieć, co zrobiłbyś, gdybyś był bohaterem w takiej sytuacji, biorąc pod uwagę bagaż doświadczeń i przeżyć, w który go zaopatrzyłeś.

Dla osłody (co oznacza piesek, kotek, dziecko i kocyk)

Jeszcze jedna, ostatnia uwaga: są pewne techniki, które scenarzyści wykorzystują, chcąc wzbudzić sympatię do bohatera, choćby nie wiadomo jak paskudnego. Techniki są tak znane, że ocierają się o kicz, jednak działają i zawsze można się pokusić o nowatorskie zastosowanie. Mówiąc krótko, sprowadzają się do kojarzenia bohatera z niewinnością.

Pierwsza metoda: niech lubi dzieci i / albo psy. (Albo niech je polubi, jak w *Parku Jurajskim*). Inne, rzadziej spotykane zwierzęta, też się nadają: małpy, słonie, nawet iguany. (W *Uwolnić orkę* mamy dawkę podwójną, dziecko i nietypowego zwierzaka). Jeszcze lepiej, żeby dziecko albo zwierzak polubiło protagonistę, co dowodzi, że pod oschłą skorupą kryje się człowiek wart bezinteresownej miłości.

Inna metoda to kazać bohaterowi troszczyć się o innych, i to nawet wówczas, gdy nie ma co liczyć na podziękowanie. Stąd kiczowaty wizerunek protagonisty otulającego kocykiem śpiącego, najlepiej dziecko, z pewnością kogoś bezradnego, co podkreśla, że protagonista jest dobrym człowiekiem. Efekt się potęguje, gdy odwrócimy role: malec otula śpiącego wojownika, który opiekuje się dzieckiem, choć udaje, że wcale mu się to nie podoba. To dowodzi, że wojownik nie może być taki oschły, skoro polubił go nawet dzieciak. Jeszcze lepiej, jeśli dziecko jest chore. Klasyczny przykład znajdziemy w *Lepiej być nie może*: Melvin, antypatyczny protagonista, zdobywa uczucie małego pieska, chociaż wyrzucił go do śmieci. Później Melvin załatwia opiekę medyczną dla chorego dziecka. Tę samą technikę wykorzystano w *Przypadkowym turyście*; tam uczucie chorego dziecka i psa uczłowieczają lodowatego Williama Hurta.

Te metody się sprawdzają, bo dzieci i psy reprezentują niewinność, a troska symbolizuje altruizm i bezinteresowność. Dzieci i psy są wrażliwe i bezradne, ale dają moralną siłę tym, którzy je kochają albo się nimi zajmują.

Inaczej ma się sprawa z kotami. Koty postrzega się jako mądre, zmysłowe i samolubne, z pewnością nie niewinne, więc postać która lubi koty, jest zazwyczaj czarnym charakterem (jak Blofeld w filmach o Bondzie).

Jeśli protagonista ma kota, ten, nawet jeśli nie jest z natury zły, wpakuje właściciela w kłopoty, jak Ripley w *Obcym* czy Julianne Moore w *Zabójcach*. Ma to wpływ na rozwój akcji, ale nie uczłowiecza bohatera. Dalej, każdy właściciel złego, agresywnego psa jest niedobry; zniszczył niewinność zwierzęcia.

Bohater pozytywny nie kopnie dziecka ani psa, chyba że pies jest agentem antagonisty, ale koty to już inna sprawa. Zwłaszcza nadęte, puchate. Wyjątek stanowią małe, jazgotliwe pieski, ale i tak bohater musi być w wyjątkowo parszywym humorze albo później odpokutować grzech, na przykład adoptując skrzywdzonego potworka.

Na zakończenie

Jedną z pierwszych książek na temat pisania scenariuszy było *The Photoplay Handbook of Scenario Construction*. Opublikowano ją w 1923 r., w epoce niemych filmów, gdy nie istniało jeszcze słowo „scenarzysta". Rady udzielane w tym podręczniku sprawdzają się także dzisiaj:

> *Naszym celem jest wzbudzić uczucia widowni, sprawić, żeby płakali, żeby ze współczuciem łapali się za serce, żeby się bali, śmiali i cieszyli. Dążymy do tego celu za sprawą bohaterów, których tworzymy. Nasi bohaterowie walczą, cierpią, przegrywają i zwyciężają w walce o szczęście.*

Te słowa były prawdziwe w 1923 r. i takie są do dziś. Dobrze skonstruowany bohater działa i tworzy twoją opowieść. Być może istnieje ograniczona liczba tematów, lecz bohaterowie są niezliczeni.

Ćwiczenie

Oto schemat postaci dla bohaterów pierwszo – i drugoplanowych. Dokładnie opisz każdy element, żeby tworzyć ciekawą, w pełni rozwiniętą postać.

Schemat postaci

NAZWISKO:

WAŻNE CECHY OGÓLNE:

FUNKCJA (PROTAGONISTA, ANTAGONISTA, MENTOR, SPRZYMIERZENIEC ITP.):

ŁUK ALBO PRZEKONANIE:

DZIAŁANIE:

POTRZEBY:

PRAGNIENIA:

MOTYWACJA POZYTYWNA:

GRANICE SAMOPOZNANIA:

CECHA DOMINUJĄCA:

UCZUCIE DOMINUJĄCE:

ISTOTNE ELEMENTY Z PRZESZŁOŚCI:

KONFLIKT WEWNĘTRZNY:

SKAZA:

DUCH:

CZĘŚĆ II

STRUKTURA

ROZDZIAŁ 6

STRUKTURA – RYS HISTORYCZNY

Od Arystotelesa do Brutusa

W Hollywood „struktura scenariusza" to słowa wypowiadane z czcią niemal nabożną, a to dlatego, że dobry film powstaje w oparciu o dobrze skonstruowany scenariusz. Struktura to plan drogi protagonisty, to schemat, według którego wszystkie elementy scenariusza (postacie, świat, działanie, wydarzenia, dialogi i temat) pasują do siebie i tworzą spójną całość. Złożenie tych płynnych, wiecznie zmieniających się elementów w logiczną całość to największe wyzwanie, jakie stoi przed scenarzystą. W efekcie strukturę otacza aura tajemnicy i ukrytych prawd, które dostrzegą jedynie wtajemniczeni. Nic dziwnego, że powstało wiele szkół myślenia. Są to sekty gorliwie głoszące swoje wizje. Nauczyciele scenopisarstwa i teoretycy, jak Syd Field, Robert McKee, John Truby i wielu innych prezentowało teorie, modele i wzorce (paradygmaty trzech, czterech i siedmiu aktów, pogram dwunastu kroków, formułę dwudziestu dwóch punktów, metodę numeryczną); niektóre z nich okazały się przydatne, inne są zbyt skomplikowane. Wiele powstało w oparciu o klasyczny dramat, inne czerpały natchnienie z mitologii i psychologii.

O strukturze

Przyjrzyjmy się kilku metodom, do których odwołuje się Hollywood, kręcąc filmy. Zrobimy to, bo każdy scenarzysta musi znać przynajmniej jeden z głównych wzorów konstrukcji, dlatego, że wiele z nich zawiera pomocne, ba, niezbędne zasady, ale i dlatego, że ich terminologia stała się obowiązującym językiem wśród ludzi z branży. Nie sposób wyobrazić sobie spotkania roboczego bez przynajmniej jednej wzmianki o wydarzeniu inicjującym, problemie w drugim akcie czy punkcie zwrotnym. Musisz wiedzieć, o czym mowa i odpowiednio reagować.

Zaczniemy od podstawowych idei i nazwisk, które musisz znać, jeśli chcesz zrozumieć, jak Hollywood postrzega twój scenariusz. Te nazwiska to Joseph Campbell, William Wallace Cook, Georges Polti, Lajos Egri, Syd Field. A zaczniemy od pierwszego boga scenarzystów, czyli Arystotelesa.

Arystoteles i *Poetyka*

Wszyscy adepci scenopisarstwa zaczynają poznawanie struktury od *Poetyki* Arystotelesa, pierwszego znanego dzieła traktującego o strukturze dramatu. Arystoteles (384-322 p.n.e.), filozof ze starożytnej Grecji, ma do dziś ogromny wpływ na filozofię Zachodu. W swoich dziełach skupiał się na zagadnieniach takich jak logika, metafizyka, etyka, polityka i sztuka. *Poetyka* traktuje o strukturze tragedii. Niestety, dotrwała do naszych czasów w formie niekompletnej. Ponieważ dziełu brak ciągłości, wielu uważa, że Arystoteles pisał je z przerwami. Niektórzy przypuszczają nawet, że to tylko notatki studenta, który słuchał wykładów filozofa. Nieważne, kompletna czy nie, *Poetyka* stanowi podstawę konstrukcji dramatu zachodniego.

Arystoteles z typowo greckim racjonalizmem potraktował dramat naukowo. Wyizolował elementy, z których składa się dramat. Wymienia ich sześć:

1. Akcja – układ wydarzeń

2. Bohaterowie – postacie

3. Dykcja – sposób wypowiedzi

4. Myśl – idea lub temat

5. Spektakl – przedstawienie, scenografia, kostiumy, efekty specjalne

6. Pieśń (starożytne tragedie śpiewano, więc ten element jest nieistotny z punktu widzenia współczesnego pisarza, chyba że pracujesz nad musicalem).

Arystoteles definiował fabułę jako „ciąg wydarzeń", przy czym wydarzenia te musi łączyć jedność. Jedność oznacza spójność, dzięki której postacie, dykcja, myśl itd. dotyczą tego samego problemu, „kręgosłupa" fabuły. Jedność wyznacza także prawdopodobieństwo i konieczność każdego wydarzenia. Innymi słowy wydarzenia muszą być zarazem prawdopodobne i niezbędne w danej historii. Przy czym prawdopodobieństwo nie musi się ograniczać do świata rzeczywistego, tylko do świata fabuły. Fabuła, jak twierdził, nie powiela niewolniczo rzeczywistości, tylko ją imituje, tak więc nie przedmiot naśladowany – natura – determinuje konieczność wydarzeń, tylko wymagania fabuły.

Jedność gwarantuje także związek przyczynowo-skutkowy między wydarzeniami. Każde wydarzenie musi być powiązane z wydarzeniem poprzednim i następnym. Opowieść, w której nie ma związku między wydarzeniami to opowieść epizodyczna, zdaniem Arystotelesa stojąca najniżej w hierarchii dramatu. Opowieści epizodyczne to odwieczny problem dramaturgów i scenarzystów, zwłaszcza przy przenoszeniu na scenę czy ekran obszernych powieści, biografii czy reportaży.

W takiej opowieści główny bohater często przeżywa kolejne wydarzenia, poznaje nowe postacie, a wszystko bez poczucia wyższego sensu, potrzeby czy idei. Życie kieruje się przypadkiem, dramat nie. Wydarzenia rzeczywiste mogą same w sobie być fascynujące, ale jeśli łączy je tylko to, że wydarzyły się naprawdę albo autor nie wymyślił przekonywującego związku przyczynowo-skutkowego, opowieść się rozpadnie, bo, jak powiedziałby Arystoteles, brak jej jedności.

Warto z tego punktu widzenia przyjrzeć się serialom komediowym. Każdy odcinek to zazwyczaj jednolity ciąg przyczyn i skutków, jeśli jednak spojrzysz na cykl dwudziestu odcinków, wrażenie jedności zanika. Serial jest z założenia epizodyczny. Z małymi wyjątkami każdy odcinek jest zamkniętą całością i nie ma wpływu na kolejny. Sitcomy pisze się w taki sposób, żeby można było oglądać je nie po kolei i żeby widz mimo tego nie czuł, że coś mu umknęło. To zaleta dla stacji telewizyjnej, która może powtarzać je w nieskończoność, ale strata dla dramaturgii, bo bohaterowie nigdy nie dorastają, nie uczą się, nie zmieniają.

Arystoteles uważał, że wydarzenia powinien łączyć nie tylko związek przyczynowo-skutkowy; powinny także mieć porządek i wielkość. Odpowiedni porządek i wielkość dają nam ekspozycję, konfrontację i zakończenie (początek, środek i koniec). Miał denerwujący nawyk stwierdzania rzeczy oczywistych, ale które, o dziwo, bardzo trudno osiągnąć. *Początek to wydarzenie, które nie następuje po żadnym innym, ale po którym coś się musi wydarzyć. Zakończenie to wydarzenie, które następuje po innym, ale po którym nic się nie dzieje. Rozwinięcie to wydarzenie, następujące po innym i poprzedzające następne.* Wydaje się banalne – ale gdzie naprawdę zaczyna się opowieść, jeśli przed początkiem nie dzieje się nic dramatycznego? Skąd wiemy, kiedy naprawdę kończy się akcja? Jak zaplanować podróż przez związki przyczynowo-skutkowe, żeby na pewno dotrzeć od jednego wydarzenia do drugiego? Teraz wiadomo, dlaczego wiele filmów, zwłaszcza akcji, zaczyna się spektakularnie – to ekspozycja, wydarzenie, które uruchamia reakcję łańcuchową, na zakończenie której mamy równie dramatyczny koniec i zarazem ustanie efektu domina.

Spójrzmy na uproszczony schemat greckiej tragedii:

Początek – protagonista żyje spokojnie; dręczy go jedynie jego skaza. Pod koniec tej części los się od niego odwraca, przy czym nie jest to zwykły zbieg okoliczności, tylko klęska wywołana skazą.

Rozwinięcie – protagonista sprzeciwia się losowi, ale pod koniec tej części zdaje sobie sprawę z własnego błędu. Ignorancja ustępuje wiedzy, ale jest już za późno.

Zakończenie – Pod koniec nadchodzi wielka katastrofa i cierpienie, których efektem jest katharsis, oczyszczenie duszy; jeśli nie protagonisty, to widowni. W świecie na nowo panuje ład.

Arystoteles starał się dokonać syntezy struktury greckiej tragedii. Wszystkie elementy złączone w całość nosiły u niego miano formy. Wszystkie dobre historie mają pewien układ, sekwencję wydarzeń, które się łączą, tworząc formę. I ta forma, według Arystotelesa, powinna być nadrzędna wobec innych elementów: *najpierw należy skupić się na ogólnej strukturze, dopiero potem wypełnić luki i podkreślić szczegóły.*

Epizodyczność nie dawała mu spokoju; nalegał, że dramat musi być ograniczony i przyswajalny podczas jednego seansu. Opowieść o całym ludzkim życiu przekraczałaby ramy formy; *nieskończenie różnorodne wydarzenia z ludzkiego życia nie dadzą się sprowadzić do zasady jedności.* Tylko analizując mały fragment życia wyodrębnimy związki przyczynowo-skutkowe między wydarzeniami, zobaczymy wyraźny początek, rozwinięcie i zakończenie. Jedność zależy od porządku. Porządek nigdy nie trwa wiecznie. A zatem odpowiednia długość historii zależy od usuwania niepotrzebnych elementów, które nie wnoszą nic do jedności.

W oczach Arystotelesa akcja definiuje fabułę. Pisał, że najważniejsza jest struktura wydarzeń. *Tragedia to imitacja, nie ludzi, lecz przebiegu życia. Bez akcji nie ma tragedii; bez postaci - owszem.* Innymi słowy, skoro dramat tylko imituje akcję, to akcja, nie bohater, definiuje dramat. Arystotelesa nie interesowało, dlaczego bohater postępuje tak, a nie inaczej – ważne, że działał.

Poetyka to pierwszy znany podręcznik pisania dramatu. To niewielkie dzieło, ma około piętnastu tysięcy słów, lecz odkąd odkryto je ponownie w XV w. miało ogromny wpływ na dramat europejski, do czego przyczynił się przede wszystkim krytycyzm autora. Nie interesowało go, czy dana opowieść jest dobra czy zła, tylko czy spełnia swoje zadanie. Nie oceniał jakości, tylko stronę techniczną. O ile jego naukowe podejście do dramatu sprawdza się świetnie przy lekturze dzieł mu współczesnych, nas doprowadziło do mechanicznego konstruowania akcji i zaowocowało niezliczonymi programami komputerowymi, które mają zdjąć z naszych barków ciężar wymyślania akcji. Więcej o poglądach Arystotelesa można znaleźć w książeczce Davida Balla *Backwards & Forwards* wydanej przez Southern Illinois University Press.

Plotto i Thirty Six Dramatic Situations

Ogromny wpływ na hollywoodzkie scenopisarstwo wywarł także Georges Polti dziełem *The Thirty Six Dramatic Situations*, wydanym w 1921 r. Zainspirowany pracami osiemnastowiecznego włoskiego dramaturga, Carla Gozzi, dowodził, że istnieje ograniczona liczba ludzkich uczuć, a zatem ograniczona liczba pomysłów. Twierdził, że wszystkie sztuki, powieści, nowele (i scenariusze, skoro już o tym mowa) to wariacje na temat trzydziestu sześciu podstawowych sytuacji dramatycznych. Wśród wymienianych przez niego typów znajdziemy „Brzemienna w skutki nieostrożność", „Śmiałe ryzyko" i „Morderczą zdradę". Uważał, że nie ma nowych pomysłów. Kilka lat później, w 1928 r., William Wallace Cook także usiłował skategoryzować wątki w dziele *Plotto*. Jego książka miała pomóc autorowi konstruować wątek za pomocą setek wymienialnych elementów. Wymienia on setki możliwych zwrotów akcji, powiązanych skomplikowanym systemem wzajemnych odsyłaczy. Oba dzieła stanowią kolejny krok w próbach systematyzacji wątków. Nie spełniły pokładanych w nich oczekiwań, za to, podobnie jak *Poetyka*, stały się natchnieniem dla niezliczonych programów komputerowych.

Lajos Egri i *The Art of Dramatic Writing*

W latach 40. XX w. Lajos Egri napisał *The Art of Dramatic Writing*. Jest to dzieło wiekopomne i niniejsza książka wiele mu zawdzięcza. W przeciwieństwie do Arystotelesa, który przedkładał fabułę nad bohatera, Egri twierdził, że fabuła rodzi się z miejsca, bohatera i konfliktu – innymi słowy, jest skutkiem, a nie czynnikiem sprawczym innych elementów dramatu. W efekcie Hollywood uważa, że to wspaniała książka, ale do niczego nieprzydatna przy konstrukcji fabuły; to kusząca boczna droga na rozstajach, w którą nigdy nie ma czasu skręcić. Scenarzyści zazwyczaj zbyt nerwowo szukają „haczyka", przykuwającego uwagę elementu, który zaintryguje producenta, a potem pospiesznie komponują banalną, schematyczną resztę. Albo producent zlecił im napisanie scenariusza zawierającego określone, bardzo komercyjne elementy, nieważne, czy jest to rzeczony „haczyk" czy gwiazdorska obsada. Takie scenariusze zazwyczaj zawodzą, bo ich bohaterowie to marionetki, a nie warto się przejmować losem kukiełki, chyba że jest to cudowna opowieść o drodze drewnianego chłopca do człowieczeństwa. Zasady Egri najlepiej sprawdzają się w teatrze, lecz i w kinie pozwalają budować scenariusze głębsze, bardziej skoncentrowane na bohaterze.

Joseph Campbell i *Podróż bohatera*

Kolejnym rewolucjonistą (mimo woli) w hollywoodzkiej strukturze opowieści był antropolog Joseph Campbell. Campbell wywołał niespotykaną dotychczas falę fascynacji mitami, a to za sprawą swoich książek i wywiadów z Billem Moyersem w stacji PBS. Campbell nie pretendował do miana guru wątku. W oparciu o prace szwajcarskiego psychologa Carla G. Junga, który badał archetypy mitów i bohaterów występujące we wszystkich kulturach, opisał odwieczny, uniwersalny wzorzec konstrukcji mitu. Jego książka *Bohater o tysiącu twarzy* ukazuje podobieństwa w strukturze mitów bez względu na czas i miejsce ich powstania. Campbell dowodzi, że wszyscy bajarze, od starożytnych Greków poprzez Kenijczyków i Chińczyków do scenopisarzy hollywoodzkich kierują się tą samą formułą. Zawiera ona dwanaście etapów „podróży bohatera":

1. ZWYCZAJNY ŚWIAT. Mit zaczyna się od przedstawienia bohatera w jego świecie.

2. ZEW PRZYGODY. Pojawia się problem lub wyzwanie, które zakłócają porządek świata bohatera.

3. OPÓR BOHATERA. Wzbrania się przed przygodą. Boi się nieznanego.

4. MĄDRY STARZEC. Bohater poznaje mentora, który pomaga mu dokonać właściwego wyboru, lecz wyrusza w drogę sam.

5. NOWY ŚWIAT. Bohater wyrusza na poszukiwanie przygody, porzuca znany świat.

6. PRÓBA, SPRZYMIERZEŃCY I WROGOWIE. Bohater stawia czoła sprzymierzeńcom wroga i własnym słabościom i zaczyna działać, jednocześnie mierząc się z konsekwencjami własnych czynów.

7. JASKINIA MROKU. Bohater wkracza w miejsce zła, świat antagonisty.

8. CIERPIENIE. Najtrudniejsza chwila. Bohater staje w obliczu klęski, która da mu siłę, by koniec końców zwyciężył.

9. PRZEJĘCIE MIECZA. Bohater zyskuje siłę. Nowa wiedza, nowa siła pozwalają mu pokonać siły wroga.

10. DROGA Z POWROTEM. Bohater wraca do swojego świata. Niebezpieczeństwo jeszcze nie minęło, antagonista i jego sprzymierzeńcy nadal go ścigają.

11. ODRODZENIE. Bohater się odradza, duchowo lub fizycznie, zbliżając się do granic swego świata.

12. POWRÓT Z ELIKSIREM. Bohater wraca do swego świata ze skarbem, który go uratuje i przywróci zakłóconą równowagę.

Najbardziej znany przykład filmu opartego o ten wzorzec to *Gwiezdne wojny*. Oto jak losy Luke'a Skywalkera (protagonisty) obrazują wzorzec Campbella:

1. ZWYCZAJNY ŚWIAT. Luke Skywalker to znudzony chłopak na farmie na odległej planecie.

2. ZEW PRZYGODY. Księżniczka Leia i rebelianci, którzy sprzeciwiają się złemu Imperatorowi, mają kłopoty. Wysyłają hologram z prośbą o pomoc do Obi Wana Kenobi, który z kolei prosi Luke'a, żeby do niego dołączył.

3. OPÓR BOHATERA. Luke odmawia. Ma zbyt wiele obowiązków na farmie. Kiedy jednak wraca do domu, okazuje się, że jego bliscy zginęli z rąk żołnierzy Imperatora.

4. MĄDRY STARZEC. Mentor, Obi Wan Kenobi, szykuje Luke'a do nadchodzącej walki. Daje mu świetlny miecz, który kiedyś należał do jego ojca, rycerza Jedi. Ostrzega Luke'a przed ciemną stroną Mocy.

5. NOWY ŚWIAT. Luke postanawia opuścić swój świat i zacząć działać.

6. PRÓBA, SPRZYMIERZEŃCY I WROGOWIE. Luke wkracza w obcy świat, w przygranicznym barze poznaje dziwne stwory, łączy siły z Hanem Solo, ucieka przed oddziałami Imperatora, walczy i wyrusza w kosmos, by uratować Księżniczkę Leię.

7. JASKINIA MROKU. Luke wkracza na Gwiazdę Śmierci, najgroźniejszą broń głównego wojownika sił Imperium, Dartha Vadera.

8. CIERPIENIE. Luke, Han Solo i Księżniczka Leia schwytani na Gwieździe Śmierci; Luke'a wciąga podwodę dziwny stwór. Ratuje ich przyjaciel, R2D2.

9. PRZEJĘCIE MIECZA. Luke ratuje Księżniczkę Leię i przejmuje plany Gwiazdy Śmierci.

10. DROGA Z POWROTEM. Darth Vader ściga Luke'a.

11. ODRODZENIE. Luke niemal ginie z rąk Vadera, ale walczy i zwycięża. Niszczy gwiazdę Śmierci.

12. POWRÓT Z ELIKSIREM. Luke otrzymuje nagrodę za swoje wysiłki. Równowaga na świecie została przywrócona.

Hollywood odkrył dzieło Campbella i wpadł w zachwyt; na to czekali, oto Biblia konstrukcji. Teraz wystarczy dopasować każdy pomysł do wzorca i mamy gotowy scenariusz. Inni jednak postrzegali sprawę bardziej realistycznie. Zdawali sobie sprawę, że wielu producentów podeszło do teorii Campbella zbyt entuzjastycznie; widzieli w jego założeniach lekarstwo na problemy każdego scenariusza, bez względu na gatunek filmowy. Tymczasem wzorzec Campbella sprawdza się w przypadku *Gwiezdnych wojen* i innych filmów przygodowych, lecz nie przyda się na nic w przypadku filmów takich jak *Dobranoc, mamusiu*; *Kolacja z Andre* czy *Czekając na miłość*.

Więcej o teorii Josepha Campbella w świetnej książce Christophera Voglera *Podróż autora. Struktury mityczne dla scenarzystów i pisarzy*. Vogler transformuje założenie dwunastu kroków w model przystępny dla współczesnego pisarza. To lektura obowiązkowa, choć sam Vogler, nie chcąc być postrzegany jako twórca kolejnego wzorca, zastrzega, że poszczególne etapy mogą występować w innej kolejności. I uprzedza, że paradygmat „podróży bohatera" nie pasuje do wszystkich rodzajów fabuły.

Formuła trzech aktów

Większość współczesnych teoretyków scenopisarstwa promuje formułę trzech aktów. U jej podstaw leżą prace Arystotelesa i Campbella, choć istnieje wiele różnych wariacji na jej temat. Postaramy się przedstawić wersję najbardziej uniwersalną.

Akt I, II i III to właściwie to samo co początek, rozwinięcie i zakończenie. Każda sekcja zawiera następujące elementy:

Akt I	Ekspozycja
Akt II	Konfrontacja
Akt III	Zakończenie

Jeśli producent twierdzi, że masz kiepski Akt II, sugeruje, że rozwinięcie twojego scenariusza wymaga pracy. Akty to formy podziału scenariusza na mniejsze cząstki pod kątem ułatwienia pracy, nie podziału formalnego.

Podział na trzy akty ma też na celu dokładne umiejscowienie momentów, w których dzieje się coś naprawdę ważnego. Są to tak zwane *plot points*, czyli punkty zwrotne akcji. Mogą mieć one różną formę. Dwa uważa się za niezbędne: umieszczone na początku aktu drugiego i trzeciego. Chcąc zrozumieć formułę trzech aktów, musimy określić dany punkt akcji i wiedzieć, gdzie dany akt się kończy i zaczyna, innymi słowy, wyczuć, gdzie początek się kończy i zaczyna, gdzie jest rozwinięcie i zakończenie. Zmieszani? Spokojnie, będzie łatwiej.

Przyjrzyjmy się strukturze dwóch całkowicie różnych dzieł: *Jak uszyć amerykańską kołdrę* (film z Winoną Ryder o kobiecie, która stara się rozumieć siebie i miłość) i *Rambo: pierwsza krew* z Sylvestrem Stallone. Choć wydają się odmienne, oba oparte są o formułę trzech aktów.

Akt I

Poniższe elementy i punkty zwrotne akcji znajdują się w ekspozycji: początkowa równowaga, wydarzenie kluczowe, zakłócenie, podstawowe pytanie, decyzja.

Początkowa równowaga. Większość scenariuszy zaczyna się prezentacją uporządkowanego świata. Bohaterowie żyją w stanie równowagi, która musi zostać zakłócona, żeby powstał konflikt. W *Rambo: Pierwszej krwi* widzimy Johna Rambo, weterana wojny wietnamskiej, wojownika bez wojny, który po zakończeniu wojny nie umie się odnaleźć w kraju, za który walczył. Wędruje przez lasy północnego zachodu, szukając kumpla z wojska. Jednak prawdziwym powodem podjęcia wędrówki przez bohatera jest chęć odnalezienia wewnętrznego spokoju. *Jak uszyć amerykańską kołdrę* przedstawia Finn, studentkę uniwersytetu Berkeley, która nieustannie zmienia temat pracy magisterskiej, i obecnie zamierza pisać o kobiecych tradycjach. Chce spędzić lato u babci, żeby obserwować, jak kobiety szyją patchworki.

Wydarzenie kluczowe. Wydarzenie kluczowe to wyjątkowa chwila w życiu bohatera. Może to być wypadek, specjalna okazja, kryzys, ślub, pogrzeb, powrót do domu, przygotowanie do przyjęcia, cokolwiek, co wyróżnia tę chwilę z codzienności. W obu omawianych filmach mamy do czynienia z wydarzeniem. W *Rambo* John dowiaduje się, że jego przyjaciel zmarł na raka. Choroba rozwinęła się w wyniku zatrucia środkiem bojowym używanym w Wietnamie. W *Jak uszyć amerykańską kołdrę* narzeczony poprosił Finn o rękę.

Zakłócenie. Jest to punkt akcji, który zakłóca początkową równowagę i stanowi początek właściwej akcji. Przeciwnicy, protagonista i antagonista, stają naprzeciw siebie w sytuacji pełnej potencjalnych konfliktów. John dowiaduje się o śmierci przyjaciela. Wchodzi do małego miasteczka, szukając miejsca na nocleg i knajpki, gdzie mógłby coś zjeść, ale dowódca miejskiej policji (uosabia obojętność społeczeństwa na los weteranów z Wietnamu) daje mu do zrozumienia, że nie jest tam mile widziany. Eskortuje go do granic miasteczka i każe się wynosić. Tym samym zakłóca bohaterowi poszukiwanie wewnętrznego spokoju. W *Jak uszyć amerykańską kołdrę* zakłócenie jest podwójne. Najpierw Finn się dowiaduje, że babcia szyje jej teraz prezent ślubny. Kiedy pracują, kobiety opowiadają o swoim życiu miłosnym i zmuszają Finn, by przeanalizowała swój stosunek do miłości, monogamii i małżeństwa. Po drugie, Finn pociąga Leon, zmysłowy mężczyzna jej marzeń.

Scenarzysta i naukowiec Robert McKee często mówi w tym momencie o wydarzeniu inicjującym. Jest to jedno wydarzenie, które uruchamia lawinę dalszych. Różni teoretycy umieszczają ten punkt to na końcu pierwszego aktu, to w jego środku. W każdym układzie jest to punkt akcji, który zmusza protagonistę do działania.

Koniec ekspozycji (koniec aktu I). Zakłócenie spowodowało pogorszenie sytuacji wyjściowej. Stan rzeczy się pogarsza i protagonista zaczyna działać. Początek się kończy, gdy protagonista decyduje się działać i decyzja ta wywołuje konflikt, a zarazem definiuje problem filmu. W *Rambo* koniec początku następuje, gdy John oddala się od miasteczka, ale nagle się zatrzymuje. Walczył za ten kraj, jego przyjaciele za niego umierali, a on nie może się nawet posilić. Zawraca i postanawia coś zjeść. Kolacja nie wydaje się dramatyczną decyzją, lecz skoro szef policji zabronił mu się pokazywać w miasteczku, jest to zarazem decyzja i deklaracja, która doprowadzi do konfliktów, komplikacji i śmierci. W *Jak uszyć amerykańską* kołdrę Finn wyrzuca narzeczonego za drzwi i postanawia przespać się z Leonem.

Podstawowe pytanie. Zakłócenie i decyzja protagonisty prowadzą do podstawowego pytania. Jest to właśnie ten „haczyk", dzięki któremu ludzie siedzą w kinie przez dwie godziny; chcą poznać odpowiedź albo wynik. Nie jest to prezentacja tematu, raczej pytanie, które przykuwa uwagę i wzmaga napięcie. W *Rambo* jest to pytanie: czy John zdobędzie szacunek, na który on i inni weterani zasłużyli? W *Jak uszyć amerykańską kołdrę* pytanie brzmi: czy Finn pozna siebie i zrozumie, czym jest miłość i małżeństwo?

Jak długi powinien być akt I? Jeśli wiesz, jaką decyzję protagonista podejmie na końcu pierwszego aktu, wiesz także, jak długa będzie ekspozycja. Jeśli protagonista podejmie decyzję właściwą z moralnego punktu widzenia, np.: „zakocham się", „wyciągnę ojca z alkoholizmu" albo „będę bronił honoru wszystkich weteranów", długa ekspozycja nie jest potrzebna. W tym wypadku trwa ona niewiele dłużej niż czołówka. Jeśli decyzja jest nie tak szczytna, na przykład: „ukradnę pieniądze", „zostawię rodzinę" albo „zdradzę narzeczonego", początek musi być na tyle długi, by widz poczuł, że w podobnej sytuacji postąpiłby podobnie. W *Jak uszyć amerykańską kołdrę* decyzja Finn, żeby się przespać z Leonem, jest dwuznaczna moralnie, stąd bardzo długa ekspozycja, inaczej zwana **późnym punktem ataku** lub **punktem bez odwrotu.**

Punkt ataku to chwila, gdy odpalamy silniki, konflikt nabrzmiewa i wyraźnie widać zarys akcji. W *Rambo* pojawia się on bardzo wcześnie, w *Jak uszyć amerykańską kołdrę* bardzo późno. Niektórzy uważają, że powinien się pojawić w pierwszych dziesięciu procentach scenariusza, inni wolą, by znajdował się w jednej czwartej tekstu, żeby akty I i III zajmowały mniej więcej po jednej czwartej objętości, a akt II był dwa razy dłuższy.

Akt II

Punkty akcji w środku to: konflikty, kryzysy, przeszkody, komplikacje, zwroty akcji, narastające napięcie i chwile grozy, które przeżywa protagonista.

Konflikty, kryzysy, przeszkody i komplikacje. Środek w formule trzyaktowej ukazuje przeszkody, które uniemożliwiają protagoniście bezpieczną drogę do celu, bo droga bez przeszkód to dla filmu śmierć. Aż do zakończenia za każdym rogiem czyha kolejny konflikt, kryzys, przeszkoda. W *Rambo* John opiera się, gdy szef policji aresztuje go i torturuje. John ucieka, ale szef policji ściąga Gwardię Narodową i zaczyna się polowanie. W *Jak uszyć amerykańską kołdrę* konflikty, kryzysy, przeszkody i komplikacje rozgrywają się w samej Finn. Ta wewnętrzna walka uwidacznia się poprzez retrospekcję i wspomnienia zebranych kobiet. Jedna na przykład wspomina opowieść o kruku. Kiedy była młoda, ktoś kazał jej iść za krukiem. Ptak doprowadził ją do mężczyzny, który, jak sądziła, będzie miłością jej życia. Nie był, jak się okazało, ale dzięki krukowi urodziła ukochaną córkę. Każda opowieść o żalu, urazie, radości i miłości, utrudnia Finn szukanie mądrości.

Narastające napięcie. W połowie scenariusza świat stoi na głowie. Tę niestabilność potęguje narastające napięcie, przez które każdy konflikt jest bardziej dramatyczny niż poprzedni. Zdarzają się chwile pozornego zwycięstwa, ale za moment nadciąga jeszcze większe zagrożenie. Rozwinięcie scenariusza to seria wydarzeń, które kończą się klęską protagonisty.

Chwila zwątpienia. Koniec aktu II (koniec środka) to moment, gdy bohater zawodzi, przerywa walkę, gdy własne słabości biorą nad nim górę i cel wydaje się nieosiągalny. To chwila grozy – wydaje się, że antagonista wygrał i walka dobiegła końca. Rambo chroni się w starej kopalni i jest w pułapce, zapewne się udusi. W *Jak uszyć amerykańską kołdrę* zrywa się wiatr, porywa notatki i Finn traci efekty swojej pracy. Postanawia, że da sobie spokój z tym tematem i poszuka czegoś innego. Jedna z kobiet zauważa, że tak samo podchodzi do miłości – kiedy pojawiają się komplikacje, daje sobie spokój i zaczyna od początku (z nowym mężczyzną).

Akt III

Punkty zwrotne akcji zawarte w zakończeniu to: olśnienie, punkt kulminacyjny i katharsis.

Olśnienie. Początek aktu III, czyli końca, wyznacza olśnienie. Protagonista nagle wie, jak pokonać antagonistę. Olśnienie zdarza się w wielu postaciach: pojawia się nowe informacje, protagonista przechodzi kryzys i widzi wszystko w innym świetle. W *Rambo* John odkrywa stary szyb wentylacyjny i nagle jest ponad ścigającym go wojskiem. W *Jak uszyć amerykańską kołdrę* Finn budzi się rano i widzi, że kobiety skończyły jej ślubny prezent. Nagle za oknem widzi kruka. Prowadzi ją do narzeczonego.

Dobre olśnienie zawiera wiele elementów. Po pierwsze, musi to być coś, z czego ani protagonista, ani widzowie nie zdawali sobie sprawy przed komplikacjami w akcie II. Często oznacza to, że protagonista nagle rozumie, że dążył do niewłaściwego celu; dopiero teraz wie, czego naprawdę chce. Po drugie, nawiązania do olśnienia muszą się pojawiać już wcześniej. Starożytni, opisujący wszechświat rządzony przez bogów, używali właśnie boga, który zstępuje z nieba i wszystko naprawia – *deus ex machina*. Dzisiaj nie przemawia do nikogo wizja niezmiennego, ustalonego losu, nikogo też nie przekona boska nieoczekiwana interwencja, i termin ten oznacza sytuację, gdy pisarz nie przygotował logicznego gruntu dla olśnienia i oszukuje. Przypomnij sobie stare westerny: wozy osadników się zatrzymują, Indianie atakują, białym kończy się amunicja i wtedy nie wiadomo skąd pojawia się kawaleria. *Deus ex machina*.

Punkt kulminacyjny. Po olśnieniu protagonista jest na nowo gotów do walki. Wiadomo już, jak się wszystko skończy, choć widzowie nadal powinni odczuwać wątpliwości. Coraz szybsze tempo wskazuje, że koniec już blisko. W tym modelu punkt kulminacyjny to klęska antagonisty. Bywa brutalny i krwawy, jak w *Rambo*, gdy John strzela do szefa policji, albo wyciszony i spokojny, jak w *Jak uszyć amerykańską kołdrę*, gdy Finn, idąc za krukiem, decyduje się wyjść za narzeczonego. Niektórzy uznają to zakończenie za *deus ex machina*, lecz olśnienie bohaterki było starannie przygotowane, inaczej kruk nie zrobiłby na niej wrażenia.

Katharsis. Po punkcie kulminacyjnym czas na katharsis. Jest to ostateczne oczyszczenie protagonisty, świat wraca do równowagi; wyczuwamy, co przyniesie przyszłość. Katharsis musi spełniać dwa warunki. Po pierwsze, nie może trwać długo, Po punkcie kulminacyjnym historia się skończyła i widzowie chcą do domu. Po drugie, zakończenie musi nawiązywać do początku. Choć nie musi być równie przewidywalne jak początek, z perspektywy musi wydawać się nieuniknione. W *Jak uszyć amerykańską kołdrę* katharsis to chwila, gdy Finn zdaje sobie sprawę, że nigdy nie będzie pewna swoich uczuć, ale przy odrobinie tolerancji i cierpliwości warto dać szansę miłości i małżeństwu. W *Rambo* dawny dowódca bierze Johna w opiekę i gwarantuje mu uczciwy proces. John jest oczyszczony – walczył o swoje prawa, pokonał wroga i nie pozwolił, by zapomniano o weteranach.

Jak uszyć amerykańską kołdrę i *Rambo* to filmy całkowicie odmienne, ale oparte na tej samej formule trzech aktów. Zasadnicze elementy (wydarzenie, zakłócenie, decyzja, konflikt, kryzys, przeszkody, komplikacje, chwila zwątpienia, olśnienie, punkt kulminacyjny i katharsis) występują w tej samej kolejności.

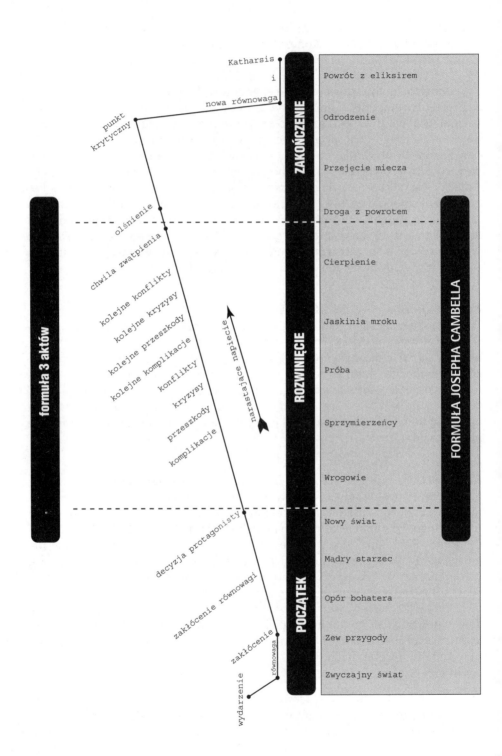

Struktura numeryczna

Wśród współczesnych teoretyków scenopisarstwa są i tacy, którzy twierdzą, że poszczególne momenty muszą się wydarzyć na określonych stronach. Zwolennicy tego modelu twierdzą, że pierwsza przerwa musi nastąpić po mniej więcej pół godzinie, czyli koło strony 25-35. Kolejna na stronach 85-95, trzecia – 115-125. Podobnie jak w przypadku innych modeli przedstawianych w tym rozdziale, niektórzy scenarzyści odnieśli dzięki nim sukces, jednak inni spłodzili wiele sztampowych historii, niewolniczo podporządkowanych wzorcowi. Oto przykład wzorca numerycznego. Jest ich wiele, nie wszystkie zakładają taką samą liczbę stron. Ten zakłada, że scenariusz ma 115 stron.

Akt Pierwszy

Strony 1-11:   SKŁADNIKI: Na tych stronach pojawią się podstawowe pytania: jak wygląda świat opowieści, kto jest protagonistą, kto antagonistą, co jest tematem, czego pragnie protagonista, czego potrzebuje?

Strona 12:   ZAKŁÓCENIE: przed protagonistą pojawia się nowa możliwość, nowy problem.

Strony 13-29:   KRYZYS: zakłóca spokój życia protagonisty.

Strona 30:   KATALIZATOR: wydarzy się coś, co zmusza protagonistę do działania, ewentualnie przyjęcia nowego planu, wyznaczenia sobie nowego celu.

Akt Drugi

Strony 31-45:   WALKA: początkowo nowy plan się sprawdza, lecz stawka rośnie w miarę reakcji antagonisty. Ścieżka staje się coraz bardziej stroma.

Strona 37:   ZAKRĘT: pierwszy zwrot akcji.

Strona 45:   PUNKT BEZ POWROTU: wydarza się coś, co uniemożliwia protagoniście powrót do początku.

Strony 46-59:   STAWKA ROŚNIE: komplikacje sprawiają, że cel staje się niemal nieosiągalny.

Strony 60-84:   UTRATA NADZIEI: poważna przeszkoda. W tym momencie protagonista przestaje działać w imieniu innych czy też w imię tego, czego, jak mu się wydawało pragnie; dostrzega swoje prawdziwe potrzeby.

Strony 85-89:   CHWILA GROZY: protagonista wreszcie poznaje prawdziwe oblicze antagonisty, lecz, choć zna już prawdę, wydaje się, że jego działania nie przyniosą zamierzonego rezultatu.

Akt Trzeci

Strony 90-95:   DRUGI ZWROT AKCJI: protagonista odzyskuje siły, często dzięki pomocy sprzymierzeńca, i nagle cel znowu wydaje się osiągalny.

Strony 96-111:   OSTATECZNY CIOS: konflikt narasta, bo protagonista ma teraz siłę i wiedzę, dzięki której zdoła pokonać przeciwnika.

Strona 112:   OSTATNIA PRZESZKODA: bohater osiąga cel.

Strony 113-115: WYCISZENIE: katharsis, rozwiązanie i przedsmak nowego życia protagonisty.

Niektóre formuły numeryczne sugerują punkt akcji albo zwrot akcji co piętnaście stron, inne - co dziesięć. Co za ulga, że jeszcze nie podają, czy zwrot ma być w połowie strony czy może na samym początku. Wszystko sprowadza się do pytania: czy wszystkie filmy powinny powstawać w oparciu o ten sam wzorzec, łącznie z identyczną liczbą stron? A jeśli tak, dlaczego nie zrobią tego za nas komputery?

Technologia a konstrukcja fabuły

W minionych tysiącleciach zdobycze techniki odgrywały niewielką rolę w rozwoju literatury. Pióra, papier, maszyny do pisania stopniowo zastąpiły przekaz ustny, ale do niedawna nie miały żadnego wpływu na strukturę opowieści. Teraz to się zmieniło. W ostatnich latach programy generujące wątki powstają w błyskawicznym tempie. Niektóre mają za zadanie pobudzić wyobraźnię pisarza, inne naprawdę budują fabułę. Oto kilka z nich:

- *Plots Unlimited*, oparty na *Plotto* Williama Wallace'a Cooka.
- *Collaborator*, oparty na sześciu elementach dramatu Arystotelesa
- *StoryLinePro* i *Blockbuster*, oparte o teorię Johna Truby'ego, który lansuje formułę dwudziestu dwóch kroków, kolejną wariację na temat formuły trzech aktów
- *Dramatica*, powstały w oparciu o teorię struktury znaną jako *story mind*
- *StoryCraft*, oparty na ideach Arystotelesa i Josepha Campbella

Do czego doprowadzi tak rygorystyczne podejście do struktury? Ostatnio powstały komputery, które są w stanie samodzielnie wygenerować fabułę. Na przykład Brutus, wspólne dzieło Selmera Bringsjorda z Rennselaer Polytechnic Institute i Davida Fruruchi z IBM Research. Brutus to nowe spojrzenie na sztuczną inteligencję. Jego baza danych zawiera mnóstwo możliwych przebiegów akcji, co pozwala mu zbudować prostą fabułę. Podobnie jak teoretycy literatury, Brutus skupia się na związkach przyczynowo-skutkowych. W efekcie tworzy historie proste i przewidywalne, ale to dopiero początek. Komputery już dzisiaj pokonują ludzi w szachach; ile czasu trzeba, by stworzyły lepszą historię? Chyba nigdy im się to nie uda. Komputer nie ma pasji, uczucia, talentu; tych elementów, które sprawiają, że scenariusz jest nieprzewidywalny. Jak mówi Davey Marlin Jones, wykładowca literatury na UNLV: *Komputer nigdy nie będzie pisał tak dobrze jak człowiek – jemu żaden autobus nie zatrzasnął rano drzwi przed nosem.*

Na zakończenie

Kto ma rację? Nikt. Albo wszyscy, jeśli ich recepty pomogą ci uporządkować chaos, jaki początkowo przedstawia twój scenariusz. Arystoteles, Campbell, Polti, Egri i ich współcześni koledzy Truby, McKee, Vogler i inni mają dobre pomysły, którym warto się przyjrzeć. Należy jednak pamiętać, że to co działa w jednym scenariuszu zawiedzie w drugim. Jeśli chcesz stworzyć przekonywujący, oryginalny scenariusz, nie pomoże ci żaden wzór. Naiwna wiara w sprawdzone modele tłumaczy, dlaczego tak wiele amerykańskich filmów jest przewidywalnych i monotonnych. Nie znaczy to, że nie należy brać tych wzorców pod uwagę, a jedynie, że żaden nie ma gotowych odpowiedzi na wszystkie pytania.

Warto zauważyć, że niewielu teoretyków scenopisarstwa kiedykolwiek sprzedało scenariusz (a Arystoteles nie napisał tragedii). Umiejętność analizy a umiejętność pisania to dwie zupełnie inne rzeczy. Już Platon zauważył, że pisarz nie jest w stanie opisać dokładnie, jak przebiega proces twórczy. To samo dotyczy najlepszych scenarzystów; w przeciwieństwie do Brutusa i teoretyków, rzadko podchodzą analitycznie do tego, co robią i dlaczego. Mają wyczucie techniki dramatu, znają zasady konstrukcji i potrafią wyczuć, kiedy dany wzorzec zadziała, a kiedy lepiej dać sobie spokój z formułą.

Czy nie ma jednego uniwersalnego przewodnika, który podpowiada, jak dobrze napisać scenariusz? Jednej teorii, która przedstawi wszystkie ważne elementy struktury? Owszem, jest. Nie jest to logiczny wzór, tylko naturalny porządek rzeczy, wynikający z relacji między bohaterami i ich konfliktami. Te konflikty stanową tkankę poszczególnych ujęć, scen i sekwencji, są budulcem scenariusza. W kolejnych dwóch rozdziałach przedstawimy, w jaki sposób te elementy współpracują, dając niebanalny rys strukturalny.

ROZDZIAŁ 7

SIŁA I KONFLIKT

Walka o broń

Szekspir pisał bez podziału na akty; podział na pięć mniejszych części wprowadzili dopiero wydawcy wiele lat po jego śmierci. Sto lat temu sztuki miały zazwyczaj cztery akty, potem trzy, dzisiaj ograniczają się do jednego lub dwóch. Na akty dzielą się seriale komediowe i filmy telewizyjne; zamiast antraktu mamy przerwę reklamową. W kinie aktów nie ma; tam nigdy nie spada kurtyna, nigdy nie ma przerwy na reklamy.

W filmie każda chwila płynnie przechodzi w następną, każda scena czerpie z poprzedniej, każda sekwencja ma swoje miejsce w całym filmie. Każde ujęcie przedstawia sukces protagonisty w drodze do zwycięstwa albo kolejną przeszkodę na jego drodze. Oczywiście każdy film ma początek, rozwinięcie i zakończenie, ale nie sposób odnaleźć (czy zaplanować) dwóch, trzech, dwunastu czy dwudziestu udanych punktów akcji. W pewnym sensie każda pojedyncza scena jest punktem akcji, w którym pojawiają się istotne wydarzenia i konflikt, inaczej nie ma dla niej miejsca w scenariuszu.

Nie chcemy przez to powiedzieć, że struktura nie jest istotna; jest. Jednak nie chodzi tu o konkretną liczbę stron, aktów, paradygmatów czy punktów akcji. Powiedzmy sobie szczerze: konstrukcja scenariusza to przede wszystkim mapa podróży bohatera i schemat, dzięki któremu widzimy, w jaki sposób poszczególne elementy układanki do siebie pasują. Słowa kluczowe w powyższym opisie to *plan, pasują* i *schemat*. Kiedy już masz problem, historię, świat i bohaterów, musisz wymyślić schemat; elementy muszą do siebie pasować.

Przyjrzyjmy się uważnie filmowi: to ciągłość, kontinuum. Pierwszy czynnik, który porządkuje początkowy chaos, to rodzaj, poziom i natężenie konfliktów. Konflikt to kwintesencja każdego scenariusza, każdej sceny, postaci, chwili. Scenariusz to opowieść o konflikcie. Zaczyna się, kiedy konflikt się rodzi, towarzyszy mu, gdy narasta, aż do dramatycznego rozwiązania i późniejszego oczyszczenia, czyli katharsis. Tylko w ostatniej scenie można sobie pozwolić na brak konfliktu – a i to nie zawsze. Jak mówi

OPOWIEŚCI Z FRONTU

Robin

Punkty zwrotne akcji da się odnaleźć, ale nie sposób arbitralnie stwierdzić, że to na pewno akurat ten moment. Na zajęciach często proszę studentów, żeby znaleźli punkty akcji w pierwszym i drugim akcie dobrego scenariusza, a później udowadniam im, że de facto znajdują się one kilka scen wcześniej lub później od momentu, który wybrali.

profesor Richard Walter z UCLA: *nikt nie chce oglądać filmu o wiosce szczęśliwych ludzi*, chyba że zaraz spotka ich coś strasznego.

Niech moc będzie z tobą (siła i konflikt)

Mówiąc krótko, konflikt to efekt walki o władzę. Wszyscy pragniemy władzy: nad wrogami, nad życiem, nad przeznaczeniem. Profesor Howard Suber, także wykładowca UCLA, ujmuje to bardo zwięźle: *wszystkie konflikty dotyczą władzy*: kto ją ma, kto jej pragnie, kto lub co pomoże ją zdobyć, kto stoi na drodze. To samo można powiedzieć o wszystkich dramatach. Jeśli nie ma walki o władzę, nie ma konfliktu, a jeśli nie ma konfliktu, nie ma historii, bo wszyscy mają to, czego pragną, albo nie chcą o to walczyć. Dodajmy, że walka o władzę oznacza także próby przejęcia kontroli. Filmy takie jak *Spartakus*, *Wielkie otwarcie* i *Jak uszyć amerykańską kołdrę* opowiadają o dążeniu do przejęcia kontroli. Katharsis dotyka także widowni. W związkach międzyludzkich konflikt może być fizyczny i werbalny, ale często przyjmuje bardziej wysublimowaną formę. W *Hamlecie* i *Liście Schindlera* są sekwencje, które ściskają za serce, bardzo wyciszone, a jednak nabrzmiałe konfliktem.

Przyjrzyjmy się naturze konfliktu i władzy, ich formom, przeanalizujmy, w jaki sposób stają się fundamentem każdej historii, przestudiujmy techniki ich kreowania; mówiąc krótko, zobaczmy, w jaki sposób konflikt i władza wpływają na cały film, od ogólnego problemu po poszczególne sceny.

Kwintesencja historii – konflikt i władza

Konflikt to kwintesencja istnienia, poczynając od Wielkiego Wybuchu, poprzez narodziny gwiazd, wypiętrzanie górskich szczytów, ewolucyjną selekcję naturalną, do trudnych, złożonych stosunków między narodami, pokoleniami, płciami.

Konflikty są wszędzie, wśród wszystkich ras, religii i kultur. Konflikt to bezładny tygiel tworzenia i niszczenia, a zarazem źródło porządku i równowagi.

Najprostszą, najlepiej widoczną formą konfliktu jest przemoc fizyczna i dlatego tak wiele filmów po nią sięga. Jeśli nic się nie dzieje, porządna bijatyka, strzelanina albo pościg samochodowy wyrwą widzów z drzemki. Mamy tam akcję, brutalność i walkę o władzę z bardzo jasnym efektem końcowym – silniejszy/mądrzejszy wygrywa. Najbardziej prymitywne wykorzystanie takiego konfliktu znajdziemy w konkurencjach dla twardzieli i talk-show typu Jerry Springer – im głośniej, im gniewniej, tym lepiej.

Jednak bezmyślna brutalność, choć stanowiąca swego rodzaju atrakcję sama w sobie, nie wystarczy, by skonstruować dobry film. Dla przykładu: niedawno Salvador zerwał stosunki dyplomatyczne z Hondurasem, gdy zamieszki zakłóciły przebieg rozgrywek piłkarskich. Konflikty podczas dwóch pierwszych meczów sprawiły, że trzeci rozgrywano w asyście dwóch tysięcy policjantów. Samo w sobie stanowiło to fascynujący element wieczornego dziennika, ale to nadal tylko surowy, nieobrobiony materiał, konflikt bez znaczenia. Żeby go nabrał, należałoby się skupić na poszczególnych bohaterach, dla których szczytem marzeń jest, powiedzmy, mecz wygrany mimo niesprzyjających okoliczności. Zwycięstwo byłoby zarazem tryumfem ucywilizowanej formy rywalizacji nad prymitywną walką. Innymi słowy, z anonimowego chaosu z dziennika musiałoby się stać historią jednostki z określonym celem, historią, w której widz może się odnaleźć.

Konflikt i władza: zasada działania

Pierwszy krok w konstruowaniu opowieści to zrozumienie zasad dynamiki konfliktu i zastosowanie ich w tworzonych postaciach i sytuacjach, które prowadzą do walki o władzę, czyli źródła konfliktu. Walka o władzę zawiera trzy podstawowe elementy: cel, przeszkodę i niechęć do kompromisu.

Filmy nie opowiadają o życiu sielankowym i beztroskim, tylko niepełnym, o ludzkich, a zatem i naszych, pragnieniach i marzeniach. Żeby jednak powstała dobra historia, marzenia nie może być łatwe do realizacji, inaczej film się skończy, zanim zacznie. Bohater musi pokonywać przeszkody, bariery, przeciwników, zanim osiągnie to, czego pragnie. Musi być w nim także niechęć do kompromisu; albo zwycięży, albo zginie w walce.

Na tym polega różnica między filmem a rzeczywistością. Wstrząsające statystyki dowodzą, że kobiety siedem razy wracają do maltretujących je mężów, zanim ostatecznie zaczną działać i wniosą pozew o rozwód. Taka jest rzeczywistość – te kobiety wybierają kompromis. Lecz taka rzeczywistość nie nadaje się na ekran, bo w filmie kobieta w takiej sytuacji, jeśli jest protagonistką, musi działać. Farrah Fawcett w *Płonącym łóżku* sięga po władzę i dość drastycznie kończy związek z maltretującym ją mężem (pali go żywcem).

Kompromis nie wchodzi w grę, bo oznacza koniec konfliktu. Jeśli protagonista czy antagonista są gotowi pójść na kompromis, konflikt się kończy, a z nim historia. Jeśli protagonista jest gotów pójść na kompromis w słusznej sprawie, a tego nie zrobi, straci sympatię widza. Jedyne wyjście z takiej sytuacji to po prostu wyeliminować możliwość kompromisu. Historia się zaczyna, gdy nie ma możliwości porozumienia, bo antagonista na to nie pozwala albo chęć realizacji marzenia protagonisty jest zbyt silna. Często uzasadnia się brak kompromisu wydarzeniem, które pokazuje, dlaczego przeciwnicy nie mogą pertraktować i zmierzają do pojedynku. W efekcie mamy walkę o władzę. Równanie jest proste:

Pragnienie + Przeszkody x Brak kompromisu = Konflikt

Oto przykłady:

1. *Pragnienie*: ona chce kupić podręczniki dla uczniów.
2. *Przeszkoda*: on musi zbilansować szkolny budżet.
3. *Dlaczego kompromis nie wchodzi w grę*: wyniki uczniów są najgorsze w całym stanie.

1. *Pragnienie*: Kim wymyśliła sobie ślub z marzeń.
2. *Przeszkoda*: matka chce wybrać druhny.
3. *Dlaczego kompromis nie wchodzi w grę*: czasopismo *Panna Młoda* będzie na ślubie; jeśli wszystko pójdzie dobrze, zaproponują Kim pracę.

1. *Pragnienie*: muszę pomścić śmierć przyjaciela.
2. *Przeszkoda*: nie wiem, kto go zabił.
3. *Dlaczego kompromis nie wchodzi w grę*: oskarżono mnie o to zabójstwo.

Zauważmy, że to właśnie trzeci element sprawia, że historia może się wydarzyć. Pragnienie i przeszkody są ciekawe, ale historia istnieje dlatego, że kompromis nie wchodzi w grę.

Może natomiast stanowić ciekawy element w wątku pobocznym. Często kontrastuje z wątkiem głównym albo jest czynnikiem, który wywołuje główny konflikt. I tak na przykład w *Ojcu chrzestnym* Connie, siostra Sonny'ego i Michaela, jest żoną gwałtownego brutala; narzeka na niego, ale od niego nie odchodzi. Idzie na kompromis, czego nie można powiedzieć o Sonnym, który bije jej męża. A kiedy się okaże, że mąż pobił Connie, żeby zwabić Sonny'ego w pułapkę, Michael, protagonista, każe go zabić. Nie ma miejsca na kompromis, choć Michael jest ojcem chrzestnym dziecka tego człowieka. Po jego śmierci Connie go opłakuje; nadal idzie na kompromis.

Co cię nie zabije, to cię wzmocni

Powszechna tendencja każe łączyć konflikt z destrukcją; w rzeczywistości stanowi on także kanwę tworzenia. W filmie skutkiem konfliktu musi być nowa wiedza. Świat wytrącany z równowagi wraca do poprzedniego stanu, ale możemy go lepiej zrozumieć. Sukces i porażka są wynikiem walki o władzę; chory walczy z chorobą, ziarno wypuszcza pędy, uciemiężeni domagają się sprawiedliwości, tyran dławi opozycję i wprowadza dyktaturę, seryjny morderca zabija policjanta, który go ściga, co daje nam lepsze zrozumienie mrocznej strony świata. Pozytywny skutek konfliktu jest jak ćwiczenia: wysiłek powoduje, że się pocisz, ale jesteś silniejszy. Taki konflikt rodzi się z chęci zmiany świata na lepsze, choć nie jest łatwo osiągnąć sukces. Skutek negatywny jest jak rak wyniszczający zdrowe ciało – pochłania, niszczy dobro.

Walka o władzę ma w wielu filmach wydźwięk moralny; ścierają się dobro i zło. Pan Smith jest dobry, skorumpowani senatorowie w Waszyngtonie są źli. Silkwood jest dobry, przemysł nuklearny – zły. Dawid pokonał Goliata, a Mojżesz faraona, bo ich siła pochodziła od Boga (była dobra), a ich przeciwników – z tego świata (zła). Protagonista często zdobywa ową dobrą siłę poprzez mądrość, którą zyskał nie tracąc niewinności, natomiast wiedza i siła antagonisty pochodzą z mrocznej strony ludzkiej natury. Oświecenie duchowe jest pozytywne, wiedza cielesna jest zła. Miłość, moralność i wierność poglądom są dobre, samolubność i bezwzględność są złe. Te skrajności sugerują, że w trakcie opowieści dojdzie do odwrócenia układu sił. Na początku świat traci równowagę, bo antagonista zdobywa władzę. Kiedy protagonista go pokona, dobro zwycięża nad złem i wszyscy wracamy do domu zadowoleni, że wszystko dobrze się skończyło. Jeśli protagonista ponosi klęskę, jesteśmy zrozpaczeni.

Jednak nie wszystkie filmy opowiadają o konflikcie między dobrem a złem; nie każdy konflikt oznacza przegraną jednej ze stron. Antagonizm występuje także między dwojgiem dobrych ludzi, dwiema słusznymi sprawami, bo też słowo „antagonista" nie oznacza zła. Dla twórców tego terminu, starożytnych Greków, antagonista był po prostu przeciwnikiem. Nie musiał być zły, skorumpowany czy niemoralny. Był siłą, przeszkodą na drodze protagonisty. Tak jest do dzisiaj.

Na przykład w opowieści o miłości: chłopak poznaje dziewczynę, traci ją, odzyskuje (albo, w wersji współczesnej: dziewczyna poznaje chłopaka, chłopak jest gejem, zostają przyjaciółmi). Tak, między zakochanymi jest konflikt i walka o władzę (często komiczna) w dążeniu do tego samego celu – miłości, ale nie jest to starcie dobra ze złem, choć niewykluczone, że dostrzeżemy w takim konflikcie moralne podteksty, na przykład poświęcenie kontra egoizm. Zakochany jest protagonistą, ten, który uchyla się od miłości, antagonistą. Inne przykłady to dramaty rodzinne albo komedie, jak *Wożąc panią Daisy* czy *Dziwna para*, gdzie nie ma postaci dobrych czy złych, wszystkie są bardzo różne i te różnice, w połączeniu z daną sytuacją, rodzą konflikt i walkę o władzę.

Uczucia

Początkujący scenarzyści często mylą konflikt z sytuacjami uczuciowymi. Sytuacja uczuciowa to nagły wybuch uczuć, specjalna okazja czy dramatyczne wydarzenie. Scenariusz powinien zawierać ich dużo, ale musi w nich także być konflikt (albo jego rozwiązanie), jeśli historia ma zachować ciągłość. To, że scena jest emocjonalna, nie oznacza jeszcze, że ma wpisany konflikt. Wiele sytuacji uczuciowych nie niesie konfliktu. Ślub jest uczuciowy, ale gdzie tu konflikt, skoro wszyscy są szczęśliwi? Czy widzimy tam pragnienia, przeszkody i niechęć do kompromisu (w *Czterech weselach i pogrzebie* Hugh Grant jest głęboko nieszczęśliwy i za wszelką cenę chciałby znaleźć się gdzie indziej)? Przyjęcie pożegnalne dla pracownika, który odchodzi na emeryturę; mnóstwo uczucia, ale konflikt? Chyba że ktoś czegoś pragnie, ale coś lub ktoś stoi mu na drodze i nie ma możliwości kompromisu (na przykład pracownik został zmuszony do przejścia na emeryturę i właśnie na przyjęciu się buntuje i postanawia odegrać).

Wszelkie konkursy sportowe mają konflikt wpisany w dramaturgię wydarzeń, ale już ceremonia wręczania nagród – nie. Pocałunek jest emocjonalny, ale bez konfliktu, chyba że ktoś nie chce, żeby do niego doszło (niekoniecznie ktoś z bezpośrednio zainteresowanych, mogą to być ich krewni, jak w *Romeo i Julii*). Wydarzenia bez konfliktu sprawdzają się tylko w scenie finałowej, gdy problem został już rozwiązany.

Albo pogrzeb. Wszyscy płaczą, żałobnicy wstają i wspominają zmarłego przyjaciela. Mamy rozpacz zmieszaną z ciepłymi wspomnieniami. Później, przy grobie, słońce zachodzi na różowo, kobziarz zawodzi żałośnie. Scena jest poruszająca, także wizualnie, lecz w scenariuszu będzie nieciekawa, bo nie ma w niej celu, przeszkody czy braku kompromisu. Jeśli jednak zmienimy peany na obelgi, jeśli jedna z postaci uważa drugą za przeszkodę w drodze do celu albo jeden z żałobników ma niecne zamiary i ktoś stara się go powstrzymać, jeśli mamy wskazówkę, że ten pogrzeb to tylko cisza przed burzą, sprawa wygląda inaczej. Teraz mamy dramat. Scena staje się ciekawa. W *Czterech weselach* śmierć przyjaciela zmusza Hugh Granta do konfrontacji z własnymi obawami przed związkiem z kobietą, którą kocha; oto protagonista w konflikcie z samym sobą. Kwintesencja scenariusza to konflikt, nie momenty uczuciowe. Potrzebne jest jedno i drugie, lecz emocje muszą wynikać z konfliktu lub go rodzić, póki rozwiązanie nie przywróci równowagi.

Synchronizacja konfliktu i władzy

Pierwszy krok to stworzyć postacie i okoliczności, które zawierają albo sugerują konflikt. Scenarzysta dyryguje, czyli zmienia i rearanżuje konflikt między protagonistą a antagonistą tak, żeby się wydawał nieunikniony: nie dość, że to dwaj najlepsi przeciwnicy w danej historii; innych nie sposób w niej umieścić. Kolejny krok to usystematyzować rodzaje konfliktów, żeby stopniowo nabierały mocy. I właśnie to narastające natężenie konfliktu stanowi podstawę dobrego scenariusza.

Dawid i Goliat

Protagonista zawsze startuje z gorszej pozycji, ma mniejszą władzę. Na początku musi się wydawać słabszy od antagonisty. Obaj muszą mieć wyraźne cele i zrozumiałą motywację, ale jeśli protagonista będzie silniejszy, opowieść się skończy, zanim nie zacznie; rozwiązanie jest oczywiste: protagonista zwycięży, bo jest silniejszy. Antagonista musi być na tyle potężny, by zwycięstwo protagonisty stało pod znakiem zapytania do samego końca. Jeśli twoja historia jest nudna, zazwyczaj oznacza to słabego antagonistę i zbyt silnego protagonistę.

Nieważne, jak silny wydaje się protagonista; antagonista musi być silniejszy, musi mieć ukryte talenty, które mogą zniszczyć protagonistę. To dlatego Superman potrzebuje kryptonitu; bez tego antagonista nie miałby żadnych szans. To dlatego przeciwnik Jamesa Bonda jest zawsze na tyle potężny, inteligentny i bogaty, że dąży do dominacji nad całym światem. Tylko ktoś taki może zagrozić Bondowi. I podobnie jak Bond, każdy protagonista musi mieć odpowiednie cechy, by zdobyć wiedzę czy materiały niezbędne do pokonania danego przeciwnika.

Koła wpływów

Świat i bohaterowie różnią się poczynając od postaci najwyraźniej nakreślonych po niemal anonimowe. Howard Suber postrzega to jako koncentryczne okręgi, przy czym jednostka jest w środku, a społeczeństwo to największy, zewnętrzny okrąg. Na takich poziomach rodzą się konflikty.

Jednostka. To ten, z którym się utożsamiamy, protagonista. (Nawet w *buddy movies* jest jeden, najważniejszy; przypomnij sobie żołnierzy z *Plutonu*)

Rodzina /drużyna. Ta grupa składa się z kilku osób, które mieszkają w świecie protagonisty i dzielą z nim codzienne życie. Po pierwsze, to rodzina; nawet protagonista – włóczykij założy ją stosunkowo wcześnie. Rodzina/drużyna to grupa wsparcia. Chociaż początkowo może się sprzeciwiać planom bohatera (konflikt), ulega jego argumentom. Czasami właśnie tu pojawiają się sprzymierzeńcy/mentorzy. W *Plutonie* to najlepsi kumple żołnierza i dobry sierżant - mentor.

Społeczność. Grupa bardziej anonimowa, ale nadal funkcjonująca w świecie bliskim bohaterowi, gdzie wszyscy są po tej samej stronie. Wszyscy żołnierze *Plutonu*.

Społeczeństwo. W świecie opowieści społeczeństwo jest anonimowe, okrutne i bezduszne. Jednostka się nie liczy, zwłaszcza kiedy rządzą ludzie skorumpowani, upojeni władzą. I właśnie takie społeczeństwo zamieszkuje świat, w którym (i z którym) protagoniście przyszło walczyć.

W *Plutonie* społeczeństwo to skorumpowani wojskowi; światem niech będzie tu wojna w Wietnamie. Zły sierżant to antagonista, bo, choć należy do plutonu protagonisty, uosabia bezduszne zło wojny. I zabija dobrego sierżanta, kolegę z plutonu, mentora, z którym utożsamia się protagonista.

Wróg prywatny

Często konflikt konstruuje się tak, żeby antagonistę i protagonistę więcej łączyło niż dzieliło; są wrogami prywatnymi. Nawet jeśli antagonista pochodzi z zewnętrznego kręgu, czyli anonimowego społeczeństwa, często wywodzi się jednocześnie z kręgów bliższych protagoniście. Poprzez wspólną przeszłość i podobieństwa rośnie stawka w konflikcie. Ba, początkowa przewaga antagonisty może wynikać właśnie z tego, że zna protagonistę na tyle dobrze, że może wykorzystać jego słabości. W *Karmazynowym przypływie* antagonista to kapitan łodzi podwodnej; dowiadujemy się, że jest jednym z „trzech najpotężniejszych ludzi na ziemi". Protagonista to jego porucznik; antagonista sam go zabrał w tę podróż. Pochodzą więc z tego samego świata, pozornie także z tej samej społeczności. Lecz antagonista należy do społeczeństwa wojny, a protagonistę poznajemy jako członka drużyny składającej się z rodziny i przyjaciół.

Bliskość między protagonistą i antagonistą łatwiej osiągnąć, jeśli obaj pragną tego samego: miłości, sokoła maltańskiego, świętego Graala, wygrać wyścig. Na koniec obaj są równie silni, przy czym protagonista zwycięża (jeśli zwycięża), bo walczy po stronie dobra. I właśnie dlatego tyle kiepskich filmów kończy się finałową sceną walki, w której czarny charakter mówi: „Znam cię, jesteś taki jak ja". Na co protagonista odpowiada: „Nie, nie jestem. Bronię prawdy, sprawiedliwości i amerykańskiego stylu życia". I zabija antagonistę. Chyba że jest to tragedia; wówczas protagonista przegrywa, bo nie jest w stanie uporać się z wewnętrznymi przeszkodami, które podcinają mu skrzydła w walce z antagonistą.

Konflikt i władza: przypływy i odpływy

W większości historii łączą się różne rodzaje walki o władzę. Zazwyczaj w scenariuszu dozuje się i stopniuje konflikt tak, żeby narastał, wciągał coraz bardziej. Czasami wprowadza się różne rodzaje konfliktu, czasami jeden, ale w różnych kontekstach. To bardzo ważny czynnik w konstrukcji scenariusza. Im więcej rodzajów konfliktu, czyli im więcej przeszkód, tym bardziej wyrazista walka protagonisty, tym bardziej dramatyczny finał, tym słodsze zwycięstwo albo tym bardziej bolesna porażka.

Rodzaje konfliktu

Wyróżniamy zasadniczo dwa rodzaje konfliktu: zewnętrzny i wewnętrzny. Konflikt zewnętrzny powoduje antagonista albo sytuacja, motorem konfliktu wewnętrznego jest skaza protagonisty, duch albo dylemat. Konflikt zewnętrzny da się podzielić na cztery kategorie: postać kontra postać, postać kontra oni, postać kontra przyroda i postać kontra przeznaczenie, natomiast konflikt wewnętrzny ogranicza się do rozdźwięku między postacią i jej problemem.

Postać kontra postać

To konflikt, z którym mamy do czynienia, gdy dwoje bohaterów pragnie tego samego, a uważa, że tylko jeden może to dostać, albo jeden ma coś, czego pragnie drugi. Widz chce, żeby zwyciężył protagonista, antagonista ma przegrać. Często mamy tu do czynienia z dobrym protagonistą i złym antagonistą, ale nie zawsze. Taki konflikt znajdziemy w niemal każdej produkcji hollywoodzkiej. *Wożąc panią Daisy, Co z Bobem, Dziwna para, Terminator* i prawie wszystkie filmy o miłości są oparte na tym konflikcie.

Postać kontra „oni"

Każdy chyba doświadczył uczucia bezradności wobec anonimowej potęgi społeczeństwa. Jeśli jednostka rzuca społeczeństwu wyzwanie, rodzi się konflikt. Protagonista sprzeciwia się społeczeństwu; jego zwycięstwo oznacza, że nawet jednostka może coś zmienić. Jego klęska dowodzi smutnej prawdy, że jeden człowiek nie pokona systemu. Społeczeństwo może występować pod wieloma postaciami: może to być rząd, nasz lub wrogi, wojsko, Urząd Skarbowy, CIA, naziści, przybysze z kosmosu – innymi słowy, „oni", nieznane, potężne siły, które chcą zapanować nad nami i nas zniszczyć.

Żeby ten rodzaj konfliktu dobrze funkcjonował, „oni" muszą mieć konkretne oblicze, które uosabia anonimowe zagrożenie. W sztukach teatralnych *Czekając na Godota* i *Rosenkrantz i Guildenstern nie żyją* zagrażająca siła pozostaje niezdefiniowana i tajemnicza, ale to rzadkość nawet w teatrze, a co dopiero w dobrym filmie. W filmie chcemy zobaczyć antagonistę, żeby naprawdę zrozumieć jego i zagrożenie, które reprezentuje. Taki antagonista reprezentuje przerażającą siłę społeczeństwa i rzuca wszystkie swoje wojska do walki z działającym w pojedynkę protagonistą. *Stowarzyszenie umarłych poetów, Wszyscy ludzie prezydenta, Silkwood, Trzy dni kondora, Mr Smith jedzie do Waszyngtonu* to przykłady filmów opartych na takim konflikcie.

Postać kontra przyroda

W tym wypadku mamy czynienia z protagonistą uwikłanym w walkę z otoczeniem. Geografia albo katastrofa naturalna staje się przeszkodą w drodze protagonisty z punktu A do punktu B. Podobnie jak w konflikcie ze społeczeństwem, przyroda może być potężna, anonimowa i groźna. Protagonista musi się sprawdzić, ale pytanie, czy człowiek zdoła pokonać siły natury to za mało, by napisać dobry film. Rozwiązuje się ten problem dodając konflikt personalny w grupie bohaterów, którzy muszą razem stawić czoła żywiołowi. Powodem tego konfliktu bywa znalezienie zwłok postaci, które wpakowały bohaterów w niebezpieczeństwo (znajdziemy ten schemat w większości filmów o alpinistach). Przykłady: *Alive: Dramat w Andach, Sztorm, Park Jurajski, Into Thin Air, Wulkan, Twister, Niezwykła podróż, Tragedia Posejdona*.

Postać kontra los

Dla starożytnych Greków przeznaczenie było namacalną siłą obecną w świecie, co widzimy w klasycznej tragedii greckiej. I tak przeznaczeniem Edypa było zabić własnego ojca i poślubić matkę. Jego rodzice poznali tę przepowiednię i porzucili go jako niemowlę na pewną śmierć, Edyp jednak przeżył i los się dopełnił. Ani on, ani oni nie mogli nic na to poradzić. Bohater, człowiek, wierzy w wolną wolę i swoją niepowtarzalność, i rzuca wyzwanie bogom i losowi; stąd się bierze dramat. Wraz z nastaniem realizmu i coraz silniejszym przekonaniem, że każdy jest kowalem swego losu, pisarze coraz rzadziej uciekali się do przeznaczenia. W Hollywood nakręcono kilka filmów opartych na tym konflikcie, jednak najczęściej powstały one na kanwie starożytnych mitów takich, jak *Jazon i Argonauci* i *Herkules* Steve'a Reevesa, a konflikt bohatera z przeznaczeniem nie jest jedynym. Współcześni pisarze zastąpili przeznaczenie innymi ograniczeniami: bohater zmaga się z własnymi lękami i ograniczeniami, które narzucają mu rasa, płeć, wiek czy społeczeństwo, w którym dorasta. Weźmy *Normę Rae*, gdzie Sally Field walczy z męską dominacją w zarządzie fabryki, ale musi się także uporać z własną nieśmiałością. W *Amerykańskim graffiti* nastolatki zmagają się z ograniczeniami i brakiem perspektyw, jakie narzuca małe miasteczko. W efekcie niektórzy zwyciężają, inni ponoszą klęskę. W przeciwieństwie do greckich tragedii, we współczesnych filmach o przeznaczeniu ostatecznie decydują nie bogowie, tylko czyny protagonisty.

Ostatni seans filmowy, Biały żar, Butch Cassidy i Sundance Kid są oparte na takim konflikcie.

Postać kontra ja

Konflikt wewnętrzny – postać kontra ja – to zmaganie się bohatera z wewnętrzną słabością (obawy, alkoholizm, choroba psychiczna), rozterki moralne (zrobić to czy nie?), czy uraz psychiczny (na przykład odpowiedzialność za śmierć kogoś bliskiego). Konflikt wewnętrzny pojawia się niemal w każdym dobrym filmie; protagonista wyrusza w drogę nękany obawami i lękami, które musi pokonać, żeby stawić czoła antagoniście. Niektóre dzieła zawierają przede wszystkim, a czasem wyłącznie ten konflikt. Te wewnętrzne rozterki, bolesne decyzje, błędy i brak autoakceptacji często dają w efekcie moralitety. Oczywisty przykład to *Doktor Jekyll i pan Hyde*, gdzie dwa oblicza jednego człowieka stają się fizycznie protagonistą i antagonistą. Najczęściej jednak wewnętrzne rozterki bohatera przedstawia się subtelniej. W *Dniach wina i róż* protagonista zmaga się z alkoholizmem; w *Jak uszyć amerykańską kołdrę* bohaterkę ogarniają wątpliwości co do istnienia miłości i sensu małżeństwa. W *Śmierci komiwojażera* bohater nie wie, jak sobie poradzić z poczuciem przegranej. W *Charlym* przedmiot walki to pogarszający się stan umysłu bohatera. Konflikt wewnętrzny narasta, gdy bohater stoi przed trudnym wyborem moralnym, na przykład gdy żołnierz musi zdecydować: zostać u boku ciężarnej żony czy służyć krajowi. Trudno ocenić, który wybór jest słuszny.

Konflikt tego typu niełatwo pokazać w filmie, jako że z natury nie jest filmowy; trudno pokazać czyjeś myśli. Teatr na to pozwala: Hamlet może sobie wygłaszać długie monologi, ale w filmie nie ma na to miejsca. Czasami można taki konflikt uzewnętrznić, dodając postacie, które go obrazują. W *Zmień kapelusz* kierowniczka księgarni z Nowego Jorku musi się uporać ze sprzecznymi uczuciami do mężczyzn. Jej rozterki uosabia szalony piosenkarz, który w sklepie śpiewa o miłości, jej babka, która ją zamęcza, i dwaj całkowicie odmienni mężczyźni, z którymi się umawia. Jeden to sprzedawca pikli; symbolizuje jej przyziemną naturę. Drugi, egocentryczny poeta, odwołuje się do jej pretensji inteligenckich i artystycznych. Wewnętrzny antagonista to walka z demonami dręczącymi protagonistę. Kończy się albo zwycięstwem protagonisty albo jego klęską, jak w *Zostawić Las Vegas*.

Kumulacja konfliktów

Filmy przygodowe i akcji to konflikt w czystej formie: postać kontra postać, przemoc fizyczna. Jednak nawet w nich znajdziemy inne formy konfliktu. W filmie *Na krawędzi* Gabe'a (Sylvester Stallone) paraliżują zwątpienie i żal do siebie – nie udało mu się uratować życia ukochanej przyjaciela (postać kontra ja), który teraz go nienawidzi (postać kontra postać). Teraz muszą połączyć siły, żeby uratować tych, którzy przeżyli katastrofę samolotu. Okazuje się, że to złodzieje i mordercy. Gabe im ucieka (kolejny konflikt postać kontra postać), jego przyjacielowi to się nie udaje i teraz jego życie jest w rękach Gabe'a. Antagonista ma władzę: inteligencję, bezwzględność i zespół bezlitosnych zabójców, sprowadzonych ze świata zewnętrznego (postać kontra oni). Gabe, sam wśród ośnieżonych gór, pozbawiony nawet specjalistycznej odzieży (postać kontra przyroda), musi pokonać antagonistę i ocalić przyjaciela. Jest idealnym protagonistą, bo zna góry jak nikt i dręczy go duch, z którym się musi uporać. Wykorzystuje swoją znajomość wspinaczki, rozprawia się z bolesnymi wspomnieniami i czerpie dodatkową siłę ze wsparcia swojej dziewczyny. A antagonista stopniowo traci swoich ludzi i powoli osacza go świat protagonisty; traci władzę i zostaje pokonany.

W *Gwiezdnych wojnach* konflikt moralny jest oczywisty: Darth Vader reprezentuje ciemną stronę Mocy i stąd jego mroczna władza nad galaktyką. Luke, protagonista, zaczyna z pozycji beznadziejniej: sam, niewyszkolony, bez Mocy, ale zdecydowany ją zdobyć. Pomagają mu mentorzy i sprzymierzeńcy. Jest tu także miejsce na konflikt postać kontra postać: Obi-Wan, Leia, Han Solo. Nie chodzi tu o starcie dobra ze złem, raczej depresja kontra optymizm, działanie kontra oportunizm, chciwość kontra altruizm. Drogę Luke'a komplikują sprzymierzeńcy antagonisty (postać kontra oni) i jego obawy (postać kontra ja). Dopiero umiejętność posługiwania się jasną stroną Mocy i pomoc sprzymierzeńców i mentorów zapewni Luke'owi zwycięstwo. Władza przechodzi z rąk antagonisty do protagonisty. Pokonując siły zła, które symbolizuje Darth Vader, Luke zwycięża na kilku poziomach; osobistym (postać kontra postać) i społecznym; pokonał zło (postać kontra oni).

Różne poziomy konfliktów nie ograniczają się jedynie do filmów akcji, przenikają strukturę każdego dobrego filmu. W *Werdykcie* bohater grany przez Paula Newmana to nieudacznik, alkoholik, który nie radzi sobie sam ze sobą (postać kontra ja), a który musi samotnie zmierzyć się z przeciwnikiem nazywanym „księciem ciemności", niepokonanym prawnikiem (postać kontra postać) o nieprzebranych środkach finansowych, na dodatek mającym poparcie potężnej kancelarii. Antagonista, jak na ironię, reprezentuje kościół (postać kontra oni), który zgubił własne wartości. Chcąc zwyciężyć, Paul Newman musi przestać pić i zwalczyć pokusy, które podsuwa mu antagonista (postać kontra ja, postać kontra postać). Zwycięża, przejmuje władzę, odwołując się do niewinności przeciętnego człowieka w ławie przysięgłych, a nie do skorumpowanej, zinstytucjonalizowanej władzy sędziego (postać kontra oni).

Fortepian, film nietypowy jak na produkcję hollywoodzką, rozgrywa się w XIX wieku. Ada, niema, bezradna wdowa ze Szkocji (postać kontra ja) przyjeżdża z małą córeczką do Nowej Zelandii, żeby wyjść za mąż za bogatego farmera, którego nigdy wcześniej nie widziała. Przywozi ze sobą fortepian. Muzyka to dla niej jedyny środek wyrazu i źródło wewnętrznej siły. Jednak farmer nie zgadza się zabrać instrumentu w długą podróż na farmę (postać kontra postać i postać kontra przyroda). Tym samym odbiera Adzie jej głos, jej siłę. Dopiero ktoś inny, wytatuowany, wyzwolony biały mężczyzna żyjący w zgodzie z miejscowymi obyczajami uratuje fortepian (władza odzyskana dzięki pomocy). Uwodzi Adę, dobijając z nią niecodziennego targu: sprzeda jej fortepian stopniowo. Ada odzyska kilka klawiszy w zamian za lekcje muzyki. Początkowo Ada się sprzeciwia, nie chce kupować czegoś, co już do niej należy (postać kontra postać, postać kontra ja), lecz z lekcji muzyki szybko robią się lekcje uwodzenia. Mąż chce zamknąć Adę w domu (przeszkoda), ona jednak przejmuje władzę i ucieka do ukochanego.

W każdym z omawianych wypadków antagonista pochodzi z zewnątrz, więc obawy, strachy i ograniczenia protagonisty to niejako sprzymierzeńcy antagonisty, który wykorzystuje je przeciwko protagoniście. Pokonanie tych słabości to wielki krok ku pokonaniu antagonisty.

Wewnętrzne skazy mają także inne zadanie – wzbudzić sympatię dla protagonisty; przecież wszyscy mamy ukryte słabości. I tak na przykład w nieudanym filmie gwiazdkowym *Świąteczna gorączka* Arnold Schwarzenegger nie przyciąga naszej uwagi. Wdaje się w różne konflikty: z listonoszem (postać kontra postać), z tłumem w centrum handlowym (postać kontra oni), ale nie ma konfliktu wewnętrznego.

Arnold owszem, jest na siebie wściekły, że nie załatwił zakupów wcześniej, ale nie wątpi, że musi to załatwić, i to teraz, zaraz. Nie toczy żadnej wewnętrznej debaty, nie ma w nim konfliktu.

Rzecz nie w tym, że to komedia; dobre komedie (*Annie Hall, Dzień świstaka, Sposób na blondynkę, Sułtani westernu*) są pełne bohaterów toczących przezabawne konflikty z własnym ja, nie tylko z innymi i światem. Oczywiście są i takie, w których konfliktu wewnętrznego nie ma, jak filmy o Ace Venturze i Różowej Panterze, lecz tu akurat zarówno protagoniści, jak i ich działanie jest tak absurdalne, tak sprzeczne z otaczającym światem, że już samo to wystarczy, by stworzyć efekt komiczny. W *Świątecznej gorączce* protagonista to zwykły facet, więc bez konfliktu wewnętrznego to po prostu nudziarz.

Powyższe przykłady to komedie (z konstrukcyjnego punktu widzenia) – nie dlatego, że są śmieszne, ale dlatego, że protagonista zwycięża. Tak się najczęściej kończą filmy amerykańskie, choć wiele filmów z innych krajów i kilka wybitnych produkcji amerykańskich ma inne zakończenie, oparte na modelu tragicznym: protagonista traci wszystko, co miał i przegrywa.

W tragedii czasami człowiek bezsilny zdobywa władzę, nie zdaje sobie sprawy, co to oznacza, i traci ją, jak w *Ojcu chrzestnym*. Michael, protagonista, początkowo jest niewinny, ale traci tę niewinność na rzecz niszczycielskiej potęgi rodziny. Zdarza się także, że protagonista traci to, do czego potrzebna mu była władza: miłość, szczęście, skarby, jak król Lir. W tragedii do upadku bohatera przyczynia się najczęściej jego wada: duma albo próżność, której nie zdoła pokonać, i która powoduje jego upadek. Jest to skaza fatalna. Tacy bohaterowie walczą ze sobą; niestety, mroczna strona ich natury zwycięża. Wówczas mamy do czynienia z konfliktem postać kontra ja, a skaza staje się głównym antagonistą.

Weźmy australijski film *Gallipoli*. Oni – symbolizuje ich morderczo arogancke, bezmyślne brytyjskie wojsko – niszczą protagonistę, żołnierza, który na próżno stara się zmienić rozkaz, który posyła na pewną śmierć jego oddział i najlepszego przyjaciela. Żołnierz jest silny, arogancki, ma sprzymierzeńca – rywala, jedynego człowieka, który może go prześcignąć, lecz głupota i nadęcie brytyjskiej armii i jego własne ograniczenia okażą się zbyt potężnym przeciwnikiem. Oto współczesna tragedia: bezosobowe siły wojny pokonują protagonistę. Jego wcześniejsza arogancja (skaza, postać kontra ja) i wiara we własne siły powracają z gorzką ironią, gdy nie biegnie dość szybko, by ocalić bliskich.

Podbijanie stawki

W każdej walce o władzę jest coś do stracenia. Kiedy scenarzysta podbija stawkę, sprawia, że potencjalna klęska oznacza utratę wszystkiego. Oznacza to zarówno klęskę całego świata, jak w *Gwiezdnych wojnach*, gdzie na szali ważą się losy całej galaktyki, albo też niewielką stratę, która będzie miała poważne konsekwencje. Na przykład w serialu komediowym *Cudowne lata* roiło się od potyczek o władzę; jeśli protagonista je przegrał, oznaczały utratę na resztę życia przyjaciół i bliskich. Stawka musi być na tyle wysoka, by zainteresowała widza i był on ciekaw, na czyją korzyść przechyli się szala. Dla wielu początkujących scenarzystów jest to poważny problem: ich stawka jest tak niska, tak zwyczajna, że cała opowieść staje się nieciekawa.

Stawka	*Podbijanie stawki*
Właściciel małego banku ma kłopoty finansowe, co grozi bankructwem całej rodziny, chce popełnić samobójstwo. Żałuje, że w ogóle się urodził.	Gdyby nie żył (jeśli się zabije), nie tylko jego rodzina pójdzie z torbami, ale całe miasteczko padnie ofiarą bezlitosnego bankiera.
Wypadek. Koń zraniony przez ciężarówkę drwali; Kobieta zabiera go do zaklinacza koni, żeby go wyleczył.	W tym samym wypadku córka kobiety została ranna, jej przyjaciółka zginęła. Córka ma uraz psychiczny, który nie ustąpi, jeśli koń nie wróci do zdrowia. Matka zakochuje się w zaklinaczu koni i musi dokonać wyboru: ukochany czy rodzina.
Miejski detektyw dowiaduje się, że we władzach policji są bezlitośni mordercy. Powstrzyma ich albo zginie na posterunku.	Chłopiec z sekty Amiszów jest świadkiem morderstwa; trzeba go chronić. Detektyw zakochuje się w jego matce. Całej trójce grozi śmierć.

Pułapka

Pułapka to wykluczenie kompromisu. Niedawno *Publisher's Weekly* opublikował listę książeczek dla dzieci, których nie wydano. Jedna z nich nazywała się *Pociąg, który mógł, ale nie chciał*. Powód odmowy druku kryje się w tytule. W tej historii nie ma pułapki, która zmusza do działania. Innymi słowy, nie ma tam miejsca na konflikt, bo protagonista nie miał motywacji, by walczyć; poszedł na kompromis. Jeśli antagonista dominuje nad protagonistą, jeśli protagonista wyczuwa istnienie antagonisty, musi dojść do konfrontacji. Doprowadzamy do tego za pomocą pułapki; jest to sytuacja, otoczenie, termin czy cecha, które sprawiają, że przeciwnicy nie mogą się wycofać. Muszą działać.

Pułapka często wymieniana jest w tytule. Weźmy *Park Jurajski*; naukowiec nie może uciec z wyspy pełnej sklonowanych dinozaurów, choć zapewne miałby na to ochotę. W *Tylko z moją córką* postać grana przez Sally Field nie może wyjechać z Iranu (uciec przed konfliktem), póki nie odzyska córki – nie dlatego, że jest to fizycznie niemożliwe, ale dlatego, że jej pułapkę stanowi miłość i poczucie obowiązku. Najbardziej znany przykład pułapki wyrażonej w tytule to chyba *W samo południe*. Pułapkę w tym filmie stanowi czas: bandyci przyjeżdżają pociągiem w południe i kodeks moralny nakazuje szeryfowi stawić im czoła. W greckiej tragedii *Król Edyp* miasto Teby nękają plagi, co zmusza króla do działania; musi odkryć ich źródło i położyć temu kres. W *Domu lalek* Ibsena, Nora musi działać, zanim jej mąż odkryje oszustwo. W *Bambi* Disney'a mamy pożar, w *Alive* widmo śmierci głodowej, w *Jak uszyć amerykańską kołdrę* coraz bliższe małżeństwo. Pułapka to wydarzenie, sytuacja, chwila, cecha charakteru, która zmusza bohatera do działania.

Motywacja

Silny, wyrazisty konflikt występuje tam, gdzie bohaterowie mają silną motywację i kompromis nie wchodzi w grę. Początkujący scenarzyści często zestawiają przeciwników bezpośrednio, nie zawracając sobie głowy powodami. To błąd: umieszczając ich w przeciwnych rogach ringu narzucasz im konflikt, zamiast pozwolić, by sam się narodził z wewnętrznych potrzeb i przekonań. Powiedzmy, że piszesz o zakochanej dziewczynie; to nasza protagonistka. Prymitywny konflikt to ojciec – tyran, który chce kontrolować jej życie. A nasza bohaterka kocha swojego chłopaka, ot tak, po prostu. W takim układzie Julia nie mogłaby być z Romeem z powodu zaborczego ojca i nie wiedziałaby dlaczego straciła głowę dla ukochanego. Podobną sytuację spotykamy w starych westernach, gdy szlachetny kowboj walczy z zdemoralizowanym posiadaczem ziemskim o duszy czarnej jak noc. Taki konflikt to pozostałość moralitetów średniowiecznych, gdzie dobro i zło ścierały się w najczystszej postaci. Owszem, w ten sposób można osiągnąć ciekawy konflikt, ale o wiele ciekawsze zderzenie uzyskamy, gdy obaj bohaterzy postrzegają swoje cele jako jedynie słuszne. Czy tak jest czy nie, to inna sprawa. W ten sposób Szekspir napisał *Romea i Julię*. Ojciec Julii to dobry człowiek, chce dla niej jak najlepiej, lecz ograniczają go normy społeczne i uprzedzenia. Romeo zdobył serce Julii brakiem egoizmu. Upór ojca, by poślubiła mężczyznę, którego dla niej wybrał, kończy się jej śmiercią, ale to nie świadczy o złym charakterze ojca, raczej o jego ludzkiej naturze. Julia wybiera Romea i tym samym odkrywa swoją pułapkę; nie umie odrzucić prawdziwej miłości. I zamiast konfliktu dobra ze złem, Szekspir stworzył najpotężniejszy możliwy konflikt: dobra z dobrem.

Dobry scenarzysta tworzy bohatera z silną motywacją, więc konflikt jest nieunikniony. Bohaterzy walczą nie dlatego, że scenarzysta im każe, lecz dlatego, że obaj dążą do tego samego. Nikt im tego nie narzucił; konflikt jest nieunikniony. Im bardziej złożona motywacja bohaterów, tym ciekawszy konflikt i walka.

POWTÓRZENIE

1   *Protagonista* – na początku scenariusza musi być na przegranej pozycji z powodu wewnętrznej skazy albo prześladującego go ducha. Musi jednak także być w stanie zdobyć albo odnaleźć w sobie siłę, by pokonać antagonistę.

2   *Antagonista* – musi być silny, jeśli chcesz mieć interesujący konflikt. Początkowo antagonista jest górą i zrobi wszystko, by utrzymać tę pozycję.

3   *Motywacja* – pragnienia bohaterów muszą mieć silne uzasadnienie.

4   *Kompromis* – protagonista i antagonista muszą się znaleźć w sytuacji, w której rozwiązanie kompromisowe nie wchodzi w grę.

5   *Przeszkody* – nie zapominaj o przeszkodach na drodze protagonisty, a także o tym, że stopień ich trudności musi narastać.

6   *Emocja kontra konflikt* – fabuła musi zawierać jeden lub więcej konfliktów, nie może wyrażać jedynie emocji.

Inne aspekty konfliktu (konflikt i scena)

Konflikt musi być obecny bądź sugerowany w każdej scenie. Jeśli nie dochodzi do otwartego starcia, niech zapowiedź czegoś nieprzewidzianego wisi w powietrzu, bo tym sposobem wzmaga się napięcie. Przyjrzyjmy się problematycznej scenie ze studenckiego scenariusza o życiu w Stanach w czasie wojny wietnamskiej. Mamy rok 1969. Jon, Gina, George i Idemary jadą w zaułek zakochanych.

```
PLENER. ALEJKA ZAKOCHANYCH - NOC

Volkswagen Jona jedzie polną drogą.

Droga się rozdziela na miejsca parkingowe. Na
każdym - samochód, a w nim licealiści w różnych
stadiach erotycznych zmagań.

WNĘTRZE. VOLKSWAGEN JONA

Na przednim siedzeniu Gina namiętnie, choć niezbyt
umiejętnie, całuje Jona. Jest za bardzo arogancki,
żeby zareagować.

Z tyłu Idemary chce pocałować George'a. Mają
mniej doświadczenia. Dziewczyna celuje starannie.
Zaczynają się uniki. Jakie to romantyczne. George
to statek kosmiczny Apollo, Idemary to pojazd
księżycowy. Jeden błąd i zderzą się i pomkną ku
słońcu.

                IDEMARY
        Kocham cię, George.

                GEORGE
        Ja też cię kocham, ale nie jestem
        gotowy.
```

                              IDEMARY
                    Rozumiem.

To nudne, bo nie ma konfliktu! Nic nie przyciąga uwagi recenzenta. Rzecz nie
w tym, że nie ma konfliktu bezpośredniego – mamy nastoletnie przepychanki, ale
stawka jest żałośnie niska. I nic nie sugeruje, że nadciąga poważniejszy konflikt.
A teraz ta sama scena z jednym i drugim.

       PLENER. ALEJKA ZAKOCHANYCH - NOC

       Volkswagen Jona zwalnia przy starym znaku zakazu
       wjazdu, podziurawionym kulami.

       Jon skręca z asfaltowej drogi i jedzie w ciemność
       polną drogą.

       Droga się rozdziela na miejsca parkingowe. Na
       każdym - samochód, a w nim licealiści w różnych
       stadiach erotycznych zmagań.

       Jon zatrzymuje się kilkanaście centymetrów od
       urwiska. Gruda ziemi osuwa się spod kół i spada
       trzydzieści metrów w dół, dopóki nie zniknie
       w falach rzeki Wabash.

       WNĘTRZE. VOLKSWAGEN JONA - NOC

       George WRZESZCZY, przerażony.

                              GEORGE
                    Nie oddychać!

                              JON
                    Wyluzuj, podziwiaj widoki.

       George wygląda niespokojnie.

                              GEORGE
                    Może przeżyjemy, jeśli wszyscy
                    przesuniemy się w tę stronę.

                              IDEMARY
                    Czy to nie romantyczne?

Idemary chce się całować. George rozważa sytuację.
Klif albo Idemary.

Na przednim siedzeniu Gina namiętnie, choć niezbyt
umiejętnie, całuje Jona. Jest za bardzo arogancki,
żeby zareagować.

Z tyłu Idemary chce pocałować George'a. Mają
mniej doświadczenia. Dziewczyna celuje starannie.
Zaczynają się uniki. Jakie to romantyczne. George
to statek kosmiczny Apollo, Idemary to pojazd
księżycowy. Jeden błąd i zderzą się i pomkną ku
słońcu.

                    IDEMARY
        Kocham cię, George.

                    GEORGE
        Ja też cię kocham... Chyba.

                    IDEMARY
        Pocałuj mnie.

                    GEORGE
        Nie jestem gotowy.

Idemary wyjmuje prezerwatywę z torebki.

                    IDEMARY
        A ja tak.

George się odsuwa. Samochód się porusza, gdy
kolejna gruda odrywa się od klifu. Jon i Gina
niczego nie zauważają, ale George otwiera
drzwiczki i wyskakuje.

W pierwszej scenie nie ma konfliktu. Idemary chce, George nie, ona rozumie
– scena się kończy, zanim na dobre się zacznie. W drugiej scenie Idemary tego
chce i nie bierze pod uwagę kompromisu – mamy konflikt bezpośredni. Co więcej,
mamy też konflikt pośredni, sugerowany – fakt, że lada chwila mogą, dosłownie
i w przenośni, runąć w przepaść. Pojawia się napięcie: co dalej?

Główny konflikt

Powtarzamy: oszczędność to podstawa scenopisarstwa. Niech każda scena zaczyna się jak najpóźniej, skupia na najważniejszych elementach i kończy najszybciej, jak to możliwe. Scenarzysta musi dążyć do głównego konfliktu. Trzeba się pozbyć wszystkich niepotrzebnych elementów. Najczęściej są to fragmenty bez konfliktu. W przedstawionej poniżej scenie autor chce pokazać wybuchowy temperament ojca, ale zamiast skupić się na głównym konflikcie, dodaje zbędne szczegóły.

Wykreśliliśmy wszystko, co nie dotyczy konfliktu.

```
WNĘTRZE. NOWY BUICK OJCA - NOC

Norman patrzy z przedniego siedzenia na Flint.
Obok niego Ojciec podnosi dumnie głowę.

Caroline i Belle siedzą cicho na tylnym siedzeniu.

                    OJCIEC
          Jak studia?

                    NORMAN JUNIOR
          W porządku.

                    OJCIEC
          Egzaminy?

                    NORMAN JUNIOR
          C z botaniki, ale przed Gwiazdką chyba
          to poprawię.

                    OJCIEC
          Dobrze.

                    NORMAN JUNIOR
          W piłkę też mi dobrze idzie.

                    OJCIEC
          Dobrze.

                    NORMAN
          Ojcze?

                    OJCIEC
          Tak, synu?
```

~~NORMAN~~

~~Jak ci szło z botaniki?~~

~~OJCIEC~~

~~Też miałem C.~~

GWAŁTOWNE HAMOWANIE.

PW Normana - Samochód pełen STARUSZEK wracających z grilla w kościelnym Klubie Seniora zajeżdża im drogę.

Ojciec hamuje silniej niż to konieczne. Naciska KLAKSON. Starsze panie odjeżdżają beztrosko.

> OJCIEC
>
> I kto by pomyślał, że wracają
> z kościoła!

Ojciec naciska pedał gazu. Belle i Caroline, które przed chwilą poleciały do przodu, teraz przyspieszenie wciska w fotel.

Ojciec goni samochód staruszek. Podjeżdża bliżej...

> OJCIEC
> (do Normana)
>
> Otwórz okno.

> NORMAN
>
> Nie rób tego.

> OJCIEC
>
> Otwórz okno!

Norman spełnia polecenie.

Samochody jadą obok siebie. Ojciec trąbi. STARUSZKA za kierownicą opuszcza okno.

> OJCIEC
> (wrzeszczy przez okno)
> Szczęściara z pani!

Staruszka prawie go nie słyszy.

                    OJCIEC

... Mówię, że szczęściara z pani!
Dzięki mnie nadal pani żyje! A może
sądzi pani, że to Jezus was ocalił?

Norman osuwa się na siedzeniu.

                  STARUSZKA

    Jezus cię kocha!

                    OJCIEC

    Wątpię!

Staruszka posyła mu gniewne spojrzenie.

Tego już za wiele! Ojciec naciska hamulec
i pozwala Staruszce się wyprzedzić.

                    OJCIEC

    Papier i długopis.

Wskazuje schowek przy kierownicy. Norman wyjmuje
karteczkę i pogryziony ołówek. Podaje Ojcu.

Ojciec zapisuje numer rejestracyjny Staruszki. Nie
robi tego jednak zwyczajnie, musi się popisać,
pokazać jej, co robi...

                    OJCIEC

    I jej się wydaje, że to jej ujdzie na
    sucho!

Kończy i macha do Staruszki uśmiechnięty, jakby
jego wuj był szefem policji i już planował krwawą
zemstę.

Na tylnym siedzeniu Belle uśmiecha się do Caroline
jak gdyby nigdy nic. Caroline usiłuje odwzajemnić
uśmiech, ale nie może. Krzywi się lekko.

```
Norman zsuwa się coraz niżej na fotelu.

Ojciec wskazuje schowek. Norman wkłada tam
karteczkę... Schowek jest pełen skrawków
z numerami rejestracyjnymi.

~~Norman zamyka okno.~~

                    ~~OJCIEC~~
        ~~Pasy zapięte?~~

                    ~~NORMAN JUNIOR~~
        ~~Tak.~~

                    ~~CAROLINE~~
        ~~Tak.~~

                    ~~BELLE~~
        ~~Tak.~~

                    ~~OJCIEC~~
        ~~To dobrze, bo dziś na ulicach mnóstwo~~
        ~~świrów.~~

                    ~~BELLE~~
        ~~To akurat prawda.~~

                    ~~OJCIEC~~
        ~~Tak, to prawda.~~

I jadą dalej.
```

Jedna z technik, pozwalających utrzymać konflikt i napięcie, to kończenie sceny tuż przed wybuchem, by energia przeszła do następnej sceny. Wówczas kolejna scena zaczyna się gotowym już konfliktem, nie trzeba go wprowadzać i budować napięcia. Pamiętaj: rozwiązanie drobnego konfliktu kończy scenę albo sekwencję; rozwiązanie głównego konfliktu kończy film.

Na zakończenie

Siła. Przeanalizuj ulubiony film pod kątem rozkładu sił, rodzaju konfliktów, a zrozumiesz, o co chodzi. Nauczyciel scenopisarstwa John Truby określa przypływy i odpływy władzy drogą *z niewoli do wolności* w przypadku happy endu i *z wolności do niewoli* w przypadku klęski. To inne spojrzenie na drogę od bezsilności do władzy i odwrotnie. To łuk fabuły, rozwój historii. Konflikty, wzloty i upadki protagonisty to treść scenariusza. W następnym rozdziale dowiesz się, jak je usystematyzować.

Ćwiczenia

1. Przeanalizuj przypływy i odpływy władzy w ulubionym filmie.

2. Napisz scenę z konfliktem bezpośrednim, z konfliktem sugerowanym i z obydwoma rodzajami konfliktu.

3. Poniższe przykłady zawierają pragnienie i przeszkodę. Wymyśl powód, dla którego kompromis nie wchodzi w grę:

    a. *Pragnienie*: Sally szuka nowej pracy, żeby zacząć nowe życie.
    b. *Przeszkoda*: jej ojciec, zarazem jej szef, to cudowny człowiek. Odchodząc, złamie mu serce.
    c. *Dlaczego kompromis nie wchodzi w grę*:

    a. *Pragnienie*: Darla dąży do konfrontacji z ojcem, seksistą i macho.
    b. *Przeszkoda*: mówi jej, że umiera.
    c. *Dlaczego kompromis nie wchodzi w grę*:

4. Znajdź te elementy w twoim pomyśle na scenariusz:

    a. *Pragnienie:*

    b. *Przeszkoda/konflikt:*

    c. *Dlaczego kompromis nie wchodzi w grę:*

5. Przeanalizuj w twoim pomyśle rodzaje konfliktu i stawkę. Wyeliminuj elementy niepotrzebne.

ROZDZIAŁ 8

UJĘCIE, SCENA, SEKWENCJA

Wariacje strukturalne

Zrozumiałeś już, z jakiego rodzaju konfliktem masz do czynienia; teraz czas nadać mu odpowiednią formę. Nie osiągniesz tego, trzymając się niewolniczo narzuconych schematów: punktów akcji, które muszą wystąpić w określonej scenie na danej stronie. Musisz budować scenariusz korzystając z elementów obecnych w każdym dziele tego rodzaju. Wszystkie filmy, a zatem wszystkie scenariusze, składają się z ujęć, które tworzą sceny, te z kolei układają się w sekwencje. Każdy z tych elementów zawiera dany aspekt problemu, odnosi się od głównego konfliktu i walki o władzę.

Choć istnieje mnóstwo wzorców strukturalnych, żaden nie podaje określonej liczby ujęć, scen i sekwencji. Ich ilość zmienia się w zależności od filmu, podobnie jak układ sił. Scenarzysta świadomy elementów, nad którymi pracuje, a więc właśnie ujęć, scen, sekwencji i przypływu władzy, ma wolną rękę w wyborze struktury, która najbardziej odpowiada jego pomysłowi; nie musi kurczowo trzymać się wzorców, bo te niekoniecznie odpowiadają jego wizji. Przyjrzyjmy się poszczególnym elementom, zaczynając od najmniejszego: ujęcia.

Krok po kroczku

Naukowiec stara się zgłębić tajemnice wszechświata studiując atomy; tak samo scenarzysta musi wiedzieć, jak jest zbudowana najmniejsza cząstka scenariusza. Ujęcie to pojedyncza myśl, działanie, fragment dialogu, zachowanie, któremu towarzyszy szczególne uczucie. Zmiana emocjonalna, zmiana tematu i działania to początek nowego ujęcia. Jednak ujęcie nie istnieje samodzielnie, jest prawie zawsze efektem bądź skutkiem innego ujęcia. Ujęcie powoduje ujęcie i tak powstaje początek, rozwinięcie i zakończenie, innymi słowy, opowieść w opowieści, czyli scena. W poniższych ujęciach widzimy rodzinę ateistów. Gościem na kolacji jest nowy chłopak córki, bardzo religijny. Przeanalizujemy pięć ujęć. Zauważmy, że każde ujęcie to wprowadzone po raz pierwszy działanie czy myśl, ale zarazem podstawa kolejnego ujęcia.

Ujęcie 1

> Stół nakryty do kolacji. Dodatkowe nakrycia
> dla gości. Wszyscy siadają do stołu, na którym
> znajduje się dużo jedzenia: parówki zawijane w bekon,
> zapiekanka z fasoli i puree ziemniaczane, które
> piętrzy się jak góry na księżycu.

> MATKA

> Kolaaacja!

Ujęcie 2

> Matka stawia przed ojcem kubek kawy.

> MATKA

> Terry, opowiedz nam coś o sobie.

> CHŁOPAK

> Po pierwsze, mam na imię Larry. Roznoszę
> gazety, jestem w reprezantacji naszej
> szkółki niedzielnej w grze w kręgle i...

> MATKA

> O! I gracie przeciwko innym drużynom, jak
> „Błękitne Diabły"?

> CHŁOPAK

> Pewnie. Nazwaliśmy się „Apostołowie".

> MATKA

> Pewnie masz mało czasu: tu gazety, tu
> kręgle...

> CHŁOPAK

> Jestem też członkiem Towarzystwa
> Strzeleckiego.

> MATKA

> Och, Michelle, popatrz, nawet znalazł
> czas, żeby walczyć o prawa kobiet!

Ujęcie 3

> MATKA
>
> To wyjątkowa okazja, może ją uczcimy?
> Normanie, zmów modlitwę.

Syn wyjmuje widelec z ust.

> SYN
>
> Co?

> MATKA
>
> Słyszałeś, zmów modlitwę dziękczynną!

> SYN
>
> Ale ja... Nie pamiętam...

Matka patrzy na niego ze złością i uśmiecha się
rozpaczliwie do Chłopaka.

> MATKA
>
> Czekamy.

Ujęcie 4

Ojciec chrząka i zabiera się do jedzenia.

> OJCIEC
>
> Ja tam nie. Podaj mi sól!

Ujęcie 5

Upokorzona córka zaczyna modlitwę. Unika wzroku
chłopaka, gdy wypluwa z siebie słowa.

> CÓRKA
>
> Boże, dziękujemy ci za jedzenie, które
> zaraz spożyjemy. Odpuść nam i naszym
> winowajcom. Daj nam dobroć dla naszych
> bliskich i przyjaciół.

Budowanie sceny

Kiedy scenariusz wchodzi w fazę realizacji, sceną określa się każdą sytuację, w której zmienia się czas albo miejsce, lecz na poziomie skryptu scena to konkretne wydarzenie. Może się rozgrywać w jednym czasie i miejscu, ale może też obejmować wydarzenia w plenerze i we wnętrzu, o ile nie zmienia się sens i cel działania. Przykładowo, jeśli piszesz o dyrektorze, który wyrzuca ucznia ze szkoły, scena zacznie się w jego gabinecie. Chłopiec zrywa się na równe nogi i wychodzi. Wściekły dyrektor biegnie za nim i na korytarzu krzyczy, że chłopak jest nikim, że nie ma po co tu wracać. Idą przez kantynę; dyrektor dalej wrzeszczy, w końcu stoją na parkingu. Chłopak się odwraca i wali dyrektora w nos. Na planie filmowym byłyby to cztery oddzielne sceny (gabinet, korytarz, kantyna i parking), ale w scenariuszu jest tylko jedna, bo mamy tylko jedno działanie – dyrektor mówi uczniowi, że wyrzuca go ze szkoły. Oczywiście musisz za każdym razem określać miejsce akcji. Scena składa się z ujęć, które dają nam obraz pewnych wydarzeń.

Najprościej zrozumieć, w jaki sposób ujęcia tworzą sceny, analizując je. Oto dwie początkowe sceny z filmu sensacyjnego Robina, który udało się sprzedać. W tych scenach poznajemy protagonistę i antagonistę i widzimy, jak z ujęć powstają sceny zawierające prawdziwy i ukryty konflikt.

```
WNĘTRZE. WIĘZIENNA SALA WIDZEŃ – DZIEŃ


Duża, posępna sala, szeregi stołów i krzeseł
przymocowanych do zniszczonej cementowej podłogi.
WIĘŹNIOWIE w niebieskich kombinezonach rozmawiają
cicho z ŻONAMI; jeden z nich konferuje z
niechlujnym PRAWNIKIEM. STRAŻNIK obserwuje
to wszystko, znudzony.

Drugi STRAŻNIK wprowadza następnego więźnia.
JULIUS KAISER, 40 lat – muskularny, przystojny,
jeśli nie liczyć blizny po oparzeniu na policzku,
mafioso, który przywykł, że wszyscy wykonują jego
polecenia albo giną.

Kaiser siada naprzeciwko dwójki odwiedzających.
Są to jego zastępca, SALINAS – 30 lat, tandetny
garnitur, osiłek o twarzy, która śni się
w najgorszych koszmarach, i lepiej ubrany DR
GREENE – niski, gruby, łysiejący, arogancki. Ma
oczy przekrwione z napięcia.

                    SALINAS
          Jak leci, szefie?
```

                    KAISER

    Co z Octaviusem?

Salinas i Greene wymieniają znaczące spojrzenia.
Salinas wzrusza ramionami - to nie jego sprawa.

KAISER ŁYPIE NA Greene'a. Ten się jąka. Kładzie
ręce na stole. Unika wzroku Kaisera.   '

                    GREENE

    No cóż... Trudno jednoznacznie
    określić...

                    KAISER

    Nie pieprz mi tu takich bzdur.

Mówi spokojnie, ale wzrokiem przeszywa Greene'a
na wylot. Greene mruga nerwowo. Cofa ręce.

                    GREENE

    Tydzień. Może dwa.

Kaiser kiwa głową. Przynajmniej wie, jak jest
naprawdę.

                    KAISER

    Załatwiliście to, co mówiłem?

Teraz Salinas wierci się niespokojnie. Denerwuje
się.

                    SALINAS

    Tak, ale uprzedzam, to niebezpieczne.
    Boję się, że to się nie uda.

                    KAISER

    To już moja sprawa. Podstaw samochód
    od frontu. Nie gaś silnika.

Salinas gapi się na Kaisera. Nie wierzy własnym
uszom. Po chwili on i Greene podchodzą do drzwi
i wychodzą na zewnątrz, ledwie rozległ się
BRZĘCZYK.

Podchodzi Drugi Strażnik.

> DRUGI STRAŻNIK
>
> Dobra, koniec widzenia. Idziemy.

Kaiser się nie rusza. Siedzi z głową opartą
na łokciach. Strażnik kładzie mu dłoń na ramieniu.

> STRAŻNIK
>
> Powiedziałem...

Błyskawicznie, jak grzechotnik kąsający ofiarę,
Kaiser łapie Strażnika za rękę, obraca i chwyta go
za gardło. Drugą ręką wyjmuje mu pistolet z kabury
i przyciska do pleców Strażnika.

Pozostali Więźniowie i odwiedzający kulą się pod
stołami.

W sąsiedniej sali, widocznej za szybą, inni
Strażnicy zrywają się na równe nogi. Słychać wycie
syren.

> KAISER
>
> Dobra, idziemy.

Pierwszy Strażnik z dłonią na pistolecie podchodzi
powoli.

> PIERWSZY STRAŻNIK
>
> Nigdzie nie pójdziesz, Kaiser. Puść go,
> oddaj broń.

KAISER szepce coś do ucha Drugiemu Strażnikowi.

> KAISER
>
> Masz rodzinę? Żonę, dzieciaki?

> DRUGI STRAŻNIK
> (kiwa głową)
>
> Tak.

Kaiser celuje w Pierwszego Strażnika. Wymierza i strzela mu między oczy. Mężczyzna pada trupem. Żony WRZESZCZĄ.

                    KAISER
        On pewnie też miał, co? Idziemy.

Pistolet wraca do pleców Drugiego Strażnika.

                    DRUGI STRAŻNIK
        Otworzyć drzwi!

W pierwszej chwili nic się nie dzieje, potem drzwi dla odwiedzających się otwierają. Stoją tam inni Strażnicy, niepewni, z pistoletami w dłoniach. Kaiser odwraca się błyskawicznie i strzela do jednego z Więźniów. Mężczyzna ginie na miejscu. Jego Żona WRZESZCZY. Kaiser przystawia pistolet do głowy Drugiego Strażnika.

                    KAISER
        W magazynku było piętnaście nabojów.
        Zostało mi jeszcze trzynaście.
        Pechowa liczba. Może zmniejszymy ją do
        dwunastu?

Strażnicy się cofają.

                    KAISER
        Wypuśćcie mnie, a nic mu się nie stanie,
        ale jeśli będzie mi się wydawało,
        że ktoś mnie śledzi, żona i dzieciaki
        zobaczą go dopiero na jego pogrzebie.

Kaiser i drugi Strażnik wychodzą przez otwarte drzwi.

                            CIĘCIE DO:

PLENER. SZPITAL W NOWYM JORKU - DZIEŃ

Mały prywatny ekskluzywny szpital w wielkim groźnym mieście.

WNĘTRZE. KORYTARZ SZPITALNY - DZIEŃ

Spokojny dzień w szpitalu. PIELĘGNIARKI zajmują
się własnymi sprawami. STARSZY PACJENT człapie
ciągnąc za sobą stojak z kroplówką. Jest
zagubiony.

Mija go wózek na bieliznę.

JOEY LUPO boksuje się z wyimaginowanym
przeciwnikiem, biegnąc za wózkiem. Dwadzieścia
parę lat. Twardziel, włoski przystojniak. Kucyk,
mięśnie napinające szpitalny strój. Na dłoniach,
pokrytych bliznami, uwagę przyciągają tatuaże
i nowiutka ślubna obrączka. Na prawym ramieniu
kolejny tatuaż - przyczajony wilk.

Wyjmuje brudną bieliznę z pojemnika, wrzuca
do wózka, jedzie do następnego pojemnika, gwiżdżąc
przy tym pod nosem...

(podziękowania dla First Look Pictures / Overseas Filmgroup)

Pierwsza scena zaczyna się określeniem czasu i miejsca: więzienna sala widzeń, dzień. Pierwszy akapit określa nastrój i atmosferę; brak imion własnych od razu sugeruje, że dane postacie to tylko statyści, nikt ważny. W kolejnym akapicie poznajemy Kaisera, antagonistę. W filmach akcji wprowadzenie najpierw antagonisty to częsta praktyka – w ten sposób od początku podbijamy stawkę, pokazując, z kim będzie się musiał zmierzyć protagonista. Kaiser jest władczy, na jego twarzy widać ślady brutalnej przeszłości. Jego nazwisko wywołuje skojarzenia z władzą absolutną.

Wejście Kaisera to pierwsze ujęcie, pierwsze prawdziwe działanie w scenie. Spotkanie z zastępcą i doktorem pozwala nam dostrzec skrawek jego władzy. Nawet w więzieniu Kaiser nimi rządzi. Mówi krótko i na temat: wiemy, że interesują go jedynie dwie sprawy: stan zdrowia niejakiego Octaviusa (później się okaże, że to jego syn) i czy wszystko zostało załatwione. Dowiadujemy się, że Octavius ma przed sobą tydzień życia, może dwa (drugie ujęcie, które tłumaczy pośpiech Kaisera) i że wszystko jest załatwione (trzecie ujęcie, które zaspakaja potrzebę informacji Kaisera). Nic nie jest powiedziane wprost; dowiadujemy się tylko tyle, że intryguje nas, o kim i o czym rozmawiają. Kaiser uzyskuje te informacje i zaczyna działać, zdobywa broń i zabija jednego ze strażników (czwarte ujęcie) i ucieka z więzienia (piąte, ostatnie ujęcie i koniec sceny). Kaiser uciekł – działanie się skończyło; scena również. Konflikt jest obecny na kilku poziomach; faktyczny: zabicie i uprowadzenie strażnika i ukryty: Kaiser, skazany morderca, uknuł plan.

Druga scena to tylko wstęp do trzeciej; określa miejsce i czas. Ponieważ nadal mamy dzień, jak w poprzedniej scenie, można założyć, że dzieje się to tego samego dnia, może trochę później. Opis, choć zwięzły, zdradza, że szpital to oaza w gąszczu miejskiej dżungli. W tej scenie nie ma ujęć, bo żadna postać nie podejmuje działań.

Zaczyna się druga scena. Jesteśmy na szpitalnym korytarzu. Zakładamy, że dzieje się to w mniej więcej w tym samym czasie, w którym rozgrywa się scena więzienna. Opis jest bardzo krótki i zwięzły, ale tych kilka zdań wystarczy, by wprowadzić w nastrój miejsca; panuje tu spokój w przeciwieństwie do napięcia i przemocy więzienia. A ponieważ z pierwszej sceny wiemy, że Octaviusowi został jeszcze tydzień życia, może dwa, możemy założyć, że ten szpital to nasz świat. Kolejne zdania (i dwa pierwsze ujęcia, wózek, a za nim protagonista), to prezentacja głównego bohatera, Joey'a. Od razu dowiadujemy się czegoś o jego charakterze i przeszłości: jest beztroski, nie traktuje pracy poważnie. Opis zdradza wystarczająco dużo: prawdopodobnie umie się bić, niewykluczone, że należał do gangu, że dopiero co się ożenił.

Ostatni akapit (i zarazem ostatnie ujęcie) zamyka jego działanie w tej scenie; miał być salowym i jest. Gdzie tu konflikt? Cóż, to cisza przed burzą. Przypomnijmy: nikt nie chce oglądać wioski szczęśliwych ludzi, chyba że spotka ich coś bardzo złego. Zestawienie tej sceny z poprzednią sugeruje, że Joey będzie musiał zmierzyć się z Kaiserem, człowiekiem bezlitosnym i agresywnym. Pojawiają się pytania. Joey wydaje się sprawny fizycznie, ale czy nie zbyt beztroski? Czy starczy mu inteligencji i odwagi, zwłaszcza biorąc pod uwagę jego przeszłość, by sprostać wyzwaniu? Odpowiedź na pytanie, dlaczego właściwie miałby jemu sprostać, dlaczego akurat on jest idealnym protagonistą znajduje się kilka stron dalej. Nie trzeba zdradzać wszystkiego o danej postaci, ledwie się pojawi; wystarczy uwzględnić to, co potrzebne w danej scenie. Widzimy więc, że każde ujęcie ma określony cel; każde zawiera odrobinę informacji, które układają się w scenę.

Następnie przeanalizujemy krótką sekwencję kilku scen z *Bez przebaczenia* Clinta Eastwooda, filmu nakręconego na podstawie oryginalnego scenariusza Davida Peoplesa. W tym westernie Will Munny, dawny rewolwerowiec, ulega pokusie i zaproszeniu młodego zabijaki. Ma zostawić farmę, na której hoduje świnie i zapolować na kowbojów, którzy okaleczyli prostytutkę, gdy ta wyśmiała jednego z nich. Inne prostytutki oferują nagrodę za śmierć kowbojów. Munny nie chce jechać, jego zmarła żona sprowadziła go na drogę cnoty, dał sobie spokój z zabijaniem i piciem. Jednak potrzebuje pieniędzy dla dzieci, kiepsko mu idzie na farmie, więc wyrusza na ostatnią przygodę. Tuż po przyjeździe do miasteczka, gdzie mieszkają prostytutki, spotyka Little Billa, wrednego szeryfa, który dawniej był rewolwerowcem. Ten katuje Willa niemal na śmierć przy pierwszym spotkaniu. Oto kilka scen rozgrywających się bezpośrednio po tym, jak Will został skatowany przez Little Billa.

```
WNĘTRZE. SZOPA - DZIEŃ

    ŚWIATŁO DNIA i pocięta twarz prostytutki. Delilah
    pochyla się nad Munnym, ociera mu pot z czoła.
    Munny leży na sianie, patrzy na nią... Wygląda
```

okropnie, jest śmiertelnie blady, zarośnięty, ma
mnóstwo zadrapań i źle założonych szwów... Ale
patrzy przytomnie.

MUNNY

Myślałem... że to anioł.

DELILAH
(speszona, wstaje)

Żyjesz.

MUNNY

Jakiś facet sprał mnie na kwaśne
jabłko.
(dotyka obolałej twarzy)

Pewnie wyglądam jak ty, co?

DELILAH
(zła i dotknięta)

Wcale nie jak ja.

MUNNY

Nie chciałem cię urazić.
(Delilah nie odpowiada)

Pewnie ciebie pocięli, co?
(brak odpowiedzi)

Ned i Dzieciak, moi kumple, gdzie oni...

DELILAH
(oschle)

Poszli się rozejrzeć, kiedy zobaczyli, że
gorączka ci spada.

MUNNY

Rozejrzeć?

DELILAH

Do baru T... rozejrzeć się za... nimi.

MUNNY

Och... Od dawna tu jestem?

                    DELILAH
               (nadal oschle)
          Trzy dni. Głodny?

                    MUNNY
          Trzy dni? No, to tak.

PLENER. LAS W POBLIŻU STODOŁY - DZIEŃ

ZBLIŻENIE na cztery gile w pobliskim lasku. Munny
je obserwuje, siedzi oparty o stodołę i pochłania
kurczaka. Delilah mu się przygląda.

                    MUNNY
          Myślałem, że już po mnie. Widzisz te
          ptaszki? Normalnie ich nie zauważam,
          a teraz widzę je dobrze, bo myślałem,
          że już umarłem.

                    DELILAH
          Przyniosłam twój kapelusz. Zostawiłeś
          go w Greely's.

                    MUNNY
          Szuka mnie?

Przygląda się jej i dostrzega odsłoniętą kostkę.
Delilah czuje to spojrzenie.

                    DELILAH
          Little Bill? Myśli, że pojechałeś na
          północ.

Munny nie panuje nad sobą; co chwila spogląda
na kostkę.

                    DELILAH
          Naprawdę ich zabijesz?

                    MUNNY
               (bez entuzjazmu)
          Chyba tak.

(nagle)

Zapłata nadal aktualna, nie?

Delilah kiwa głową i przesuwa się tak, że odsłania skrawek łydki, ale uwagę Munny'ego przykuwa jej biust. Zaraz jednak speszony odwraca wzrok. Siedzą w milczeniu, aż...

DELILAH

Ci dwaj, wiesz, wzięli już zaliczkę.

MUNNY

Zaliczkę?

Nie panuje nad sobą, pochłania wzrokiem jej ciało i Delilah o tym wie.

DELILAH
(nieśmiało)

Za darmo.

Działa na niego coraz bardziej.

MUNNY
(tępo)

Za darmo.

DELILAH

Alice i Silky dały im... za darmo.

MUNNY
(nagle rozumie, peszy się)

Ach, tak.

DELILAH
(nieśmiało)

Też chcesz... za darmo?

MUNNY
(zawstydzony, odwraca wzrok)

Ja? Nie, raczej nie.

Delilah jest dotknięta... i załamana. Wstaje,
kryje zmieszanie, sprzątając resztki kurczaka.
Munny za bardzo się wstydzi, żeby na nią spojrzeć.

> DELILAH
> (ukrywa, że sprawił jej przykrość)
>
> Nie ze mną. Alice i Silky dadzą ci
> za darmo... jeśli chcesz.

> MUNNY
>
> Ja... nie, raczej nie.
> (z nieoczekiwaną spostrzegawczością)
>
> Nie chciałem powiedzieć, że nie chcę za
> darmo od ciebie, bo cię pocięli. Nie
> o to mi chodzi.

Delilah nadal stoi do niego tyłem.

> MUNNY
> (usiłuje wstać)
>
> To nie tak. Jesteś piękna. To, co
> przedtem powiedziałem, że wyglądam
> jak ty... nie chciałem powiedzieć, że
> jesteś brzydka, jak ja... nie...
> tylko, że oboje mamy blizny.

Wstaje z trudem, opiera się o ścianę i mówi
z takim przekonaniem, że Delilah chce mu uwierzyć.

> MUNNY
>
> Jesteś piękna... i gdybym miał dostać za
> darmo, to wolałbym od ciebie niż
> od innych. Tylko że... Widzisz... Nie
> chcę za darmo ze względu na żonę...

> DELILAH
>
> Żonę?

> MUNNY
>
> No, tak. Rozumiesz?

```
                    DELILAH
                (po chwili)

        Podoba mi się, że jesteś wierny żonie.
        Widziałam wielu facetów, którzy... nie
        są.

                    MUNNY
                (zadowolony i speszony)
        Pewnie tak.

                    DELILAH
        Została w Kansas?

                    MUNNY

        Eee... tak. Tak, ona... zajmuje się
        maluchami.

    W tym momencie Munny obdarza ją czymś, co w jego
    przekonaniu jest miłym uśmiechem, a co wygląda jak
    grymas duszonej świni.
```

Te sceny funkcjonują w tandemie; właściwie można by je postrzegać jako jedną, choć rozgrywają się w różnych miejscach, we wnętrzu i w plenerze, i dzieli je upływ czasu. Główne wydarzenie obu to fakt, że Will Munny odzyskuje przytomność po pobiciu. Jednak każda z nich jest zamkniętą całością, ma początek, rozwinięcie i zakończenie. Także jeśli rozpatruje się je razem możemy wyróżnić te elementy, co tylko dodaje głębi obu poszczególnym scenom.

Pierwsza scena zaczyna się słowami: „ŚWIATŁO DNIA i pocięta twarz prostytutki", Will Munny budzi się w szopie, wydaje mu się, że umarł, a Delilah – prostytutka – to anioł. Jak wiele innych westernów, jest to powiastka moralistyczna, pełna podtekstów religijnych. Pierwsze ujęcie przywodzi na myśl pozorną śmierć i zmartwychwstanie. Dalej, Munny był nieprzytomny przez trzy dni (tyle samo, ile Chrystus w grobie, zanim zmartwychwstał). Kolejne ujęcie i Will przypadkowo obraża Delilah, mówiąc, że są do siebie podobni. Delilah odpowiada, że wcale nie. Widzimy jednak, że istnieje między nimi więź; oto rewolwerowiec wbrew swojej woli i skrzywdzona kobieta, która żałuje, że wyruszył na polowanie z jej powodu. Oboje reprezentują wartości moralne, choć to zabójca i prostytutka, i przez ich rozmowę przebija nieśmiałość i wzajemny szacunek. Trzecie ujęcie: Will dowiaduje się, że jego przyjaciele wyruszyli na poszukiwanie bandytów i tym samym przypomina widzom, co jest głównym konfliktem. Ostatnie ujęcie: światło i anioł otwierały tę scenę, zmartwychwstanie fizyczne ją zamyka; uzupełniają się, dopełniają jej wymowy, a jednocześnie ściągają nas na ziemię z obłoków, z niebytu w głód.

Druga scena nawiązuje do ostatnich kwestii poprzedniej („Głodny?" i „Trzy dni? Pewnie tak"); Will pochłania jedzenie. Zauważmy, że widzimy już działanie;

pominięto wszelkie przygotowania posiłku i błahe rozmowy, które zapewne temu towarzyszyły. Ta scena stanowi kontrast dla poprzedniej; jesteśmy w plenerze, świecie zupełnie innym niż mroczna stodoła, i znowu jest to symboliczne nawiązanie do powrotu Willa do światła z mroku. Willa absorbują drobne, ale piękne elementy: jedzenie, przyroda, kostka Delilah. Jasno daje do zrozumienia, że nawet ptaszki teraz go fascynują, bo myślał, że umarł.

Delilah przypomina mu o jego ponurym zadaniu, oddając kapelusz, który zostawił w saloonie i burdelu zarazem. Will pyta, czy „stary" go szuka i znowu jest to wypowiedź wieloznaczna; z jednej strony jest to Little Bill, jego antagonista i alter ego zarazem, ale też aluzja do „starego" w sensie religijnym. Delilah jasno mówi o zabijaniu, tak samo jak Will otwarcie mówi o zapłacie, więc wszyscy wiedzą, co jest głównym wątkiem filmu. Obojgu jednak nie odpowiada ten temat, zresztą w Willu budzi się chęć życia. Nie może oderwać wzroku od kostki Delilah; rodzi się flirt, ona proponuje, że da mu „za darmo", Will odmawia. Delilah jest urażona, sądzi, że mu się nie podoba ze względu na rany. Will zapewnia, że jest inaczej; ba, łączy ich specyficzna więź, „oboje mają blizny". Świetny przykład dialogu wielopoziomowo; oboje mają blizny fizyczne, oczywiście, ale też głębokie urazy psychiczne.

Will zapewnia, że Delilah mu się podoba i tłumaczy, dlaczego nie skorzysta z jej propozycji – chce dochować wierności żonie. Prostytutka, która nie wie, że jego żona nie żyje, jest poruszona taką wiernością. Will opowiada, że jego żona opiekuje się dziećmi i tym samym wyznacza zmarłej żonie role anioła.

W pierwszej scenie mamy cztery ujęcia. Zaczynamy od pomyłki; Will bierze dziwkę za anioła (ujęcie 1), później wraca do rzeczywistości (ujęcie 2), dowiadujemy się, co porabiają jego przyjaciele (ujęcie 3) i przechodzimy do głodu Willa (ujęcie 4). Ten głód – jedzenia, piękna, seksu – otwiera drugą scenę (ujęcie 1), i zaraz wracamy do konkretów, do prawdziwego powodu jego obecności w tym miejscu (ujęcie 2), i do niedwuznacznej propozycji (ujęcie 3), którą Will odrzuca; scenę zamyka kwestia Willa o jego żonie, prawdziwego anioła w jego życiu (ujęcie 4). Każda scena stanowi zamkniętą całość, ale razem tworzą wyciszoną, delikatną sekwencję. Sekwencja ta kryje także jeden z wątków pobocznych: delikatny flirt Willa i Delilah, który z kolei wyznacza moralny podtekst głównego wątku; możliwość zbawienia, kwestię kary i ceny odkupienia w obu światach, duchowym i rzeczywistym, ceny boskiego sądu nad złymi kowbojami i duszą samego Willa.

Scena to mikrokosmos, to miniatura scenariusza. Te podteksty i nawiązania przeplatają się przez cały scenariusz, powracają, wyraźniej i dosadniej, w późniejszych scenach, na przykład gdy Will i Mały czekają na pieniądze i Małego nagle dopadają wyrzuty sumienia, że zabili kowboja, który oszpecił Delilah. Mały stara się wytłumaczyć, zracjonalizować zbrodnię, mówi: „Sam się o to prosił", na co Will odpowiada: „Wszyscy sobie na to zasłużyliśmy, Mały". Te słowa zresztą idealnie oddają przesłanie całego filmu. Prostytutka przynosi nagrodę i Will dowiaduje się, że okupili ją dużym kosztem: Little Bill zamęczył Neda na śmierć. Mały, przerażony, ucieka, a Will odnajduje w sobie dawnego zabijakę i zabija Little Billa. „Nie zasłużyłem na to", mówi Little Bill. „To nie ma nic do rzeczy", odpowiada Will Munny.

Nie, bo chodzi o więzienie, jakim dla każdego z nas jest jego charakter. Will jest aniołem śmierci, czy tego chce czy nie, nieważne, jakie anioły nad nim czuwają.

Scena kieruje się tymi samymi prawami co scenariusz. Ma początek, rozwinięcie i zakończenie, powinna się zaczynać jak najpóźniej i kończyć jak najwcześniej. Musi zawierać co najmniej jeden punkt dramatyczny, konflikt i rozwiązanie, które z kolei prowadzi do następnej sceny.

Sekwencja

Ujęcia tworzą sceny, szereg scen daje sekwencję. Sekwencja to kilka scen, które razem dają określony efekt, spełniają określony cel. Po czym rozpoznać sekwencję filmową? To sceny, które łączy wspólne przesłanie, działanie, walka (jak poszczególne części symfonii). Czasami sekwencja to zwykła przebitka, jak „sekwencja treningowa" w filmach typu *GI Jane* czy *Rocky*, gdy protagonista musi doskonalić swoje umiejętności, żeby osiągnąć cel. Czasami jest to dłuższy fragment, zawierający wiele scen. W *W samo południe* jest taka sekwencja: mieszkańcy stopniowo opuszczają miasteczko, aż szeryf zostaje sam. Pod koniec *Bezsenności w Seattle* Meg Ryan za wszelką cenę stara się dostać na szczyt Empire State Building, bo tam ma czekać Tom Hanks, ale korki na ulicach jej to uniemożliwiają. Wpada na górę i wydaje się, że nie zdążyła. Jednocześnie widzimy drugą sekwencję, co tylko potęguje napięcie: Tom Hanks jest na górze, czeka, odchodzi i wraca, bo synek zapomniał plecaka. Sceny w tych sekwencjach nie pojawiają się jedna po drugiej, najpierw widzimy jedną sekwencję, potem drugą, aż łączą się w jedną, w której zakochani spotykają się na szczycie Empire State Building.

Rosnące napięcie. Sekwencją rządzi rosnące napięcie; rośnie albo stawka (szeryf zdaje sobie sprawę, że musi się sam rozprawić z przestępcami) albo los piętrzy kolejne przeszkody na drodze protagonisty (korki nie pozwalają Meg Ryan zdążyć na czas) i wydaje się, że cel jest nieosiągalny. W wielu filmach działania antagonisty obrazują coraz wyższą stawkę. W *Terminatorze* cyborg najpierw zabija punka (nic nas to nie obchodzi; może nawet uważamy, że słusznie postąpił), później handlarza bronią (i znowu nikt nie będzie po nim płakał), następnie niewinną gospodynię domową (szkoda jej), Matta, chłopaka współlokatorki Sarah (zaczynamy nienawidzić Terminatora), i samą współlokatorkę, brutalnie strzelając jej w plecy, co widzimy w zwolnionym tempie (i nienawidzimy go z całej siły). Te zabójstwa tworzą bardzo przemyślaną sekwencję; nasze zaangażowanie emocjonalne się potęguje. W scenie ostatecznej walki Terminator powraca, nieważne ile razy Sarah Connor i Reese go zabijają. Stopniowo traci wszelkie pozory człowieczeństwa (ubranie, ciało, głos), aż zostaje personifikacja śmierci, metalowy szkielet. Zabija innych, zabija Reese'a – ukochanego Sarah – i zagraża jej samej. Musi go zniszczyć, to jest stawka, która stopniowo rośnie. Początkowo było to tylko przetrwanie, później zemsta i ostatecznie konieczność przeżycia, żeby ocalić ludzkość. Tak więc i sekwencja, podobnie jak scena i ujęcie, ma początek, rozwinięcie i zakończenie i, co najważniejsze, najwyższe napięcie, największą stawkę.

Sekwencje tworzą opowieść. Arystoteles określił wątek jako „ciąg wydarzeń". Podkreślał istniejący między nimi związek przyczynowo-skutkowy. Ten sam związek sprawia, że ujęcia tworzą scenę, sceny sekwencje, a sekwencje – opowieść. Każde ujęcie, scena i sekwencja mają określoną rolę w całym dziele. Ilość poszczególnych elementów się zmienia. Sekret dobrego scenariusza? – Odnaleźć sens i kolejność sekwencji.

Początkujący scenarzyści często się przekonują, że to niełatwe. W ich historii nie widać konstrukcji, bo nie umieją zbudować sekwencji z poszczególnych scen. Opierają się na jednym z wzorców i okazuje się, że między punktami akcji jest bełkot, masa, która ma wypełnić pustkę. Jeśli każde ujęcie jest niezbędne w danej scenie, a scena w sekwencji, ta jest niezbędna w całości.

Skoro więc wzorce zawodzą, po co je stosować? Jasno określają, co powinno być w scenariuszu i mniej więcej w którym miejscu. Niedoświadczony autor dzięki temu wie, na którym etapie się obecnie znajduje, i dobrze. Należy jednak pamiętać, że niewolnicze powielanie wzorca bez zrozumienia struktury to pisanie dzieła, którego samemu się nie rozumie. Posługując się sekwencjami to autor, a nie wzorzec, panuje nad tekstem.

Budując sekwencje, warto nadawać im tytuły. Przed laty każdy akt dramatu nosił tytuł – była to kwintesencja jego zawartości. Scenarzysta może zastosować tę samą metodę przy sekwencjach (a także scenach i ujęciach). Taki tytuł wyraża główną treść danej sekwencji.

Przyjrzyjmy się, jak metoda sprawdza się w kontekście całego filmu. Poniżej poszczególne sekwencje filmu z Kevinem Costnerem *Pole marzeń* (scenariusz: Phil Alden Robinson), podzielone na sceny. Każda scena wynika z poprzedniej, nie ma sekwencji zbędnych. W *Polu marzeń* jest dwanaście sekwencji; w twoim filmie może ich być mniej albo więcej.

```
                    POLE MARZEŃ
                 Sceny i sekwencje
```

SEKWENCJA 1 „Jak przeprowadziłem się do Iowa i nauczyłem grać w baseball".

```
    PRZEBITKA: Zdjęcia i narracja: życie Raya,
    dlaczego kocha baseball, jak poznał żonę, dlaczego
    został farmerem, jego trudne stosunki z nieobecnym
    ojcem.
```

SEKWENCJA 2 „Głos"

```
    SCENA 1: PLENER. POLE KUKURYDZY - NOC
    Ray po raz pierwszy słyszy głos. Mówi do niego:
    „jeśli je zbudujesz, on przyjedzie".
```

SCENA 2: WNĘTRZE. KUCHNIA - NOC
Ray martwi się głosem. Opowiada o nim żonie.

SCENA 3: WNĘTRZE. SYPIALNIA - NOC
Ray słyszy głos po raz drugi.

SCENA 4: WNĘTRZE. KUCHNIA - DZIEŃ
Ray mówi córkom, że ludzie, którzy słyszą głosy,
są chorzy.

SCENA 5: WNĘTRZE. SKLEP - DZIEŃ
Ray pyta innych farmerów, czy też słyszą głosy.
Uważają, że zwariował.

SCENA 6: PLENER. POLE KUKURYDZY - DZIEŃ
Ray znowu słyszy głos. Tym razem się złości. Widzi
fatamorganę; boisko do baseballa.

SCENA 7: WNĘTRZE. SALON - NOC
Ray stara się zrozumieć, co oznacza głos. Wydaje
mu się, że jeśli zbuduje boisko do baseballa,
Shoeless Joe Jackson wróci.

SCENA 8: WNĘTRZE. SYPIALNIA - NOC
Ray się martwi, że staje się taki sam jak jego
ojciec. O niczym nie marzy. Postanawiają z żoną,
że wybudują boisko.

SEKWENCJA 3 „Budowa boiska do baseballa"

SCENA 1: PRZEBITKA -- Ray orze pole, żeby
wybudować boisko. Sąsiedzi uznali, że oszalał.
Opowiada córce o Shoeless Joe Jacksonie.

SCENA 2: PLENER. BOISKO DO BASEBALLA - NOC
Boisko jest gotowe. „Zrobiłem coś kompletnie
nielogicznego".

SEKWENCJA 4 „Czekanie na Shoeless Joe"

SCENA 1: PLENER. SYPIALNIA - NOC (ZAPADA)
Czekają, aż coś się wydarzy. Nic się nie dzieje.

SCENA 2: WNĘTRZE. SALON – NOC (ZIMA)
Nadeszło Boże Narodzenie i nadal nic się nie
wydarzyło.

SCENA 3: WNĘTRZE. SALON – NOC (WIOSNA)
Nadal nic. Wydali za dużo, kończą się im
pieniądze. Nagle na trawniku pojawia się
mężczyzna.

SCENA 4: PLENER. BOISKO – NOC
Przybył Shoeless Joe Jackson. Ray przedstawia mu
rodzinę. Shoeless Joe chce ściągnąć pozostałych
graczy. Ray postanawia, że utrzymają boisko bez
względu na koszty.

SEKWENCJA 5 „Szwagier"

SCENA 1: WNĘTRZE. KUCHNIA – DZIEŃ
Mark, szwagier Raya, proponuje, że kupi od niego
farmę, żeby go ocalić przed bankructwem.

SCENA 2: PLENER. BOISKO – DZIEŃ
Gracze wracają po meczu. Mark ich nie widzi.

SEKWENCJA 6 „Druga wiadomość"

SCENA 1: PLENER. BOISKO BASEBALLOWE – ZMROK
Ray znowu słyszy głos, tym razem mówi: „Ulżyj mu w
bólu".

SCENA 2: WNĘTRZE. DOM – DZIEŃ
Ray zwierza się żonie, że znowu słyszał głos. Nie
wie, co to oznacza.

SCENA 3: WNĘTRZE. ZEBRANIE RADY SZKOLNEJ – NOC
Debata na temat zakazu lektury określonych
książek. Ray nie słucha, zastanawia się, co miało
znaczyć „ulżyj mu w bólu". Mieszkańcy chcą zakazać
lektury książki niejakiego Terence Manna. Słysząc
to nazwisko, Ray nagle wie, co głos chciał mu
przekazać.

SCENA 4: WNĘTRZE. KORYTARZ SZKOLNY – NOC
Ray mówi żonie, że musi znaleźć Terence Manna.

SCENA 5: PRZEBITKA -- Szukają wszystkiego na temat
Terence Manna.

SCENA 6: PLENER. BIBLIOTEKA PUBLICZNA – DZIEŃ
Ray wie już dużo o Terence, ale nadal nie rozumie,
jak ten się ma do planów głosu.

SCENA 7: WNĘTRZE. CIĘŻARÓWKA – DZIEŃ
Dowiadują się, że Terence był zagorzałym fanem
baseballa. Sam chciał grać, ale nigdy mu się
to nie udało. Nie był na żadnym meczu od lat
50.

SCENA 8: PLENER. FARMA RAYA – DZIEŃ
Ray się domyśla, że musi zabrać Terence'a na mecz,
nie wie tylko, dlaczego.

SCENA 9: WNĘTRZE. DOM - DZIEŃ
Ray postanawia pojechać do Nowego Jorku i odnaleźć
Terence Manna.

SEKWENCJA 7 „Poszukiwanie Terence Manna"

PRZEBITKA -- Ray jedzie do Nowego Jorku. Rozmawia
z sąsiadami Manna, puka do jego drzwi.

SEKWENCJA 8 „Spotkanie z Terence Mannem"

SCENA 1: WNĘTRZE. BLOK MIESZKALNY – DZIEŃ
Terence Mann zatrzaskuje Rayowi drzwi przed
nosem. Ray błaga, żeby go wysłuchał i Mann daje
mu minutę. Ray nalega, żeby poszedł z nim na mecz
baseballowy.

SCENA 2: PLENER. STADION - STOISKO Z HOTDOGAMI –
NOC
Terence i Ray idą na mecz. Terence nadal uważa,
że to wszystko bzdura i że Ray jest chory
psychicznie.

SCENA 3: PLENER. STADION BASEBALLOWY – NOC
Ray słyszy kolejny głos: „Odległość" i na tablicy
wyników widzi statystyki Archibalda „Moonlighta"
Grahama. Terence niczego nie dostrzega.

SCENA 4: PLENER. MIESZKANIE TERENCE MANNA – NOC
Ray się żegna. Wszystko wskazuje na to, że jego
misja się nie powiodła, aż Terence przyznaje,
że on też widział statystyki „Moonlight" Grahama.
Postanawiają razem pojechać do Wisconsin i go
poszukać.

SEKWENCJA 9 „Poszukiwanie Moonlight Grahama"

SCENA 1: PRZEBITKA – jazda do Wisconsin.

SCENA 2: PLENER. STACJA BENZYNOWA – DZIEŃ
Ray dzwoni do żony, żeby jej powiedzieć, że
wszystko jest w porządku.

SCENA 3: WNĘTRZE. FARMA RAYA – DZIEŃ
Jego żona odkłada słuchawkę. Jest u niej Mark.
Przyszedł przejąć farmę.

SCENA 4: WNĘTRZE. URZĄD MIEJSKI W WISCONSIN – DZIEŃ
Ray i Terence dowiadują się, że Moonlight Graham
nie żyje. Był lekarzem, który wszystkim pomagał.
Nadal nie pojmują, dlaczego mają go odnaleźć.

SCENA 5: WNĘTRZE. BAR – NOC
Rozmawiają z różnymi ludźmi o Moonlight Grahamie.

SCENA 6: WNĘTRZE. HOTEL – NOC
Przeglądają wyniki swoich poszukiwań. Ciągle
niczego nie rozumieją.

SCENA 7: PLENER. MIEJSKA ULICA – NOC
Ray idzie na spacer. Nagle cofa się w czasie.
Widzi Moonlight Grahama.

SCENA 8: WNĘTRZE. BIURO GRAHAMA – DZIEŃ
Ray pyta Grahama o jego krótką karierę
baseballową. Graham grał tylko w połowie meczu.
Nigdy nawet nie uderzał, choć to jego największe
marzenie; chociaż raz uderzyć w meczu ligowym. Ray
zaprasza go do Iowa. Graham odmawia.

SCENA 9: WNĘTRZE. HOTEL – NOC
Ray i Terence nie wiedzą, co mają zrobić. Dlaczego
Graham nie chce z nimi jechać?

SCENA 10: WNĘTRZE. DOM – NOC
Ray dzwoni do domu. Farma ma kłopoty. Terence
postanawia, że pojedzie z nim do Iowa.

SCENA 11: PLENER. AUTOSTRADA – DZIEŃ
Zabierają autostopowicza, dzieciaka, który okazuje
się młodym wcieleniem Moonlight Grahama.

SEKWENCJA 10 „Dlaczego Ray żałuje układu z ojcem"

SCENA 1: PLENER. AUTOSTRADA – DZIEŃ.
We trzech jadą do Iowa. Terence słucha opowieści
Raya o trudnych stosunkach z ojcem.

SCENA 2: PLENER. AUTOSTRADA – NOC
Ray przyznaje, że kłócili się z ojcem o
bezkrytyczne uwielbienie, jakim ten ostatni
darzył Shoeless Joe Jacksona.

SCENA 3: PLENER. FARMA RAYA – NOC
Wracają do domu – drużyna duchów gra.

SEKWENCJA 11 „Marzenie Moonlight Grahama"

SCENA 1: PLENER. BOISKO – NOC
Terence i Graham poznają drużynę duchów. Zawodnicy
proszą Grahama, żeby zagrał.

SCENA 2: PLENER. BOISKO – NOC
Grają. Graham może wreszcie wybić piłkę w meczu
z najlepszymi. Wybija i zalicza punkt.

SEKWENCJA 12 „ KLIMAKS"

SCENA 1: PLENER. BOISKO – DZIEŃ
Mark przychodzi przejąć farmę. Córeczka Raya spada
z trybuny. Moonlight Graham biegnie z boiska, żeby
jej pomóc, i na nowo staje się starym doktorem.
Ratuje dziewczynkę, ale nie może wrócić. Kiedy
spełniło się jego marzenie, znika na boisku. Mark
po raz pierwszy widzi zawodników i postanawia nie
zajmować farmy. Zawodnicy pytają Terence'a, czy
nie chciałby do nich dołączyć. Terence zgadza się
ochoczo. Wraca ojciec Raya, poznaje jego rodzinę.
Ray i ojciec grają we dwóch.

Te sekwencje składają się na największą, czyli cały scenariusz, którego przesłanie można by ująć jako „Ray godzi się z ojcem".

A to już inna historia: sekwencje wątku pobocznego

Wiele filmów, choć nie wszystkie, zawiera wątki poboczne, zazwyczaj dotyczące bohaterów drugoplanowych. I tak w *Polu marzeń* wątek poboczny dotyczy stosunków Raya z Markiem, jego szwagrem, i groźby bankructwa. W filmie o miłości dwojga całkiem różnych ludzi mogłaby to być para przyjaciół wręcz dla siebie stworzonych, co tylko podkreślałoby, że główni bohaterowie nigdy nie będą razem. W końcu może się okazać, że ich związek to wcale nie prawdziwa miłość, tylko właśnie przyciąganie podobieństw. Rozstaną się oni, gdy główni bohaterowie padają sobie w ramiona.

Wątek poboczny może także dotyczyć protagonisty, co komplikuje sytuację albo pozwala nam lepiej poznać bohatera. Główny wątek *Casablanki* to miłość Ricka i Ilsy. Wątek poboczny, przyjaźń Ricka z inspektorem Renault, która rozwija się w trakcie filmu i dodaje głębi postaci Ricka. Początkowo jest to tylko przelotna znajomość ze skorumpowanym Francuzem. Rick cierpi, zaskoczony ponownym spotkaniem z ukochaną. Na koniec traci Ilsę, ale zostaje z Renault i ma nadzieję, że *jest to początek wspaniałej przyjaźni*. Takie rozwiązanie się sprawdza, bo przesłaniem filmu nie jest: idź za głosem serca, tylko raczej wezwanie do wypełniania obowiązków. Kolejny wątek poboczny to Ilsa i Victor, jej mąż; dowiaduje się, że zdradziła go z Rickiem, i jej wybacza, na co Rick nie może się zdobyć. W tym momencie Victor jest od niego lepszy, bardziej godny jej miłości. Rick jednak wysuwa się na czoło poświęcając własne uczucia i Ilsę w imię wyższej sprawy, którą reprezentuje Victor.

W scenariuszu *Titanica* jest wątek poboczny, wycięty ze względu na długość filmu, w którym miłość Jacka i Rose ma swoje odzwierciedlenie w romansie jego przyjaciela, Włocha Fabrizio i prostej Norweżki imieniem Helga. Początkowo ich związek rozwija się bez komplikacji, choć miłość Jacka i Rose wydaje się bez szans, jednak Rose porzuca swoich, idzie za Jackiem i dzięki temu przeżyje; Helga nie zostawi bliskich dla Fabrizia i umiera.

W thrillerze *Siedem* wątek poboczny podkreśla gorzkie przesłanie: zło jest wszechobecne. Wątek główny to opowieść o dwójce protagonistów, detektywów (Morgan Freeman i Brad Pitt), którzy starają się schwytać seryjnego mordercę, uosobienie zła. Wątek poboczny to miłość Brada Pitta do jego czystej, idealnej żony, uosobienia dobroci. Morderca nie dość, że zabija ją i jej nienarodzone dziecko, ale zmusza Pitta, by ten popełnił grzechy śmiertelne: zabijając i wpadając w gniew. Ten wątek stanowi doskonałe uzupełnienie wątku głównego.

Nie ma określonych zasad co do tego, jak często wątek poboczny powinien się pojawiać, jaką część scenariusza zajmować. Czasami wystarczy jeden długi wątek poboczny, który przewija się przez cały film. W *Lepiej być nie może* wątek poboczny (stosunki między protagonistą Melvinem i jego sąsiadem, gejem) odzwierciedla główny wątek miłosny. Inny scenarzysta wybierze kilka wątków pobocznych, które pojawiają się i znikają w różnych momentach scenariusza. W *Terminatorze* na początku jest następujący wątek poboczny: Matt, muskularny, ale głupi chłopak współlokatorki Sarah na darmo chce przestraszyć Sarah (ponosi klęskę tam, gdzie Terminator odniesie sukces) i nie jest w stanie uchronić ani siebie, ani ukochanej przed Terminatorem (ponosi klęskę tam, gdzie Reese odniesie sukces). Obie pary stają wobec tego samego antagonisty, lecz Matt i współlokatorka Sarah giną, a Sarah żyje, bo z pomocą Reese'a okazała się silniejsza i zdolniejsza. Chodzi o to, by wątek poboczny w jakiś sposób odnosił się do wątku głównego; zaprzeczał mu, podkreślał go, odzwierciedlał.

Planując wątki poboczne warto opisać je w osobnych sekwencjach, żeby się przekonać, czy są właściwie zbudowane: czy mają wyraźny początek, rozwinięcie i zakończenie. Irytujące niedokończone sprawy prawie zawsze dotyczą nierozwiązanych wątków pobocznych. Pamiętaj, muszą być związane z wątkiem głównym. Powinny się łączyć z wątkiem głównym w miarę regularnie (wspólne sceny, ewentualnie scena finałowa), jeśli mają być integralną częścią filmu. Bez względu na długość i intensywność nie wolno ich łączyć. Nie chcesz przecież, żeby widz stracił główny wątek z oczu; możesz za to dzielić sekwencje na mniejsze cząstki i przeplatać je scenami/sekwencjami wątków pobocznych. Gdzie i jak to zrobisz, to już twoja sprawa. Jeszcze tylko jedna wskazówka: scena z wątkiem pobocznym zakończona kryzysem albo gwałtownym działaniem to dobry punkt wyjścia do pozornie spokojniej sceny z głównego wątku. To zapewni kontrast emocjonalny, może także audiowizualny, i przyda scenariuszowi dynamiki.

Na zakończenie

Klocki. Najmniejsza cząstka scenariusza to ujęcie, czyli dany moment czy działanie w ramach sceny. Zbiór ujęć, mających logiczny początek, rozwinięcie i zakończenie, to scena. Podobnie zorganizowane sceny układają się w sekwencję. Sekwencje składają się na scenariusz. Każdy krok jest uwarunkowany narastaniem i zanikaniem konfliktu, walką o władzę, które w efekcie wzmacniają protagonistę i osłabiają antagonistę. Wiedząc to wszystko, w następnych rozdziałach zaplanujemy najbardziej kreatywną część twojej podróży przez scenariusz.

Ćwiczenia

1. Podziel następującą scenę na ujęcia:

```
PLENER. GANEK - DZIEŃ

Buty BELLE BURNAND, pięćdziesięciolatki,
która zawsze i wszędzie się spieszy. W tej chwili
taszczy trzy siatki z zakupami i pudło
na kapelusze. Nie ma wolnej ręki, żeby otworzyć
drzwi.

                    BELLE
        Puk, puk! Nie mam ręki!


Drzwi się otwierają; Kasey uśmiecha się złośliwie.
Belle drepce do domu.

W ŚRODKU:

                    BELLE
        Przepraszam, że się spóźniłam,
        przejechałam psa na drodze między
        centrum handlowym a domem pogrzebowym.

                    KASEY
        Twój syn tu jest.

                    BELLE
        Norman?

                    KASEY
        Chyba masz tylko jednego syna.

Norman wychodzi z ukrycia za drzwiami.

                    BELLE
        NORMAN! Coś takiego!
```

Ściska go serdecznie, aż gniotą się siatki z
zakupami.

          BELLE

     Ojej! Delikatnie, delikatnie!

Wpycha jedną z siatek Normanowi w ręce.

         NORMAN JUNIOR

     Co tam masz, kulę do kręgli?

          BELLE

     Właśnie tak.

Otwiera paczkę i wyjmuje białoniebieską kulę.

          BELLE

     W Stowarzyszeniu Rodziców i Nauczycieli
     założyli nową drużynę. Dzięki temu
     wychodzę z domu we wtorki wieczorem
     i w soboty rano. Teraz muszę sobie
     znaleźć coś na piątkowe wieczory i uda
     mi się całkowicie unikać twojego ojca
     na emeryturze.

Belle bierze próbny zamach.

          BELLE

     Och, nie uwierzysz, jak ci powiem!
     Znowu zmienili układ w supermarkecie!
     Trzeci raz w ciągu trzech lat! Mięso
     jest teraz z tyłu, a puszki tam, gdzie
     były warzywa. Wiesz, czego nie pojmuję?
     Mleko jest dokładnie tam, gdzie było
     dwa lata temu!

Belle milknie na tyle, by dostrzec niepokój
Normana.

          BELLE

     Co jest? Ojciec w domu?

Norman nie nadąża z odpowiedzią, kiedy wchodzi Caroline. W pierwszej chwili nie widzi Belle.

                    CAROLINE

        Norman, powiedziałeś już rodzicom,
        że ja... O, dzień dobry.

Belle nieruchomieje.

                    BELLE
                (zaskoczona)
        ...Przywiozłeś kogoś.

                    NORMAN JUNIOR
        Mamo, przedstawiam ci Caroline.

Belle stoi nieruchomo z głupią miną. Caroline podchodzi, wyciąga rękę, ale trafia na kulę do kręgli.

                    CAROLINE
        Pani Burnand, tyle o pani słyszałam.

                    BELLE
        Na przykład?

                    CAROLINE
        Na przykład... Och.

                    NORMAN JUNIOR
        Nie zdradziłem jej żadnych rodzinnych
        sekretów.

                    BELLE
        No cóż, bardzo...

                    NORMAN JUNIOR
        Bardzo mi miło.

                    BELLE
        Tak, właśnie, bardzo mi miło. Jak się
        nazywasz?

                    CAROLINE
        Caroline... Chrisler.

                    BELLE
        Jak poznałaś mojego syna?

                    CAROLINE
        W uniwersyteckim ośrodku pomocy
        samobójcom.

Nerwowa cisza; Belle stara się ukryć szok.

                    CAROLINE
        Pracuję tam jako terapeutka, studiuję
        psychologię. Norman był wolontariuszem.

                    BELLE
                    (zdumiona)
        Mój Norman pracował jako wolontariusz
         w ośrodku dla samobójców?

                    CAROLINE
        Tak. To bardzo ważna praca.

                    KASEY
        Cóż... To bardzo ciekawe.

Belle przejmuje kontrolę.

                    BELLE
        Kasey! Odbierz siostrę ze szkoły!

                    KASEY
        Jasne.

Kasey idzie do drzwi. Belle chce porozmawiać
z Normanem... w cztery oczy. Nieprzyjemna cisza.
Belle uśmiecha się do nieznajomej. Chwila się
przeciąga. Caroline pojmuje aluzję.

                    CAROLINE
        Kasey, przydam ci się na coś?

                    KASEY
        Pewnie.

```
Caroline i Kasey idą do samochodu. Belle czeka, aż
zamkną się za nimi drzwi, i...

                    BELLE
        Tylko mi nie mów, że ona jest w ciąży!

                                    CIĘCIE DO:
```

2. Napisz scenę, w której lokalizacja obrazuje świat opowieści, a bohater podejmuje działanie z określonym początkiem, rozwinięciem i zakończeniem, co nam powie coś o jego charakterze, ale nie zdradzi wszystkich jego intencji.

3. Jeśli obecnie pracujesz nad scenariuszem, podziel go na sceny i sekwencje. Zatytułuj każdą sekwencję.

Sekwencja	Tytuł	Sceny
1.		1. 2. 3. 4. itd.
2.		1. 2. 3. 4. itd.
3.		1. 2. 3. 4. itd.

ROZDZIAŁ 9

FISZKI SCEN

Plan podróży

Początkujący pisarze często tak bardzo chcą zabrać się do pracy, że skaczą na głęboką wodę w nadziei, że pomysły przyjdą im do głowy w trakcie pisania. Na coś takiego mogą sobie pozwolić autorzy z latami praktyki, którzy instynktownie wiedzą, jak z niejasnego pomysłu zbudować scenę, która wpasuje się w strukturę filmu, lecz początkujący prawie na pewno boleśnie się przy tym poparzy. Szukanie drogi po omacku oznacza zazwyczaj stratę czasu, scen i energii. Choć wyda ci się to denerwujące i nudne, zanim napiszesz pierwsze słowa, musisz zaplanować cały film, scena po scenie.

Wyobraź sobie, że twoje dzieło to podróż przez cały kraj; masz mało czasu, a chcesz zobaczyć jak najwięcej. Jeśli wyruszysz w drogę mając jedynie mgliste pojęcie, dokąd cię ona zaprowadzi, stracisz mnóstwo czasu błądząc, pytając o drogę, zawracając. Niewykluczone, że w połowie trasy skończy ci się benzyna i nie zobaczysz nic. Jeśli nie chcesz, żeby tak było, musisz wszystko dokładnie zaplanować, zanim wsiądziesz do samochodu.

Taką mapą przy pisaniu scenariusza jest planowanie scen. Pozwoli ci to przewidzieć całą drogę, tak, że masz pewność, że zmierzasz we właściwym kierunku i zwiedzasz wszystko, co powinieneś, zanim zgubisz się w labiryncie wskazówek scenicznych i dialogów. Kiedy zaczniesz pisać poszczególne sceny, trudno ogarnąć całość, ale jeśli masz przed oczyma trasę, jest to możliwe. Nie licz, że bohaterowie cię poprowadzą od sceny do sceny. Nic z tego; będą się błąkać razem z tobą.

Zarys akcji pozwoli ci zachować obiektywizm. Na tym etapie historia jeszcze się nie skończyła i łatwiej decydować, co jest niezbędne, a bez czego można się obejść. Kiedy napiszesz scenę, kiedy stworzysz dany świat i bohaterów, trudniej będzie cokolwiek zmienić. Przywiązujesz się do danej kwestii czy opisu, nieważne, czy są niezbędne dla przebiegu akcji czy nie. Podstawowy błąd to budowanie dalszej akcji wokół danej sceny czy kwestii – przecież wszystko jest jeszcze w powijakach; klasyczny przykład, gdy to ogon macha psem, nie odwrotnie.

Tak wyglądają sekwencje z fiszek na tablicy korkowej:

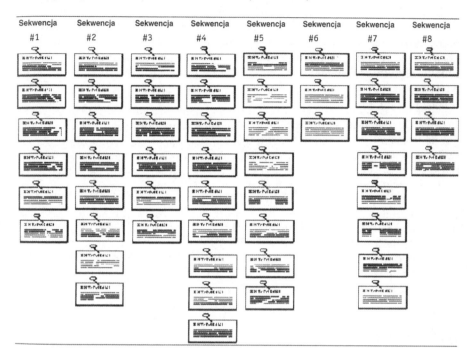

Początkujący pisarze wpadają w tę pułapkę, póki się nie nauczą, że nawet najlepsza scena, najbardziej błyskotliwa kwestia może zaistnieć w scenariuszu tylko pod warunkiem, że ma znaczenie dla rozwoju akcji. Opowieść musi posuwać się płynnie; każda scena musi wiązać się bezpośrednio z opowiadaną historią, wyrastać z poprzedniej sceny, prowadzić do następnej.

Może najprościej zabrać się do tego wyobrażając sobie, że planując już piszesz. Właśnie ten etap wymaga największego nakładu czasu i pracy. Im staranniejszy, dokładniejszy plan, tym szybciej będziesz pisał właściwy scenariusz. Zamiast godzinami gapić się w monitor i dumać, co teraz, wiesz dokładnie, co robić. Twój plan zawiera wszystkie postoje i zakręty. Kiedy będzie gotowy, i tylko wtedy, możesz zabrać się do właściwej pracy.

Wszystko w kartach

Niektórzy autorzy zapisują szkic na kartce, poświęcając każdej scenie kilka linijek, najczęściej jednak używają do tego fiszek scen; na każdej fiszce opisują jedną scenę. Następnie te fiszki przyczepia się do tablicy korkowej albo rozkłada na podłodze, przekłada, tasuje i układa na nowo, aż powstają z nich sekwencje i stopniowo wyłoni się struktura filmu. Liczba scen i sekwencji różni się w każdym scenariuszu, ale zazwyczaj powinieneś się zmieścić na czterdziestu pięciu – pięćdziesięciu pięciu fiszkach. Jeśli masz ich mniej, twój scenariusz jest za krótki, więcej – za długi. Kolejna przewaga fiszek nad opisywaniem scen na kartce to fakt, że można je przekładać i że wymuszają zwięzłość – na fiszce nie da się wiele zapisać. Pozwalają też dostrzec, jak się rozwija akcja. Ukończony zestaw pokazuje strukturę filmu.

Więc co właściwie ma się na nich znaleźć? To zależy przede wszystkim od tego, ile wiesz o danych scenach. Fiszki to mapa, ale czasami nie do końca wiesz, dokąd zmierzasz. Jeśli masz wątpliwości (jak większość początkujących autorów), fiszki pomogą ci zgłębić twoją historię. Nie musisz zaczynać od początku. Zapisz sceny, które na pewno chcesz umieścić w scenariuszu, ułóż je w mniej więcej takiej kolejności, w jakiej mają się znaleźć w twoim dziele, powoli wypełniaj puste miejsca przed, po i między nimi. Jeśli wiesz, co się wydarzy, ale nie masz jeszcze pomysłu na postacie i kwestie, napisz tylko, że dajmy na to, że Titanic uderza w górę lodową. Jeśli nadal szukasz postaci, skup się na akcji i konflikcie i ich wpływie na rozwój opowieści. Poznasz bohaterów widząc, w jaki sposób wpływają na rozwój akcji. Nie zapomnij o miejscu na dodatkowe informacje, które dodasz, kiedy uzupełnisz białe plamy.

Ile dokładnie?

Niektórzy pisarze poświęcają więcej czasu na fiszki niż na samo pisanie. Po kilku tygodniach pisania, poprawiania, zmieniania i tasowania masz plan filmu. Ukończona fiszka zawiera wszystkie informacje potrzebne do napisania sceny: czas, miejsce, postacie, wydarzenie, konflikt, ewentualnie kwestię i związek danej sceny z łukiem opowieści. Możesz także zaznaczyć, czy poszczególne wydarzenia i postacie odnoszą się do wątku głównego czy pobocznego. Niektórzy pisarze oznaczają wątek poboczny innym kolorem, żeby widzieć, w jaki sposób przeplata się on z wątkiem głównym. Fiszki powinny zawierać wszystkie informacje, które znajdą się w danej scenie. Traktuj je jako szkice sceny.

Czas i miejsce. Często umieszcza się na górze fiszki nagłówek sceny (WNĘTRZE. KANTYNA - DZIEŃ). Dzięki temu traktujesz każdą fiszkę jak scenę, która rozegra się w określonym miejscu, w określonym czasie. Miejsce wyznacza świat historii (rozdział 4) i musisz zadbać, by w każdej scenie wykorzystać ten świat do maksimum. Podając czas (DZIEŃ lub NOC, ewentualnie ŚWIT lub ZMIERZCH, nigdy nic bardziej konkretnego) wystarczy ci jeden rzut oka by się przekonać, czy upływ czasu jest logiczny; może zbyt dużo scen rozgrywa się w nocy? Robin czytał kiedyś scenariusz studenta; akcja obejmowała tydzień, ale nie wiadomo jakim cudem niemal wszystko działo się jednej nocy. Kiedy będziesz pisał daną scenę, rozszerzysz jedynie opisy czasu i miejsca, na przykład opiszesz ciemność nocy albo złocisty blask zachodzącego słońca, chcąc nadać scenie odpowiednią oprawę wizualną i właściwy nastrój.

Postacie. Musisz wiedzieć, jakie postacie występują w danej scenie. Nie trzeba wymieniać wszystkich, jedynie te istotne dla rozwoju akcji. Niektórzy autorzy zapisują każde imię innym kolorem, żeby jedno spojrzenie wystarczyło, by się przekonać, czy nie zaniedbali kogoś na zbyt długo. Obaj widzieliśmy wiele studenckich scenariuszy, w których protagonista albo antagonista znika tajemniczo na dwadzieścia, trzydzieści stron, bo autora do tego stopnia pochłonął wątek poboczny, że zapomniał, o kim opowiada. Masz się trzymać głównych bohaterów. Dopilnuj, żeby pojawiali się często.

Wydarzenie/działanie. Każda fiszka powinna zawierać przynajmniej jedno wydarzenie istotne dla rozwoju historii. Pamiętaj, w jaki sposób to wydarzenie wpłynie na bohaterów. David Ball pisze w uroczej książeczce *Backwards & Forwards*: *jedno wydarzenie powoduje następne, a razem tworzą działanie.* Każde wydarzenie przechodzi w kolejne i określa albo wywołuje nowe działanie. I właśnie to tworzy plan filmu, twoją mapę. Zamiast „dochodzi do morderstwa" napiszesz „Bill w przypływie wściekłości zabija Jenny. Herbert rzuca się do ucieczki z krzykiem, że dostanie Billa, choćby to miało być ostatnie, co w życiu zrobi". (Oby twoja fiszka była bardziej oryginalna, ale chyba wiesz, o co chodzi.) To wydarzenie, które wywołało ucieczkę i groźby Herberta, zaowocuje innym wydarzeniem i działaniem – na nowej fiszce. Wydarzenia się rozgrywają; działanie to czyny bohatera, taktyka, za pomocą której dąży on do celu.

Konflikt. Staraj się zapisać podstawowy konflikt w każdej scenie. Jeśli go nie ma, wyrzuć scenę albo ją przekształć. Plan ci na to pozwala, zanim zgubisz się w cudownym gąszczu własnego pióra. Nie tak dawno student wysmażył scenariusz, środek którego zajmowała para kochanków. Czytali na głos wiersze, biegali boso po plaży i wyznawali sobie miłość. Nie było w tym żadnego konfliktu, ani między nimi, ani ze światem zewnętrznym. Wystarczyła jedna scena, by zobaczyć, że są zakochani, ale ponieważ dalej nie działo się nic dramatycznego (co zagrażałoby ich szczęściu), scenariusz był do niczego. Tego problemu dałoby się uniknąć, gdyby autor na początku pracy poświęcił więcej uwagi konfliktowi. Nie chcemy przez to powiedzieć, że powinien dorzucić walkę na pięści; należało więcej czasu poświęcić samej historii, zarówno poszczególnym scenom, jak całości, żeby romans stał się głównym wciągającym elementem dramatycznej - albo komicznej – całości.

Nie trzeba umieszczać w planie wszystkich scen. Scenarzyści zazwyczaj omijają sceny przejściowe, gdy zmienia się miejsce pobytu bohaterów. Na przykład, jeśli potrzebna ci scena, w której bohaterowie idą z samochodu do domu czy wsiadają do samolotu, nie musisz jej umieszczać na fiszce. Nie są to sceny w pełnym tego słowa znaczeniu, raczej uzupełniają inne, bardziej znaczące. W planie uwzględniamy jedyne sceny mające wpływ na akcję.

Przykładowa fiszka wygląda tak:

```
WNĘTRZE. GABINET KAPITANA COXA - DZIEŃ
Kapitan Cox pyta, czy oficer Nick chce mieć
wolne. Jakby nie było, po raz pierwszy kogoś
zabił. Nick nie chce o tym słyszeć. Nie dla
niego siedzenie za biurkiem.
Na zewnątrz protesty.
Kapitan Cox nalega, by Nick poczekał z powrotem
do służby, aż wszystko ucichnie.
```

Bardziej rozbudowana fiszka zwiera wskazówki techniczne, na przykład, w jaki sposób dana scena zapowiada nadciągające wydarzenia, motywy bohaterów, fragmenty kwestii, szczegóły miejsca. Może także zawierać wskazówkę co do sekwencji, w której się znajduje. Na przykład:

```
WNĘTRZE. GABINET KAPITANA COXA - DZIEŃ
(sekwencja 4 - Nick wrobiony)
Na ścianach plakaty z regulaminem policyjnym.
Przechodzący policjant podnosi kciuk na widok
Nicka.
Kapitan Cox pyta, czy oficer Nick chce mieć
wolne. Jakby nie było, po raz pierwszy kogoś
zabił. „Masz prawo do tygodnia płatnego urlopu.
Możesz skorzystać z usług naszego psychiatry".
Nick nie chce o tym słyszeć. Nie dla niego
siedzenie za biurkiem.
Na zewnątrz skandują protestujący. Może kamień
uderza w szybę? Kapitan Cox nalega, by Nick
poczekał z powrotem do służby, aż wszystko
ucichnie.
Nick się denerwuje. Uważa, że nie zrobił nic
złego. Martwi się, co sobie pomyśli jego syn.
```

Źle opracowane fiszki

Źle opracowane fiszki zawierają nudne albo niejasne opisy. Wypełniają pustkę między prawdziwymi wydarzeniami albo są tak mętne, że nie wiadomo, o co w nich chodzi. Poniższy przykład sprawdza się, gdy zapisujesz pierwsze pomysły, ale jest nie do przyjęcia jako gotowa fiszka.

```
WNĘTRZE. DOM JACKA - DZIEŃ
Jack i Denise rozmawiają o dzieciństwie
podniesionymi głosami. Kłócą się.
Godzą się i postanawiają wyjść wieczorem.
```

Wydaje się, że mamy tu konflikt, ale brakuje opisu uczuć i problemu. Nie wiemy, czego dotyczy ta scena. Fiszki, które tylko informują, że dzieje się coś ciekawego, są bezwartościowe, kiedy czas napisać daną scenę. Zamiast określeń „omawiają morderstwo" czy „rozmawiają o romansie" napisz o tym dokładniej. Nawet opis miejsca jest zbyt pobieżny. W której części domu dochodzi do kłótni? W kuchni? W sypialni? W piwnicy? Każde pomieszczenie stanowi inne tło danej sceny. Dbaj o szczegóły.

Podsumowując, każda fiszka musi zawierać odpowiedzi na następujące pytania:

- Czy podaje miejsce? Czy to miejsce wpisuje się w świat filmu?
- Czy podaje wszystkie istotne postacie?
- Czy jest na niej konflikt (albo jego zapowiedź)?
- Czy posuwa do przodu opowieść?
- Czy pasuje do sekwencji? Do której?

Technika pisania fiszek

Nie ma dwóch scenarzystów, którzy wykorzystywaliby fiszki w ten sam sposób. Niektórzy opierają się na paradygmacie trzech aktów i zaznaczają, w którym akcie znajdzie się dana scena, inni używają wielokolorowych kart, żeby zobaczyć zwroty w akcji. Większość posługuje się staroświeckimi fiszkami, inni wolą programy komputerowe. Jest wiele programów, które pomogą stworzyć i zaaranżować fiszki, na przykład:

Program	Typ	Firma	Telefon
Story Vision	IBM	Story Vision	(310) 392-7550
Corkboard	MAC	Mac Toolkit	(310) 395-4242

Można je zamówić w każdym sklepie z programami dla pisarzy.

Musisz mieć miejsce, by fiszki układać. Nie ma sensu rozkładać ich i składać za każdym razem. Najlepsza jest duża tablica korkowa, bo na niej możesz pracować w każdej chwili. Nigdy nie wiadomo, kiedy przyjdzie natchnienie, więc powinny być zawsze pod ręką.

Otwartość. George Pierce Baker, profesor Eugene O'Neilla z Harvardu, powiedział: *kto się kieruje kompasem, może bezpiecznie zmienić kurs. Kto się kieruje instynktem, padnie ofiarą pomyłki.* Fiszki to twój kompas, ale nie gotowy scenariusz, więc niech pierwotne ułożenie kart nie stanie się pułapką. Możesz je przekładać i sprawdzać, jak funkcjonują w nowym układzie. Nawet kiedy zaczniesz pisać, zdarzy się, że dana scena nie jest tak dobra, jak sądziłeś, albo masz lepszy pomysł. Wtedy wróć do kart i zobacz, czy zmiany mają sens, zanim zapuścisz się za daleko.

Cała talia. Oto przykład, jak mogłyby wyglądać fiszki do filmu, w tym przypadku kryminału *Morze miłości* Richarda Price'a. Przykłady planów do seriali komediowych i telewizyjnych znajdziesz w rozdziale 17.

Sekwencja 1 – „Protagonista"

1.

```
WNĘTRZE. MIEJSCE ZBRODNI NR 1 - NOC

Mężczyzna zostaje zamordowany strzałem
w tył głowy, gdy uprawia seks.

W tle gra stary gramofon - piosenkę Sea
of Love.
```

2.

```
WNĘTRZE. DUŻA SALA KONFERENCYJNA - DZIEŃ

Dzień spotkania z drużyną Yankees.
Pięćdziesięciu mężczyzn wygrało
spotkanie ze sportowcami.

Pojawia się Frank, detektyw.
Od dwudziestu lat na służbie. Chyba
gotów przejść na emeryturę.

Spotkanie ze sportowcami to oszustwo;
policjanci aresztują wszystkich
zebranych.
```

3.

```
PLENER. DUŻA SALA KONFERENCYJNA - DZIEŃ

Plan się powiódł.

Frank i inni policjanci wychodzą,
gdy zjawia się ostatni oszust,
w towarzystwie synka.

Frank nie może go aresztować, nie
na oczach dziecka.
```

4.

```
WNĘTRZE. MIESZKANIE FRANKA - NOC

Późno. Sam w domu. Frank pije, i
to dużo. Nienawidzi swojego życia.

Dzwoni do byłej żony.

Kobieta odkłada słuchawkę.
```

Sekwencja 2 – „Morderstwo"

5.

WNĘTRZE. MIEJSCE ZBRODNI NR 1 – NOC

Z gramofonu nadal rozbrzmiewa *Sea of Love*. Sąsiad się niepokoi. Puka do drzwi. Są otwarte.

Znajduje zwłoki.

6.

WNĘTRZE. MIEJSCE ZBRODNI NR 1 – PÓŹNIEJ

Frank przyjeżdża na miejsce zbrodni. Rozmawia z portierem, przyciska go do muru.

Czy portier jest podejrzany?

7.

WNĘTRZE. WINDA – DZIEŃ

Frank jedzie na miejsce zbrodni. Przeprasza kolegę za nocny telefon.

Była żona Franka jest teraz jego żoną.

8.

WNĘTRZE. MIEJSCE ZBRODNI NR 1 – DZIEŃ

Ślady: szminka na niedopałkach papierosów. *Sea of Love* na starym gramofonie.

Frank i Detektyw kłócą się nad zwłokami.

„Dlaczego ukradłeś mi żonę?!"

9.

WNĘTRZE. POSTERUNEK POLICJI - DZIEŃ

Frank analizuje ślady z szefem policji.

Są przekonani, że morderstwa dokonała kobieta. Nieudana pierwsza randka?

Ten wniosek podsuwa im stara płyta z piosenką Sea of Love. „Takie starocie wyciąga się tylko na pierwszą randkę".

10.

WNĘTRZE. BLOK MIESZKALNY - DZIEŃ

Frank rozmawia z portierem. Kto wchodził i wychodził z budynku?

„Listonosz. Dostawcy"

„Kobiety?"

Nie pamięta.

11.

WNĘTRZE. FIRMA DOSTAWCZA

Frank usiłuje się dowiedzieć, kto w dniu morderstwa wchodził i wychodził.

Pracownik, z którym rozmawia, nic nie wie.

12.

WNĘTRZE. MIEJSCE ZBRODNI NR 2 - NOC

Drugie morderstwo.

Tak samo jak za pierwszym razem. Mężczyzna uprawia seks i zostaje zamordowany.

Jeden strzał w tył głowy.

Widzimy jedynie broń.

Sekwencja 3 – „Nowy partner i plan"

13.

WNĘTRZE. POSTERUNEK POLICJI – DZIEŃ

Przyjęcie. Wręczanie awansów. Frank
pije.

Spotyka Jima, policjanta z innego
posterunku. Ma podobną sprawę o
morderstwo.

Obaj zamordowani mężczyźni zamieścili
ogłoszenia w pismach dla samotnych.
Jim także uważa, że zbrodni dokonała
kobieta.

14.

WNĘTRZE. POSTERUNEK POLICJI – DZIEŃ

Wręczanie nagród. Frank dostaje
odznaczenie za dwadzieścia lat służby.

Jest pijany. Porównuje byłą żonę do
morderczyni. Zamiast torturować ofiarę
jak jego była, nieznajoma zabija jednym
strzałem.

Wdaje się w bójkę z nowym mężem byłej
żony.

15.

WNĘTRZE. MIEJSCE ZBRODNI NR 1 – NOC

Sam szuka śladów.

Rozlega się dzwonek do drzwi.

Randka w ciemno. Kobieta odpowiedziała
na anons ofiary
w piśmie dla samotnych.

16.

WNĘTRZE. POSTERUNEK POLICJI – DZIEŃ

Jim i Frank postanawiają współpracować.

Odciski w mieszkaniach obu zamordowanych
mężczyzn się pokrywają.

Obaj zamordowani zamieścili rymowane
ogłoszenia w piśmie dla samotnych.

Jim widzi, że Frank jest samotny.
Zaprasza go na wesele córki.

17.

WNĘTRZE. URZĄD STANU CYWILNEGO - DZIEŃ

Frank kombinuje, jak złapać
morderczynię. Ma pomysł - policja musi
zamieścić rymowane ogłoszenie w piśmie
dla samotnych.

Umówi się ze wszystkimi, które
odpowiedzą na ogłoszenie. Sprawdzą ich
odciski na kieliszkach. I koniec.

Trzech mężczyzn dotychczas zamieściło
rymowane ogłoszenia. Dwóch już nie żyje.
Muszą jak najszybciej znaleźć trzeciego.

18.

WNĘTRZE. DOMEK NA PRZEDMIEŚCIU - DZIEŃ

Trzeci mężczyzna ma, jak się okazuje,
żonę i dzieci.

Przyznaje, że zamieścił ogłoszenie,
ale zaprzecza, jakoby się z kimkolwiek
spotykał.

Zaklina się, że żadna nie odpowiedziała
na jego ogłoszenie.

19.

WNĘTRZE. GABINET SZEFA POLICJI - DZIEŃ

Frank i Jim proszą o fundusze
na ogłoszenie w piśmie dla samotnych.
Frank przeprowadził podobną operację z
drużyną Yankees i wszystko się udało.

Szef tym razem odmawia. Jego zdaniem to
zbyt naciągane.

20.

WNĘTRZE. MIEJSCE ZBRODNI NR 3 - NOC

Żonaty znaleziony martwy w garsonierze
w centrum miasta. Zamordowany tak samo
jak poprzedni. Strzał w tył głowy. Był
w łóżku, nagi.

WNĘTRZE. GABINET SZEFA POLICJI

Po trzecim zabójstwie, szef zgadza się
na plan Franka i Jima. Mają napisać
rymowane ogłoszenie i zamieścić w piśmie
dla samotnych.

21.

Sekwencja 4 – „Plan wcielony w życie"

22.

WNĘTRZE. MIESZKANIE FRANKA – NOC

Przyjęcie. Policjanci piją piwo
i usiłują wymyślić rymowane ogłoszenie.
Na nic. Wychodzą im tylko tandetne
limeryki.

W końcu ojciec Franka, pijany, recytuje
wiersz, który matka Franka napisała
prawie pięćdziesiąt lat wcześniej. Jest
idealny.

23.

WNĘTRZE. URZĄD POCZTOWY – DZIEŃ

Frank odbiera listy od kobiet, które
odpowiedziały na ogłoszenie.

Czy jest wśród nich morderczyni?

24.

WNĘTRZE. POSTERUNEK POLICJI – DZIEŃ

Frank i Jim dzwonią do kobiet. Są wśród
nich dziwaczki, biseksualistki, żałosne,
samotne kobiety.

Umawiają się w miejscowym barze.

25.

WNĘTRZE. POLICYJNY WÓZ NASŁUCHOWY – NOC

Frankowi zakładają podsłuch.

Operacja się zaczyna.

26.

WNĘTRZE. RESTAURACJA - NOC

Jim zastępuje kelnera, inni policjanci
udają klientów.

Frank rozmawia z każdą do momentu, gdy
ta weźmie kieliszek do ręki, i zaraz ją
spławia.

Jim natychmiast zabiera kieliszek
i niesie go do kuchni.

27.

WNĘTRZE. KUCHNIA RESTAURACJI - NOC

Jim chowa kieliszek do plastikowej
torebki.

Jak urozmaicić tę scenę? Może mało
brakuje, a upuściłby kieliszek?

28.

WNĘTRZE. RESTAURACJA - PÓŹNIEJ

Kolejna kobieta. Frank jej się nie
podoba, wyczuwa, że to policjant.

Czy to aż tak oczywiste?

Kieliszek trafia do plastikowego worka.

29.

WNĘTRZE. RESTAURACJA - PÓŹNIEJ

Kolejna kobieta, Helen. Jest inna,
piękna.

Helen wierzy w zwierzęce przyciąganie.
Frank nie budzi w niej takich uczuć.

Odchodzi, nawet nie pije wina. Nie mają
jej odcisków.

Sekwencja 5 - „Ślepy trop"

30.

WNĘTRZE. POSTERUNEK POLICJI - DZIEŃ

Wchodzi Pracownik ze sceny 11.

Nagle sobie przypomniał, że w bloku ofiary ktoś od nich był. Młody dostawca.

31.

WNĘTRZE. SKLEP SPOŻYWCZY - DZIEŃ

Frank i Jim sprawdzają nowy trop. Nastolatek, który do niedawna tu pracował, pasuje do opisu. Wyleciał z pracy.

Był zły. Miał nieodpowiednie podejście do pracy.

To ślepy trop.

Sekwencja 6 - „Zakochany w podejrzanej"

32.

PLENER. ULICA W NOWYM JORKU - DZIEŃ

Frank spotyka Helen. Przypadek? Czy go śledziła?

Pyta go o wiersz. Przyznaje, że nie on go napisał, tylko jego matka, przed pięćdziesięciu laty.

Helen to się podoba. „Spotkamy się?"

33.

PLENER. BUDKA TELEFONICZNA - NOC

Jim radzi Frankowi, żeby się nie umawiał
z podejrzaną. Niewykluczone, że to
morderczyni.

Jest wspaniała; Frank ignoruje jego
rady.

34.

WNĘTRZE. BAR - NOC

Randka. Helen narzeka, że faceci
to dranie.

Możliwy tekst: „Jest niewiele błędów,
których nie da się naprawić, pod
warunkiem, że masz dość odwagi".

Miała ciężkie życie. Samotne
macierzyństwo. Nie może znaleźć
właściwego mężczyzny.

35.

WNĘTRZE. MIESZKANIE FRANKA - NOC

Frank i Helen mają się kochać, gdy Frank
widzi pistolet w jej torebce.

Zamyka ją w szafie, Helen woła o pomoc.

Okazuje się, że to straszak, nosi go
w obronie własnej.

Godzą się i kochają.

36.

WNĘTRZE. MIESZKANIE FRANKA - RANEK

Helen znowu chce się kochać. Frank nie
może w to uwierzyć. „Wykończysz mnie".

Naprawdę ją lubi. Jest pełna namiętności
i bardzo ludzka. Nie miała w życiu
szczęścia.

37.

WNĘTRZE. MIESZKANIE FRANKA – PÓŹNIEJ

Helen wychodzi. Frank chce zapakować jej kieliszek do plastikowego worka, ale nie robi tego.

Naprawdę ją lubi, więc niszczy dowód rzeczowy.

38.

WNĘTRZE. MIESZKANIE FRANKA – PÓŹNIEJ

Rozlega się dzwonek do drzwi, ale nikogo nie ma.

Czyżby Helen go śledziła?

39.

WNĘTRZE. SKLEP Z OBUWIEM – DZIEŃ

Frank sprawdza, gdzie pracuje Helen.

Chce jej powiedzieć, że jest policjantem, zanim jednak zdąży to zrobić, dwóch podejrzanych klientów sklepu rozpoznaje w nim gliniarza. Helen jest wściekła.

Frank ją okłamuje, mówi, że kobiety nie chcą umawiać się z policjantami i dlatego wcześniej tego nie powiedział.

Wybacza mu.

40.

WNĘTRZE. SZATNIA NA POSTERUNKU POLICJI – DZIEŃ

Frank okłamuje Jima, mówi, że nie zdobył odcisków.

Jest przekonany, że to nie Helen zabijała.

Jim nie jest tego taki pewien.

Sekwencja 7 – „Podejrzenia Franka"

41.

WNĘTRZE. RESTAURACJA – DZIEŃ

Dalszy ciąg planu.Tym razem Frank jest kelnerem, a Jim rozmawia z kolejnymi kobietami. Mają coraz więcej odcisków palców.

42.

PLENER. SKLEP SPOŻYWCZY – NOC

Frank spotyka się z Helen. Jest naga pod płaszczem

Szalona kobieta.

43.

WNĘTRZE. MIESZKANIE HELEN – NOC

Helen śpi. Frank przeszukuje jej mieszkanie.

Wśród płyt jest *Sea of Love*.
Zabiera z jej torebki legitymację ubezpieczeniową.

Helen się budzi. Pokazuje mu córeczkę.
Frank pyta, czy jej mąż nie żyje.
Zaczyna ją podejrzewać.

44.

WNĘTRZE. KORYTARZ W MIESZKANIU FRANKA – NOC

Frank wraca do domu. Coś jest nie tak.
W korytarzu nie palą się światła.

Podejrzewa, że ktoś u niego był, ale niczego nie znajduje.

45.

WNĘTRZE. POSTERUNEK - DZIEŃ

Frank sprawdza Helen w policyjnym
komputerze.

Jest czysta. Kamień spada mu z serca.

46.

WNĘTRZE. RESTAURACJA - DZIEŃ

Plan - ciąg dalszy.

Kolejne samotne kobiety, kolejne
kieliszki z odciskami.

Żaden nie pasuje do odcisków mordercy.

47.

WNĘTRZE. ZAPLECZE RESTAURACJI - DZIEŃ

Frank mówi Jimowi, że chyba się zakochał
w Helen. Chce być z nią szczery.

Poprosi ją, żeby z nim zamieszkała.

48.

PLENER. ULICA NOWEGO JORKU - NOC

Randka. Frank boi się ją poprosić. Nie
miał szczęścia w miłości.

Wymyka mu się, że podczas ich pierwszego
spotkania miał na sobie podsłuch.

Helen jest wściekła. Wychodzi.

Sekwencja 8 – „Klimaks: prawdziwy morderca zdemaskowany"

49.

WNĘTRZE. BAR – NOC

Frank pije.

Jest wściekły, że wszystko zepsuł.

50.

WNĘTRZE. MIESZKANIE HELEN – DZIEŃ

Frank, pijany, błaga o wybaczenie.

Dostrzega na lodówce nazwiska i ogłoszenia trzech zamordowanych mężczyzn.

Wychodzi szybko.

51.

WNĘTRZE. MIESZKANIE FRANKA – PÓŹNIEJ

Przychodzi Helen. Jest zła, że tak szybko od niej wyszedł. Nie lubi być porzucana. Nastawia „Sea of Love".

Frank oskarża ją, że jest morderczynią. Helen wychodzi (klimaks).

Chwilę później rozlega się dzwonek do drzwi. Frank jest przekonany, że Helen wraca. Otwiera drzwi i...

52.

CIĄG DALSZY (DRUGA KARTA)

To Pracownik. Atakuje. Mężczyźni walczą. Pracownik to były mąż Helen.

Śledził ją od wielu miesięcy i zabijał wszystkich, z którymi spała. Teraz kolej na Franka.

Zmusza Franka, by mu pokazał, jak się pieprzył z jego żoną, lecz Frank go zabija, zanim padł śmiertelny strzał w jego kierunku.

Sekwencja 9 – „Katharsis – i żyli długo i szczęśliwie"

WNĘTRZE. POSTERUNEK POLICJI – DZIEŃ   53.

Sprawa rozwiązana. Frank widzi Helen na
posterunku, ale nie rozmawiają.

54.

WNĘTRZE. BAR – NOC (KILKA MIESIĘCY PÓŹNIEJ)

Frank przestał pić.

Spotyka się z Jimem. Co z Helen? Nie
widzieli się od dawna.

Frank mówi, czego się nauczył. I że nie
widział jej od zamknięcia sprawy.

I o tym, jak bardzo za nią tęskni.

55.

PLENER. SKLEP Z BUTAMI – DZIEŃ

Frank i Helen się spotykają. Początkowo
nie chce mieć z nim nic wspólnego.

Jednak Frank wypowiada właściwe słowa i
ich związek zaczyna się od nowa.

Na zakończenie

Krok po kroczku. W UCLA studenci muszą przedstawić projekt scenariusza co
dziesięć tygodni. Napisać stu, studwudziestostronicowy scenariusz w tak krótkim
czasie to nie lada wyzwanie. Po pierwszych trudnościach z dotrzymaniem terminu
studenci zdają sobie sprawę z podstawowego błędu, który popełniają – za szybko
zabierają się za pisanie, a za mało czasu poświęcają na planowanie pracy. Panikują,

że nie zdążą, i piszą bez namysłu, co zazwyczaj owocuje licznymi falstartami, wiecznie zmienianym początkiem, a czasem nawet zawaleniem terminu. Robin miał kiedyś studenta, święcie przekonanego o swojej zdolności szybkiego pisania. Uznał, że nie ma sensu marnować czasu na planowanie. Po ośmiu tygodniach przerażony zgłosił się do Robina; napisał już 250 stron, a nadal nie wiedział, w jaki sposób (i kiedy) skończy. Pokonany, poddał się, przez tydzień biedził się nad porządnym planem i w terminie zaprezentował przyzwoity scenariusz na sto dziesięć stron.

Chyba najważniejsza jest pierwsza sekwencja i o niej mowa w następnym rozdziale.

Ćwiczenia

1. Przeanalizuj film z podobnego gatunku co twój. Obejrzyj go z długopisem w ręku. Notuj każdą ważną scenę na fiszkach, aż opiszesz cały film. Przypnij je do tablicy korkowej i zwróć uwagę na strukturę filmu. Ile jest scen? Czy wszystkie są niezbędne? Jeśli tak, to dlaczego? Dlaczego nie? W jaki sposób wątek główny przeplata się z pobocznym? Czy opowieść oparta jest na modelu trzech aktów czy innym? Czego możesz się z tego filmu nauczyć o strukturze?

2. Wśród kart z *Morza miłości* wybierz jedną sekwencję. Dlaczego to jest sekwencja? Jak się ma do całego filmu? Rozpisz na fiszki sekwencję z twojego scenariusza. Czy sceny płynnie przechodzą jedna w drugą? Czy stanowią element większej całości?

ROZDZIAŁ 10

POCZĄTEK HISTORII

Pierwsza dziesiątka

To brutalne, ale prawdziwe – jeśli pierwszych dziesięć stron twojego scenariusza – czyli mniej więcej pierwszych dziesięć minut filmu – nie jest idealnych, niewielkie są szanse na to, że ktoś zainteresuje się twoim dziełem. „To niesprawiedliwe!" powiesz. „Przecież to zaledwie dziesięć procent tego, co napisałem!". Owszem; najważniejsze dziesięć procent.

Na świecie są tysiące scenariuszy, które trzeba czytać szybko i efektywnie. Robią to przepracowani recenzenci, agenci i producenci. Nie łudź się, że dobrną do świetnej sceny na stronie 23. Nie dobrną, chyba że poprzednie 22 strony są równie dobre.

– Ale przecież – narzekasz – napisaliście, że recenzent ma ocenić cały scenariusz, więc musi przeczytać świetną scenę na stronie 23!

Owszem, ale przeczyta ją ze znudzeniem. Do tego czasu już dawno stracisz jego zainteresowanie. Nie jest draniem, przynajmniej nie każdy, ale szuka dobrego materiału na film. I wie, że film musi mieć wciągający początek, inaczej publiczność traci zainteresowanie. Jeśli widzowie uciekaliby z twojego filmu po pierwszych dziesięciu czy dwudziestu nudnych czy niezrozumiałych minutach, recenzent uzna, że nie wiesz, co robisz. I będzie miał rację.

Świat, bohaterowie, wydźwięk, problematyka, stawka, istota konfliktu, to wszystko musi zaistnieć na pierwszych dziesięciu stronach, i to w formie na tyle wciągającej, żeby recenzent nie będzie mógł się oderwać od lektury. Musisz wyraźnie zaznaczyć, że w tym świecie twój konflikt jest najważniejszy, a twoi bohaterowie to jedyni ludzie, którzy mogą się z nim zmagać.

Żeby ci udowodnić, jak wiele można osiągnąć w ciągu dziesięciu minut, przeanalizujmy początki dwóch bardzo różnych filmów, *Terminatora* i *Wielkiego otwarcia*.

Terminator: **Człowiek kontra maszyna**

Terminator to opowieść o Frankensteinie naszych czasów, osadzona w ramach filmu akcji/przygodowego i science fiction (powieść *Frankenstein* Mary Shelley to też science fiction swoich czasów).

Świat filmu to „zwykłe", dzisiejsze Los Angeles, skontrastowane z koszmarną wizją możliwej przyszłości, w której maszyny niemal zniszczyły ludzkość. Bohaterka to przeciętna dziewczyna, której pomaga dzielny żołnierz z przyszłości. Ich przeciwnikiem jest upiorny robot zabójca, przybysz z makabrycznej przyszłości. Wydźwięk jest złowieszczy i groźny, z przebłyskami czarnego humoru. Stawka jest podwójnie wysoka: globalnie – jeśli bohaterowie zawiodą, ludzkość zginie – i w wymiarze osobistym – jeśli im się nie uda, zginą wszyscy, oni i ich nienarodzone dziecko, przyszła nadzieja ludzi.

Konflikt w *Terminatorze* to przetrwanie ludzkości albo jej całkowita zagłada. To także opowieść o żywych zwykłych ludziach i bezdusznych maszynach do zabijania. W niedalekiej przyszłości naukowcy na usługach rządu (anonimowi przedstawiciele społeczeństwa) stworzą Frankensteina – inteligentnego robota obronnego, który zwróci się przeciwko swoim twórcom. Zwykli, ale odważni ludzie – kobieta i zakochany w niej żołnierz – muszą powstrzymać zagładę. I to wszystko mieści się na pierwszych kilku stronach.

Zobaczmy, w jaki sposób to osiągnięto.

Minuta 1-2

Film zaczyna się nocą w ponurej przyszłości;
widzimy ludzkie kości porozrzucane w ruinach
miasta. Przerażające maszyny miażdżą czaszki
pod gąsienicami i strzelają z broni laserowej
do zdesperowanych partyzantów. Napis na ekranie
informuje, że widzimy Los Angeles w roku 2029, i
że bitwa o ludzkość rozegra się nie w koszmarnej
przyszłości, którą widzimy, ale w naszych czasach.

Minuta 3

Kolejna scena, nadal w nocy. Wracamy do
teraźniejszości. Na podwórze szkoły wjeżdża
śmieciarka. Nagłe wyładowania elektryczne
przerażają kierowcę. Widzimy błysk, słyszymy
grzmot i nagle doskonale zbudowany nagi mężczyzna
klęczy na chodniku, skulony jak płód: Terminator.
Nie okazuje żadnych uczuć, nie widać po nim bólu.
Wstaje i podchodzi do urwiska, z którego widać
światła miasta.

Minuta 4-5

Terminator słyszy głosy kilku nastoletnich punków,
podchodzi do nich. Śmieją się, że jest nagi.
Powtarza ich słowa monotonnie i domaga się ubrań.
Odmawiają. Rzucają się na niego. Jeden dźga go
nożem w brzuch – na próżno. Terminator wali go
pięścią w pierś, podnosi bez wysiłku i zabija.
Pozostali szybko oddają mu ubrania.

Minuta 6

Bezdomny w zaśmieconym zaułku jest świadkiem
podobnych wyładowań elektrycznych. Pojawia się
kolejny nagi mężczyzna, Reese. Ciężko
upada na chodnik, cierpi. Jest umięśniony, ale
drobniejszy od Terminatora. Ma zmierzwione włosy
i zadrapania na skórze.

Minuta 7

Reese kradnie brudne ubranie włóczęgi. Pojawia
się wóz policyjny. Reese znajduje się w zasięgu
reflektorów. Policjanci krzyczą, żeby się
zatrzymał, ale ucieka. Gonią go w ciasnej uliczce.
Jest szybki i zwinny.

Minuta 8

Goni go coraz więcej policjantów; Reese wpada na
jednego z nich. Policjant ma w ręku pistolet i
strzela, ale pudłuje. Reese wyrywa mu broń
i celuje w policjanta. Pyta o datę i rok. Ucieka
policjantom, włamuje się do domu towarowego.
Początkowo zaskakują go plastikowe manekiny.
Kradnie parę butów i biegnie dalej. Wybiega
z powrotem w zaułek, podchodzi do pustego wozu
policyjnego, kradnie strzelbę i znika wśród nocy.

Minuta 9

Reese otwiera książkę telefoniczną, szuka Sarah
Connor. Znajduje całą stronę z tym nazwiskiem,
więc ją wyrywa. Widzimy SARAH na skuterze; zwykła
młoda dziewczyna, atrakcyjna, choć nie piękna.
Spóźniła się do pracy; jest kelnerką. Ponownie
widzimy jej nazwisko na karcie pracowniczej. Jest

```
zabiegana, stara się jednocześnie obsłużyć kilku
niezadowolonych klientów, przewraca szklankę wody.
Mały chłopiec wrzuca jej gałkę lodów do fartucha.
Koleżanka szepce do ucha: „Spójrz na to w ten
sposób: kogo to będzie obchodzić za sto lat?"
```

Minuta 10-11

```
Terminator, w ciuchach punka, wybija szybę
w samochodzie i wsiada. Gołymi rękami wyrywa
deskę rozdzielczą i uruchamia samochód poprzez
zwarcie. Jedzie do lombardu, wybiera spory arsenał
i zabija sprzedawcę. Potem on także znajduje listę
wszystkich Sarah Connor w książce telefonicznej,
przy czym najpierw siłą wyrzuca z budki osiłka,
który właśnie dzwonił.
```

Przyjrzyjmy się tym pierwszym minutom i sprawdźmy, czy mamy niezbędne elementy: świat odpowiedni dla danej historii, bohaterów, silny wydźwięk, jasno postawiony problem, stawkę i konflikt.

Pierwsza minuta określa konflikt: widzimy oszalałe maszyny i dowiadujemy się, że walka rozegra się dzisiaj. Świat jest przedstawiony bardzo wyraźnie, konflikt także. Pojawia się także problem; wydźwięk jest odpowiednio mroczny i złowieszczy. Ciekawe, że tego prologu nie było w oryginalnym scenariuszu, dodano go później. W miarę rozwoju filmu stało się jasne, że publiczność musi lepiej rozumieć oba światy i zdawać sobie sprawę ze stawki, żeby w pełni identyfikować się z bohaterami.

Następnie trzy minuty, w których poznajemy Terminatora, antagonistę. Jest potężny, idealny, niczego nie czuje, choć jeszcze nie wiemy, że to robot. Jest władczy, patrzy na miasto z góry. Zabija pierwszego człowieka, który staje mu na drodze. Od samego początku wiemy, że Terminator jest silny, groźny, nic go nie powstrzyma.

W minucie szóstej w podobny sposób poznajemy Reese'a, jednego z protagonistów. Jest odważny, ale to człowiek, ranny, uciekający. Nie wynurza się z elektrycznego kokonu idealnie i bezboleśnie, nie patrzy spokojnie na uśpione miasto. Ląduje w środku miasta, w zaśmieconym zaułku, wśród wyrzutków ludzkości. I wygląda, jakby tam było jego miejsce, zwłaszcza kiedy założy ubranie włóczęgi. Terminator doskonale wie, w jakim czasie się znalazł; Reese nie. To sprawny wojownik, ale tylko człowiek. Nikogo nie zabija. Od razu widzimy różnicę między nim a Terminatorem.

Podobieństwa są widoczne także w sposobie, w jaki Reese i Terminator zdobywają broń. Różnica? Terminator zabija, Reese nie. Dalej, obaj odnajdują Sarah Connor w książce telefonicznej. Te podobieństwa dowodzą jednoznacznie: Reese, choć zdolny i dzielny, musi stawić czoła sile o wiele potężniejszej, bardziej bezlitosnej. Myślą podobnie i obaj mają ten sam cel – Sarah Connor. Ogromna, nieco abstrakcyjna stawka nagle staje się bardzo konkretna: w niebezpieczeństwie jest życie młodej kobiety.

Lecz nie Reese jest głównym protagonistą, tylko Sarah. Początkowo jest tylko „księżniczką w wieży", którą trzeba ocalić, ale to ona przechodzi najwyraźniejszą transformację: od kelnerki poprzez wojowniczkę do matki przyszłości. Reese i Terminator to intruzi w naszym świecie, dwie strony tego samego problemu Sarah – umrze czy przeżyje? Czy wypełni się jej przeznaczenie? Kiedy widzimy ją po raz pierwszy, jest jedną z nas, zwykłą dziewczyną, która z trudem wiąże koniec z końcem. Możemy się z nią identyfikować.

Konflikt jest wyraźny. Dwoje ludzi musi zdobyć się na nadludzki czyn (zdobyć siłę) i zniszczyć (pozbawić siły) idealnego robota, emisariusza przyszłości, w której nie ma miejsca dla ludzi. Stawką jest los całej ludzkości. Plastyczna strona filmu podkreśla ten konflikt. Od śmiercionośnych maszyn przyszłości przechodzimy do pozornie niewinnej śmieciarki i nagle pojawia się Terminator. Śmieciarka i jej przerażony kierowca przygotowują nas na scenę w zaśmieconym zaułku, gdzie ląduje Reese, i nawiązują do horroru, który czeka ludzkość.

W dziesiątej minucie (dziewiąta strona scenariusza) dialogi subtelnie podgrzewają atmosferę: „Kogo to będzie obchodzić za sto lat?". Z prologu wiemy, że za sto lat życie na ziemi będzie piekłem. Pierwsze dziesięć stron wyraźnie przedstawia wszystkie niezbędne elementy i napawa nas pewnością, że Sarah i Reese, choć jak ludzie omylni, są niezbędni, jeśli przyszłość ma wyglądać inaczej. Utożsamiamy się z Sarah, podziwiamy Reese'a i boimy się Terminatora.

Wszystko to wyraża problem filmu: zdając się na maszyny, które tworzymy, sami zakładamy sobie stryczek na szyję. Tylko zachowując ludzkie cechy zdołamy przetrwać. I to wszystko w pierwszych dziesięciu minutach: doskonały świat dla opowiadanej historii, wyraźny wydźwięk, jasno postawiony problem, wysoka stawka i konflikt. Jaki recenzent oderwałby się od lektury?

Wielkie otwarcie: Dusza kontra Sukces

Chyba trudno o dwa bardziej różniące się filmy niż *Terminator* i *Wielkie otwarcie*, nagrodzony film Stanleya Tucci i Josepha Tropiano. To skromny dramat o dwóch braciach, włoskich emigrantach, którzy w latach 50. chcą otworzyć własną restaurację. Starszy, Primo, jest kucharzem, prawdziwym artystą, który nie chce zmienić swojej wizji, by przypodobać się amerykańskim klientom. Primo marzy o powrocie do starego kraju, słabo mówi po angielsku. Secondo, młodszy brat, zna język o wiele lepiej i marzy mu się amerykański sen o sukcesie, nawet za cenę kompromisu. Różne wizje i marzenia są źródłem konfliktów i napięć między braćmi.

Chyba najtrudniej napisać taki film: o zwykłych ludziach i ich codziennym życiu, bez efektów specjalnych, strzelanin, seksu czy przemocy, które ubarwią konflikt i odwrócą uwagę od płaskich postaci. Dramaturgię buduje jedynie interakcja bohaterów. Dlatego wiele scenariuszy tego rodzaju jest bardzo rozgadanych, pokazuje bohaterów w różnych nieistotnych sytuacjach tylko po to, żeby scenariusz był bardziej wiarygodny i odzwierciedlał rzeczywistość. Problem w tym, jak już powiedzieliśmy, że scenariusz nie odzwierciedla rzeczywistości; przedstawia pewien problem. Dramat musi być równie wciągający jak każdy inny film. Zobaczmy, w jaki sposób osiągnęli to twórcy *Wielkiego otwarcia*. Najpierw przyjrzyjmy się głównym składnikom.

Świat filmu to małe miasteczko w stanie New Jersey, typowy skrawek Ameryki lat 50. Protagonista to Secondo, młodszy z braci. Ambitny, śmiały, marzy o sukcesie, który w jego oczach symbolizuje amerykański sen. Antagonista (nie czarny charakter, tylko wyznawca innych wartości) to Primo, jego starszy brat, świetny kucharz, którego drażni amerykańskie prostactwo. Tęskni za starym krajem, postrzega sukces w kategoriach artystycznych. Początkowo może się wydawać, że przeciwnikiem jest Pasquale, bezlitosny właściciel restauracji naprzeciwko, fałszywy przyjaciel, który udaje, że życzy im dobrze, a w rzeczywistości sabotuje Secondo. Pasquale zmusza Secondo, by uznał wartości wyznawane przez Primo. Symbolizuje sukces, który pragnie osiągnąć Secondo, choć nie zdaje sobie sprawy, że cena będzie wysoka, a Primo nie chce jej zapłacić.

Nastrój jest spokojny i wyciszony, wyznaczają go mała senna restauracja i uliczki miasteczka. Zarówno dramatyzm jak i humor filmu mają źródła w wielowymiarowości bohaterów, w ich pochodzeniu, marzeniach i nadziejach. Stamtąd także wywodzi się stawka: czy Secondo zrealizuje swój amerykański sen? A jeśli tak, czy stanie się to kosztem jego godności i zasad Primo? To nie jest stawka bohaterska, nie zmieni świata. Odzwierciedla dylematy, z którymi zwykli ludzie borykają się w codziennym życiu. Stawka nas interesuje nie dlatego, że nas zdumiewa; my się z nią utożsamiamy.

Przyjrzyjmy się pierwszym dziesięciu stronom (minutom) i zobaczmy, jak udało się osiągnąć ten efekt, minuta po minucie.

Minuta 1

Film zaczyna się o zmroku. Cristiano, pomocnik kelnera, młody Hiszpan, siedzi wpatrzony w ocean i je domowy chleb. Wraca do restauracji. Drzwi kuchenne wychodzą na ocean.

Minuta 2

Cristiano wchodzi do środka. Primo i Secondo są w kuchni, gotują risotto. Cristiano bierze talerze i idzie na salę. Primo prosi Secondo, żeby spróbował, po włosku: „Prova?". Secondo próbuje i wyraża aprobatę. Primo pyta, znowu po włosku, czy nie za mało słone. Secondo prosi, żeby zapytał po angielsku. Dyskutują o poszczególnych składnikach. Primo upomina młodszego brata, żeby kroił czosnek we właściwy sposób. Znowu przechodzi

na włoski i usuwa z palców zapach czosnku
plasterkiem cytryny.

Cristiano wraca do kuchni. Secondo każe mu się
przygotować – za pięć minut otwierają restaurację.
Cristiano komentuje po hiszpańsku, że ma dużo
pracy za marne pieniądze. Myje popielniczki, ale
utrudnia mu to zawodny kran.

Secondo denerwuje się otwarciem. Bierze do ręki
karty dań z napisem „Restauracja Raj". Nerwowo
przechadza się po sali, poprawia nakrycia stołowe,
wyrównuje obrusy. Na ścianach wiszą ciekawe,
oryginalne obrazy.

Minuta 3

Secondo duszkiem wychyla espresso (w filmie jest to
kieliszek wódki)i z pietyzmem odwraca szyld
w drzwiach z „Zamknięte" na „Otwarte". Wychodzi
na zewnątrz i poprawia doniczki z kwiatami. Przez
chwilę widzimy jego marzenia: do restauracji
przyjeżdżają cadillakiem odświętnie ubrani,
zamożni goście. Lecz to tylko marzenie. Wraca do
środka.

Minuta 4

Nieco później. Primo nadal udoskonala risotto
z owocami morza. Secondo go ponagla – jedyni goście
czekają już od godziny. Palą w czasie
jedzenia. Kiedy Secondo w końcu serwuje danie,
mówią, że myśleli już, że pojechał po nie
do Włoch. Kobieta nie jest przekonana, że zamówiła
właśnie to; nie widzi owoców morza. Prosi
o dodatkowe spaghetti. Secondo tłumaczy, że jedno
do drugiego nie pasuje, ale kobieta nalega.
Domaga się spaghetti z klopsami. Secondo mówi,
że nie podają klopsów; zirytowana, prosi o samo
spaghetti, ale jest zła.

Minuta 5

Primo i Secondo kłócą się o zamówione spaghetti:
„Co za ludzie w tej Ameryce?" pyta Primo. Secondo
tłumaczy: „Klientka tak zamówiła. Ugotuj to, już,
już". To ich jedyni goście. Primo odpowiada,

że kobieta jest ignorantką. Secondo ma dosyć
kłótni o to samo co wieczór. Wściekły Primo ciska
garnkiem w drzwi.

Następne pięć minut zawiera mniej więcej te same sceny w scenariuszu i filmie,
ale w zmienionej ich kolejności. Przedstawiamy wersję filmową, bo twórcy filmu,
a zarazem scenarzyści, uznali, że to najlepszy układ.

Minuta 6

Krótka scena: obaj bracia kładą się spać w ciasnej
sypialni.

Minuta 7-8

Następnego dnia Secondo odwiedza bankiera,
PIERCE'A. Stara się sprawić wrażenie opanowanego,
gdy przedstawia plany remontu restauracji. Pierce
mówi mu bez ogródek, że muszą porozmawiać o czymś
innym - Secondo ma zaległości w spłatach rat. Musi
coś z tym zrobić: może niech sprzeda samochód?
Pierce martwi się, że Secondo go nie rozumie.
Secondo odpowiada: „Znam angielski". Usiłuje mu
wytłumaczyć sytuację, mówi, że robi co w jego
mocy, ale Pierce powtarza, że nie ma już czasu.
Jeśli w tym miesiącu nie wpłacą należnej raty,
restauracja zostanie zamknięta.

Minuta 9

Wieczorem, gdy Cristiano ustawia krzesła
na stołach, Secondo porównuje mizerny utarg
z rachunkami do zapłacenia. STASH, przyjaciel
i malarz, siedzi z Primo i kończy jeść. Chwali
braci - tylko w ich restauracji można zjeść
królika - i przeprasza, że nie płaci gotówką.
Zamiast tego daje im kolejny obraz. Primo zbywa
go śmiechem: „Daj spokój, pieniądze. Po co mi
pieniądze?". Secondo ma nadzieję, że pewnego dnia
Stash będzie sławny i bogaty i wtedy zapłaci
gotówką. Primo cieszy się z obrazu. Secondo mówi
tylko: „Świetnie, powieś koło pozostałych."

Minuta 10-11

Secondo podchodzi do Primo, który siedzi sam
w restauracji i czyta włoską gazetę. Pyta: „Co
powiesz, jeśli usunę risotto z menu?" Primo udaje,

```
że go nie słyszy, i Secondo powtarza pytanie.
Podaje rozsądne argumenty: risotto jest drogie,
a klienci go nie doceniają. Początkowo wydaje się,
że Primo przyzna mu rację. Nagle proponuje, żeby
zamiast risotto serwowali "...jak to się nazywa?
No wiesz... hot dogi. Hot dogi, hot dogi, hot
dogi. Ludziom to się spodoba. Hot dogi". To cios
poniżej pasa i Primo zaraz łagodnieje: „Ludzie się
nauczą, daj im czas". Secondo odpowiada gniewnie,
że nie mają czasu. To restauracja, a nie szkoła,
żeby ludzie się uczyli.
```

Czy wszystkie niezbędne elementy pojawiły się w pierwszych dziesięciu minutach? W pierwszych dwóch wyraźnie określono świat, wydźwięk i bohaterów. Pierwsze, co widzimy, to imigrant podczas jedzenia; patrzy na ocean, zza którego przybywają imigranci. Następnie poznajemy obu bohaterów w restauracji, która wyznacza ich świat i jest miejscem konfliktu między nimi, między sztuką a handlem, między sukcesem a przetrwaniem. Już prawie wieczór i restauracja budzi się do życia. Wydźwięk narzuca spokojna lokalizacja, artyzm i wyraźny konflikt między braćmi, gdy szykują się do otwarcia. Problem integracji w społeczeństwie amerykańskimi, zachowania własnej tożsamości jest widoczny od pierwszych kwestii: Secondo upomina Primo, żeby mówił po angielsku, a Primo zwraca mu uwagę, żeby właściwie siekał czosnek. Ryzyko klęski symbolizuje zepsuty system kanalizacyjny i uwaga Cristiano, że pracuje ciężko za kiepskie pieniądze. Zaraz też widzimy, że Primo skupia się na jakości jedzenia, a Secondo zwraca uwagę na pozory, na wygląd restauracji. Nazwali swoją knajpkę „Raj" – to ich skrawek nieba.

W trzeciej minucie widzimy, że to typowe małe miasteczko; przypomina amerykańskim widzom (którzy sami w znacznym stopniu pochodzą od emigrantów) o losach ich rodzin. Zaraz też widzimy, że marzenia Secondo o bogatych klientach to tylko marzenia. Niewiele później zobaczymy, jak te marzenia się spełniają, tyle że w prostackiej restauracji po drugiej stronie ulicy.

Czwarta minuta obrazuje kwintesencję konfliktu między braćmi i światem zewnętrznym: dzieło Primo jest mniej istotne niż chęć usatysfakcjonowania klientów. Secondo za wszelką cenę chce się dopasować i odnieść sukces. Primo to nie obchodzi; jest zły, że marnuje swój talent dla ignorantów.

Następne minuty zdradzają źródło obaw Secondo: może stracić restaurację. Gorzka świadomość, że potrzebuje pieniędzy, kontrastuje z postawą jego brata, który gotów jest wymienić jedzenie za obraz. Dla niego to wymiana na równych prawach, bo uważa się za artystę. Konflikt narasta, gdy Secondo proponuje zmiany w menu, a Primo kontruje gorzko, że może zamiast risotto będą serwować hot dogi. Jednocześnie cały czas widzimy, że braci łączy głębokie uczucie. Starają się pomóc sobie nawzajem w realizacji marzeń.

Scenariusz szybko i sprawnie kreuje specyficzny świat, przedstawia konflikt między głównymi bohaterami, który jednocześnie ukazuje świat i problem filmu, tworzy odpowiedni nastrój, a to za sprawą wypieszczonych szczegółów kuchni i brutalnej rzeczywistości świata zewnętrznego. Stawka jest wysoka, jeśli spojrzeć z punktu widzenia filmowego świata – sukces albo upokorzenie i bankructwo. W każdej scenie widzimy konflikt wywołany możliwością tych dwóch wyjść.

Te dwa filmy, choć bardzo różne, pokazują, jak ważne jest pierwszych dziesięć minut, żeby przygotować czytelnika na dalszą opowieść.

– Chwileczkę – powiesz teraz. – Widziałem wiele świetnych filmów, w którym głównych bohaterów poznaje się dużo później!

Masz rację, ale tylko teoretycznie. To prawda, nie we wszystkich filmach bohater musi być obecny fizycznie od samego początku. W filmach kryminalnych antagonistę poznajemy często na samym końcu, ale cały czas widzimy dowody jego obecności – jego zbrodnie. W *Chinatown* Noah Cross pojawia się dopiero po godzinie filmu, ale w ciągu pierwszych dziesięciu minut widzimy jego zdjęcie i oczywiście obserwujemy jego machinacje, choć jeszcze nie wiemy, kto za nimi stoi. W filmie *Siedem* koszmarne, perwersyjnie moralistyczne zbrodnie reprezentują antagonistę. Wyczuwa się jego obecność w każdym makabrycznym szczególe, choć osobiście poznamy go dopiero w połowie filmu, a i wtedy nie widzimy jego twarzy. Dopiero pod koniec stajemy z nim oko w oko, lecz nagromadzenie informacji sprawia, że jest obecny w każdej scenie.

Jedno się nie zmienia: bez względu na gatunek w ciągu pierwszych dziesięciu minut trzeba naszkicować wszystkie niezbędne elementy: świat, bohaterów (obecnych fizycznie lub dowody ich działalności), nastrój, problem, stawkę i konflikt. Nieważne, co piszesz: przede wszystkim musisz przedstawić te elementy w taki sposób, żeby po pierwszych dziesięciu stronach recenzent myślał o jednym: co dalej?

Ćwiczenia

1. Przejrzyj pierwszych dziesięć stron scenariusza ulubionego filmu; jeśli nie możesz go zdobyć, obejrzyj pierwszych dziesięć minut filmu. Czego dowiadujesz się o poszczególnych elementach?

    Świat: _____

    _____

    Protagonista: _____

    _____

    Antagonista: _____

    _____

    Nastrój: _____

    _____

2. Spójrz na pierwszych dziesięć stron ulubionego filmu i opisz, co się dzieje, minuta po minucie, żeby zainteresować widzów historią i bohaterami. (pamiętaj, jedna strona scenariusza to jedna minuta na ekranie.)

MINUTA 1

_____

_____

MINUTA 2

_____

_____

MINUTA 3

_____

_____

MINUTA 4

_____

_____

MINUTA 5

_____

_____

MINUTA 6

_____

_____

MINUTA 7

_____

_____

MINUTA 8

_____

_____

MINUTA 9

_____

_____

MINUTA 10

_____

_____

3. Rozpisz na sceny, na fiszkach, pierwszych dziesięć stron twojego scenariusza. Upewnij się czy każda scena rozgrywa się w miejscu odpowiednim dla twojego świata, czy są tam odpowiedni bohaterowie, główne wydarzenie, konflikt i coś, co pokazuje, w jaki sposób ta scena wpływa na akcję całego filmu.

ROZDZIAŁ 11

GATUNKI

Romantyczna komedia kryminalna science fiction

Dyskusja o gatunkach filmowych zawsze budzi kontrowersje. Niektórzy znani scenarzyści i wykładowcy sztuki filmowej twierdzą, że nie istnieje coś takiego i że praktyka kategoryzowania jest złudna. Podkreślają, słusznie zresztą, że wszystkie dobre filmy, bez względu na gatunek, który reprezentują, opierają się na mocnych fundamentach (bohater, tematyka, świat i tak dalej) i że posługiwanie się wzorcem danym dla danego gatunku zaowocuje pustym, drętwym scenariuszem. Zresztą, określając bohatera, świat i temat właściwie osadziłeś się w ramach jednego gatunku.

Jest jednak faktem, że wszyscy, od producentów i krytyków po widzów, dzielą filmy na gatunki. Tym sposobem wprowadzamy ład w ogromną ilość filmów prezentowanych co roku. Dzięki temu w wypożyczalniach wideo są różne działy; wiesz, gdzie szukać, jeśli masz ochotę się śmiać albo bać. Jako scenarzysta określasz swój świat i fabułę i tym samym wpisujesz się w pewien gatunek. Twój scenariusz musi spełniać pewne wymogi, żeby nie zawieść recenzenta. Thriller musi budzić dreszcz, horror przerażać, komedia śmieszyć.

Jest w tym coś trywialnego; gatunek to kawałek poletka filmowego, na który dany widz wraca najchętniej. Początkowo każdy gatunek jest nowy i dziewiczy, oryginalny. Z czasem się rozwija, aż nadchodzi jego zmierzch. Sytuacja taka ma miejsce także i wtedy, gdy gatunek do tego stopnia nabrzmiał stereotypami, że jest świetnym obiektem kpin, o czym przekonali się bracia Zucker i ich następcy w filmach takich jak *Czy leci z nami pilot?*, *Naga broń* czy *Hot Shots* i stworzyli nowy gatunek. Po pewnym czasie młodzi filmowcy wchodzą na stary teren z nowym zapałem, odkrywają skarby, których nie zauważyli poprzednicy i zapomniany gatunek powraca do życia.

Oczywiście wielu świetnych filmów nie da się zakwalifikować do jednego gatunku; jednym z powodów ich wielkości jest to, że zawierają elementy typowe dla wielu gatunków. *Terminator, Casablanca, Butch Cassidy i Sundance Kid* i *Miłość, szmaragd i krokodyl* to świetne przykłady. W wielu wypadkach gatunek to kwestia akcentu. Film odwagi zawiera wątek miłosny? Uznamy go za film akcji, jeśli w centrum zainteresowania znajduje się walka bohatera z przeciwnikiem, a nie z własnymi uczuciami (miłość), jednak będzie to romans, jeśli skoncentruje się wokół perypetii uczuciowych.

Studenci scenopisarstwa zazwyczaj błagają, by ich zapoznać z wymogami danego gatunku, szukają magicznego wzoru, który sprawi, że nagle wszystko nabierze sensu. Jednak to nie kwestia niewolniczego powielania wzorca – dobry film przekracza granice gatunku. Z punktu widzenia scenarzysty najważniejsze to zrozumieć nie zasady, lecz strategie typowe dla poszczególnych gatunków i wykorzystać je dla uzyskania pożądanego efektu. Największym marzeniem producenta jest film, który z jednej strony można zaszufladkować, a z drugiej jest inny niż wszystko, co dotychczas widział. Jeśli chcesz kontrolować to, nad czym pracujesz, musisz poznać podstawy. Jeśli wiesz, jak funkcjonują poszczególne gatunki, czemu w ogóle istnieją, możesz świadomie zdecydować, do którego zalicza się twoja fabuła.

Doświadczenie

Zadaniem filmu jest wzbudzić w widzu reakcję emocjonalną. Gatunki filmowe wywodzą się z tego samego źródła, co wszystkie inne opowieści – z pragnienia. Pragnienia miłości, odwagi, zrozumienia czy po prostu ucieczki od rzeczywistości. Nie jest to pragnienie intelektualne, inaczej filmy byłyby dziełami filozoficznymi. To wewnętrzne, niezwerbalizowane poszukiwanie porządku, przygody, uczucia.

Gatunki filmowe to klasyfikacja emocji, których szukamy. Nie mamy zamiaru omawiać każdego szczegółowo; takie opisy i wzorce znajdziesz w innych książkach. Przyjrzymy się poszczególnym gatunkom i emocjom, na których się opierają. Nie będzie to podział naukowy i dokładny. Czasami omówimy dany gatunek szczegółowo, czasami poświęcimy uwagę przede wszystkim uczuciom, które wzbudza. Z konieczności dokonamy wielu skrótów; nieuniknione będą także powtórzenia, bo w wielu gatunkach stosuje się te same strategie albo jeden film mieści się w wielu gatunkach. *Terminator* na przykład zawiera elementy filmu odwagi, strachu i miłości w niemal idealnych proporcjach. Jednak wśród wielu uczuć, które w nas budzi dany film, jedno będzie dominujące, najbardziej związane z tematyką filmu i katharsis. I właśnie to uczucie określa, z jakim gatunkiem mamy do czynienia.

Spójność

Zanim zajmiemy się poszczególnymi gatunkami, musimy cię ostrzec przed pułapkami, które czyhają na początkującego scenarzystę. Po pierwsze, musisz stworzyć świat spójny, nieważne, piszesz współczesny romans czy przygodowe science fiction. Każdy świat rządzi się swoimi prawami, których musisz przestrzegać, inaczej widz ci nie uwierzy. Jeśli na początku dajesz do zrozumienia, że opowiadasz o wampirach, które zabija słońce, nie rób widzowi niespodzianki: słońce wstaje, a twój wampir żyje sobie dalej. Jeśli w twoim świecie ból nie istnieje (jak w wielu komediach), zaszokujesz widza, wprowadzając cierpienie. Pamiętaj, musisz być wiernym zasadom własnego świata. Pewien student napisał scenariusz science fiction; rozwodził się długo, jak to w tym świecie nie ma grawitacji, po czym w punkcie kulminacyjnym czarny charakter „spadł" w przestrzeń kosmiczną. To równie denerwujące jak wampir, który nie boi się krzyża i słońca. Łamiesz zasady – nie tyle gatunku, co własnej opowieści. Albo jest grawitacja, albo nie. Albo słyszysz w kosmosie, albo nie. Dowiedz się albo wymyśl to, ale później trzymaj się jednej wersji.

Kolejny ważny element to poziom wiarygodności. Filmy, podobnie jak inne formy fabularne, są oparte na czymś, co Samuel Taylor Coleridge nazwał *świadomym odrzuceniem niewiary*. Piszesz thriller i nagle robi się z niego komedia slapstickowa? Widz traci kontakt z filmem. Twój świat już go nie wciągnie; będzie obserwował go z daleka, bo świat się zmienił. Złamałeś warunki umowy. Oczywiście od tej reguły są wyjątki: *Dzika namiętność* zaczyna się jak komedia a kończy jak mroczny thriller, czy *Harold i Maude*: początek komiczny, koniec to śmierć i rozpacz. Ale to rzadkie wyjątki i świadome zabiegi, a nie efekt przypadku. Bardzo trudno jest świadomie osiągnąć taki efekt; nie eksperymentuj na początku, najpierw naucz się tworzyć solidne, spójne światy.

Przyjrzyjmy się poszczególnym gatunkom. Uczucia, na których się tu skupimy, to: odwaga, strach, żądza wiedzy, śmiech i miłość.

Odwaga

Film akcji/przygodowy, wojenny, western, historyczny, science fiction

Odwaga to jedna z najbardziej pożądanych cech. Każdy chciałby w obliczu niebezpieczeństwa być w stanie ocalić siebie i najbliższych, ba, cały kraj, nie ponosząc przy tym uszczerbku na godności i nie rezygnując z zasad moralnych. Pragniemy odwagi w obliczu bólu, w obliczu śmierci. Uważa się, że strach przed śmiercią, ostateczną, nieuniknioną, niezgłębioną tajemnicą jest, poza wiarą w Boga, głównym motorem powstawania nowych religii, dzieł sztuki, a nawet wybuchu wojen. Tworząc coś, co przetrwa, zabijając przeciwnika, pokonujemy śmierć i stajemy się nieśmiertelni, przynajmniej symbolicznie. Oczywiście niewielu jest wśród nas prawdziwie odważnych. Boimy się bólu i nieznanego, które czeka wszystkich, i robimy, co w naszej mocy, by jak najbardziej odwlec nieuniknione: ćwiczymy wylewając siódme poty, wydajemy majątek na operacje plastyczne, a niektórzy nawet jeżdżą do Szwajcarii na zastrzyki z owczych hormonów.

Chcemy pokonać śmierć. Uprawiając sztukę, mamy nadzieję, że nasz talent i osobowość przetrwają, by następne pokolenia mogły je podziwiać. W religii liczymy na zmartwychwstanie i niebo, zjednoczenie z bliskimi, reinkarnację, poczucie jedności z wszechświatem. Dla rozrywki skaczemy ze spadochronami i jeździmy kolejką górską, żeby otrzeć się o śmierć ze świadomością, że zaraz, za chwilę, cali i zdrowi wrócimy do życia. Pragnienie nieśmiertelności każe nam szukać naszych rysów w twarzach dzieci; orgazm często nazywa się małą śmiercią. Stawiamy znak równości między ekstazą poczęcia i chwilą zejścia, bo jedno jest zaprzeczeniem drugiego. Także do kina chodzimy po to, by zobaczyć śmierć pokonaną.

Filmy akcji/przygodowe

Filmy akcji i przygodowe to najpopularniejszy gatunek na świecie, może dlatego, że bezpośrednio poruszają kwestię odwagi w obliczu śmierci. *Braveheart – waleczne serce*, epickie dzieło Mela Gibsona (scenariusz Randalla Wallace'a), zawiera tę prawdę już w tytule. W takich filmach antagonista utożsamia śmierć; wydaje się potężny i niepokonany, walka z nim zdaje się z góry skazana na niepowodzenie. Protagonista to człowiek taki jak my – oczywiście nieco usprawniony, mądrzejszy, silniejszy, lepiej wyposażony, dzięki któremu nie tylko pokonamy antagonistę, ale i zyskamy nowe, lepsze życie. Stawka uczuciowa jest ogromna; śmierć poniosła klęskę, życie tryumfuje.

Jest to film linearny; kiedy akcja się zaczyna, wszystkie działania protagonisty zmierzają do jednego celu – pokonania antagonisty. To walka na śmierć i życie, test odwagi, głównie fizycznej. Czasami zawiera także element duchowy albo uczuciowy, zazwyczaj jednak protagoniście i jego światu zagraża zagłada fizyczna. Jeśli zawiera wątek miłosny albo inny wątek poboczny, jest on ściśle podporządkowany wątkowi głównemu i zazwyczaj ogranicza się do tego, że ukochana ostrzega protagonistę przed walką, bezradnie przygląda się bitwie (ewentualnie zostaje porwana), a na koniec obdarza zwycięzcę pocałunkiem; to eliksir, obietnica bliskości i odrodzenia sił witalnych. W nowszych filmach ukochana ma dodatkowe zdolności, przydatne protagoniście, staje się sprzymierzeńcem i ma większy wpływ na przebieg akcji.

W filmie tego gatunku najważniejsze zatem, by stawka była większa niż życie, i to dosłownie, przynajmniej z punktu widzenia protagonisty. Antagonista musi przywodzić na myśl siły mroku i śmierci. Musi mieć nie tylko władzę, ale i zamiar zniszczyć wszystko, co bliskie sercu protagonisty. Doskonały przykład to Darth Vader, pan Ciemnej Strony Mocy, twórca Gwiazdy Śmierci. W *Poszukiwaczach zaginionej arki* antagonista to oszalały nazista, który poszukuje Arki Przymierza, żeby wykorzystać ją jako broń. W *Spartakusie* jest to Krassus, gotów wymordować tysiące niewolników, bo przeszkadzają mu w realizacji jego totalitarnej wizji; w *Terminatorze* to koszmarna maszyna do zabijania, chodzący metalowy szkielet; w części filmów z Bondem jest to szef WIDMA, który chce zniewolić cały świat.

Zniewolenie albo utrata własnej woli są w świecie fikcji równoznaczne ze śmiercią, zwłaszcza dla widzów amerykańskich. Śmierć ducha jest często bardziej przerażająca i dlatego często pojawia się w horrorach, jak w *Inwazji porywaczy ciał*.

Stawka jest wysoka, więc świat opowieści musi to odzwierciedlać. W wielu filmach tego gatunku bohater, zgodnie z teorią Josepha Campbella, wyrusza w podróż w obcy, przerażający świat, by tam stawić czoła antagoniście. Śmierć z natury pochodzi z innego świata, więc w klasycznych baśniach i mitach bohater opuszczał świat rzeczywisty i wyruszał do krainy demona, by stamtąd przynieść eliksir życia, największy skarb. Podobnie w filmach akcji i przygodowych, zwłaszcza z elementami science fiction, siedziba antagonisty jest z innego świata. W filmach sztuk walki protagonista musi wyruszyć gdzieś daleko, najczęściej do Azji. Tam odbędzie się decydująca walka. W filmach o Indianie Jones i Jamesie Bondzie towarzyszymy bohaterowi do zakątków świata, gdzie rządzi bezprawie. W *Armageddonie* protagoniści lecą na asteroidę. W *Gwiezdnych wrotach* przechodzą przez magiczny portal na inną planetę. Są to światy obce, wyraziste, groźne.

Zdarza się także, że antagonista wprowadza grozę do świata protagonisty; trzeba wówczas skonstruować świat tak, by nawet w otoczeniu znanym i bezpiecznym było miejsce na zagrożenie. Weźmy *Szklaną pułapkę*; znany, bezpieczny świat wieżowca i apartamentu, w którym ma się odbyć przyjęcie, ustępuje groźbie nieznanego – windy, szyby wentylacyjne, podziemia i tak dalej. Musimy zejść do zakazanego świata podziemi, w innym wypadku światu zwykłemu, codziennemu, grozi zagłada, jak w *Dniu niepodległości*. Westerny przenoszą nas do fikcyjnego świata, gdzie zwykłe miasteczko staje się polem bitwy, owego pojedynku w samo południe. To samo dzieje się w filmach science fiction; tworzymy świat nowy, ale normalny, rządzący się określonymi prawami, surogat dzisiejszej Ziemi, któremu wkrótce zagrozi zagłada (*Gwiezdne wojny, Star Trek, Piąty element*).

Protagonista jest częścią zwykłego świata, przynależy do niego. Ponieważ mamy się z nim identyfikować, często podziela nasze lęki. Jest nieudacznikiem, bo w ten sposób budzi sympatię. Stąd jego duch; zazwyczaj ma wadę, skazę, źródło rozterek wewnętrznych i braku wiary we własne siły. Oto pierwszy konflikt. Protagonista ma jednak także wiedzę albo talent, które sprawią, że tylko on może przeciwstawić się złu. Na początku filmu często pojawia się scena lub sekwencja, która pokazuje tę moc. Często powraca też w ostatecznej walce i stanowi klamrę otwierającą i zamykającą film.

Protagonistę dręczą wątpliwości, ale to nie koniec; początkowo wolałby, tak jak my, uniknąć wyzwania ze względu na śmiertelne niebezpieczeństwo i potęgę antagonisty (niepokonanego jak śmierć). Do działania skłoni go czynnik zewnętrzny; protagonista nigdy nie jest gotowy do walki, dopóki nie zaangażuje się w sprawę osobiście. W filmach z Bondem i wojennych bohater staje do walki, bo to jego obowiązek, albo pragnie sławy i pieniędzy (przynajmniej początkowo). Bardzo często głównym, w początkowej fazie, motorem jego działań jest uczucie bardzo proste i jednoznaczne: żądza zemsty.

Zemsta. W początkowych sekwencjach wielu filmów akcji ktoś bliski sercu protagonisty ginie albo cierpi z rąk antagonisty. Najprostszy wariant filmu akcji, film zemsty, sprowadza się do tego, że protagonista chce kogoś ukarać, kogoś pomścić, i wedle wzorca musi wziąć udział w niebezpiecznym przedsięwzięciu, żeby osiągnąć cel. Do tej kategorii zalicza się większość filmów walki, stare westerny i filmy bokserskie. Protagonista w takim filmie, zazwyczaj znawca sztuk walki, ma ograniczone umiejętności, za to niezmierzony potencjał. Ma także sprzymierzeńca (zazwyczaj brata;

w filmach z Hong-Kongu - mistrza), który umie o wiele więcej, ale ginie zaraz na początku albo przez przypadek zostaje wciągnięty w nielegalne walki, w których biorą udział zawodnicy z różnych stron świata. Mordercą jest inny zawodnik o wielkiej sile i przebiegłości; albo on, albo jego przełożony to antagonista. Zabójstwo brata/przyjaciela/sprzymierzeńca zmusza bohatera do konfrontacji ze śmiercią. To także źródło ducha i motywacji bohatera. W wielu filmach tego gatunku protagonista jest świadkiem śmierci przyjaciela/brata, a antagonista wybiera go sobie na następną ofiarę.

Wolność. W bardziej złożonych filmach akcji bywa, że zemsta odgrywa ważną rolę, ale ustępuje istotniejszym motywom, przede wszystkim zwycięstwie wolności. W *Gwiezdnych wojnach* i *Braveheart*, w *Zorro* i *Terminatorze* giną bliscy protagonisty i bohater wstępuje na drogę zemsty. W *Spartakusie* Krassus brutalnie dźga nożem gladiatora, który nie chce zabić przyjaciela. Jednak ci protagoniści szybko dostrzegą, że od osobistej zemsty ważniejsze jest zagrożenie dla całego świata, które symbolizuje antagonista. W tych filmach na szali leży życie innych; jeśli protagonista poniesie klęskę ci, którzy przeżyją, popadną w niewolę. Walczy za wszystkich, nie tylko w imię osobistej satysfakcji, i tym samym bardziej się z nim identyfikujemy. Pewnie chcemy, żeby skopał komuś tyłek, ale jednocześnie marzy nam się rola zbawcy najbliższych. Czasami stawka jest bardzo osobista, a mimo tego dotyczy czegoś więcej niż zemsty, jak w *Rockym*, gdzie dostrzegamy marzenie bohatera, by wykorzystać w pełni swój potencjał.

(Prywatny) wróg. Trzeba pamiętać, że w takich filmach także antagonista jest postacią złożoną. Po pierwsze, często reprezentuje siły anonimowe, a jednocześnie, choć to paradoks, on albo ktoś z jego współpracowników to stary znajomy albo bliski antagonisty. W *Gwiezdnych wojnach* Darth Vader to ojciec Luke'a; w *Poszukiwaczach zaginionej arki* archeolog pracujący dla nazistów to dawny konkurent Indiany Jonesa; w *Na zabójczej ziemi* przeciwnikiem Seagala jest jego szef. O ile *Szeregowiec Ryan* ma w sobie klarowność starych filmów wojennych, gdzie antagonistą jest bezosobowy anonimowy wróg (Niemcy, Japończycy i tak dalej), w filmach powstałych po wojnie w Wietnamie wróg i wojna to część naszego świata i antagonista często znajduje się o wiele bliżej; jest jednym z nas. To sierżant Tona Berenegera w *Plutonie*, to kapitan łodzi podwodnej Gene Hackmana w *Karmazynowym przypływie*, to człowiek CIA z *Rambo II*. Świat zewnętrzny zatruł nasz system wartości i protagonista walczy z przeciwnikiem wskutek działań prawdziwego antagonisty, wroga wśród nas. Element ten znajdziemy nawet w *Szeregowcu Ryanie*; niemiecki jeniec zaprzyjaźnia się z Amerykaninem. Kapitan Miller (Tom Hanks) wypuszcza go – i późnej ginie z jego ręki.

Dobry antagonista to postać wielowymiarowa, bo ze swojego punktu widzenia postępuje słusznie. Czasami po prostu chce się wzbogacić, lecz zazwyczaj chodzi o coś więcej. Krassus i Hitler, Darth Vader i Edward Longshanks; każdy chciał narzucić chaotycznemu światu swój porządek. W *Rockym* Apollo Creed nie darzy bohatera nienawiścią. Uważa zwycięstwo nad nim za drogę do sławy i sukcesu. Właściwie można by się pokusić o stwierdzenie, że Creed wcale nie jest antagonistą, tylko personifikacją prawdziwego wroga, czyli braku wiary w siebie Rocky'ego. Creed to góra, którą Rocky musi pokonać, żeby się sprawdzić.

Choć wyzwanie i motywacja są w porządku, protagonista, jeden z nas, nadal nie wie, jak pokonać antagonistę. W tym momencie pojawia się mentor, czasami dawny wojownik, teraz nauczyciel, który proponuje, że będzie szkolił i kształcił protagonistę, fizycznie i duchowo. W *Zorro* mamy to jasno pokazane w dialogu. Stary Don Diego, dawny Zorro (Anthony Hopkins) mówi do Alejandro, przyszłego Zorro: *jest takie przysłowie: mistrz się zjawi, kiedy uczeń będzie gotowy*. Żeby podtrzymać napięcie, mentor to często człowiek od dawna zaangażowany w walkę z antagonistą. Dostrzega w uczniu tego, który może pokonać wroga raz na zawsze. W filmach z Jamesem Bondem M wie, że tylko Bond może pokonać przeciwnika. W pierwszych *Gwiezdnych wojnach* Obi-Wan Kenobi, stary rycerz Jedi, widzi w Luke'u swojego następcę. W *Imperium kontratakuje* Obi-Wan ustępuje Yodzie, który przejmuje rolę mentora. W *Spartakusie*, o dziwo, mentorem jest Batiatus, szlachetny handlarz niewolnikami, który zauważa w Spartakusie cechy gladiatora i prowadzi go do walki. Choć amoralny i rozmiłowany w luksusie, w głębi serca Batiatus popiera republikanów (wrogów Krassusa) i koniec końców ratuje dziecko i żonę Spartakusa przed niewolą u Krassusa.

Drużyna. Kolejna wariacja to filmy odwagi, gdzie do protagonisty dołączają inni. Tworzą drużynę, na której główny bohater może polegać i tym sposobem zwiększają jego siłę. Antagonista będzie ich atakował, zabijał i przekupywał. To podbija stawkę, budzi chęć zemsty i przyspiesza rozwój protagonisty. *Braveheart* to świetny przykład: William Wallace tworzy drużynę z przyjaciół ze swego miasteczka, następnie dołączają do nich inni Szkoci i wreszcie inni Celtowie, czyli Irlandczycy. Choć pozornie niegodni zaufania, Irlandczycy są mu wierni, natomiast Szkot, którego podziwia najbardziej, Robert the Bruce, go zdradzi. A większość przyjaciół ginie z ręki Edwarda Longshanksa, antagonisty.

W filmach wojennych właśnie sprzymierzeńcy tworzą emocjonalne jądro opowieści, pluton, szwadron i oddział, których życie jest dla protagonisty najważniejsze i których śmierć zmusza go do działania. Choć walka toczy się z potężnym wrogiem, ciężar emocjonalny w filmach wojennych koncentruje się na trosce o bliskich i spełnianiu swoich obowiązków. W takich filmach mentorem jest zazwyczaj sierżant albo inny przełożony, bezpośrednio odpowiedzialny za protagonistę i jego przyjaciół. W *Parszywej dwunastce* jest to postać tak ważna, że staje się protagonistą. W *Szeregowcu Ryanie* kapitan Miller to dowódca, ale i protagonista. Mentorem zostaje sierżant Horvath; choć niższy stopniem, dysponuje większym doświadczeniem i wiedzą.

Jest wojna i ludzie giną, w tym także najbliżsi protagonisty. To, kto zginie, zależy od konstrukcji danego bohatera. Mentor taki jak sierżant Horvath czy zbieranina łotrów w *Parszywej dwunastce* nie może funkcjonować w normalnym świecie, więc kiedy ginie, jest nam smutno, ale nie czujemy się oszukani.

Na śmierć jest także skazany bohater, nieważne, mentor czy inny, który wyraża pragnienie, by żyć w pięknym, spokojnym, sielskim świecie, najczęściej gdzieś na wsi. Przypomnijmy sobie bohatera Sama Neilla z *Polowania na Czerwony Październik*: marzy mu się rancho w Montanie. Kapitan Miller chce zobaczyć ogród różany swojej żony, a William Wallace chciałby wrócić na rodzinną farmę. Scenarzystka Cynthia Whitcomb ujęła to dosadnie: *Każdy, komu się marzy farma w Wyoming, idzie do ziemi*. Mówiąc prosto: jeśli dana postać marzy o sielskim życiu na wsi, już po niej. Marzenia takie budzą sympatię, ale nie ma na nie miejsca w brutalnym świecie; świadczą o słabości. W pewnym sensie się spełniają – dusze bohaterów trafiają przecież na Pola Elizejskie, prawda?

Bohater – zwykły człowiek. Warto zauważyć, że protagonista zawsze się identy-fikuje ze swoim oddziałem, jest częścią konkretnej całości, natomiast antagonista przywodzi na myśl bezosobową machinę wojenną. W *Braveheart* protagonista to szkocki szlachcic, jednak jest przedstawiony jako prosty rolnik, który staje na czele rebelii. W *Spartakusie* to niewolnik. W *Parszywej dwunastce* pułkownik, który stworzył oddział, ciągle broni swoich podopiecznych przed atakami z góry. Nawet *Patton*, generał, jest najszczęśliwszy walcząc wraz z żołnierzami w okopach; jego wróg wewnętrzny to duma, wróg zewnętrzny to nie tyle naziści, ile brytyjski generał Montogmery, napuszony głupek wśród aliantów.

Trening. Żeby pokonać antagonistę, protagonista musi się wiele nauczyć - posiąść wiedzę, mądrość, umiejętności i wiarę w siebie, stąd wiele filmów akcji stara się zapewnić sobie wiarygodność i nasze zainteresowanie, pokazując stopniowy rozwój bohatera. Początkowo bohater nie ufa mentorowi, lecz z czasem zgadza się poddać szkoleniu. Widzimy, jak staje się coraz silniejszy i powoli zaczynamy wierzyć, że ma szanse na zwycięstwo. Czasami w tej sekwencji pojawia się humor, gdy protagoni-sta potyka się niezdarnie, a mentor dobrodusznie przewraca oczami. Wkrótce jest gotów stanąć do decydującej walki. Trening to niezbędny element w filmach walki i obrazach takich jak *Rocky*; widzimy, jak protagonista nabiera sił. Podobne sekwen-cje znajdziemy w *Zorro, Gwiezdnych wojnach* i *Terminatorze*. Dobry film potrafi za pomocą tej sekwencji osiągnąć jeszcze inne cele. W *Spartakusie* na przykład trening ma go przygotować na arenę, ale, jak na ironię, szkoli do walki przeciwko Rzymowi.

Sekwencja ta nie pojawia się w każdym filmie akcji, choć większość zawiera coś na jej kształt. W filmach z Bondem zamiast niej mamy scenę z nowym wyposażeniem, gdy Q uczy Bonda, jak go używać. W filmach z Seagalem i Schwarzeneggerem pro-tagonista jest już świetnie wyszkolony, ale musi sobie zorganizować broń. Zdobycie broni ma dwojaki cel. Po pierwsze, dowodzi inteligencji protagonisty; wynalazki a la MacGyver to standard w większości filmów ze Seagalem i Schwarzeneggerem, lecz zdarzają się także w poważniejszych obrazach, jak *Braveheart* czy *Szeregowiec Ryan*. W serii przygód Indiany Jonesa zamiast treningu mamy sekwencje, w których India-na Jones dowiaduje się więcej o antagoniście i zdobywa nowych sprzymierzeńców. W *Na krawędzi* Gabe znajduje odzież i sprzęt niezbędne do przetrwania w górach.

Protagonista nigdy nie zna dnia ani godziny ostatecznej rozgrywki. Z naj-większym wysiłkiem zdobywa te informacje i układa poszczególne fragmenty łamigłówki. I tak zbliżamy się do miejsca decydującej potyczki.

Atak i kontratak. Antagonista nie czekał z założonymi rękami i wszystko, co dotychczas powiedzieliśmy, przeplata się ze scenami, w których wprowadza swój plan w życie. Terminator zdobywa broń, zabija inne kobiety o nazwisku

Sarah Connor i znajduje tę właściwą; Edward Longshanks dzieli Szkocję; Darth Vader zmierza do zniszczenia siedzib rebeliantów za pomocą Gwiazdy Śmierci; Krassus chce przejąć kontrolę nad Senatem i armią. Działania antagonisty stają się coraz bardziej bezwzględne i coraz bardziej zagrażają bliskim protagonisty. Jeśli stawka ma rosnąć, a konflikt się potęgować, antagonista musi wiedzieć o rosnącej potędze przeciwnika i rzucać mu kłody pod nogi. Początkowo to, co robi dotyka postronnych ludzi, z czasem jednak antagonista będzie chciał jak najboleśniej zranić protagonistę i odebrać mu to, co dla niego najcenniejsze. Zaatakuje jego sprzymierzeńców, porwie dziecko albo ukochaną, zabije mentora, zagrozi niewinnym, którzy są dla naszego bohatera ważni z jakiegoś powodu, albo zrobi wszystko jednocześnie. Zrobi co w jego mocy, by pokrzyżować szyki protagonisty. Antagonista, któremu obce są zasady fair play, nie cofnie się przed oszustwem, co tylko wzmoże naszą niechęć do niego i sympatię do protagonisty.

Protagonista często zdobywa ważne informacje już w czasie ostatecznej bitwy i nagle staje się bezradny i podatny na ciosy. W *Braveheart* Longshanks przekupuje zwolenników Wallace'a obietnicami bogactw i ziemi; Wallace dowiaduje się o tym na polu bitwy. A Longshanks, jak antagoniści w filmach z Bondem czy czarny charakter w *Na krawędzi*, nie ma oporów przed zabijaniem własnych ludzi, jeśli to ma przechylić szalę zwycięstwa na jego korzyść. W filmie walki antagonista oznajmia, że porwał ukochaną albo dziecko protagonisty albo ciska mu piachem w oczy; w westernach oszukuje podczas ostatniego pojedynku.

Antagonista także ma sprzymierzeńców, na których opiera się jego potęga. Zazwyczaj jest wśród nich główny zabójca, mroczna wersja najlepszego przyjaciela protagonisty, na dobrą sprawę alter ego antagonisty, zwłaszcza jeśli sam antagonista nie jest zbyt silny fizycznie. To potężna broń antagonisty, zabójcy wybrani ze względu na swoje umiejętności, pierwsza linia ataku i ostatnia linia obrony. Oni także stanowią ostateczny sprawdzian umiejętności protagonisty przed finałową potyczką. Czasami postać będąca prawą ręką antagonisty buntuje się przeciwko zwierzchnikowi i plan zaczyna się walić; czasami powraca, choć protagonista jest przekonany, że go zabił, i zmusza do ostatniej walki. Czasami także udaje sprzymierzeńca protagonisty, jednak w rzeczywistości działa na korzyść antagonisty. Rzadko się zdarza, by ta postać zmieniła zdanie i związała się z protagonistą; wówczas często mimo wszystko ginie (śmierć jest karą za dawne grzechy); czasami podejmuje walkę protagonisty (jak Robert the Bruce w *Braveheart*). Nieważne; ta postać stanowi tylko demonstrację siły antagonisty i jej śmierć to początek końca.

Pokonać śmierć. W końcu los się odwraca na korzyść protagonisty. Uwięziona ukochana i dziecko uciekają, mentor przywraca go do życia, sprzymierzeniec uwalnia niewinnych i protagonista ma wolne ręce; może stanąć do walki z antagonistą. Zazwyczaj ranny, musi zebrać resztki sił i oprzeć się na sile ducha, zaszczepionej przez mentora, by wznieść się ponad niedoskonałości ciała. W ostatecznej rozgrywce antagonista rzuca do boju wszystkie swoje środki i zwycięstwo jest tuż-tuż – ale jednak czeka go klęska. Protagonista wygrywa dzięki nabytym umiejętnościom i zaletom moralnym, które posiadał od początku starcia.

Czasami protagonista nie chce zabić antagonisty i w ten sposób dowodzi swojej wyższości moralnej, lecz antagonista i tak ginie; musi ponieść karę adekwatną do grzechów. W *Zorro* ginie zasypany sztabami złota. W *Terminatorze* miażdży go ogromna machina. W *Braveheart* Wallace kona na torturach, a Edward Longshanks umiera na raka, na którego chorował od dawna i który symbolizuje zepsucie jego duszy. I choć Wallace tego nie widzi, Robert the Bruce, fałszywy sprzymierzeniec, który go zdradził, teraz podejmuje jego walkę i uwalnia Szkocję spod okupacji angielskiej.

Jeśli zwycięska walka toczyła się przy świadkach, zaczną bić brawo (często są to gapie, hazardziści, wieśniacy, mieszczanie, inni żołnierze, ktokolwiek) w dowód uznania dla bohaterstwa protagonisty. Ukochana wyciśnie na jego ustach pocałunek życia. Jeśli protagonista ginie, jak w *Braveheart* czy *Spartakusie*, zamiast pocałunku mamy przekonanie, że ukochana nosi jego dziecko, a więc jego życie trwa dalej, choć w innej formie. Widzimy to w *Terminatorze*: Reese, mentor, umiera, ale Sarah, protagonistka, żyje i nosi jego dziecko. W *Szeregowcu Ryanie* kapitan Miller umiera, lecz jednocześnie zostaje zastępczym ojcem dla młodego Ryana (o którym wiemy tylko, że ma matkę). I widzimy, że Ryan jako starzec nie tylko sobie zasłużył na szansę na życie, lecz także stworzył dużą rodzinę, by wypełnić pustkę, którą spowodowała wojna i odwdzięczyć się za poświęcenie innych. W tych filmach miłość nie jest celem, lecz rezultatem odwagi bohatera. Jest dowodem na to, że życie zwycięża śmierć i nagrodą dla protagonisty, dla nas, za odwagę do walki.

Strach i przerażenie

Horror

Przeciwieństwem odwagi jest strach i dlatego filmy oparte na wywoływaniu strachu i grozy są niemal równie popularne jak filmy odwołujące się do odwagi (tłum. dosł. MOVIES DEVOTED TO COURAGE). Klasyczne przykłady to *Krzyk* i *Frankenstein*, lecz do tej kategorii zaliczają się także obrazy takie jak *Park Jurajski*, *Szczęki* czy *Obcy*. Strach to podstawowe uczucie; śmierć jest bliska, złośliwa; często jej jedynym zadaniem jest pokazać, jak wielką ma nad nami władzę. Jeśli film ma przerażać, zastosujemy inną strategię niż w dziele o odwadze. W filmie odwagi protagonista to lepsza wersja nas samych; od początku wiemy, że jest w stanie pokonać antagonistę. W filmie strachu (tłum. dosł. MOVIES DEVOTED TO FEAR) stajemy twarzą w twarz z najskrytszymi obawami i nie ma tam miejsca na odwagę, chyba że pod koniec filmu.

Strach i groza

Przerażenie rodzi się z bezradności, więc musimy czuć się bezradni, zanim wpadniemy w panikę i nie będziemy w stanie zobaczyć, co się ukryje w ciemności, co ledwie dostrzegliśmy kątem oka. Strach przychodzi, gdy nagle widzimy to w pełnej okazałości i wszystkie nasze najgorsze przewidywania się sprawdziły. Nagle wiemy, że śmierć w swej najgorszej, najokrutniejszej formie jest tuż-tuż, otacza nas, zbliża się, nieunikniona jak... No cóż, jak śmierć. Protagonista musi być zwyczajnym, przeciętnym człowiem, taki jak my, bez doskonałości protagonisty w filmie odwagi. Pragnienie zemsty może się pojawić, lecz przyjemny dreszczyk przerażenia bierze się nie z pragnienia zemsty czy chęci zwycięstwa, lecz z walki o życie, im bardziej przerażającej, tym lepiej. Im większe przerażenie, tym silniejsze katharsis. Kiedy nasze najgorsze obawy się spełniają, stajemy się bardziej wrażliwi i jednocześnie zahartowani. Z tego powodu tytuły takich filmów odwołują się najczęściej do antagonisty (*Ojczym*, *Drakula*, *Ptaki*, *Szczęki*). Zależy nam nie tyle na euforii walki, co na grozie pościgu.

Iluzja logiki i klęska prawa. Podobnie jak w filmach odwagi, nad całym światem wisi groźba, lecz w kinie strachu poczucie normalności zakłóca sugestia, że groza kryje się tuż pod powierzchnią, pod cienką warstwą normalności działają złe, potężne siły, których celem jest nas zniszczyć. To podświadomość dająca się we znaki świadomości, Szatan, który uparcie niszczy boskie dzieło. Odwaga jest niezbędna, lecz postępowanie racjonalne i logiczne oznacza klęskę, jeśli mamy do czynienia z elementem nadprzyrodzonym. Wszelkie próby logicznego rozprawienia się z niebezpieczeństwem są skazane na niepowodzenie. W *Szczękach* próby utrzymania obecności rekina w tajemnicy przynoszą więcej ofiar. W *Relikcie* upór burmistrza, by nie zamykać muzeum mimo ostrzeżeń policjanta, przynosi w efekcie zamęt i więcej trupów. Ludzie u władzy nie pojmują, że władza wymyka im się z rąk. Tylko ten, kto zgłębi naturę zła, jest w stanie je pokonać. Często protagonista zrozumie to za późno albo wcale; zdarza się, że umiera albo traci rozum. Nawet jednak jeśli protagonista i jego drużyna giną, świat trwa dalej, bo przywrócono porządek rzeczy. Oczywiście jest to porządek pozorny; skoro wiemy, że siły zła istnieją, nie znamy dnia ani godziny, kiedy powrócą. To, co się wydarzyło, stanowi niezbity dowód na to, że świat postradał rozum; najgorsze, że i my jesteśmy na krawędzi obłędu.

Utrata rozumu albo oazy spokoju pojawiają się w filmach, gdzie protagonista sam się zaraża tym, co stworzyło potwora, i albo sam się nim staje (filmy wampiryczne i o wilkołakach), albo staje się jego nosicielem (*Koszmar z Ulicy Wiązów*, *Obcy*). W innych obrazach, jak *Mucha*, *Wilkołak* czy *Dr Jekyll i Mr Hyde* protagonista na samym początku staje się potworem i zarazem antagonistą. W *Straconych chłopcach* i *Wilku* staje się łagodną wersją monstrum i musi się zmierzyć z antagonistą bardziej bezwzględnym i wrogim (bohaterowie grani przez Jamesa Spadera w *Wilku* i Kiefera Sutherlanda i Edwarda Hermanna w *Straconych chłopcach*). W tych filmach śmierć dopadnie protagonistę, jeśli nie nauczy się on żyć w nowym świecie, który otwiera przed nim nowe możliwości.

Tabu: seks, wiedza i nieśmiertelność. Kolejny temat często eksplorowany w filmach. strachu to nasza głupia racjonalna duma i jej efekt: to my uwalniamy siły zła, przekraczając granice. Pewne rzeczy są zakazane, stanowią tabu.

Tabu wiąże się z najbardziej prymitywnymi, podstawowymi pragnieniami; stąd się bierze ich siła i ich pokusa. I dlatego rozumiemy, ba, pochwalamy chęć przełamania ich. Najsilniejsze tabu dotyczą seksu i wiedzy zakazanej, inne strachu przed śmiercią i pragnienia nieśmiertelności; chcemy być równi Bogu.

W gruncie rzeczy dotyczą tego samego; nie na darmo Biblia określa seks mianem mądrości. Wąż namawia (nagą) Ewę, by zjadła owoc z Drzewa Wiadomości Złego i Dobrego, mówiąc, że jeśli skosztuje, nie umrze, lecz otworzą jej się oczy i jak Bóg pozna dobro i zło. Lecz gdy razem z Adamem zjedli zakazane jabłko, poznali nagość i wstyd i zrozumieli, że skazali się na cierpienie i śmierć.

Podobna transgresja dotycząca seksualności i wiedzy pojawia się we współczesnych filmach grozy; seks jest niezgodny z prawem, wiedza zakazana. Transgresja wydaje się nieznaczna, jednak wyzwala potężne siły i ściąga przerażającą karę. Nastolatki uprawiają zakazany seks w samochodzie nad jeziorem (*Piątek trzynastego*), naukowiec lekceważy naturalny porządek rzeczy i krzyżuje albo ożywia nietypowe próbki DNA (*Gatunek, Relikt, Park Jurajski*); lekarz ożywia zwłoki (*Frankenstein*); mężczyzna znajduje dziwne urządzenie i usiłuje zgłębić jego zakazane sekrety (*Hellraiser*); piękna kobieta albo grupa hippisów wyznających wolną miłość podróżuje przez nieznane okolice (*Psychoza, Teksańska masakra piłą mechaniczną*); kobieta uprawia zakazany seks i nago pływa w oceanie (*Szczęki*). Za każdym razem transgresja wywołuje nieoczekiwane, straszliwe konsekwencje. W filmie *Omen* ojciec podmienia dziecko – kiedy jego rodzi się martwe, przyjmuje pod swój dach podrzutka o nieznanym pochodzeniu i niczego nie mówiąc żonie. Zdradza ją, wynaturza seksualny kontekst ich małżeństwa.

Świat strachu. W filmach strachu świat opowieści to zazwyczaj świat obcy, nadprzyrodzony, do którego trafił protagonista, lub świat zwykły, codzienny, zaatakowany przez antagonistę, przy czym ten drugi wariant spotykamy o wiele częściej, bo największa groza ogarnia nas, gdy to co pozornie normalne i znane kryje niebezpieczeństwo. Nasz piękny nowy dom powstał na indiańskim cmentarzysku (*Duch*); jesteśmy na gorącej plaży, a tuż pod powierzchnią wody czai się krwiożercza bestia (*Szczęki*); jedziemy na wycieczkę statkiem, gdy nagle atakują nas stworzenia jeszcze przed chwilą zupełnie niegroźne (*Ptaki*); pracujemy w muzeum pełnym szkieletów dinozaurów i nagle ożywa jeden z obiektów (*Relikt*); uprawiamy przyjemny, rekreacyjny seks z piękną kobietą w wielkiej wannie czy pokoju hotelowym, gdy nagle nasza wybranka zmienia się w potwora z innej planety (*Gatunek*) albo wygłodniałego wilkołaka (*Amerykański wilkołak w Paryżu*); zatrzymujemy się na drodze i stajemy się podstawą wyżywienia szalonych kanibali (*Teksańska masakra piłą mechaniczną*). W *Blue Velvet* widzimy idealne, zdawałoby się, niczym nieskalane amerykańskie miasteczko, w którym perwersja i okrucieństwo mnożą się jak larwy na uchu, znalezionym na nieskazitelnie przystrzyżonym trawniku w pierwszych scenach filmu.

Czasami, jak w *Relikcie* czy *Egzorcyście*, zaczynamy w odległym, egzotycznym miejscu, gdzie rzeczywistość antagonisty wydaje się bardziej prawdopodobna, w świecie irracjonalnym i tajemniczym: w sercu dżungli, na wykopaliskach archeologicznych, na odległej planecie. Wystarczy jednak, by egzotyczna rzeczywistość antagonisty znalazła się w naszym świecie, a dostrzeżemy moralne przesłanie filmu: nie wolno pożądać owocu zakazanego (*Mumia, Hellraiser*), nie wolno ingerować w dzieło stworzenia (*Frankenstein, Gatunek, Park Jurajski*), nie wolno łamać tabu seksualnych (*Piątek trzynastego*), nie łudźmy się, że możemy zapanować nad nieznanym (*Obcy, Szczęki, Ptaki, Predator*). Czasami monstrum kieruje się prymitywnym instynktem

(*Relikt, Szczęki, Kongo, Gatunek, Park Jurajski*), czasami świadomie zastawia na nas pułapki (*Dracula, Omen*). Zawsze wszystko wymyka się spod kontroli, na świecie panuje chaos i nasza wizja rzeczywistości wali się w gruzy. Ten model jest bliski greckiej idei *hubris*, zgubnej dumy, która pozwala sądzić, że znamy nasze przeznaczenie i panujemy nad nim, co z kolei wywołuje gniew bogów i prowadzi do zguby. Zakazany seks, żądza wiedzy i lekceważenie elementu irracjonalnego to elementy wszystkich greckich tragedii. Król Edyp, protagonista, zabija własnego ojca, żeni się z matką i tym samym ściąga klęskę na swoje miasto. Sądzi, ze rozwiąże problem odnajdując winnego, tymczasem to, czego się dowiedział – że wina leży w nim samym – jest powodem jego upadku. Medea zabija własne dzieci, gdy porzucił ją mężczyzna, z którym związała się wbrew prawu, dla którego zamordowała i rozczłonkowała własnego brata. W *Bachantkach* król ginie, bo nie chciał uznać Dionizosa, boga wina i żądzy; rodzona matka urywa mu głowę w orgii seksualnego szaleństwa. Pod wieloma względami filmy strachu są najbliższe antycznym wzorcom.

Natura bestii i rzeczywistość zła. W filmie strachu antagonista to kwintesencja zła, które może się wydarzyć w danym świecie. Jeśli mamy naprawdę się przerazić, jego postać musi być wiarygodna. Musi to być odpowiedni antagonista dla danego świata, musi atakować jego słabości, zakazy i tabu; pierwszy lepszy potwór to za mało. Nie wystarczy, by niósł śmierć i grozę; musi przekraczać wszelkie normy i oczekiwania, posuwać się do czynów, wobec których świat rzeczywisty wydaje się kurczyć i zmieniać, a jego miejsce zajmuje koszmar na jawie.

Antagonista burzy obraz normalnego świata. Jednocześnie uosabia albo wynaturzenie elementów otaczającej nas rzeczywistości (sąsiad, mąż, niania), jest wyolbrzymionym przedstawicielem świata rzeczywistego, który budzi w nas odwieczny wstręt (owad, śluz, wąż), albo pochodzi ze świata nadprzyrodzonego (duch, wampir, demon). W filmach o zombie i Frankensteinie antagonista to ożywiony trup. W filmach o erze postatomowej jest to zwykła istota, która wskutek mutacji popromiennej przybrała niewyobrażalne rozmiary (*Godzilla, Night of The Lepus*). W *Anakondzie* monstrum to gigantyczny wąż, w *Szczękach* – ogromny rekin; w *Obcym, Predatorze, Inwazji porywaczy ciał* i *Wojnie światów* jest to istota z innego świata, wrogo nastawiona do ludzi. Natomiast w *Piątku trzynastego, Halloween, Krzyku* i *Koszmarze z ulicy Wiązów* znajdujemy się już w klasycznym świecie bajek: bądź grzeczny, bo jak nie, przyjdzie zły pan i cię porwie. W filmach satanistycznych i o duchach wkraczamy w dziedzinę religii. Pojęcie dobra, zła i kary za grzechy powracają w czystej formie.

Fatalne zauroczenie. W filmach takich jak *Drakula* i *Gatunek* stajemy wobec nieodpartej siły przyciągania seksualnego; antagonista działa na nas jak światło na ćmy i ma podobnie niszczycielski skutek. Chcemy, by nas uwodzono, wyssano z nas ostatnią kroplę krwi (w przenośni oczywiście), chcemy odmiany, choć jednocześnie bardzo się jej boimy. Pragniemy zmysłowości i siły wilka, choć brzydzi nas towarzysząca im żądza krwi. Rozkoszny dreszcz to efekt mentalnego flirtu z niewyobrażalnym: ekstaza, moc i/lub nieśmiertelność, nieważne, że kosztem duszy. To uczucie, wstręt zmieszany z fascynacją, jest szczególnie silne, stąd wieczne zainteresowanie filmem wampirycznym. Seks i nasza obawa, że dla niego stracimy głowę, pojawia się w filmach opartych na modelu strachu, choć technicznie należą one do innego gatunku. Są to filmy o seksualnych drapieżnikach, jak *Fatalne zauroczenie* czy *Ręka na kołysce*.

Wypalona ziemia. Ponieważ w filmach strachu antagonista jest potężny i przerażający, trzeba go zniszczyć doszczętnie. Jeśli jest człowiekiem, najłagodniejsza kara to straszliwa śmierć. Jeśli pochodzi z innego świata, trzeba się go pozbyć albo w znany od dawna magiczny, rytualny sposób (srebrna kula, drewniany kołek), albo zniszczyć kompletnie. Właśnie dlatego tak wielu antagonistów w filmach strachu ginie od ognia czy słońca; są to żywioły niosące metaforyczne oczyszczenie, a zarazem wszechogarniające. To siła światła, wykorzystana, by pokonać siły mroku. Ciekawy wariant pojawia się w *Czarnoksiężniku z krainy Oz*, gdzie woda, źródło życia, roztapia złą wiedźmę, wysłanniczkę śmierci. Nieważne w jaki sposób się tego dokona; antagonistę trzeba zniszczyć, żeby nie mógł powrócić. Jednak, jak wspomnieliśmy wcześniej, jeśli zło już raz wtargnęło do naszego świata, może się okazać, że nie sposób pozbyć się go całkowicie i minimalna cząstka antagonisty może zakazić protagonistę albo uciec płomieniom (i tym samym, ma się rozumieć, zostawia otwartą furtkę do produkcji kolejnej części).

Czyja to wina. Tym, który przekroczył ostatnią granicę jest często, choć nie zawsze, protagonista. Czasami jest to człowiek postronny, który przypadkiem był tam, gdzie kto inny wywołał piekielne moce i nagle musi się zmierzyć z konsekwencjami cudzych czynów. To tylko pogłębia poczucie bezradności i zagrożenia. Różnica jest taka jak między wypadkiem samochodowym spowodowanym przez jazdę po pijanemu a sytuacją, gdy zostaliśmy oślepieni światłami nadjeżdżającego z przeciwka samochodu. Nie ma sposobu, by uniknąć takiego zła i w tym leży źródło jego mocy. W filmach takich jak *Fatalne zauroczenie, Doktor Jekyll i pan Hyde, Frankenstein* czy *Gatunek* protagonista musi walczyć z (seksualnym) potworem, którego sam stworzył, lecz już w *Drakuli, Psychozie, Duchu* czy *Upiorze w Operze* protagonista to niewinny prostaczek, który niechcący wkroczył do krainy zła. W *Drakuli* pierwszego przekroczenia granicy dokonał sam hrabia Dracula, gdy przeklął Boga po tym, jak jego ukochana popełniła samobójstwo. W *Dziecku Rosemary* główna bohaterka to prosta kobieta; linię przekracza jej mąż, oddaje ją w ręce najpierw wyznawców diabła, a później samego Szatana. Jej wrodzona seksualność nie niesie zagrożenia, natomiast seks z Diabłem to początek jej upadku. W *Egzorcyście* ksiądz traci wiarę, co już jest formą transgresji, lecz siły zła wyzwoliła dopiero co budząca się seksualność dziewczynki. W *Nocy żywych trupów* granicę przekracza rząd i grupa ludzi nagle znajduje się wśród mięsożernych zombie, ożywionych radioaktywnym substancją przywiezioną przez statek wracający z przestrzeni kosmicznej. W *Parku Jurajskim* protagonistą jest paleontolog grany przez Sama Neilla, ale transgresji dokonał przemysłowiec, który ożywił dinozaury mieszając ich DNA z kodem genetycznym płazów. Ten proces zakłócił bieg natury i dinozaury są bezpłodne. Widzimy to także w perwersyjnym wstręcie protagonisty do miłości i dzieci. Dopiero kiedy pokona dziwaczną awersję, umknie przed wynaturzonymi potworami.

Potwór ukochany. Interesujący aspekt ludzkiej odpowiedzialności za stworzenie albo uwolnienie bestii to fakt, że monstrum bywa w gruncie rzeczy sympatyczne. Czasami jest to stwór niemal niewinny, którego śmierć jest równie tragiczna jak jego narodziny. To nie jego wina. Spójrzmy na dzieło doktora Frankensteina; potwór kochał muzykę, odczuwał sympatię do starego ślepca i małej dziewczynki. King Kong zakochał się rozpaczliwie w Fay Wray. Obaj są bardziej niewinni niż protagoniści. Japońscy widzowie między innymi dlatego krytykowali Rolanda Emmericha i Deana Devlina za ich *Godzillę*. W starych japońskich filmach Godzilla budziła sympatię i współczucie; jej niszczycielskie działania były efektem ludzkiego braku odpowiedzialności. Nowy ogromny jaszczur i jego złowrogie potomstwo okazały się w porównaniu z japońską Godzillą, bezduszne i nijakie.

Nieważne jednak, niewinny czy nie, antagonista dowodzi swojej siły i zarazem podbija stawkę, mordując osoby coraz bliższe protagoniście. Początkowo jego ofiarą padają ludzie postronni, anonimowi: załogi statków w *Drakuli* i *Relikcie*, pracownicy *Parku Jurajskiego*, plażowicze w *Szczękach*. W miarę jak zagrożenie zbliża się do wyraźnie zarysowanych postaci, wywiera wpływ na tych, którzy także przekroczyli granicę i w jakimś sensie zasłużyli na to, co ich spotyka. W *Relikcie* to strażnik, który wymknął się na jointa i chorobliwie ambitny naukowiec, który chce przejąć fundusze protagonisty. W *Parku Jurajskim* niemoralny naukowiec chce sprzedać embriony dinozaurów. Czasami owe postacie drugoplanowe giną z powodu głupoty albo ciekawości; wchodzą do piwnicy w nieodpowiednim momencie. Czerpiemy pociechę z faktu, że jesteśmy od nich lepsi, choć w głębi ducha wiemy, że być może niczym się nie różnimy. Z czasem jednak wśród ofiar znajdą się bohaterowie naprawdę niewinni albo budzący sympatię, jak młoda para i dziecko w *Nocy żywych trupów* czy policjant w *Relikcie*. Wtedy nie mamy wyjścia; groza dotyka i nas.

Głos doświadczenia. W filmach strachu, podobnie jak w filmach odwagi, często pojawia się mentor, stary człowiek, który miał już do czynienia z bestią. Czasami jest to poczciwy stary naukowiec, jak w *Wilku*. Innym razem jest to na wpół oszalały maniak, który postradał rozum wobec zbyt długiego kontaktu z antagonistą, jak Van Helsing w *Drakuli* czy Quint w *Szczękach*. Zawsze jest w posiadaniu tajemnej wiedzy lub talizmanu, którymi protagonista musi się posłużyć, by zwyciężyć. Zanim protagonista przyjmie jego nauki, musi się pozbyć złudnej wiary w logikę i rozum. Mentor często ginie w ataku nienawiści do sił zła; jest to ofiara, która zarazem ocala protagonistę i przekazuje mu pałeczkę w sztafecie walki.

Niepokój a przerażenie. Wyróżniamy dwa sposoby konstruowania filmu strachu. Czasami w jednym dziele mamy do czynienia z jednym i drugim, czasami nie. Filmy te bazują na naszym strachu przed nieznanym, tworzą atmosferę napięcia i zagrożenia albo otwarcie pokazują coś tak szokującego, że prawie, ale tylko prawie, nie możemy na to patrzeć. Czasami niepokój przeradza się w szok, gdy to, o czym baliśmy się nawet pomyśleć, dzieje się naprawdę, nie musi się jednak de facto pojawić na ekranie, by wywołać taką reakcję. Często to, czego nie widzimy, budzi większą grozę niż obrazy przed oczami. Przerażenie trudniej wzbudzić niż szok i obrzydzenie; przerażenie sugeruje jedynie, co się może wydarzyć, a horror pokazuje rzeczy obrzydliwe. Dlatego filmy oparte jedynie na wywołaniu uczucia obrzydzenia to produkcje niskobudżetowe i kiepskiej jakości. O wiele łatwiej i taniej rozlać sztuczną krew i rozrzucić sztuczne flaki niż stworzyć naprawdę przerażający film strachu. Filmy takie jak *Piątek trzynastego*, *Koszmar z ulicy Wiązów* i *Hellraiser* opierają się na czynniku obrzydzenia – widzimy odcinane głowy, wyprawane wnętrzności, ludzi obdzieranych ze skóry, paskudne demony żywiące się ludzkim ciałem. Działania antagonisty w danym świecie mają pewne wytłumaczenie (choroba psychiczna, zaklęcie, wyobraźnia protagonisty), jednak ich głównym celem jest zaspokojenie naszego pragnienia: zobaczyć, jak ktoś, na szczęście nie my, cierpi i umiera w męczarniach. Filmy takie jak *Dziecko Rosemary* czy *Omen* nie pokazują właściwie niczego strasznego wizualnie; ich siła leży w narastającym przerażeniu protagonisty w miarę jak się przekonuje, że pozornie bezpieczne otoczenie jest siedliskiem zła. *Noc żywych trupów*, *Ptaki* i *Psychoza* łączą w sobie oba podejścia. To kwestia akcentu – wolisz przerażenie, obrzydzenie czy jedno i drugie?

Żądza wiedzy

Kryminał, thriller, thriller polityczny

U podstawy filmów kryminalnych, detektywistycznych i thrillerów leży przekonanie, że prawda jest gdzieś tam, jak ująłby to Fox Mulder z *Archiwum X*. Protagonista to policjant, prywatny detektyw albo zwykły człowiek rzucony w sytuację, w której nic nie jest takie, jak się wydaje. Siłą tych filmów jest nasza bezsilność i zagubienie w świecie, w którym na tak niewiele mamy wpływ; doszukujemy się ukrytych znaczeń w każdej niemal sytuacji. Dodajmy złowieszcze wytłumaczenie i mamy teorię spiskową. Antagonista jest owiany tajemnicą. Początkowo mamy tylko skąpe, często mylące dowody, jak rozmyte przez wodę ślady zwierzęcia albo film Zaprudera o zabójstwie Kennedy'ego.

Opowieść zatem dotyczy poznawania prawdy, układania poszczególnych elementów łamigłówki, poznania antagonisty i jego prawdziwych motywów. Owo poznanie może, ale nie musi, wpłynąć na jego plany. W *Teorii spisku* Julia Roberts i Mel Gibson demaskują spiskowców i krzyżują im szyki, ale już w *Sokole maltańskim* sukces protagonisty jest mniej spektakularny. Sam Spade mści zamordowanego wspólnika – piękna Brigid trafia do więzienia, a szyki drugiego antagonisty zostają pokrzyżowane, lecz żyje i może kontynuować swoje dzieło. W *Chinatown* antagonista zwycięża bezapelacyjnie. Jake, detektyw, demaskuje jego plany kradzieży wody i przejęcia kontroli nad połową Los Angeles, jednak nie jest w stanie zrobić nic, by go powstrzymać. Nie uratował Evelyn przed śmiercią i pozwala, by Cross przejął opiekę nad córką, poczętą wskutek kazirodczego gwałtu. Podobnie w *Żarze ciała*, *Trzech dniach kondora* i *JFK* spiskowcy są zbyt potężni, by im przeszkodzić czy postawić przed obliczem sprawiedliwości. Jednak z punktu widzenia fabuły nie ma to znaczenia. Nas interesuje jedno: poznaliśmy mroczną prawdę, choćby kosztem protagonisty. Tajemnica rozwiązana; czerpiemy siłę z wiedzy, ale i z tego, że potwierdziły się nasze najgorsze przypuszczenia.

Napięcie kontra zaskoczenie

Nie sposób napisać filmu wiedzy (tłum. dosł. NEED-TO-KNOW-MOVIE) nie rozumiejąc zasad działania dwóch podstawowych narzędzi, dzięki którym wzbudzamy ciekawość i fascynację: napięcia i zaskoczenia.

Napięcie powstaje, gdy ukrywamy pewne informacje przed protagonistą, ale nie przed widzem. Możliwe także, że widz wie tyle samo, co bohater; wówczas napięcie rodzi się z naszego współczucia dla protagonisty wobec rozwoju wydarzeń. Jeśli wiemy więcej niż on, jesteśmy bezradni wobec niemożności ostrzeżenia go przed niebezpieczeństwem. Widzimy, na przykład, postać z nożem czającą się za rogiem w korytarzu, którym nasz bohater idzie niczego nie podejrzewając. Zaskoczenie natomiast dotyczy obu stron ekranu – i widza, i protagonisty. Przykład – protagonista idzie korytarzem i nagle ktoś rzuca się na niego z nożem. I on, i my reagujemy zaskoczeniem. Zaskoczenie to także istotny element zamiany ról – gdy ten, kogo uważaliśmy za sprzymierzeńca, okazuje się wrogiem (i odwrotnie) albo gdy wydaje się, że bohater umknął niebezpieczeństwu, a w rzeczywistości zabrnął w ślepą uliczkę. W klasycznym filmie strachu i filmie wiedzy znajdziemy jedno i drugie: wiemy, że w piwnicy jest morderca, ale bohater nie i schodzi tam niczego nie podejrzewając. Albo inaczej: czuje, że coś jest nie tak, ale idzie, żeby się upewnić. Zazwyczaj obserwujemy to z punktu widzenia protagonisty, co potęguje uczucie klaustrofobicznego zagubienia. Często sekwencja ta przeplata się z sekwencją realizowaną z punktu widzenia mordercy, równie ograniczoną, tyle że skoncentrowaną na ofierze. Kiedy zabójca znajdzie się w polu widzenia ofiary, napięcie ustępuje zaskoczeniu. Czasami – choć tę technikę stosowano już tak często, że zapewne nie wywołuje pożądanego efektu – zaskoczenie składa się z dwóch elementów. Najpierw mamy napięcie towarzyszące wejściu do piwnicy i pierwsze zaskoczenie, budzące strach, ale niegroźne – to tylko kot czy gołąb. Uspokojony bohater (a my wraz z nim) oddycha z ulgą i wtedy kolej na drugi element zaskoczenia i spotkanie z mordercą.

Napięcie i zaskoczenie zadziałają, jeśli odpowiednio rozplanujemy je w czasie. Nie wolno tu zdawać się na reżysera czy montażystę – tylko scenarzysta wie, jaki efekt chce osiągnąć, tylko scenarzysta zdaje sobie sprawę, jakimi środkami można do niego dojść. Musisz więc określić długość scen i sekwencji i zdecydować, czy chcesz, by napięcie narastało powoli, czy może wolisz serię scen szokujących, które błyskawicznie następują jedna po drugiej, czy przeplatać dwie sekwencje i w ten sposób budować napięcie, co ujawnić, a czego nie. Pamiętaj, musisz zadziałać na wyobraźnię recenzenta. Chcesz, żeby poczuł to samo, co widz w kinie.

Napięcie i zaskoczenie wywołują różny efekt i należy je stosować świadomie. Budując napięcie, musisz ograniczać wiedzę protagonisty, ale nie oznacza to, że ukrywasz wszystkie informacje przed widzem. Wbrew twierdzeniom niektórych scenarzystów, jakoby sprawiało to, że protagonista jest głupszy od widza, zabieg ten odzwierciedla jedynie zakres jego wiedzy w danym momencie. Można także zbudować napięcie nie ujawniając planów antagonisty bezpośrednio; wystarczy umieszczać wskazówki i aluzje, które podtrzymują wrażenie ciągłej obecności antagonisty, inaczej scenariusz wyda się nieprzemyślany. Podobnie efektem zaskoczenia należy posługiwać się z umiarem, jako że nadmiar zaskakujących wydarzeń sprawia, że film wyda się chaotyczny. Aby tego uniknąć, zwłaszcza przy zabiegu zamiany ról, od początku umieszczaj wskazówki i aluzje, wieloznaczne i zarazem oczywiste. Efekt zaskoczenia polega na tym, że protagonista (a z nim widz) dostrzega w nowym świetle coś, co od dawna miał pod nosem. Na przykład brat protagonisty wydaje się jego najbliższym sprzymierzeńcem, zawsze jest u jego boku, ale też ciągle ma kłopoty finansowe i wiecznie się denerwuje. Tłumaczy to nerwami i kosztami ślubu i wesela, a w rzeczywistości tkwi po uszy w długach i zdradzi protagonistę.

Umiejętnie łącząc napięcie i zaskoczenie, wiedzę i tajemnicę, tworząc świat pełen sekretów albo taki, w którym nic nie jest takie, jak się wydaje, spełniasz podstawowe zadanie filmu tego gatunku: utwierdzasz widza w przekonaniu, że jego paranoja wcale nie jest bezpodstawna.

Rzecz w tym, by znaleźć obsesję, która dręczy odpowiednio liczną grupę ludzi. Film bazujący na fascynacji tajemnicą czy wierze w teorię spiskową musi zawierać zagadkę wartą rozwiązania, inaczej nikogo nie zainteresuje. A świat opowieści, to co widzimy, musi albo potęgować atmosferę tajemniczości, jak zalane deszczem ponure miasta w *film noir*, albo kontrastować z nią miałką, nijaką normalnością, jak w filmach Hitchcocka.

Film kryminalny

W filmie kryminalnym problem początkowo wydaje się nieskomplikowany. Zaczynamy od przestępstwa, ewentualnie podejrzenia o popełnieniu zbrodni. Mamy zwłoki albo ktoś przychodzi do protagonisty i informuje, że bliska mu osoba zaginęła, ewentualnie że ktoś chce go dopaść z niewiadomych powodów. Jest to nasz pierwszy kontakt z antagonistą: widzimy dowody jego działania, słyszymy podejrzenia człowieka teoretycznie niewinnego. Jest to także pierwszy element układanki, którą musi ułożyć protagonista. Wydaje się, że jest to kawałek najprostszy, najbardziej oczywisty, w rzeczywistości jedynie doprowadzi protagonistę do nowych, bardziej zaskakujących i szokujących elementów. Pierwsza zbrodnia to zaledwie przynęta, która wciąga protagonistę w labirynt tajemnic, gdzie do samego końca nic nie jest oczywiste.

Cyniczny naiwniak. Dlaczego detektyw (protagonista) podejmuje wyzwanie? Nie dlatego, że zagrożenie dotyczy bezpośrednio jego lub jego bliskich, choć z czasem dojdzie i do tego. Nadrzędny motyw jego działania to zagrożenie dla społeczności, której musi bronić. Protagonista już taki jest, inaczej nie wykonywałby tej pracy. Skoro jest detektywem, nieważne, policyjnym czy prywatnym, musi być gotów podjąć się działania przeciwko antagoniście. Jest protagonistą idealnym, bo jego doświadczenie, jego cynizm przygotowały go do dochodzenia. W książkach Agaty Christie i Sir Conan Doyla, w serialu *Columbo* protagonista podchodzi do zbrodni jak do zagadki szachowej, do trudnej łamigłówki. Nie angażuje się emocjonalnie, jeśli nie liczyć radości ze zwycięstwa. Rozwiązanie jest prezentowane zebranym poszkodowanym i podejrzanym, a protagonista rozkoszuje się nie tym, że sprawiedliwości stało się zadość, tylko dzięki jego własnemu geniuszowi. Stawka to nie życie i śmierć, to sukces i porażka; antagonista czasami chce zabić protagonistę albo ucieka, ale poza dokonaniem pierwszej zbrodni rzadko stanowi poważne zagrożenie.

Kodeks honorowy. Sprawy się znacznie komplikują w *film noir*. W *Sokole maltańskim* ginie partner Sama Spade; protagonista go nie lubił, ale byłoby źle, źle dla filmu, gdyby nie zareagował, nawet jeśli to oznacza, koniec końców, utratę kochanki (morderczyni). W filmach z Brudnym Harrym i Philipem Marlowe wewnętrzny kodeks honorowy kieruje czynami protagonisty jako element główny, choć nie jedyny; występuje oprócz, powiedzmy, obowiązków służbowych czy pięknych kobiet. Mamy wówczas do czynienia z ludźmi honoru w świecie go pozbawionym. I znowu chodzi o pokonanie śmierci, ale o ile w filmie odwagi pokonuje ją działanie, w filmie wiedzy śmierć ulega wiedzy, choć i akcja czasem odgrywa dużą rolę.

Choć zdolny, protagonista musi być nieudacznikiem, co sugeruje jego początkowy brak wiedzy. Bywa także alkoholikiem, rozwodnikiem, człowiekiem znienawidzonym przez zwierzchników, okrytym niesławą z nie swojej winy. Ze względu na taką a nie inną przeszłość, a także by wzbudzić empatię widza, już na początku filmu w danej zbrodni musi występować element, który wzbudzi w protagoniście wątpliwości. Czy da radę? Czy naprawdę chce się w to angażować? Możliwe też, że przełożony każe mu się trzymać z daleka od tej sprawy. Jednak te przeszkody pojawiają się już wtedy, gdy protagonista zaczął działać i zdążył się uwikłać w sieć intryg antagonisty. Nieważne, czy brnie dalej chcąc oczyścić się z zarzutów czy dlatego, że klientka go pociąga, czy może kieruje nim wewnętrzny kodeks honorowy; połknął haczyk, pokonuje wewnętrzne przeszkody.

Z czasem odkryje prawdę, choć w najmroczniejszych filmach może za tę wiedzę zapłacić wysoką cenę: własnego życia, jak w *Śmiertelnym pocałunku*, gdzie dochodzi do odpalenia bomby atomowej, albo wolności i niewinności, jak w *Siedem*, gdzie popełnia morderstwo dowiadując się, że antagonista zabił jego ciężarną żonę.

Szary człowiek

Filmy takie jak *Trzy dni kondora*, *System*, *Incydent*, *Ścigany*, *Wróg publiczny* i oparte na modelu hitchcockowskim (którego klasycznym przykładem jest *Północ – północny zachód*) powstały według innego wzorca. Są to filmy o szarym człowieku. Protagonistą jest nie detektyw, który zarabia na życie rozwiązywaniem zagadek kryminalnych, tylko zwykły śmiertelnik, przeciętny człowiek, który nieoczekiwanie znalazł się w środku tajemniczego spisku. Żeby przeżyć, musi odkryć, co i dlaczego zakłóciło jego spokojną, nudną egzystencję. Wiele elementów tego gatunku nawiązuje do filmów strachu: mroczna siła dąży do panowania nad światem i w drodze do tego celu chce zniszczyć protagonistę albo też upatrzyła sobie protagonistę jako pierwszą ofiarę. Pamiętaj, że protagonista musi pasować do danej opowieści, a to oznacza, że musi się charakteryzować czymś więcej niż niewinnością. Coś w nim, w jego życiu musi sprawiać, że jest podatny na działanie złych sił. W *Trzech dniach kondora* protagonista zbiera informacje dla CIA. Pracuje na niskim szczeblu, ale w cieniu mrocznego giganta i już to ściąga na niego niebezpieczeństwo. Czasami także protagonista dopuszcza się transgresji i tym samym sprowadza na siebie nieszczęście. W *Powiększeniu* jest to fotograf – podglądacz. W *Oknie na podwórze* złamana noga sprawia, że świat protagonisty ogranicza się do tytułowego okna i jednocześnie budzi w nim ukrytego podglądacza. W *Systemie* protagonistką jest specjalistka od komputerów, która pada ofiarą własnej wiedzy. W *Północ – północny zachód* jest to playboy, człowiek, za którym nikt nie zatęskni. W *Ściganym* to lekarz, który się poświęcił ratowaniu życia, a teraz zarzuca się mu, że je odebrał.

Niewinność i paranoja. Podobnie jak filmy strachu, filmy o szarym człowieku bazują na naszych strachach i obawach. Tutaj nie obserwujemy z chłodnym zainteresowaniem, jak bystry detektyw rozwiązuje zagadkę kryminalną; w filmach o szarym człowieku ulegamy trapiącym nas obawom i lękom, jakie budzą anonimowe siły w naszym świecie: obce mocarstwa, rządy, CIA, kryminaliści na wysokich stanowiskach i tak dalej. Kolejne przykłady to *Dotyk zła*, *Lone Star* i *Stan oblężenia*. Protagonista jest jak my, niewinny, dlatego i nas mógłby spotkać jego los. Co zrobilibyśmy na jego miejscu, oczywiście gdybyśmy byli równie odważni? Opowieść udziela odpowiedzi, na którą czekamy: przetrwamy, może smutni, ale mądrzejsi. Nieznane to element wywołujący napięcie; wiedza przynosi ulgę.

Ponieważ filmy wiedzy opierają się na paranoi, mentorzy i sprzymierzeńcy istnieją, ale często wiąże się z nimi podejrzenie (niejednokrotnie słuszne), że w rzeczywistości współpracują z antagonistą, należą do spisku. W *Truman Show* dosłownie wszyscy stanowią część spisku. Niektórzy wydają się prawdziwymi przyjaciółmi, ale nie będziemy tego pewni aż do końca. Widz musi poczuć, że nigdy nie wiadomo, komu można zaufać. Poczucie wyobcowania protagonisty narasta w miarę jak maleje liczba osób, którym mógłby zaufać.

Dotyczy to zwłaszcza miłości. W filmach wiedzy bliskość erotyczna może posłużyć do ukazania bezbronności protagonisty: za przykład niech posłużą *Morze miłości*, *Nagi instynkt*, *Północ – północny zachód* czy *Sokół maltański*. W *Morzu miłości* ukochana protagonisty jest także główną podejrzaną, choć koniec końców okazuje się niewinna. W *Sokole maltańskim* i *Nagim instynkcie* jest winna. W *Północ – północny zachód* zdradza, ale pokutuje. We wszystkich wymienionych filmach atrakcyjność wzrasta wraz ze stopniem zagrożenia. To konwencja *femme fatale*, kobiety niosącej zgubę, kolejna forma związku seksu i śmierci. Oczywiście nie zawsze kobieta jest przyczyną upadku protagonisty. W *Gasnącym płomieniu* Ingrid Bergman niemal traci rozum i życie dla pięknego Charlesa Boyera; to samo dotyczy bohaterów Julii Roberts i Patricka Bergina w *Sypiając z wrogiem*.

Seksualne niebezpieczeństwo (thriller erotyczny)

Thriller erotyczny funkcjonuje właściwie na tej samej zasadzie, tutaj jednak głównym tematem jest transgresja seksualna. Ten wątek jest wpleciony w inny – na przykład w miejscu pracy protagonisty ktoś spiskuje, chcąc się go pozbyć, albo seryjny morderca czatuje na jego życie, jednak głównym celem istnienia takiego filmu jest pokazać ciało. Dzisiaj, wobec łatwego dostępu do pornografii, rynek thrillerów erotycznych znacznie się skurczył, choć filmy takie nadal powstają (choćby *Nagi instynkt* i *Więź*). Jeśli masz dobrą fabułę i poświęcisz wystarczająco dużo uwagi szczegółom, element seksualny nie spłyci filmu, a wręcz go wzbogaci. Jak już mówiliśmy, seks to potężna siła: popycha do zdrady, transgresji, budzi motywację. Jeśli jednak twoim celem jest jedynie golizna, jeśli nasza żądza wiedzy ogranicza się do pytania, kiedy aktorzy wreszcie się rozbiorą, nie napisałeś dobrego scenariusza i nie masz szans go sprzedać.

Śmiech

Komedia sytuacyjna, farsa, komedia romantyczna

Używamy terminu „film śmiechu" (tłum. dosł. LAUGHTER MOVIE), a nie „komedia", ponieważ od strony technicznej komedia jest po prostu opowieścią ze szczęśliwym lub pozytywnym zakończeniem. Interesuje nas bardziej szczegółowe rozróżnienie. Film śmiechu ma sprawić, by widzowie się śmiali. Brzmi prosto, ale tak naprawdę taki rezultat jest jednym z najtrudniejszych do osiągnięcia. Bo co nas śmieszy? Co zrobić, by rozśmieszyć widza? Jeśli to się nie uda, film traci sens, ponieważ humor jest jego jedynym celem. Stąd scenarzyści, którym zawsze udaje się rozśmieszyć widzów, są najlepiej opłacani na świecie.

Dar bogów

Śmiech jest czymś powszechnym, a jednocześnie nieuchwytnym: jest niekonsekwentny, lecz niezmiernie ważny, ponieważ ma wpływ na wszystko, od zdrowia po stosunek do życia. Śmiech pomaga nam radzić sobie z przeciwnościami losu i dystansować się do problemów, z którymi nie umiemy sobie poradzić. Pomaga przetrwać. We wspaniałym *Podróże Sullivana* Prestona Sturgesa protagonista jest cenionym reżyserem komediowym, który marzy o zrobieniu „poważnego" filmu, prawdziwego dramatu, który będzie coś znaczył dla mas. Ale kiedy zamierza wyzbyć się dotychczasowej tożsamości i w ramach przeprowadzonych badań zostać biedakiem i żyć jak zwykli ludzie w ramach badań, zdaje sobie sprawę, że śmiech jest najprawdopodobniej największym darem, którym może obdarzyć zwykłych, ciężko pracujących ludzi; w ten sposób pozwala im na ucieczkę od ciężarów życia i radość, przynajmniej przez kilka godzin.

Poważna sprawa. Jak to osiągnąć? Najczęstszym błędem popełnianym przez początkujących autorów jest poleganie na dowcipach słownych lub wizualnych. To podejście prawie zawsze zawodzi. Dlaczego? Ponieważ dowcipy to krótkie, dyskretne cząstki humoru, niezależne od szerszego kontekstu. Wyobraźcie sobie, że słuchacie człowieka opowiadającego przez dwie godziny nie powiązane ze sobą dowcipy, z których nie wszystkie są zabawne: to efekt, jaki osiąga się przez wrzucenie dowcipów do dwugodzinnego filmu. To męczy. Niektóre filmy, takie jak *Czy leci z nami pilot?* czy *Naga broń*, których jedynym celem jest wyszydzanie innych filmów, z sukcesem opierają się na seriach dowcipów czy gagów. Efekt zależy jednak również od tego, czy widz ma ogólną znajomość komunałów i konwencji nadużywanego, chylącego się ku upadkowi gatunku dostarczającego spójnego kontekstu.

Tak naprawdę humor pochodzi z tego samego źródła co inne ludzkie emocje: z sytuacji, w których ludzie się znajdują, z ich marzeń, pragnień i osobistych dziwactw, z ich konfliktów. To dlatego gatunek ten w telewizji nazywamy „komedią sytuacyjną". Tworzenie humoru sprowadza się do tworzenia sytuacji, w których ludzie zachowują się i reagują w sposób, który ma dla nich sens, ale który jest widocznie i nieświadomie niestosowny do sytuacji, przesadzony lub nieszkodliwie daremny.

Śmieszne do bólu. Jest powiedzenie, które mówi, że komedia jest bezlitosna; aktorzy komediowi mówią o "zabijaniu" widowni. Poślizgnięcie się na skórce od banana i padnięcie jak długi na podłogę nie jest śmieszne, ale oglądanie jak coś takiego przydarza się, bez poważniejszych konsekwencji, zadufanemu w sobie dyrektorowi szkoły goniącemu za uczniem, który spóźnił się na lekcję, przynosi rozluźnienie, bo identyfikujemy się z uczniem, który znalazł się w ciężkim położeniu oraz ponieważ wielki balon samouwielbienia dyrektora został przebity. Nudny, zwyczajny tok zdarzeń został zaburzony. Śmiejemy się, ponieważ zostaliśmy postawieni w pozycji nadrzędnej nad bohaterami, wiedząc, że ich przesadzone emocje i zachowania są niemądre, lub że ich wizerunki własne zasługują na zasłużoną karę, oraz ponieważ możemy obserwować i czerpać przyjemność z dyskomfortu, niegroźnego bólu, przesadnej reakcji czy zakłopotania bohaterów z bezpiecznej pozycji widza. Doświadczenie mówi nam, jak się czują, ale śmieszy nas utożsamianie się z niedolą bohatera w zestawieniu z jednoczesnym uczuciem ulgi, że to wszystko nie przydarzyło się nam. Śmiejemy się kosztem kogoś.

Poślizgnięcie się na skórce od banana i inne wyrazy takiego prymitywnego fizycznego, slapstickowego humoru częściej śmieszą mężczyzn niż kobiety. Można dyskutować, czy spowodowane jest to późniejszym dojrzewaniem mężczyzn czy nie, niemniej jednak wydaje się być ogólnie akceptowane: mężczyznom podoba się *The Three Stooges*, kobietom nie. Pozwólmy sobie na duże uogólnienie: być może wynika to ze zróżnicowanych reakcji na zadawanie bólu. Z jednej strony mężczyzn nauczono czerpać przyjemność z obcesowych harców, z drugiej – znoszą ból gorzej niż kobiety, bardziej reagują na jego przedstawienie i doznają większej ulgi, kiedy okazuje się, że nie powoduje żadnych poważniejszych konsekwencji poza ośmieszeniem bohatera. Prostota i fizyczność komedii slapstickowej podoba się również dzieciom i z tego względu jest wspólnym elementem filmów rysunkowych takich jak *Struś Pędziwiatr* czy *Królik Bugs* oraz filmów dla dzieci takich jak np. *Kevin sam w domu*. Nie ma tu miejsca na wyrafinowanie – ból i zniszczenie, choćby pozornie bardzo poważne, zawsze okazują się niegroźne, wywołują jedynie frustrację bohaterów.

Sytuacje humorystyczne, jak w *Kocham Lucy*, cieszą się dużą popularnością wśród kobiet i również zawierają dużą dawkę humoru ośmieszającego bohaterki, ale w większej mierze opierają się na zawstydzeniu. I tak wstyd jest kolejnym rodzajem niegroźnego bólu, którego przedstawienie bywa bardzo śmieszne. Innym oczywistym przykładem, być może dlatego, że kobiety mogą się z nim fizycznie utożsamiać, jest ból porodu, wykorzystywany do uzyskania komicznego efektu, często łącząc fizyczny ból kobiety z wstydliwym bólem mężczyzny asystującego. Tutaj również nie ma żadnych poważniejszych konsekwencji, a ból jest oczywistym wstępem do radości (z narodzin dziecka).

Istnieje więc wiele niegroźnych sytuacji opartych na bólu, zabawnych zarówno dla mężczyzn, jak i dla kobiet. Wszystko zależy od kontekstu i położenia bohatera. Ból jest jednym z elementów chaosu, odpowiedzią na uraz, a kiedy chaos zaburza porządek świata, może mieć to zarówno przerażające, jak i komiczne konsekwencje, w zależności od tego, czy stwarza sytuacje groźne czy tylko niewygodne. Ale jest to zaledwie jedna część równania; istnieje jeszcze inny element, który w większym stopniu wpływa na mężczyzn niż na kobiety: głupota. Bohaterowie tacy jak *Stooges* czy *Głupi i głupszy* tworzą sytuacje komiczne, poprzez idiotyczne zachowanie i bardziej rozśmieszają mężczyzn. Kiedy bohater jest inteligentny, jak np. w filmach Charliego Chaplina i Bustera Keatona, i gdzie sytuacje sprowadzają się do czegoś więcej niż zaledwie wizualnego gagu, w którym ktoś komuś wsadza palec w oko, komedia slapstickowa śmieszy zarówno mężczyzn, jak i kobiety. Oglądanie trzech policzkujących się idiotów bardziej odpowiada widowni męskiej, kulturowo uwarunkowanej do akceptowania przemocy. Każdy, kto kiedykolwiek próbował odzyskać formę, identyfikuje się z oglądanym na ekranie biednym małym włóczęgą, poturbowanym przez masażystę z sanatorium. Jest ofiarą niegroźnie bolesnej sytuacji, a my śmiejemy się z niego ze współczuciem. Z drugiej strony *The Stooges* tkwią w błogiej nieświadomości idiotycznego zachowania, a my śmiejemy się z nich z pogardą.

Więc jeśli źródłem humoru ma być bezsensowna walka i szarpanina, wiedz, że prawdopodobnie zawężasz i ograniczasz widownię. To samo tyczy się humoru związanego z funkcjami fizjologicznymi. Być może ze względu na ugruntowaną historycznie kulturę macho, dla mężczyzn prostackość, łamanie norm społecznych – puszczanie bąków, bekanie czy wymiotowanie jest bardziej zabawne niż dla kobiet. Te twierdzenia zawierają oczywiście pewną dawkę seksizmu, a wobec popularności grubiańskich filmów śmiechu, takich jak *Sposób na blondynkę*, różnice te zanikają. Ale jest w tym nadal sporo prawdy; mężczyźni i kobiety odbierają inne sytuacje jako śmieszne, inne jako odrażające.

Absurd? Poważnie. Czasami bohaterowie filmów śmiechu wypowiadają ironiczne komentarze (w odróżnieniu od żartu), w innych sytuacjach bardzo rzadko zdają sobie sprawę z własnej śmieszności czy niedorzeczności ich sytuacji. Zachowują się i reagują szczerze na zdarzenia w kontekście danej, zwykle przykrej, sytuacji. Odnosi się to nawet do komedii slapstickowych: Moe, Larry i Curly nie robią sobie żartów, zachowują się bardzo poważnie. Dotyczy to również Lucille Ball, gdzie źródłem humoru jest jej poważne traktowanie absurdalnie niedorzecznego planu zbicia fortuny lub produkowania wina, jak również poważnego podejścia *Stooges* do udawania chirurgów czy hydraulików oraz ich coraz głupszych wysiłków w drodze do upragnionego celu. Śmiertelna powaga Charliego Chaplina uwydatnia absurdalność sytuacji, w jakich się znajduje, czy jest to zasuwanie w pocie czoła, do granicy utraty przytomności, przy taśmie produkcyjnej, czy uganianie się za kobietą z przedziwnymi guzikami (*Dzisiejsze czasy*), czy podwiązanie spodni liną zamiast paska (aby móc zatańczyć z kobietą swych marzeń) nie zdając sobie początkowo sprawy, że do tej samej liny przywiązany jest również olbrzymi pies (*Gorączka Złota*). Im bardziej absurdalna sytuacja i im poważniej bohater ją traktuje, tym zabawniejszy efekt.

Te konflikty bawią, ponieważ niedola, zachowania i reakcje są nieproporcjonalne do sytuacji, albo sytuacja jest tak absurdalna, że śmieszy nas, że bohaterowie traktują ją poważnie. Sytuacja, w której kobieta wrzeszczy na inną, aby zeszła jej z drogi, może być poważna i groźna. Jednak sytuacja, w której kobieta wrzeszczy na krowę, aby zeszła jej z drogi, jest komiczna. Chociaż zachowanie kobiety, z jej punktu widzenia, może być usprawiedliwione z emocjonalnego punktu widzenia jest niestosowne do sytuacji, sprawia, że wydaje się śmieszna. Być może z jakiegoś powodu krzepki ciężarowiec zacznie krzyczeć z przerażenia; ale jeśli powód krzyku jest absurdalny, np. mysz biegająca po sali treningowej, taka reakcja wzbudza śmiech. Czy też weźmy sytuację, gdzie bohater przechadza się z zakupami po ulicy, na której trwa walka gangów, jak na niedzielnym spacerze. Pociski przelatują obok niego ze świstem, a on nawet ich nie zauważa, dopóki jeden z nich nie trafi w karton z mlekiem, który niesie – wtedy nasz bohater się wścieka, bo musi kupić nowe mleko. Lub też bankier z Wall Street, dumny ze swojej pozycji, zaczyna rozpaczać, kiedy spada na niego odpowiedzialność za gospodarstwo chorego kuzyna, a nie potrafi nawet wydoić krowy, nie brudząc sobie butów od Gucciego za 500 dolarów. Bawi nas jego konsternacja, poważne, ale niedorzeczne podejście do sytuacji.

Świat i bohater*. Pierwszym zadaniem scenarzysty, którego nadrzędnym celem jest wzbudzenie śmiechu, jest zatem wykreowanie świata, który pozwala wplątać bohaterów w sytuacje absurdalne, nieszkodliwie bolesne lub żenujące, albo stworzenie bohaterów, którzy z natury zachowywaliby się absurdalnie w normalnych sytuacjach. W obu wypadkach mamy do czynienia z sytuacją „ryba wyjęta z wody", a humor ma źródło w zderzeniu ich niestosownych zachowań i postaw w danej sytuacji. Oto przykłady normalnych ludzi znajdujących się w absurdalnych sytuacjach: troje mieszczuchów, którzy mają wszystkiego dość i decydują się wyrwać z miasta na rancho (*Sułtani westernu*); mały sprytny chłopiec, który krzyżuje plany nieudolnych włamywaczy (*Kevin sam w domu*); adoptowany paleontolog, który decyduje się odnaleźć biologicznych rodziców (*Igraszki z losem*); nieodpowiedzialny adwokat, który dowiaduje się, że przez jeden dzień ma mówić tylko prawdę (*Kłamca, kłamca*); kobiety, które decydują się na nieuprawianie seksu z mężami, dopóki nie przestaną oni prowadzić niemądrej wojny (*Lysistrata*); językoznawca z wyższych sfer, który zakłada się, że przemieni dziewczynę z nizin społecznych w damę (*Pigmalion, My Fair Lady*). Do niestosownych lub absurdalnych bohaterów znajdujących się w mniej więcej normalnych sytuacjach możemy zaliczyć np. głupiego, ale mającego o sobie wysokie mniemanie detektywa uganiającego się za złodziejem bezcennego klejnotu *(Różowa Pantera)*; szalonego prywatnego detektywa, który za wszelką cenę będzie próbował odzyskać skradzione zwierzęta (*Ace Ventura*); bezrobotnego aktora, który udaje kobietę, by dostać rolę w operze mydlanej (*Tootsie*).

Wszystkie te komedie miały wielki potencjał, jeśli chodzi o humor sytuacyjny i opierały się na przerysowaniu osobowości bohaterów i sytuacji, aby nadać im wymiar komiczny. Ale czasami najlepszy humor pochodzi z codziennych sytuacji, z rozpoznania bolączek i absurdów codzienności. I tak na przykład w *Spokojnie, tatuśku* bohater Steve'a Martina robi wszystko co w jego mocy, by jako obowiązkowy ojciec, upewnić się, że przyjęcie urodzinowe jego syna będzie udane; posuwa się nawet do oszustwa. Niestety, zabawka jest nie do pokonania i, po wypróbowaniu wszelkich możliwości, ucieka się do ostateczności i próbuje przeciąć ją piłą. Pozostała część przyjęcia również pełna jest problemów, z którymi może identyfikować się każdy rodzic, a humor ma źródło w aktach desperacji, do których posuwa się Martin, by je przezwyciężyć. W *L.A. Story* Martin w małym tylko stopniu przerysowuje kulturowe stereotypy, zwykle kojarzone z Los Angeles. W jednej ze scen on i jeden z mieszkańców Los Angeles siedzą w kawiarni, nieświadomie zamawiając wszelkie bezkofeinowe napoje, zaczynając od cappuccino, na lodach kawowych kończąc. Wtedy uderza trzęsienie ziemi, ale nikt tego nie zauważa. A kiedy bohater wyraża wątpliwości w kwestii „uprawiania miłości" z o wiele młodszą, seksowną dziewczyną graną przez Sarah Jessicę Parker, ona odpowiada: *nie ma sprawy, po prostu pójdziemy do łóżka*. W kontekście postrzegania Los Angeles przez Amerykanów jest to zabawne, bo ma sens.

Przekraczanie norm. W filmach strachu przełamywanie tabu i przekraczanie norm społecznych ma przerażające następstwa. W filmach śmiechu bawi, ponieważ zawiera element początkowego strachu kojarzonego z przełamywaniem tabu, ale nie niesie poważniejszych konsekwencji, przez co doświadczamy słodkiej ulgi. Przekraczanie norm, choć niebezpieczne, może być również żenujące. Seks i funkcje fizjologiczne podlegają tabu, są również źródłem zażenowania, mimo że poziom humoru bywa żenująco niski. Może być to po prostu psikus, jak np. w *Głupim i głupszym* gdzie jeden wlewa środek na przeczyszczenie do drinka drugiego, aby go ośmieszyć przed dziewczyną, którą obydwaj chcą poderwać. Oglądamy go i słyszymy, jak się głośno wypróżnia, by po chwili zorientować się że w toalecie, w której siedzi nie działa spłuczka. W filmach strachu odpowiednikiem byłaby krew i wnętrzności filmów *gore*. Ale humor, który wywodzi się z przekraczania „cywilizowanych" norm społecznych może również odzwierciedlać głębszą chęć utarcia nosa ważniakom. Puszczanie bąków lub obnażanie się na ekranie przekracza pewne ograniczenia społeczne; transgresja ma także wymiar społeczny. Widownia, w szczególności amerykańska, upaja się upokorzeniem hipokrytów z wyższych sfer, tych, którzy uważają się za lepszych od przeciętnego człowieka. Jeśli takie przekraczanie norm przydarza się bohaterom w obecności bohaterów spiętych, poprawnych społecznie, lub gdy tacy bohaterowie oglądani są w sytuacjach gdzie są wystawieni na pośmiewisko, nadzy, brudni lub załatwiający potrzeby fizjologiczne, godzi to w zadufane konwencje, którymi się bronią i według których tworzą swe napuszone wizerunki.

Ważniakom kres. Humor tego rodzaju to wielki „walec, który przyjdzie i wyrówna", potwierdzenie demokratycznej wiary, że nikt nie jest ponad kpiny. Uwielbiamy przyłapywać ważne osobistości „z rozpiętym rozporkiem". Nie ma chyba na to lepszego przykładu w rzeczywistym świecie niż niezliczone żarty na temat grubych ud prezydenta Billa Clintona i jego wielu domniemanych (i potwierdzonych) wiarołomstw. To jak „nowe szaty cesarza". W *The Three Stooges* tortem w twarz, oczywiście poza tytułowymi bohaterami, dostaje zazwyczaj napuszony jegomość z elity towarzyskiej. W *Głupim i głupszym* po cichu bierzemy odwet na dociekliwych gliniarzach – formalistach, którzy wlepili nam mandat, gdy jeden z nich bierze spory łyk z butelki po piwie napełnionej moczem. Nawet bardzo wykwintne komediowe filmy wykorzystują humor związany z funkcjami płciowymi/potrzebami fizjologicznymi. Weźmy tu np. sceny z *MASH*, gdzie arogancka purytanka *Gorące Wargi* Hoolihan okazuje się być cudzołożnicą i hipokrytką: najpierw słyszymy przez interkom, jak się kocha pod prysznicem, później, prawdę o niej poznaje cały obóz. Frank, jej nietolerancyjny kochanek, musi odejść w niesławie. A my cieszymy się z ich zażenowania, bo sami to na siebie ściągnęli udając, że są lepsi od innych. Upokorzenie nie ogranicza się do tabu płciowego czy funkcji fizjologicznych. Może doprowadzić zachłannego inwestora do ubóstwa, słynnego, lecz aroganckiego atletę do publicznej klęski, napuszonego intelektualistę do przyznania się do błędu – w skrócie to cokolwiek, co może poniżyć tych wielkich i zadufanych w sobie.

Ci, których postrzegamy jako osoby poważne, niszczące kontrakt społeczny albo którzy zachowują się wrogo w stosunku do niewinnych ludzi – kryminaliści, nieuczciwi politycy, skorumpowani szefo*wie*, prawnicy – są również celem kpiny (*Kevin sam w domu, Dave, Pracująca dziewczyna, Kłamca, kłamca*). Oni też powinni być ukarani, zazwyczaj przez postać reprezentującą niewinność, z którą się identyfikujemy: dziecko, uczciwego pracownika, troskliwego obywatela, sprytnego psa. W tych przypadkach publiczne naśmiewanie się z tych, którzy męczyli lub zdradzili protagonistę (nas) stwarza ten sam efekt katharsis co śmierć czy uwięzienie w poważnym filmie.

Cyniczny śmiech. Mroczne komedie, takie jak *Bob Roberts, Eating Raoul*, czy *Dr Strangelove* zwykle prezentują bardziej uogólnione i cyniczne podejście do ludzkiej natury i nie oszczędzają również protagonisty. Protagonista może zabić obrażającego go antagonistę (lub antagonistów), jak w *Kolacja z arszenikiem*, i uciec przed karą za morderstwo, jak w *Graczu*. W rezultacie wszyscy są skorumpowani i zostają antagonistami. Aby napisać taki scenariusz, trzeba jasno określić cechę, którą chcesz napiętnować – chciwość, nieodpartą chęć władzy, pożądanie – a następnie wykreować protagonistę, który ma powody, by podjąć na krucjatę. Często jednak protagonista staje do walki, bo sam widzi w sobie tę samą wadę co u antagonisty; zdarza się, że obaj ponoszą klęskę. Wówczas humor pełni nie tyle rolę katharsis, co przestrogi. Przesłanie? Nikt z nas nie jest bez winy. Efekt bywa cudownie złowrogi; scenarzysta liczy wówczas na cynizm widza, nie jego poczucie absurdu. Jednak można widza łatwo zrazić, jeśli efekt jest zbyt gorzki lub oczywisty, albo jeśli nie sposób zrozumieć powodów działania protagonisty.

Miłość i śmiech (komedia romantyczna)

Chłopak spotyka dziewczynę, chłopak traci dziewczynę, chłopak zdobywa dziewczynę – to odwieczna formuła romantycznej komedii. Czasami role odmiennych płci będą przestawione (albo identyczne - w gejowskiej opowieści), ale wzorzec pozostaje ten sam. Jednak co właściwie zawiera, dlaczego się sprawdza? Czy sprawdza się też w teoretycznie bardziej rozwiniętym społeczeństwie? Oczywiście.

Co nas bawi? Bohater w niezręcznej sytuacji, jego wyczyny i reakcja na przeszkody i konflikt, jaki taka sytuacja powoduje. Gdy w ten konflikt dodamy jeszcze niepewność i chęć sprawdzenia się w oczach ukochanej/ukochanego, mamy podstawę komedii romantycznej. W większości romantycznych filmów śmiechu główny konflikt rodzi się między dwojgiem kochanków. Strukturalnie jedna postać jest protagonistą, a druga antagonistą. Niezręczna sytuacja to fakt, że największy konflikt to konflikt między przyszłymi kochankami (oprócz konfliktu postać kontra ja). To, że para potencjalnych kochanków jest stworzona dla siebie, musi wydawać się widzowi oczywiste, podczas gdy dla nich nie jest to jasne: protagoniście, antagoniście albo obojgu ten związek wydaje się niestosowny. Będziemy określać protagonistę i antagonistę jako „chłopaka" „dziewczynę" i utrzymamy tę kolejność płci, chyba że odniesiemy się do specyficznych przykładów, w których role są odwrócone.

Nie! Gdybyś nawet był ostatnim mężczyzną na świecie. Taka opozycja przyczynia się też do tego, że na ekranie – inaczej niż w życiu – romantyczne filmy śmiechu często zaczynają się od scen, w których przyszli kochankowie naprawdę się nie lubią, boją albo unikają jeden drugiego i muszą pokonać początkowy antagonizm, aby się połączyć. Bez niego nie byłoby konfliktu, a więc i opowieści. To właśnie jest elementem wspólnym filmów z Katharine Hepburn, nieważne, czy główną rolę męską gra Spencer Tracey, Humphrey Bogart czy Cary Grant, i innych filmów z tamtej epoki (takich jak *Ich noce*). Bardziej współczesny przykład mamy w Kiedy Harry spotkał Sally albo w Lepiej być nie może, gdzie protagonistą jest mężczyzna, który nie lubi kobiet, a antagonistka z trudem go toleruje. Czasami przyszli kochankowie są beznadziejnie niedopasowani ze względu na różnice klasowe np. w *Pigmalionie* czy *Pretty Woman*.

Mogą być jeszcze inne, zewnętrzne przeszkody, takie jak poprzednie związki, rywalizujący konkurenci, nieoczekiwane wydarzenia i to one tamują lub przerywają związek, albo wewnętrzne przeszkody, jak chęć pozostania samotnym lub niska samoocena. Czasami, gdy „przedmiot miłości" nie wie o uczuciach protagonisty, albo postać jest zbyt miła i dobra, by być dobrym źródłem konfliktu, można tak skonstruować opowieść, że jedna z innych przeszkód jest pełniej rozwinięta i staje się antagonistą. Na przykład w *Sposobie na blondynkę* bohaterowie grani przez Bena Stillera i Cameron Diaz początkowo darzą się sympatią, lecz los ich rozdziela. Kiedy kilka lat później stęskniony Stiller decyduje się odnaleźć ukochaną, wynajmuje nieprzyzwoitego prywatnego detektywa, i kiedy ten (Matt Dillon) również się w niej zakochuje, staje się antagonistą. Mary jest zbyt doskonała i zbyt nieświadoma tego, co się dzieje żeby zostać antagonistką, więc staje się elementem ozdobnym.

Ona i miłość to jedno. W *Bezsenności w Seattle* potencjalnych kochanków oddziela kontynent; nigdy nie są bezpośrednio w konflikcie ze sobą, więc przestrzeń i kombinacja wewnętrznych wątpliwości i wahań stają się mocą antagonistyczną. W *Jak pies z kotem* głównym antagonistą jest niska samoocena.

Jednak, chociaż te alternatywnie antagonistyczne struktury czasem wypadają bardzo dobrze, stosujemy je rzadko, bo w romantycznych filmach śmiechu zwykle szukamy dwojga kochanków w centrum zainteresowania, równie interesujących – równowaga ta sugeruje związek protagonista – antagonista. Będziemy kontynuować według tego wzorca.

Stare powiedzenie (trochę zmienione) mówi: wsadź protagonistę na drzewo, potem rzucaj w niego kamieniami, aż wykombinuje jak zejść. W filmach śmiechu im więcej „kamieni", tym weselej. Ale aby historia była śmieszna, musi zawierać element początkowej fascynacji i stopień, do jakiego posuną się bohaterowie, by temu zaprzeczyć, a potem, by zdobyć tę drugą osobę po wcześniejszym zrobieniu z siebie głupka.

Chłopak spotyka dziewczynę, traci ją, odzyskuje. Kiedy protagonista poznaje antagonistkę, brak mu pewności siebie i umiejętności, by ją zatrzymać, więc robi coś głupiego, traci obiekt uczuć wskutek działania, które dowodzi jego niedoskonałości w dziedzinie istotnej dla antagonistki. Władza antagonistki wynika z faktu, że posiada ona to, czego pragnie protagonista: jest bardziej pewna siebie, troskliwa, przyzwoita. Przykład? Dobroduszna kelnerka Helen Hunt z *Lepiej być nie może*. W *Jerrym Maguire* antagonistka to jedyna uczciwa, nieegoistyczna postać; tylko ona trwa przy bohaterze, gdy zaczną się kłopoty. W *Jak pies z kotem* i *Ja cię kocham a ty śpisz* antagonista to mężczyzna, bardzo dobry i uczciwy. Zauważmy, że w *Lepiej być niemoże* antagonista zajmuje się chorym dzieckiem; w *Sposobie na blondynkę* opiekuje się bratem, opóźnionym w rozwoju, a w *Jak pies z kotem* antagonista, mężczyzna, ma niewygodnego psa. We wszystkich wymienionych filmach niewinni podopieczni odczuwają sympatię do protagonisty; reagują na niego jak na nikogo innego i jest to wyraźny sygnał dla antagonisty, że to człowiek wartościowy. Pod względem moralnym i emocjonalnym antagonista osiągnął to, do czego dąży protagonista. Protagonista stracił równowagę, nie umie się odnaleźć w świecie; zwycięstwo nastąpi, gdy siła antagonisty pomoże mu ją odzyskać. Protagonista potrzebuje antagonisty.

Z historycznego punktu widzenia w kulturze zdominowanej przez mężczyzn, w której siła kobiety brała się przede wszystkim z przyzwolenia lub jego braku na zbliżenie seksualne, antagonistka strzegła skarbu – rozkoszy seksualnej – jak smok złotego runa, przy czym nieważne, czy protagonista koniec końców się z nią kochał, czy nie. Ostatnio, a także w latach trzydziestych i czterdziestych, gdy w filmie pojawiły się dominujące postacie kobiece, czasami role się odwracają i to mężczyzna jest obiektem pożądania, jak w *Ja cię kocham a ty śpisz* czy *Jak pies z kotem*.

Sam seks to za mało, zwłaszcza że jest zbyt przyziemny i należy do kategorii potępianych przyjemności zmysłowych. Jeśli seks to jedyny cel protagonisty, czeka go klęska, często komiczna. Pożądanie musi się przerodzić albo przynajmniej łączyć z wyższym uczuciem – prawdziwej miłości. Dzięki radom przyjaciół (sprzymierzeńców i mentorów), dzięki nauce wyniesionej z serii porażek, które tylko wystawiają go na pośmiewisko i przynoszą wstyd, protagonista zdobywa bezcenną wiedzę – jak być lepszym człowiekiem, jak pokonać trapiące go zmory i skazy. Teraz może zdobyć antagonistę. Zazwyczaj musi także okazać się lepszy niż drugoplanowy przeciwnik – inny zalotnik czy zarozumiała, snobistyczna kochanka, z którą aktualnie jest antagonista. Jeśli taki związek istnieje, antagonista trwa w nim li i jedynie z poczucia obowiązku lub innego powodu tyleż szlachetnego, co niewystarczającego.

Pomyłka. Skazy i wątpliwości protagonisty zmuszają go do dokonywania błędnych wyborów, choć on jest przekonany o słuszności obranej drogi. Jego intencje mogą być głupie, złośliwe albo jak najlepsze, ale zawsze wracają rykoszetem do protagonisty. W *Jak pies z kotem* protagonistka obawia się umówić z mężczyzną swoich marzeń i zamiast tego konstruuje przebiegły plan, by go przedstawić najlepszej przyjaciółce. W *Ja cię kocham a ty śpisz* samotna bohaterka Sandry Bullock udaje, że jest zaręczona z mężczyzną w śpiączce, by nie tracić kontaktu z jego rodziną, do której chciałaby należeć. W *Lepiej być nie może* protagonista to istny świr, który początkowo chce zwrócić na siebie uwagę swojej sympatii okrutnymi żartami. W *Pracującej dziewczynie* Melanie Griffith, sekretarka, udaje panią menadżer, żeby zdobyć pracę marzeń i ukochanego mężczyznę. W *Pretty Woman* milioner Richarda Gere stara się utrzymać finansowy charakter znajomości, choć zdaje sobie sprawę, że zakochał się w prostytutce Julii Roberts. Czasami protagonista po prostu nie dopuszcza do siebie prawdziwych uczuć. Z czasem, stopniowo, pod wpływem antagonistki, protagonista się zmienia, uczy się, jak żyć bez strachu, jak być człowiekiem prawdziwszym, uczciwszym, bardziej wartościowym.

Konflikt bierze się z dwóch źródeł: oszustwa protagonisty albo odpychają antagonistę od razu, albo początkowo go przyciągają, ale kiedy pozna prawdę, nie chce mieć z protagonistą nic wspólnego. Innymi słowy, kiedy się wydaje, że protagonista osiągnął to, czego chciał, ostateczny i wydawałoby się nierozwiązywalny konflikt rodzi się z wcześniejszych machinacji protagonisty. Czasami dotyczy to także antagonisty. W *Sposobie na blondynkę* Stiller wynajmuje prywatnego detektywa i nie wychodzi mu to na dobre: przez to zwiększa się dystans między nim a ukochaną. Główne powody: machinacje detektywa i fakt, że Mary się o nich dowiedziała.

Jak na spowiedzi. Kłamstwa wychodzą na jaw, misterny plan wali się z hukiem. Protagonista musi ulżyć sumieniu i wyznać, że robił to wszystko z miłości. Idea? Prawdziwa miłość rozkwita dopiero wtedy, gdy usuniemy wszelkie przeszkody, gdy protagonista odkryje się i odsłoni przed antagonistą. I właśnie wtedy, pozornie bezbronny i słaby, protagonista jest najsilniejszy, bo jego uczciwość ostatecznie przekona antagonistę. W filmach odwagi wymagane jest działanie fizyczne, w filmach wiedzy – inteligencja i mądrość, w romantycznych filmach śmiechu – uczciwość. Filmy strachu to transgresja i pokuta, romantyczne filmy śmiechu to transgresja i zbawienie.

Układ sił jest taki sam we wszystkich gatunkach filmowych. Protagonista ma potencjał, może zwyciężyć, ale antagonista wydaje się zbyt silny. Rodzi się konflikt, bo oboje zmierzają do tego samego celu, lecz w romantycznych filmach śmiechu protagonista zdobywa serce antagonisty, a nie pokonuje go, bo w efekcie końcowym mamy równowagę sił, a nie ich odwrócenie. Protagonista wygrywa, ale antagonista nie przegrywa. Oboje dążą do wspólnego celu i aby go osiągnąć, muszą współpracować; dążą przecież do doświadczenia prawdziwej miłości.

Miłość i tęsknota

Romans, melodramat, miłość platoniczna

Miłość to najsilniejsza więź międzyludzka; dzięki niej odsuwamy samotność i poczucie odizolowania w bezosobowym, groźnym świecie. Prawie każdy z nas identyfikuje się z tęsknotą za doświadczeniem miłości, za świadomością, że istnieje idealny związek z inną osobą, w którym możemy zarówno się zatracić, jak i nabrać pewności, że życie ma znaczenie i cel. Z tęsknoty tej zrodziły się najwspanialsze opowieści i filmy. Mamy opowieści o poświęceniu i namiętności, o ludziach odczuwających największe przyjemności i doświadczających najgorsze niedole, o ludziach, którzy w odróżnieniu od większości z nas żyją pełnią życia, czy to do końca swych dni, czy też jedynie przez krótką, lecz bezcenną chwilę. To nie ma znaczenia. Mimo że *Sułtani westernu* są w większej mierze opowieścią o kumplach niż historią miłosną, mamy tam wspaniałą scenę, w której Curly, stary kowboj (Jack Palance), opowiada o spotkaniu z piękną dziewczyną stojącą w świetle słońca, z którą nigdy nie zamienił słowa i której nigdy więcej nie zobaczył. Dziwi to bardzo bohatera granego przez Billy'ego Crystala – dlaczego tego nie zrobił? Być może byłaby to miłość jego życia? Na co Curly odpowiada: *ona jest miłością mojego życia*. Następnie, w rezultacie swej przygody, bohater Crystala zdaje sobie sprawę, że jego życiu sens nadaje żona i rodzina.

Bicie serca

W historii miłosnej poszukiwanie idealnego połączenia i zrozumienia wysuwa się na pierwszy plan. W innych gatunkach namiętność i potrzeba uczucia schodzą na drugi plan lub są w ogóle nieobecne. W pozytywnej historii miłosnej namiętność i potrzeba połączenia są wyrazem siły życiowej. Mówi się o „nieśmiertelnej miłości", o bohaterach, którzy „żyli długo i szczęśliwie" nie dlatego, że byli – czy też jesteśmy – nieśmiertelni w dosłownym znaczeniu, ale dlatego, że wierzymy, że dopiero kiedy doświadczymy prawdziwej miłości będziemy mogli powiedzieć, że żyliśmy naprawdę, a śmierć straci nad nami władzę. Prawdziwe jest również to, że w nieszczęśliwej historii miłosnej, gdzie miłość i tęsknota protagonisty pozostają nieodwzajemnione, śmierć ma większą siłę, a konsekwencje jego czynów mogą być tragiczne w wymiarze uczuciowym.

Miłość bezwarunkowa. Tęsknota za miłością może prowadzić do poczucia siły i radości, jeśli powraca lub pozytywnie zmienia wewnętrzną moralność i potrzeby świata, w którym żyją bohaterowie. Wynikiem jest historia miłosna ze szczęśliwym zakończeniem. W *Światłach wielkiego miasta*, być może najlepszym filmie Chaplina, małemu włóczędze udaje się uzbierać pieniądze na operację niewidomej kwiaciarki, w wyniku której kobieta odzyskuje wzrok. Ale ponieważ uważa, że nie jest jej godny, nie ujawnia, kim jest; dar jest całkowicie altruistyczny, jest bezinteresownym gestem prawdziwej miłości, podczas gdy ona mylnie przypuszcza, że dobroczyńcą był ktoś zamożny. W końcu jednak pamięć dotyku z czasów, kiedy była jeszcze niewidoma, ujawnia tożsamość włóczęgi i dowiadujemy się, że dobre uczynki w końcu przyniosły mu szczęście, na które bezsprzecznie zasługuje. Jego uczynki zmieniły jego świat i świat kobiety, którą kocha. *Marty* ma podobną fabułę: dwoje samotnych nieudaczników spotyka się i wbrew przeciwnościom losu na nowo tworzą i ulepszają bezduszny, okrutny świat, w którym przyszło im żyć.

Szczęśliwe zakończenia nie zawsze oznaczają, że drogi kochanków się zeszły. Szczęśliwe zakończenie w *Casablance*, na przykład, umacnia wartości moralne w świecie, w którym dobro prowadzi wojnę ze złem. Ponowne spotkanie z Ilsą pozwala Rickowi wyzbyć się cynizmu i bólu, które go paraliżowały, jej z kolei pomaga pozbyć się poczucia winy po tym, jak porzuciła go wiele lat wcześniej. Ale oboje zdają sobie sprawę, że jest coś ważniejszego od ich romansu, coś uosabianego przez Viktora, męża Ilsy, walczącego o wolność. Miłość pozytywna jest bezwarunkowa, a bezinteresowność Ricka i Ilsy, mimo tęsknoty, wzmacnia wartości ich świata. Nie mogą być ze sobą, ale to nie oznacza, że ich miłość umarła; sięgnęła ideału, nie wymaga niczego więcej: *zawsze będziemy mieć Paryż*. Kolejnym dobrym przykładem jest *Forrest Gump*. W świecie pełnym chaosu, absurdu i okrucieństwa przyzwoitość Forresta i jego bezwarunkowa miłość ocalają, przynajmniej w duchowym znaczeniu, represjonowaną i dręczoną dziewczynę, którą zawsze kochał. I mimo że Jenny umiera, tak jak w filmach odwagi, rezultat działań Forresta to pochwała życia: urodziła mu syna, w którym jej miłość przetrwała. Być może najlepszym przykładem bezwarunkowej miłości, w każdym razie sądząc po wpływach kasowych, jest *Titanic*. Poukładany spokojny świat wpada w wir chaosu. Jack ginie, ale jego bezwarunkowa miłość do Rose ocala ją *w każdym sensie, w jakim można kogoś ocalić* i pozwala doświadczyć pełnego, długiego życia. W każdym z tych filmów jest słodycz i gorycz, ale koniec końców są one nadal „komediowe" w tym sensie, że życie i wartość miłości znajdują potwierdzenie.

Trzeba zaznaczyć, że większość z tego, co dotyczy romantycznych filmów śmiechu, odnosi się również do prawie każdej komediowej historii miłosnej ze szczęśliwym zakończeniem, nieważne, czy jej podstawowym celem było wywołanie śmiechu. Różnica polega na prawdziwym cierpieniu bohaterów, którego doświadczają, zanim osiągną cel (pamiętajmy, że prawdziwe cierpienie nie jest śmieszne), kto lub co ponosi winę za oszustwa, których dopuszcza się protagonista oraz na stopniu przerysowania sytuacji i zachowań bohaterów. W filmie śmiechu protagonista sam stwarza problemy, z którymi się boryka, a wysiłek, jaki wkłada w ich przezwyciężenie staje się coraz bardziej niedorzeczny. W poważnej „komediowej" historii miłosnej kłody pod nogi rzuca świat i otoczenie i wywołują one raczej współczucie niż śmiech.

Wyraźnie to widać, porównując *Emmę* Jane Austen (albo *Clueless*, jej współczesną wersję), która jest zdecydowanie filmem śmiechu, z *Rozważną i romantyczną*, która filmem śmiechu nie jest (mimo że zawiera elementy komiczne). Obydwie historie opierają się w dużej mierze na tym samym wzorcu: młoda kobieta w surowym, skonwencjonalizowanym społeczeństwie pierwszej połowy dziewiętnastowiecznej Anglii zakochuje się w idealnym mężczyźnie, ale ze względu na okoliczności nie może z nim się połączyć. W *Emmie* źródłem śmiechu jest niemożność dostrzeżenia przez bohaterkę jej własnych pragnień, połączona z jej wścibskim zaangażowaniem w życie uczuciowe przyjaciółki. Jej błędne założenia, knowania i zaprzeczenia to wyłącznie jej wina; wynikają z jej dumy i społecznych uprzedzeń i Emma musi zostać upokorzona w sposób komiczny, a jej duma ukarana, zanim nauczy się uczciwości i zrozumienia, jakich wymaga prawdziwa miłość. *Rozważna i romantyczna* natomiast budzi współczucie, ponieważ protagonistka zaprzecza uczuciom wbrew swojej woli; jej niegdyś zamożna rodzina przeżywa trudny okres i bohaterka nie z własnej winy zmuszona jest przez ograniczenia społeczne do rezygnacji z miłości. Koniec końców, niezmienność jej uczuć, dyskrecja i cnota nagrodzone zostają spełnieniem uczucia, podczas gdy ci, którzy byli przeciwko niej, są upokorzeni za narzucenie jej swych uprzedzeń, ograniczeń i kłamstw. Obydwa przykłady wykorzystują ten sam model świata i bardzo podobne sylwetki bohaterów (jeśli chodzi o wygląd i kontekst społeczny) w celu uzyskania bardzo różnych efektów.

Historie miłosne ze szczęśliwym zakończeniem zwykle zdarzają się w świecie, w którym normalny porządek wydaje się być niewzruszony. Początkowo jest to źródłem kontrastu z wewnętrznym chaosem bohaterów, który wybija ich z równowagi otaczającego świata. Szczęśliwy finał ich miłości, nowa równowaga protagonisty i antagonisty przywraca obojgu równowagę ze światem i potwierdza jego porządek.

Miłość samolubna, tragedia romantyczna. Jednakże tęsknota za miłością może być tak ogromna i wszechogarniająca, że powoduje niedorzeczny konflikt ze światem. Jest niezgodna z przeznaczeniem, wbrew woli bogów (kimkolwiek są) i z tego względu reprezentuje rodzaj chaosu lub zabójczej dumy. Płonie zbyt silnym ogniem, światłem tak jasnym, że zaślepia bohaterów do tego stopnia, że nie widzą niczego poza samolubną namiętnością, która ich spala. Oto tragiczna historia miłosna.

Oczywisty przykład takiej miłości to *Romeo i Julia* – ich miłość płonie czystą młodzieńczą namiętnością, niewinną lecz jednak zmysłową, pożądaniem wysublimowanym do ubóstwienia. Ponieważ nie są w stanie zaakceptować realiów świata, w jakim żyją, niszczą zarówno swych najbliższych jak i siebie samych.

To samo dzieje się w *Angielskim pacjencie*, gdzie bohaterowie grani przez Ralpha Fiennesa i Kristin Sctott Thomas zdradzają najbliższych, nawet swój kraj, aby zaspokoić ślepą miłość i oboje giną. W obu przypadkach pojawiają się kontrastowe wątki poboczne będące „komediową" alternatywą w celu potwierdzenia odpowiedniego porządku ich światów. Śmierć Romea i Julii szokuje ich rodziny do tego stopnia, że zawierają pokój; pielęgniarka grana przez Juliette Binoche odnajduje szczęście i miłość w związku z hinduskim sierżantem, gdy alianci odnoszą zwycięstwo. Są to jednak historie drugorzędne w stosunku do płonącej, destruktywnej namiętności.

Angielski pacjent zdobył wiele Oskarów, jednak wielu Amerykanom film się nie spodobał, zwłaszcza w porównaniu z wiecznie popularną *Casablanką*. W *Angielskim pacjencie* główni bohaterowie przedkładają własne pragnienia nad zwycięstwo nad nazistami, podczas gdy w *Casablance* bohaterowie poświęcają uczucie na rzecz ważniejszej sprawy. Chociaż dopuścili się cudzołóstwa w przeszłości, zrobili to nieświadomie (Ilsa myślała, że jej mąż nie żyje). *Casablanca* odzwierciedla amerykańskie przeświadczenie, że wierność i poświęcenie na rzecz większej, szlachetnej sprawy są zawsze słuszne, podczas gdy *Angielski pacjent* reprezentuje bardziej europejskie podejście, według którego honor i wierność są względne. Europejczycy żyją w świecie, w którym sojusze powstają i upadają, armie przekraczają granice państw, w którym małżeństwa tradycyjnie były częściej zawierane w oparciu o finanse niż o uczucia, więc ważniejsze są osobiste namiętności i potrzeby. Te dwa filmy ukazują różnice w spojrzeniu na miłość uczciwą i miłość samolubną.

Tragiczne historie miłosne (z nieszczęśliwym zakończeniem) często mają miejsce w świecie, w którym chaos wywołały inne okoliczności. W opowieściach takich jak *Przeminęło z wiatrem*, *Anna Karenina*, czy *Angielski pacjent* chaos świata odzwierciedla i intensyfikuje wewnętrzny chaos kochanków. Kiedy świat powraca do porządku, kochankowie pozostają poza nim, ich miłość jest nadal pogrążona w chaosie. Są jak pływacy, którzy zapuścili się zbyt daleko w morze, aby wrócić na brzeg i dlatego toną. W *Komu bije dzwon* według Hemingwaya miłość kochanków może być czysta w kontraście z chaosem świata, ale jest zbyt słaba, aby stawić czoła sile tornada. Tematem przewodnim jest tu miłość dwojga ludzi, która nie jest w stanie ustrzec ich przed światem pogrążonym w destrukcji.

Jednak tragiczna miłość może mieć miejsce w uporządkowanym świecie, ale od samego początku jest skazana na niepowodzenie, jak np. w *Otellu* (konflikt rasowy) czy w *Lolicie* (pedofilia), lub też w takich filmach europejskich jak *Swept Away* (cudzołóstwo i konflikt klasowy). Jest to niekonwencjonalna strategia w filmach amerykańskich i zwykle spotyka się z chłodnym, jeśli nie wrogim przyjęciem ponieważ godzi w pozytywną i zrównoważoną amerykańską psychikę. Według Amerykanów, jeśli świat jest uporządkowany, miłość musi koniec końców to potwierdzić, nawet jeśli jest niekonwencjonalna, tak jak np. w *Mississippi Masala* albo we *Wpływie księżyca*. Jeśli miłość zawodzi, traci widza. Europejczycy są, ogólnie rzecz biorąc, nastawieni bardziej pesymistycznie i dlatego łatwiej im zaakceptować porażkę.

Miłość platoniczna. Nie wszystkie filmy o miłości i tęsknocie mają podtekst seksualny. Niektóre z najbardziej poruszających mówią o miłości rodzica do dziecka. (*Maska, Olej Lorenza*); miłości przyjaciół (*Piosenka Briana, Strach na wróble, Nocny Kowboj, Tajemniczy ogród*); miłości dziecka do dorosłego (*Cinema Paradiso, Mała księżniczka*); czy miłości człowieka, zwykle dziecka, do zwierzęcia (*Czarny książę, Żółte psisko, Uwolnić orkę*). Te historie nie zawierają wątku namiętności erotycznej; opierają się na czystości. W zależności czy są komediowe czy tragiczne, to opowieści o triumfie lub porażce niewinności w obliczu okrutnego świata, o bezinteresowności w samolubnym świecie.

Aby napisać taką historię, musimy zgłębić nie pociąg fizyczny, a potrzebę kochania, instynkt pocieszenia zranionego lub obrony słabszego przed niebezpieczeństwem, w skrócie, to, co nazywamy altruizmem. Do tego rodzaju historii można podejść dwojako. Tak jak w przypadku historii miłosnej, można ją skonstruować tak, by jeden z głównych bohaterów nie przepadał na początku znajomości za drugim, a z czasem zaczął go kochać, jak dzieje się to w *Moim własnym wrogu* (gdzie człowiek i obcy na początku starają się pozabijać, a w końcu zostają przyjaciółmi), czy też w *Cinema Paradiso* (gdzie nawiedzony stary operator początkowo odrzuca młodego chłopca, by w końcu zastąpić mu ojca, którego mały stracił). Można też stworzyć sytuację, w której dwoje ludzi bardzo się kocha, ale los ich rozdziela, lub taką, w której ich miłości zagrażają różne okoliczności, tak jak np. w *Małej Księżniczce* (gdzie dziewczynkę i jej ojca rozdziela wojna) czy w *Oleju Lorenza* (gdzie śmiertelna choroba zagraża życiu małego chłopca). Konflikt i temat przewodni wywodzą się z walki o zbudowanie, ochronę i podtrzymanie związku, gdy siły chaosu świata grożą rozdzieleniem bohaterów. W tragedii siły te odnoszą sukces, tak jak w *Nocnym Kowboju*; w komedii ponoszą porażkę, co widzimy w *Czarny książę* i w *Tajemniczym Ogrodzie*. Nawet śmierć nie oznacza klęski, jeśli bohater, któremu udało się przeżyć, czerpie siłę z miłości, której doświadczył, jak to było w *Cinema Paradiso, 84 Charing Cross Road* oraz w *Piosence Briana*. Chociaż serce się kraje podczas oglądania tych filmów, mają szczęśliwe zakończenie i temat przewodni, są więc komediowe.

Na zakończenie

Wybierz truciznę. Jest jeszcze wiele innych gatunków wartych zbadania i przeanalizowania, takich jak biografie czy sagi historyczne, gdzie różnorodne wydarzenia koncentrują się wokół uniwersalnych problemów, czy też fantasy i science fiction gdzie, w kontekście istnienia w innych wymiarach, możemy podziwiać ich oryginalność jednocześnie obserwując zmagania bohaterów z naszymi najskrytszymi obawami moralnymi i emocjonalnymi. Nie czas to i miejsce na analizę wszystkich gatunków; mamy jednak nadzieję, że powyższe omówienie wybranych pozwoliło ci zrozumieć, jak funkcjonują poszczególne rodzaje filmów, czemu nas fascynują i wzruszają, i przede wszystkim, jak wybrać i skonstruować opowieść, którą chcesz się podzielić ze światem.

Ćwiczenia

1. Stwórz dwoje bohaterów i zaplanuj romantyczny film śmiechu.

2. Teraz stwórz, z tymi samymi bohaterami, tragedię romantyczną.

3. Bohaterowie ci sami; tym razem zbuduj dokoła nich film strachu.

4. Napisz ścieżkę dowodową, która ujawnia plan i charakter antagonisty w filmie kryminalnym. Nie wprowadzaj bohatera we własnej osobie.

5. W jednym – dwóch akapitach opisz bohatera filmu odwagi; niech ma on pewną drogę do pokonania. Teraz spróbuj zrobić z niego bohatera katalitycznego, także w jednym – dwóch akapitach. Określ podobieństwa i różnice.

CZĘŚĆ III

WARSZTAT

WSKAZÓWKI SCENICZNE

DIALOG

REDAKCJA

ROZDZIAŁ 12

WSKAZÓWKI SCENICZNE

Napisać film

Film to opowieść w obrazach i dźwięku. Wskazówki sceniczne to narzędzie, dzięki któremu scenarzysta kreuje świat; tworzy owe obrazy i dźwięki. To kluczowa część scenariusza: opisują akcję, scenografię, postacie i nastrój każdej sceny. Mówiąc najprościej, to opis tego, co zobaczymy na ekranie. Powinny być proste i przejrzyste, ale to coś więcej niż suche streszczenie i mdły opis scenografii. Mają oddać dynamikę i emocje z oszczędnością wyrazu i siłą poezji, mają poruszyć wyobraźnię. Właśnie wskazówki sceniczne mają sprawić, że recenzent zobaczy film, wczuje się w akcję.

I akcja!

Fabuła powinna być zwięzła, przejrzysta i wartka. Powieściopisarz może sobie pozwolić na rozwlekłe akapity opisów, lecz taki styl to zabójstwo scenariusza; to tak, jakby kamera zamarła na jednym detalu. Wskazówki sceniczne muszą oddać atmosferę twojego świata, obrazować nastrój każdej sceny, opisywać akcję, w jak najmniejszej ilości słów. Nie ma w nich miejsca na nic, co nie jest bezpośrednio związane z fabułą i bohaterami. Nic nie powinno przerywać skupienia recenzenta; nie ma miejsca na kwieciste opisy czy długie dygresje.

To podstawowa część każdego scenariusza, lecz recenzenci często ją omijają, bo początkujący scenarzyści nie zadają sobie trudu, by się nauczyć, jak pisać wskazówki scenicznie. Recenzent zaledwie przebiega je wzrokiem, skupiając się przede wszystkim na dialogach, czyli najmniej istotnej części. Przyjrzyjmy się wskazówkom scenicznym; zaczniemy od akapitów, a dojdziemy do zdań i pojedynczych słów.

Akapity

Recenzent otwiera scenariusz... Jeśli pierwsze, co zobaczy, to obszerne akapity, od razu traci zapał do lektury. Po pierwsze, rozbudowane akapity utrudniają czytanie. Po drugie, doświadczony recenzent domyśla się, że zawierają wiele zbędnych opisów, przez które trzeba przebrnąć, żeby dotrzeć do sedna sprawy. I wreszcie, jedna strona w scenariuszu odpowiada minucie filmu. Jeśli stronę czyta się zbyt długo, recenzentowi umknie główny wątek. Idealny akapit liczy cztery, najwyżej pięć zdań, krótkich i zwięzłych. Poniżej przykład akapitu, którego recenzenci nie znoszą:

```
PLENER. DOM KONIGSBERGA - NOC


    Konigsberg wygląda na dwór po to tylko, by się
    przekonać, że bezpiecznik, zwykła metalowa
    skrzynka, jest uszkodzony. Słyszy STŁUMIONY ODGŁOS,
    trudny do zidentyfikowania, gdzieś za sobą. Odwraca
    się i widzi CIEMNĄ POSTAĆ w masce narciarskiej na
    twarzy i rękawiczkach chirurgicznych. Postać trzyma
    w rękach kij baseballowy. Konigsberg wbiega do
    środka i zamyka za sobą drzwi, nerwowo przeszukuje
    kuchenne szuflady, w końcu znajduje półautomatyczny
    pistolet z rękojeścią wykładaną macicą perłową.
    Cisza, słychać tylko jego głośny oddech. Powoli
    zbliża się do drzwi i wygląda zza zasłony. BUM!
    Kij baseballowy rozbija szybę. Dłoń w rękawiczce
    wsuwa się do środka i otwiera drzwi. Ciemna Postać
    z kijem baseballowym w dłoni spokojnie wchodzi
    do domu i idzie w kierunku pana Konigsberga. Ten
    cofa się w popłochu. Na narciarskiej masce Ciemnej
    Postaci błyszczą odłamki szkła. Konigsberg zamyka
    oczy, wzdryga się i naciska spust broni wykładanej
    macicą perłową. TRZASK. Komora jest pusta.
```

Znajdziemy w tym akapicie wiele błędów, nie tylko jego długość. Po pierwsze, zdania podrzędnie złożone często są niezrozumiałe i utrudniają lekturę: *Konigsberg wygląda na dwór po to tylko, by się przekonać, że bezpiecznik, zwykła metalowa skrzynka, jest uszkodzony.* Po drugie, autor poświęca zbyt wiele uwagi nieistotnym detalom, jak opis broni, który się zresztą powtarza. I nie ma sensu nazywać bohatera „Panem Konigsberg." Kolejny, o wiele istotniejszy zarzut: scena rozgrywa się w plenerze i we wnętrzu, a zabrakło wskazówki sugerującej zmianę otoczenia. Ten fragment można napisać tak:

```
PLENER. DOM KONIGSBERGA - NOC

Konigsberg widzi, że zniszczono bezpiecznik.
Metalowa skrzynka jest uszkodzona.

STŁUMIONY ODGŁOS zza pleców. Odwraca się.

CIEMNA POSTAĆ w masce narciarskiej i rękawiczkach
chirurgicznych, z pistoletem w dłoni.

WNĘTRZE. KUCHNIA KONIGSBERGA - NOC

Konigsberg wbiega do środka i zamyka drzwi.
Nerwowo przeszukuje kuchenne szuflady. Wyjmuje
srebrzysty pistolet.

Cisza, słychać tylko jego ciężki oddech. Powoli
podchodzi do drzwi i wygląda na zewnątrz zza
zasłony.

BUM! Kij baseballowy rozbija szybę. Dłoń w
rękawiczce wsuwa się do środka i otwiera drzwi.
Ciemna Postać z kijem baseballowym spokojnie
wchodzi do domu i idzie w kierunku Konigsberga.
Odłamki szkła błyszczą na masce narciarskiej.

Konigsberg cofa się przerażony. Zamyka oczy,
wzdryga się, naciska spust. TRZASK. Komora jest
pusta.
```

Po podziale na mniejsze cząstki i pewnych skrótach fragment ten czyta się o wiele łatwiej. Równoważniki zdań nadają dynamiki. Przemyślany podział sprawia, że autor niejako reżyseruje film, który rozgrywa się przed oczami recenzenta.

Niektórzy stosują inną technikę: po nazwisku postaci (kapitalikami) wstawiają podwójny myślnik i wskazówki sceniczne. Tym sposobem skupia się uwagę recenzenta i dzieli wskazówki na mniejsze fragmenty, jednak zbyt częste stosowanie tej techniki sprawia, że scenariusz wydaje się pocięty i zmanierowany. Oto ta sama scena z zastosowaniem tej metody.

```
PLENER. DOM KONIGSBERGA - NOC

PW KONIGSBERGA -- Zniszczono bezpiecznik. Metalowe
pudełko zniszczono.

STŁUMIONY ODGŁOS zza jego pleców. Odwraca się...

CIEMNA POSTAĆ -- maska narciarska, rękawiczki
chirurgiczne, kij baseballowy w dłoni.
```

```
WNĘTRZE. KUCHNIA KONIGSBERGA - NOC

KONIGSBERG - wpada do środka, zamyka drzwi.
Nerwowo przeszukuje kuchenne szuflady. Wyjmuje
srebrzysty pistolet półautomatyczny.

CISZA. Słychać jedynie jego ciężki oddech. Powoli
podchodzi do drzwi, wygląda zza zasłony.

BUM! - Kij baseballowy rozbija szybę. Ręka w
rękawiczce chirurgicznej wsuwa się do środka
i otwiera drzwi.

CIEMNA POSTAĆ -- wchodzi spokojnie do środka
z podniesionym kijem. Odłamki szkła błyszczą na
masce.

KONIGSBERG -- cofa się przerażony, zamyka oczy,
wzdryga się i naciska spust. TRZASK! Komora jest
pusta.
```

Zdania

We wskazówkach scenicznych posługuj się oszczędnie słowem - najlepiej sprawdzają się tu zdania pojedyncze (podmiot, orzeczenie, dopełnienie). Rozbudowane zdania wielokrotnie złożone tylko spowalniają lekturę. Piszemy zawsze w czasie teraźniejszym, stronie czynnej, używając tylko niezbędnych przymiotników i przysłówków.

Czas teraźniejszy

Ustalanie zgodności czasu nie stanowi w scenariuszu problemu; zawsze piszemy w czasie teraźniejszym. Nawet retrospekcja ma miejsce tu i teraz. Wszystko rozgrywa się na naszych oczach. Wydaje się to oczywiste, jednak wielu początkujących scenarzystów popełnia ten podstawowy błąd i zmienia użyty czas. Tak więc gwoli przypomnienia oto przykłady dobrych i złych wskazówek scenicznych:

```
ŹLE (czas przeszły)

Samuel wszedł po schodach na górę. Stopnie
skrzypiały w ciemności. Krok po kroku zbliżał się
do zamkniętych drzwi sypialni.

DOBRZE (czas teraźniejszy)

Samuel wchodzi po schodach na górę. Stopnie
skrzypią w ciemności. Krok po kroku zbliża się do
zamkniętych drzwi sypialni.
```

```
ŹLE (czas przeszły)

Jack rozejrzał się uważnie. Nikogo nie było w
pobliżu. Wyjął torbę z bagażnika, podszedł do
krawędzi i cisnął ją do leniwej rzeki.

DOBRZE (czas teraźniejszy)

Jack rozgląda się uważnie. Nikogo nie ma w pobliżu.
Wyjmuje torbę z bagażnika, podchodzi do krawędzi
i ciska ją do leniwej rzeki.
```

Nawet w nielicznych ustępach, w których mowa o stanie wewnętrznym bohatera, jak „Kamień spadł mu z serca" stosujemy czas teraźniejszy: „Kamień spada mu z serca."

Największy grzech scenarzysty to stosować czasy gramatyczne niekonsekwentnie. W poniższym przykładzie autor nieoczekiwanie przechodzi z czasu teraźniejszego na przeszły.

```
GŁUPOTA (mylenie czasów)

Całują się. Raz za razem. Coraz bardziej
namiętnie. Grace przyciska Andy'ego do lodówki.
Spadają na nich kolorowe magnesy. BUM, spada słoik
z drobniakami. Niczego nie zauważyli, za bardzo
pochłonęła ich wzajemna bliskość.
```

Pamiętaj, tylko czas teraźniejszy. Żadnych wyjątków.

To widac i słychać

Wskazówki sceniczne to zapis tego, co widz zobaczy i usłyszy w klubie. Powieściopisarz może opisać myśli bohatera, jego przeszłość i rozważania; autor scenariusza posługuje się jedynie czasem teraźniejszym; ograniczają go wymogi filmu. W poniższym przykładzie student opisuje myśli bohatera. Czy można je sfilmować?

```
Komisja do spraw zwolnień warunkowych siedzi
za dębowym stołem. Nick czeka na werdykt. Tęskni
za żoną i dzieckiem. Chciałby o wszystkim
zapomnieć i zacząć nowe życie. Tak bardzo kochał
żonę i dziecko; byli światłem jego życia. Teraz
wydają się tak daleko.
```

W jaki sposób mamy zobaczyć myśli Nicka? Widzimy siedzącego aktora; zapewne jest smutny i skupiony, ale skąd widz ma wiedzieć, że w tym momencie myśli o żonie, dziecku i lepszych czasach? To złe wskazówki sceniczne, bo zawierają elementy, których nie sposób sfilmować i zagrać. Poniżej ten sam fragment zawierający elementy wizualne, które pozwolą widzowi zobaczyć myśli Nicka.

```
Komisja do spraw zwolnień warunkowych siedzi
za dębowym stołem. Nick opuszcza umęczony
wzrok na ręce, skute kajdankami; ściska w nich
zniszczone zdjęcie jego, Sally i Kevina w lepszych
czasach.
```

Jeśli element wizualny jest wystarczająco wymowny, nie musimy sugerować, o czym Nick myśli. Można to wyczytać z jego zachowania i kontekstu sceny, jej związku ze scenami poprzednimi i następnymi. Na przykład mężczyzna tęsknie patrzy na ocean; wiemy, o czym myśli, bo w poprzedniej scenie żona go porzuciła, chociaż błagał ją, żeby została. Można także osiągnąć efekt komiczny; grubas w dresie patrzy tęsknie przez park i nagle widzimy, co przyciągnęło jego uwagę: chudzielec na ławce pochłaniający czekoladę. W tym momencie grubasowi burczy w brzuchu (element dźwiękowy).

Kolejny przykład; autor zawiera we wskazówkach scenicznych informację, której nie możemy usłyszeć ani zobaczyć.

```
BETH wchodzi do pokoju; to zaginiona siostra
Johna. SALLY i JILL machają radośnie. Na studiach
mieszkały razem w akademiku i przyjaźnią się
do tej pory.
```

Jeśli Beth jest zaginioną siostrą Johna, informacja ta musi wyjść na jaw w dialogu albo trzeba do niej nawiązać w obrazie, a nie po prostu ogłosić to we wskazówkach scenicznych. Jeśli Sally i Jill się przyjaźnią, niech się obejmą i pocałują, a wiadomość o wspólnym pokoju w akademiku musi się pojawić w dialogu albo trzeba ją pokazać.

Opis postaci

Wprowadzając nową postać scenarzysta może ją opisać w kilku słowach, nie wolno jednak przerywać ciągu akcji rozwodząc się nad szczegółami. Możesz na przykład napisać: „KAPITAN BARTS ma 180 cm wzrostu, 110 kilo wagi, ciemne włosy, błękitne oczy, ostre rysy, kilkudniowy zarost..." I tak dalej, i zanudzić recenzenta na śmierć, albo tak: „KAPITAN BARTS jest za gruby na gliniarza." Niech opis postaci będzie punktem wyjścia; niech recenzent ma mgliste pojęcie, z kim ma do czynienia; dalsze informacje pojawią się w dialogach. Jeden ze sposobów osiągnięcia tego efektu to przeciwstawienie dwóch cech charakteru. Na przykład: „SAM jest przystojny mimo blizn po oparzeniach na policzkach", „Na ślicznej twarzy SALLY wiek zostawił swoje piętno", „wchodzi JUDD, wysoki, zgarbiony koszykarz".

Warto się skupić na wyglądzie zewnętrznym bohatera, a nie zagłębiać się w opis jego osobowości. Nie piszemy: „Beth to silna kobieta o stałych zasadach moralnych" czy „Johnny traktuje wszystkich jak starych kumpli, a za dziećmi szaleje." Cechy charakteru trzeba pokazać, nie opisać. Pokaż siłę Beth, włóż w jej usta kwestię, która dowiedzie stałości jej zasad. Niech Johnny udowodni, że traktuje wszystkich jak kumpli.

Oto przykłady dobrych opisów postaci:

```
ŁOWCA ANDROIDÓW

Naprzeciwko niego stoi szczupły mężczyzna
o pociągłej twarzy, w szarym ubraniu. Obojętny
i skuteczny; wygląda jak policjant albo księgowy.
Nazywa się HOLDEN; jest bardzo profesjonalny,
jeśli nie liczyć potu na jego twarzy.


MILCZENIE OWIEC

Jest spięta, spocona, skupiona. CLARICE STARLING
– dwadzieścia kilka lat, szczupła, bardzo ładna.
Ma kamizelkę kuloodporną na wiatrówce i spodnie
khaki. Gęste włosy nikną pod granatową czapeczką
baseballową. Przy prawym uchu ściska rewolwer.


TERMINATOR

Mężczyzna ma trzydzieści kilka lat, jest wysoki,
silnie zbudowany, porusza się z wdziękiem
i precyzją. Rysy jego twarzy emanują siłą,
podobnie jak ciało. W twarzy dominują oczy:
intensywnie niebieskie, niezgłębione. Ostrzyżony
na jeża. To TERMINATOR.
```

Opis miejsca

Początkujący scenarzyści popełniają wiele błędów, opisując miejsce. Po pierwsze, jak już się przekonaliśmy, poświęcają za dużo uwagi szczegółom kosztem fabuły i akcji. Albo popadają w drugą skrajność i zupełnie zapominają o opisach. Owszem, opis musi być zwięzły, ale nie można go pominąć. Jeśli to zrobimy, świat wyda się mdły i nieprzekonywujący, a recenzent nie będzie w stanie go sobie wyobrazić. Scenarzysta musi uwieść recenzenta, roztoczyć przed nim iluzję; jeśli tego nie zrobi, recenzent będzie czytał jego pracę jak esej, nie jak scenariusz. I trzeci błąd: początkujący scenarzyści nie poświęcają należycie dużo uwagi badaniom i tworzą świat schematyczny, zwyczajny, znany z innych filmów. Brak badań to matka banału. Jeśli wiesz, o czym piszesz, stworzysz świat wyjątkowy i oryginalny.

Jak długi opis jest odpowiedni? Jeśli szczegóły grają ważną rolę w opowieści, jeśli są niezbędne, by widz lepiej zrozumiał przebieg akcji i motywację bohaterów, opisz je. W przeciwnym wypadku nie ma dla nich miejsca, choćby były bliskie twojemu sercu. Jeden ze studentów Robina wysmażył kiedyś opis na sześć stron, a jeszcze nawet nie wprowadził głównych bohaterów. Opisano każdy najmniejszy szczegół; reszta studentów cierpiała męki, czekając, aż opis się skończy i zacznie akcja. Jak się okazało, tylko nieliczne elementy z tego opisu miały znaczenie dla rozwoju akcji. Czechow, wielki rosyjski dramatopisarz, powiedział: *strzelba wisząca na ścianie w pierwszym akcie musi wystrzelić w trzecim*. Innymi słowy, jeśli opisujemy szczegół, musi on być ważny dla rozwoju akcji; jeśli nie jest, zmylisz widza i skomplikujesz fabułę. Czasami jedno słowo wystarczy, by opisać cały świat. Najlepszy przykład? Wielki Stirling Silliphant, autor takich filmów jak *W upalną noc* i *Płonący wieżowiec*, opisał kiedyś bar jednym słowem: „gówniany". Mało wizualne, ale jakie wymowne.

Malowanie słowami

Świat scenariusza powinien działać na wyobraźnię recenzenta. Nie chodzi o to, by odbiorca zrozumiał twój świat; chcesz, żeby zapragnął go poznać, zanurzyć się w nim. Osiągniesz to używając wyrazistych słów, które wywołają określone skojarzenia. Odwołuj się do zmysłów, nie intelektu. Oto przykład: opis miejsca bez bogatego słownictwa.

```
WNĘTRZE. SALONIK - DZIEŃ


Pokój jest stary. Mieszka w nim ekscentryk. Widać
drzwi do kuchni i okna wychodzące na werandę.
To przerażające miejsce.
```

Czytelnik niewiele może tu sobie wyobrazić; autor używa zbyt wielu banałów. Na przykład: przymiotnik „stary"; czy pokój jest staroświecki czy może bardzo zniszczony? „Przerażający"? Dlaczego? Wiemy, że mieszka w nim ekscentryk, ale skąd taki wniosek? Co więcej, autor marnuje cenne słowa na niepotrzebne informacje o położeniu drzwi i okien. To salonik; domyślamy się, że są tam drzwi i okna.

Wymowny opis miejsca sprawi, że recenzent zobaczy i usłyszy nasz świat. Zrobi to chętnie i z przyjemnością, ale musisz wskazać mu drogę. Spójrzmy na przeredagowaną wersję tego samego opisu:

```
WNĘTRZE. WIKTORIAŃSKI SALONIK - DZIEŃ


Wyblakłe wspomnienie po dawnym pięknie. Mdłe
światło słoneczne sączy się przez zacieki na
brudnych, popękanych szybach. W cieniu czai się
```

```
pies Spike, szczerzy groźnie zęby. Jest martwy,
zakurzony i wyleniały, jak meble.
```

Ten opis sugeruje, że pokój jest przerażający i że jego mieszkaniec jest dziwakiem. Autor używa wyrazistych, silnie nacechowanych słów i maluje nimi obrazy, które pozwolą recenzentowi doświadczyć jego świata, a nie przyglądać mu się z zewnątrz.

Oto inny przykład. Jest to fragment dyplomowego scenariusza studenta UCLA. (Imiona zostały zmienione.)

```
WNĘTRZE. SALA SĄDOWA - DZIEŃ

Sędzia siedzi za biurkiem, przed nim rozłożone
akta sprawy. Jack siedzi przy stoliku, naprzeciwko
Sędziego. Tom, adwokat Jacka, siedzi obok niego.
Dick siedzi przy innym stoliku naprzeciwko
sędziego. Jego prawnik siedzi koło niego.
```

Może ty zareagujesz inaczej, ale nas za grosz nie obchodziło, co będzie dalej. Autor marnuje cenne słowa opisując, kto gdzie siedzi, ale nie wspomina o wyglądzie sali sądowej. Jak ona wygląda? Czy pęka w szwach od gapiów i dziennikarzy? Czy jest pusta i smutna? W jaki sposób jej wygląd odzwierciedla przebieg akcji? Jak wyglądają bohaterowie? Są pewni siebie? Zmęczeni? Przerażeni? Co widzimy? Co czujemy? Wszystko byłoby lepsze niż ta wyliczanka. Autor wziął sobie krytykę do serca i naprawił swój błąd:

```
WNĘTRZE. SALA SĄDOWA - DZIEŃ

Ciemno. Surowo. Zimno. Jack w towarzystwie
adwokata siedzi naprzeciwko sędziego. Po jednej
stronie - drzwi do wolności, po drugiej -
do piekła.
```

Porównanie i metafora

Porównanie jako środek stylistyczny to porównanie dwóch rzeczy pozornie niepodobnych; pokazuje analogię między elementami znanymi i nieznanymi. Sprawia, że opis jest bardziej plastyczny, a zatem łatwiej sobie wyobrazić dane miejsce. Metafora twierdzi, że X jest Y. Przykład: „Mary biega radośnie; źrebię na łące". Albo: „John to stary okręt, sfatygowany, ale nadal sprawny." Nie chcemy przez to powiedzieć, że Mary jest koniem, a John statkiem, ale analogia działa.

Oto przykład opisu miejsca bez metafor i porównań.

```
WNĘTRZE. POKÓJ JOHNA - DZIEŃ

John wchodzi do pokoju. Panuje tu bałagan;
wszędzie walają się papiery, śmiecie, ubrania.
Łóżko rozesłane, na pościeli okruszki, zepsuta
lampa, połamane żaluzje.
```

Opis nie jest zły, ale można go skrócić i ubarwić, używając porównań i metafor:

```
WNĘTRZE. POKÓJ JOHNA - DZIEŃ

John wchodzi do pokoju, który wygląda jak wnętrze
śmieciarki.
```

Albo:

```
WNĘTRZE. POKÓJ JOHNA - DZIEŃ

John wchodzi na wysypisko swego pokoju.
```

Zadaniem metafor i porównań jest poruszyć wyobraźnię i dlatego muszą być oryginalne. Banalne porównania wywołują banalne skojarzenia. Jeśli masz pisać „silny jak wół" czy „śliczna jak obrazek", zrezygnuj. Dalej, muszą być proste, krótkie i na temat. Rozwlekłe i zbędne tylko odciągną uwagę recenzenta i odbiorą wskazówkom scenicznym lekkość.

Ostrożnie z przysłówkami

Nadmiar przysłówków spowalnia czytanie. Przysłówek odpowiada na pytanie: jak? Często jest zbędny, jak w poniższym zdaniu:

Staruszek krok po kroku idzie *powoli* w stronę krzesła elektrycznego.

Skoro idzie „krok po kroku", wiemy, że robi to powoli i przysłówek jest zbędny. Często można zastąpić przysłówek bardziej wyrazistym czasownikiem:

John mówi *głośno*.

Możemy zastąpić:

John wrzeszczy.

W poniższych przykładach lewa kolumna to zdania ze zbędnymi przysłówkami, natomiast prawa to te same zdania z bardziej wyrazistymi, obrazowymi czasownikami.

Mary *uważnie* patrzy na Johna.	Mary przygląda się Johnowi.
Kathy *mozolnie* gra melodię na fortepianie.	Kathy rzępoli na fortepianie.
Jake *cicho* idzie do drzwi.	Jake skrada się do drzwi.
Strażnicy *szybko* opanowują bunt.	Strażnicy tłumią bunt.

Nie usuwaj wszystkich przysłówków; odpowiednio użyte, ubarwiają zdanie. Zazwyczaj jednak to podpórki dla źle dobranego czasownika i należy się ich jak najszybciej pozbyć.

Zbędne przymiotniki

Przymiotniki, podobnie jak przysłówki, mogą zwolnić tempo lektury, a zatem i akcji. Przymiotnik określa rzeczownik, odpowiada na pytania: jaki? Jaka? Jakie? W poniższych zdaniach przymiotniki wyróżniono kursywą, a określane przez nie rzeczowniki – podkreślono.

Jack patrzy na *drogi, błyszczący* <u>żyrandol</u>.

Uśmiecha się do *ciemnowłosego, niebieskookiego* <u>mężczyzny</u>.

Przymiotniki to niezbędny element wskazówek scenicznych, lecz początkujący scenarzyści zazwyczaj ich nadużywają, jak w poniższym przykładzie:

```
PAN LAGATUTTA, stary konserwatysta, podchodzi
do zniszczonych drzwi i podnosi cienką gazetę.
Stare dłonie pokryte starczymi plamami drżą na
przenikliwym grudniowym zimnie. Opadają wiekowe
spodnie; sfatygowane, cienkie antyczne szelki
z trudem je utrzymują. Duże, szerokie uszy stają
się czerwone od mrozu i lśnią w mdłym zimowym
słońcu.
```

Nadmiar przymiotników spowalnia lekturę i sprawia, że główne wydarzenie sceny niknie pod natłokiem słów. A przecież chodzi o to, że pan Lagatutta podnosi z ziemi gazetę. Reszta to nastrój i świat, większość można spokojnie wykreślić. Nastrój i świat to bardzo ważne elementy, ale można je zaznaczyć o wiele zwięźlej:

> PAN LAGATUTTA, stary konserwatysta, wychodzi po
> gazetę. Starcze dłonie z plamami drżą z zimna.
> Sfatygowane szelki z trudem podtrzymują wiekowe
> spodnie. Duże uszy czerwienią się z zimna.

Inny sposób, aby wyeliminować nadmiaru przymiotników to użycie bardziej ekspresyjnych, wyrazistych rzeczowników. Odpowiedni rzeczownik ogranicza albo całkowicie eliminuje konieczność użycia przymiotnika. W poniższych przykładach lewa kolumna to przegadane, niepotrzebnie rozwlekłe zdania z mnóstwem przymiotników; w prawej zastąpiono je lub ograniczono.

Jerry wchodzi do eleganckiego, modnego mieszkania.	Jerry wchodzi do apartamentu.
May, kobieta stara, brzydka i podobna do czarownicy, przygląda się groźnie młodym chłopcom, którzy krzyczą pod jej adresem obraźliwe słowa.	Mary, brzydka starucha, łypie na wyrostków, którzy obrzucają ją obelgami.
W starym studebakerze niespokojne dzieci kręcą się niespokojnie na gołych, niewygodnych twardych siedzeniach.	W starym studebakerze maluchy wiercą się na niewygodnych siedzeniach.

Podobnie jak w przypadku przysłówków, nie twierdzimy, że powinno się całkowicie wyeliminować przymiotniki ze wskazówek scenicznych. Są niezbędne, nie mogą jednak dominować, bo wówczas scenariusz staje się zapisem wrażeń i emocji, a nie akcji.

Może się także okazać, że to symptom poważnego problemu z techniką, który maskujesz, nadużywając przymiotników, bo w rzeczywistości nie wiesz, co dalej. Jeśli złapiesz się na wyliczaniu kolejnych przymiotników, zastanów się, o czym jest scena, nad którą pracujesz.

Najczęściej popełniane błędy

1. ***Powtarzające się czasowniki.*** Nie używaj tego samego czasownika na każdej stronie. Ile razy postać może "biec", „skakać" i „patrzeć"? Czas odkurzyć słowniki synonimów i szukać odpowiedników, pasujących do danej sceny. Kiedy skończysz pierwszą wersję scenariusza, zaznacz wszystkie czasowniki, które występują dwa lub więcej razy na jednej stronie i postaraj się je zmienić.

2. ***Błędy ortograficzne, interpunkcyjne i gramatyczne.*** Choć była już o tym mowa, będziemy to powtarzać do znudzenia: błędy ortograficzne, interpunkcyjne i gramatyczne to śmierć scenariusza. Dotyczy to także wskazówek scenicznych. Czas odświeżyć szkolną wiedzę.

3. **Zbyt wiele słów**. Bądź oszczędny. Recenzent ma poczuć tempo akcji, lektura powinna zająć mniej więcej tyle czasu, ile obejrzenie filmu. Nie używaj siedmiu słów, jeśli cztery wystarczą. Niezbędne szczegóły to tylko te, które mają znaczenie dla konstrukcji twojego świata, akcji i bohaterów.

4. **Za mało słów**. To zazwyczaj skutek niewystarczających badań albo lenistwa – nie chciało ci się skonstruować świata i bohaterów (rozdziały 4 i 5). Wskazówki sceniczne są zbyt skąpe, by przemówiły do wyobraźni recenzenta. I nie jest to kwestia dodania kolejnych kilku zdań, lecz użycia odpowiednich słów.

5. **Ustawienia kamery** – jak podkreślaliśmy w rozdziale 2, to rzecz absolutnie zakazana. Nic nas nie obchodzi, czy czytałeś co innego. Jeśli tak, widziałeś zapewne scenariusze bardzo stare albo skrypty filmów w fazie produkcji, a więc z uwagami reżysera. Scenariusz, a zatem i wskazówki sceniczne, mają opowiedzieć film, nie mówić reżyserowi, jak ma wykonywać swoją pracę. Recenzent ma zobaczyć film, nie plan filmowy.

6. **Przegadane pierwsze strony**. Nie zaczynaj scenariusza od rozwlekłych wskazówek scenicznych, chyba że jest to rozbudowana scena akcji, która przykuje uwagę. Zresztą nawet w tej sytuacji powinieneś jak najszybciej wprowadzić dialog, inaczej scenariusz wyda się ciężką lekturą. Musisz znaleźć idealny stosunek dialogu do wskazówek. Nie ma na to reguły, w niektórych doskonałych scenariuszach kilka pierwszych stron to same wskazówki, ale to wyjątki, pisane zazwyczaj przez doświadczonych scenarzystów, którzy umieją podtrzymać zainteresowanie recenzenta. W przypadku debiutanta zbyt długie wskazówki spowalniają akcję i denerwują recenzenta.

Na zakończenie

Wydźwięk osobisty. Autor powinien zamknąć w swoim dziele cząstkę siebie. Dystans i chłód sprawią, że wskazówki sceniczne będą zimne i nudne. Nie obawiaj się odsłonić siebie; zaangażowanie i pasja przekonają recenzenta, że masz emocjonalny stosunek do bohaterów i świata. Jeśli ty nie jesteś z nimi związany, czemu on miałby się angażować? Oto przykład wskazówek scenicznych, w których autor wyraźnie się odsłania; odnosi się wrażenie, że prowadzi dialog z recenzentem. To świetne rozwiązanie, o ile wpasowuje się w klimat scenariusza.

```
WNĘTRZE. POKOJ DAVE'A - NOC

Dave to wysoki, ponury napastnik o gołębim sercu.
Ludzie lubią go od pierwszego wejrzenia.

PW Dave'a - No, bałaganu tu nie ma, ale mogłoby
być lepiej. Trzydniowa kanapka to już lekka
przesada. Zaschnięty pomidor - obrzydliwość.
```

Wskazówki sceniczne to twoje pięć minut – przemawiasz bezpośrednio do recenzenta. Dialogi są dla widzów i aktorów, wskazówki sceniczne – dla ciebie i recenzenta. Jeśli recenzent poczuje tę więź, będzie czytał wskazówki sceniczne z takim samym zainteresowaniem, jak dialogi. Nie pozwalaj sobie jednak na zbyt wiele, nadmiar żartów sprawi, że recenzent się zdystansuje do scenariusza; zamiast opowiadać historię, komentujesz ją. Pamiętaj, wskazówki sceniczne to materia, z której budujesz świat. Pokazujesz recenzentowi film. Ty i tylko ty masz władzę.

Ćwiczenia

1. Wyrazisty czasownik nie wymaga dodatkowego wzmocnienia. Ekspresyjny rzeczownik pozwala użyć mniej przymiotników. W poniższym fragmencie zmniejsz liczbę przysłówków i przymiotników, używając bardziej wyrazistych czasowników i rzeczowników.

    ```
    WNĘTRZE. MIESZKANIE GRACE – NOC

    Podupadła, zniszczona, zaniedbana dzielnica
    na skraju miasta. Pada obfity deszcz. Bob podjeżdża
    sfatygowaną taksówką. Sprawdza adres
    na wyświechtanej kartce, chłodnym wzrokiem patrzy
    na kamienny budynek. W oknach na trzecim piętrze
    pali się słabe stłumione światło. Jest w domu.
    Bob wysiada powoli, podnosi kołnierz płaszcza dla
    ochrony przed padającym deszczem i szybko biegnie
    do drzwi.
    ```

2. W poniższej scenie autor opisuje myśli bohaterów, których nie widać ani nie słychać. Zredaguj scenę w ten sposób, by akcja i wizualizacja wystarczająco jasno oddawały myśli postaci (nie używając głosu z offu).

    ```
    PLENER. CMENTARZ – DZIEŃ

    Niechlujna rodzina stoi dokoła trumny. Dziecko
    czepia się ramienia matki, wdowy. Nie rozumie,
    dlaczego ojca z nimi już nie ma. Starsze kobiety
    w czerni płaczą i żałują, że nie powiedziały
    przyjacielowi, ile dla nich znaczył. Ksiądz kropi
    trumnę święconą wodą.

    Sto metrów dalej Angel ukrywa się wśród drzew.
    Zdaje sobie sprawę, że to wszystko jej wina.
    ```

```
Dlaczego nie jest lepszym kierowcą? Płacze na
myśl, ile kłopotów sprawia. Żałuje, że nie może
uczestniczyć w ceremonii.
```

3. Strona czynna oddaje dynamikę działania, strona bierna skupia uwagę na przedmiocie czynności, nie jej wykonawcy. W poniższych przykładach zastąp stronę bierną stroną czynną.

```
Nick i William dobijają targu. Dłoń Nicka jest
ściśnięta przez Williama. Nick odwzajemnia się tym
samym. William się krzywi; najwyraźniej uścisk
Nicka sprawił mu ból.
```

```
Punk upada, rzucony na ziemię przez Anne, kobietę
o połowę od niego mniejszą. Zanim się zorientuje,
co się dzieje, już jego ręce są skute kajdankami.
```

ROZDZIAŁ 13

DIALOG

Co ty mówisz

William Strunk Jr, wielki mistrz pisania, powiedział: *dobry tekst to tekst oszczędny. W zdaniu nie ma miejsca na zbędne słowa, w akapicie na zbędne zdania, tak samo jak w rysunku nie ma miejsca na niepotrzebne linie, a w maszynie na niepotrzebne części.* To zdanie idealnie oddaje problemy scenariusza. Dramat opiera się niemal wyłącznie na dialogu; film to medium wizualne. Pierwsze filmy były nieme, nie było w nich żadnych dialogów, ewentualnie kilka tekturowych planszy z niezbędnymi kwestami. Wbrew pozorom, do dzisiaj niewiele zmieniło się; wiele superprodukcji, w których strona wizualna i efekty specjalne mają opowiedzieć całą historię, ma dialogi niemal równie oszczędne. Ba, scenarzyści kina akcji (np. Sylvester Stallone) szczycą się niewielką ilością słów wypowiadanych przez bohaterów.

To jednak przesadne uproszczenie. Oczywiście, film to głównie przekaz wizualny, ale dźwięk odgrywa niepoślednią rolę. Nie należy ograniczać dialogów do chrząknięć, pomruków i ironicznych żarcików, typowych dla kina akcji. Wszystko zależy do rodzaju filmu, który piszesz. Wiele świetnych dramatów, zwłaszcza o niskim budżecie, opiera się głównie na dialogu. Jakby nie było, dialog jest tani. To najtańszy efekt specjalny, choć zdarza się, że i w wysokobudżetowych filmach akcji spotykamy kwestie, które zapadają w pamięć: *hasta la vista, baby*.

Dialog pozwala poznać uczucia, myśli i charakter bohaterów. Zarówno starzy mistrzowie, jak Julius Epstein (*Casablanca*), Robert Benton (*Sprawa Kramerów*), Robert Towne (*Chinatown*), jak i młode gwiazdy – Quentin Tarantino (*Pulp Fiction*) i bracia Coen (*Fargo*) lubują się w głosach bohaterów. *Rocky*, najlepszy scenariusz Stallone, miał najwięcej dialogów.

Rola dialogu

Tym niemniej w scenariuszu rola dialogu jest o wiele mniejsza niż w dramacie.
Dialog filmowy ma trzy zadania:

1. Przyspieszyć rozwój akcji.
2. Przybliżyć bohaterów.
3. Nawiązać do świata, który widzimy.

Przyspieszyć rozwój akcji: dialogi oddają okoliczności i potrzeby, plany na przyszłość i czasami relacjonują wydarzenia z przeszłości. Przybliżają bohaterów, bo są środkiem wyrazu ich osobowości. Przybliżają nam świat filmu, podkreślając go, albo odwrotnie, stanowiąc dla niego kontrast.

Film pozwala przekazać większość informacji bez słów. Zbliżenie artykułu w gazecie, blizny czy dymiącej broni powie więcej niż słowa. Obraz jest silniejszy niż tekst, więc scenarzysta musi pokazywać, nie mówić. *Titanic* Jamesa Camerona, najbardziej kasowy film w historii, był krytykowany za kiepskie dialogi. Co na ten temat mówi guru scenopisarstwa, William Goldman, zdobywca dwóch Oscarów i autor takich filmów jak *Butch Cassidy i Sundance Kid, Wszyscy ludzie prezydenta* czy *Maratończyk? Dialog to najmniej istotny element scenariusza. Jasne, inteligentna rozmowa jest lepsza niż bezsensowny bełkot, zwłaszcza w komediach i dramatach. Jednak widzowie i krytycy sądzą, że scenariusz opiera się na dialogu. Nieprawda. Jeśli film to opowieść, scenariusz to jej struktura. Titanic* Camerona jest dobry ze względu na wybór postaci, przebieg akcji i wymowę wizualną, mimo kiepskich dialogów. Jednak gdyby były lepsze, zyskałby na tym cały scenariusz.

Scenariusz jednego ze studentów to rzecz o uczniach, którzy odkryli, że ich wykładowca – ekscentryk skonstruował wehikuł czasu. W pierwszej scenie, w barze, opowiadają, jak poprzedniej nocy włamali się do laboratorium profesora i usiłowali uruchomić wehikuł. Słowa są niepotrzebne. Ponieważ był to początek opowieści, wystarczyło napisać ciekawą scenę, jak uczniowie włamują się przez okno, widzą wehikuł czasu i usiłują go uruchomić. Niech widz zobaczy akcję, a nie o niej słucha.

Czasami dialog nawiązuje do wydarzeń z przeszłości, jak w *Szczękach*, gdy Quint tłumaczy swoją nienawiść do rekinów. Wspomina, jak widział tysiące marynarzy, pożeranych żywcem po zatopieniu okrętu podczas wojny. Zazwyczaj jednak lepiej coś pokazać niż o tym mówić. W poniższym przykładzie student każe postaciom opowiadać, zamiast to samo pokazać.

```
PLENER. PODWÓRZE - DZIEŃ

Karoline i Casey podchodzą do starego buicka na
podjeździe.
```

                    KAROLINE
Więc to jest buick.

                     CASEY
Amerykański sen w drodze na złomowisko.
Ta kupa złomu trzyma się chyba tylko
dzięki rdzy.

                    KAROLINE
Stareńki.

                     CASEY
Owszem. A co powiesz o płetwach?

                    KAROLINE
Boskie.

                     CASEY
Mamy go od lat.

                    KAROLINE
Jeździ jeszcze?

                     CASEY
Ojciec codziennie jeździ nim do pracy.

                    KAROLINE
Żartujesz chyba.

                     CASEY
Staruszek żyje przeszłością. Uważa, że ma
modny wóz.

                    KAROLINE
To kupa złomu.

                     CASEY
Jeśli chcesz, żeby cię polubił, pochwal go.
                              CIĘCIE DO:

Czego się dowiadujemy z tej sceny? Że ojciec ma starego buicka, że samochód jest nadal na chodzie, ojciec uważa, że jest super, a Casey chce, żeby starszy pan polubił Karoline. Większość można pokazać w inny sposób:

```
PLENER. PODWÓRZE - DZIEŃ

Karoline i Casey patrzą, jak ojciec podjeżdża
zabytkowym, zardzewiałym buickiem z lat 50.
Towarzyszą mu przerażające odgłosy i obłoki
spalin.

                    CASEY
          Jeśli chcesz, żeby cię polubił, powiedz
          cos miłego o samochodzie.

Wóz się zatrzymuje. Ma wgniecioną maskę, lakier
odpada płatami z długaśnej karoserii, na potężnych
płetwach są smugi zadrapań.

Ojciec wysiada. Karoline uśmiecha się sztucznie.

                    KAROLINE
          Fajny wóz. Super płetwy!

Ojciec się rozpromienia. Czule klepie drzwiczki.

                    OJCIEC
          Prawda. Dzisiaj już takich nie robią.

                                        CIĘCIE DO:
```

W tej scenie mamy wszystko, o czym była mowa w poprzedniej, a większość udało się oddać bez słów.

Nikt tak nie mówi!

Kolejna rzecz, którą należy sobie uświadomić: dialog nie jest zapisem prawdziwej rozmowy. Musi brzmieć naturalnie, choć taki nie jest. To echo normalnej rozmowy, zredagowanej, okrojonej i dopasowanej do potrzeb filmu. Jeśli nagrać zwykłą konwersację, usłyszymy mnóstwo urwanych myśli, dygresji i zbędnych elementów. Dialog filmowy jest ich pozbawiony, ma wyrażać bohatera i spełniać określone funkcje. To kwintesencja tego, co chcesz powiedzieć, o ile znajdziesz odpowiednie słowa.

Dialog filmowy nie może być przypadkowy. Każda wymiana zdań ma początek, rozwinięcie i zakończenie, jak każda scena. Rządzi się tymi samymi prawami; musi być zwięzły, barwny, oddawać konflikt, kończyć się błyskotliwie. Dlatego bohaterowie na ekranie mówią „tak" zamiast „halo", odbierając telefon. Tak jest krócej i ciekawiej. I dlatego nigdy nie mówią „do widzenia" po skończonej rozmowie. Prawdziwi ludzie tak nie rozmawiają; na ekranie jest to pożądane.

Kiedy mówisz, co myślisz, czy myślisz, co mówisz?

Dlaczego rozmawiamy? Na najbardziej podstawowym poziomie – dlatego, że chcemy. Kurt Vonnegut, ucząc pisania, zwykł mawiać, że kazał adeptom sprawić, by ich bohater czegoś chciał – choćby szklanki wody. Jeśli niczego nie chcemy, milczymy. Niemowlęta płaczą, gdy są głodne lub mają mokro. W miarę jak dorastamy i nasze potrzeby stają się coraz bardziej złożone, uczymy się mówić, żeby dać do zrozumienia, czego chcemy. Nie chcemy już tylko mleka i suchej pieluchy; pragniemy zdobywać, gromadzić, szukać prawdy, bronić swoich racji. Posługujemy się w tym celu coraz bardziej złożonymi środkami. Jeśli nie uda się nam osiągnąć celu, zamykamy się w sobie albo ukrywamy cel i manipulujemy innymi, chcąc wyrównać rachunki, pokonać wroga, zdobyć miłość i zaspokoić potrzeby, nie mówiąc o nich wprost. Postępujemy tak, bo nazywanie rzeczy po imieniu może oznaczać kłopoty. Otwarte przedstawienie naszych pragnień („Chcę iść z tobą do łóżka") to często najprostsza droga do przegranej, więc ukrywamy je i unikamy bezpośredniej werbalizacji naszych zamiarów. Czasami najskrytsze niespełnione pragnienia za sprawą podświadomości wkradają się do wypowiedzi, zabarwiają je dwuznacznością. To największa sztuka, mówić jedno, a myśleć co innego, i zarazem najbardziej wyrafinowana forma dialogu.

Tak więc mowa to rezultat pragnień bohaterów. Wiedz, czego pragną twoi bohaterowie, znasz przecież ich obawy, nadzieje i ograniczenia, a zrozumiesz, co mają mówić. (Więcej o bohaterach w rozdziale 5)

Kawa na ławę? Nie!

Twój bohater może otwarcie mówić o swoich pragnieniach, po prostu wyłożyć kawę na ławę, bez zawoalowań i półsłówek. Jednak interesujący ludzie, a zatem i interesujące postacie, tego nie robią. Wyrażają się inaczej, pośrednio, są zbyt złożeni na bezpośrednią prezentację. Poza tym, często nie są do końca świadomi swoich potrzeb. Dialog wydaje się prosty, ale jest to prostota złudna. Jest jak góra lodowa; nad powierzchnią wody widzimy jedynie wierzchołek; poniżej kryją się uczucia i niewypowiedziane znaczenia.

Owe ukryte znaczenia to nie tylko kwestia wypowiadanych słów; zależy, kto je mówi, gdzie, jak – innymi słowy, od kontekstu. Zdanie „nienawidzę cię" wydaje się proste i jednoznaczne, póki nie osadzimy go w szerszym kontekście. „Nienawidzę cię" z ust zrozpaczonego męża nad grobem żony oznacza „tęsknię". Kiedy początkująca aktorka szepcze to do idola na ekranie, ma na myśli „zazdroszczę ci". W ostatniej scenie *Kiedy Harry poznał Sally* oznacza „kocham cię".

Dialog pozwala lepiej poznać bohatera i jednocześnie jest ograniczony daną postacią, sytuacjami, w jakich ją umieściłeś. Jaki jest twój bohater? Uczciwy czy nie? Otwarty czy skryty? Dowcipny? Ironiczny? A może śmiertelnie poważny? Zrelaksowany czy spięty? Zachowuje się nonszalancko, bo tego wymaga sytuacja, czy tylko stara się zachować spokój w obliczu zagrożenia? Skąd się bierze jego okrucieństwo? Z natury czy z obawy przed odrzuceniem? Żartuje, bo mu dobrze, czy skrywa wewnętrzny ból?

Na innym, głębszym poziomie dialog powinien oddawać tematykę filmu (patrz rozdział 3).

Wspaniały dialog z mnóstwem podtekstów znajdziemy w *Wielkim otwarciu*, filmie o dwóch włoskich imigrantach, którzy w latach 50. otwierają restaurację. W poniższej scenie odwiedza ich Pascal, bezlitosny, bogaty właściciel restauracji znajdującej się po drugiej stronie ulicy, i chwali się łodzią. Secondo chciałby mu zaimponować, zazdrości mu sukcesów. Pascal obiecał, że im pomoże, miał zaprosić kogoś sławnego do ich knajpki, ale nie zrobił tego. W rzeczywistości chce, żeby zbankrutowali, a wtedy zatrudni Primo u siebie.

> PRIMO
>
> Oj. Czy to znaczy, że odpłyniesz?

> PASCAL
>
> Może. Kiedy słońce się czerwieni... no, znasz ten wierszyk?

> SECONDO
>
> A, tak. Co tam jest dalej?

> PRIMO
>
> Kiedy słońce się czerwieni, na dworze pada.

Chwila ciszy.

> SECONDO
>
> A w środku?

PRIMO

Co?

SECONDO

Nic.

PRIMO

No, o co ci chodzi?

SECONDO

Powiedziałeś „na dworze pada".
To głupie, że powiedziałeś „na dworze".

PRIMO

Dlaczego?

SECONDO

Bo wewnątrz nie może padać.

PRIMO

Nie powiedziałem „wewnątrz".

SECONDO

Wiem.

PRIMO

Tylko „na zewnątrz".

SECONDO

Wiem.

PRIMO

Więc w czym problem?

PASCAL

No właśnie, w czym?

SECONDO

No, nie musisz mówić „na zewnątrz"...
Bo w środku nie może padać.

Wszyscy się nad tym zastanawiają. Cisza.

PASCAL

O co do cholery...

PRIMO

Wiem, że w środku nie może padać.

SECONDO

Dość już, dość.

PASCAL

O co mu do cholery chodzi?

PRIMO

Nie wiem.

SECODNO

Ja tylko żartowałem.

PASCAL

Z brata?

SECODNO

Ogólnie. To żart. Lubię żartować.

PASCAL

Nie widzę w tym nic śmiesznego.

W tym momencie Pascal kończy pozornie bezsensowną rozmowę i wznosi toast za sukces braci, choć doskonale wie, że zrobił co mógł, by ponieśli klęskę.

Lecz ta rozmowa wcale nie jest pozbawiona sensu. Choć cały czas sprzeczają się, czy Primo słusznie powiedział „w środku", podtekst jest o wiele głębszy: Secondo chce upokorzyć starszego brata i zarazem pokazać się z jak najlepszej strony człowiekowi, który mu imponuje. Widzimy tu wszystkie obawy i frustracje Secondo: kto lepiej mówi po angielsku, kto jest mądrzejszy, bardziej amerykański. Był to cios poniżej pasa i uderza w samego Secondo, to on koniec końców jest upokorzony, podobnie jak później jego marzenia legną w gruzach, bo był ślepy na otaczający go świat.

Jeden na milion

Jak już powiedzieliśmy, bohater definiuje dialog. I tak jak nie ma w scenariuszu miejsca na dwie postacie pełniące tę samą funkcję, każdy bohater powinien przemawiać swoim głosem, mówić językiem swojego świata, przez pryzmat własnych doświadczeń, osobowości i pochodzenia, inaczej niż pozostałe postacie w twoim filmie.

Jak to powiedzieć? (techniki dialogu)

Masz już bohaterów, świat, temat i fabułę. Czas na dialogi. Omówimy kilka podstawowych sposobów pisania dialogu: pisanie pod aktora, pisanie hasłami, unikanie zbędnych stwierdzeń, okazywanie uczuć – nie mówienie o nich, zastępowanie dialogu akcją/obrazem i to, jak postać słucha.

Pisanie pod aktora

Jak wspomniano w rozdziale 5 (Bohater), jeden ze sposobów tworzenia postaci to pisanie pod aktora, czyli mając na myśli konkretną osobę: może to być ktoś sławny, ale i ktoś z twoich znajomych. Scenarzyści stale szukają modeli: podsłuchują sposób mówienia, wyłapują powiedzonka i sposób mówienia, który sprawia, że dany człowiek się wyróżnia. Jeśli nie słyszysz głosu swego bohatera, poszukaj go; słuchaj ludzi dokoła. Pamiętaj, że dialog to nie prawdziwa rozmowa.

Spisz idealną obsadę. Niech będą tam tylko gwiazdy, sławy i ci, których słyszysz. Przykład:

Ben – Jesse Helms

Sandy – Glenn Close

Pan Walterton – Jeff Goldblum

Davey – William Hurt

Sally – May (sąsiadka z piętra)

Mark – Danny Glover

Masz już obsadę. Teraz napisz kwestie poszczególnych postaci, mając przed oczami twoich "aktorów". Pamiętaj, jak mówi dana osoba, gdy piszesz jej kwestię. Recenzent powinien poznawać postacie po sposobie mówienia. Uważaj jednak, nie kopiuj niewolniczo czyjegoś sposobu mówienia, bo otrzymasz zmanierowane i sztuczne dialogi.

Hasła

W dramacie dialog gra główną rolę, a to dlatego, że od tysięcy lat podstawowym narzędziem, za pomocą którego na scenie oddawano grozę, tragedię i komizm życia, był język. Teatr oferuje o wiele mniej możliwości wizualizacji niż kino, stąd takie skupienie na języku i słowie. Bohaterowie sztuk teatralnych opisują siebie, swój świat i problemy, działają, zwyciężają i przegrywają, a wszystko za sprawą słowa. Opowiadają o sobie jak pacjenci podczas psychoanalizy i jak oni odkrywają ukryte prawdy i podteksty. Freud mówił o „uzdrawianiu słowem". W dramacie dialog to próba dotarcia do prawdy dzięki słowom.

W scenariuszu prawda jest równie ważna, są jednak inne, ciekawsze środki, by do niej dotrzeć. Podczas gdy bohater sztuki może jedynie opisać bitwę, w której brał udział, film może nam tę bitwę, jej rozmiar i koszmar, pokazać. Bohater filmu może działać bez słów i często jest to o wiele wymowniejsze. Co więcej, film pozwala przyglądać się postaciom z bliska, więc mnóstwo scen obejdzie się bez słów. W rezultacie dialog filmowy jest bardzo okrojony, ogranicza się do elementów, których nie można pokazać w inny sposób. Scena teatralna narzuca pewne ograniczenia i dlatego dramatopisarz może sobie pozwolić na rozbudowane dialogi i monologi. Scenarzysta ma do dyspozycji potężne środki audiowizualne, lecz musi oszczędnie posługiwać się słowem mówionym; jeśli postąpi inaczej, sprzeciwi się wymogom gatunku. Dialog zbyt często staje się podporą, nie narzędziem; zadaniem scenarzysty jest zapełnić ekran i dialog to tylko mała cząstka tworzonej wizji. Ma być niezbędny, a nie poręczny.

Wyobraź sobie, że piszesz nagłówki. Mów tylko to, co trzeba. Nie wdawaj się w zbędne szczegóły. Poszczególne gatunki filmowe posługują się różnymi typami dialogu, ale zawsze jest to tekst spójny, zwarty, zwięzły, na temat. Nawet jeśli bohater walczy ze swoimi uczuciami czy poddaje się terapii, każde słowo musi być ważne, inaczej nie ma dla niego miejsca. Poniższy dialog sprawdziłby się w sztuce, ale brak mu zwięzłości niezbędnej na ekranie.

```
WNĘTRZE. GOŚCINNA SYPIALNIA EMMY - DZIEŃ

Wiktoriańska sypialnia, ciepłe oświetlenie, barwy
ziemi, wysoki sufit, atmosfera jak sprzed lat.
Idealne miejsce by się zagłębić w lekturze opasłej
powieści. Wchodzi EMMA, za nią JILL z torbą
podróżną.
```

                    JILL

          Co tam u Hermana? Nadal pisze powieść?

                    EMMA

          Nie żyje.

                    JILL.

          Och. Przepraszam.

                    EMMA

          Miał raka prostaty. Umarł prawie pięć lat
          temu.

                    JILL

          Nie odzywałam się do was. Powinnam była
          napisać. Jestem okropna.

                    EMMA

          Tu go znalazłam. Leżał na Księdze Cytatów
          Bartletta. Na szesnastym wydaniu.

    Emma sprząta. Jill stara się jej pomóc.

                    JILL

          Emmo, przeszkadzam ci. Powinnam była
          zadzwonić przed przyjazdem.

                    EMMA

          Jestem już dorosła, mogę sama podejmować
          pewne decyzje, na przykład kogo zapraszam.

                    JILL

          Jesteś pewna?

                    EMMA

          Nie przeszkadza ci, że będziesz spała
          w pokoju, w którym umarł?

                    JILL
                  (Kłamie)
          Nie, skądże, wcale.

                    EMMA

          Był dobrym mężem i bardzo mi go brakuje,
          chociaż cierpiał na nadmiar testosteronu.
          Wiesz, mężczyznom się to zdarza. Nawet
          dosyć często.

                    JILL

          Tak, wiem.

                    EMMA

          Chciałabym kiedyś dostać taką dawkę
          testosteronu, żebym się przekonała, jak
          to jest, mieć zawsze rację!

                    JILL

          Przyznaję, że często też chciałabym się
          o tym przekonać.

A oto ta sama scena po usunięciu zbędnych słów.

WNĘTRZE. GOŚCINNA SYPIALNIA EMMY - DZIEŃ

Wiktoriańska sypialnia, ciepłe oświetlenie,
barwy ziemi, wysoki sufit, atmosfera jak sprzed
lat. Idealne miejsce, by się zagłębić w lekturze
opasłej powieści. Wchodzi EMMA, za nią JILL
z torbą podróżną.

Jill widzi notes, atrament i pióro na biurku,
Otwiera kałamarz. Atrament wysechł, kruszy się.
Emma to widzi.

                    EMMA

          Herman nie żyje. Rak. Pięć lat temu.
          Zostawiłam wszystko tak, jak było.

                    JILL

          Och, tak mi przykro. Nie odzywałam się
          do was, jestem okropna.

                    EMMA.

          Tu go znalazłam, na tym.

Emma pokazuje Jill *Księgę Cytatów* Bartletta, nadal
leżącą na krześle. Odkłada ją na półkę, zaczyna
sprzątać. Jill pomaga jej niechętnie.

                    JILL

          Emmo, powinnam była zadzwonić, zanim...

                    EMMA

          Nie ma sprawy, jestem już dużą
          dziewczynką. Nie masz nic przeciwko
          spaniu w tym pokoju?

                    JILL

          Nie, skądże.

Emma puszcza jej kłamstwo mimo uszu. Podnosi
pióro, czule dotyka stalówki.

                    EMMA

          Był dobrym mężem, tylko...

Jill unosi brew. Emma się śmieje, odkłada
stalówkę.

                    EMMA

          Wiesz, chciałabym choć raz dostać taką
          dawkę testosteronu, żebym się przekonała,
          jak to jest, zawsze mieć rację.

Jill wtóruje śmiechem. Napięcie mija.

                                        CIĘCIE DO:

Scena zachowała wymowę i charakter, lecz dialog jest o wiele krótszy. Zauważ, że wiele rzeczy, o których była mowa w poprzedniej wersji, zastąpiono obrazami: widzimy, a nie słyszymy, że Herman pisał powieść i że czytał *Księgę Cytatów*. Słowa przekazują jedynie to, czego nie dało się wyrazić obrazem.

Skróty. Techniką często stosowaną w pisaniu nagłówkami są skoki, czyli opuszczanie nieważnych fragmentów na rzecz najważniejszych uczuć czy myśli. W pierwszej scenie mamy następujące kwestie:

                    JILL

          Co tam u Hermana? Nadal pisze powieść?

                    EMMA

          Nie żyje.

                    JILL.

          Och. Przepraszam.

                    EMMA

          Miał raka prostaty.

W poprawionej wersji opuszczamy kwestie, które można pominąć albo wyrazić obrazem:

                    EMMA

          Herman nie żyje. Rak. Pięć lat temu.
          Zostawiłam wszystko tak, jak było.

Można omijać nawet całe myśli. Oto kolejna wersja tej sceny:

     Jill widzi notatnik, kałamarz i pióro. Otwiera
     kałamarz; atrament wysechł, kruszy się. Emma to
     widzi. Przecząco kręci głową.

                    EMMA

          Herman nie żyje. Rak. Pięć lat temu.

                    JILL

          Jestem okropna, nie odzywałam się do was.

     Emma zaczyna sprzątać. Jill pomaga jej
     z ociąganiem.

                    EMMA

          Nie masz nic przeciwko spaniu w tym
          pokoju?

     Jill kręci głową, stara się ukryć niepokój. Emma
     bierze pióro.

                    EMMA

          Był dobrym mężem... ale chciałabym choć
          raz się przekonać, jak to jest, zawsze
          mieć rację!

     Jill się śmieje, napięcie znika.

Scena zawiera już tylko główne myśli, ale nadal pozwala poznać bohaterów. Oczywiście, nie chodzi o to, by okroić dialogi do suchego szkieletu. Rzecz w tym, by każde słowo było ważne.

Nie wyciągaj wniosków

Bardzo oszczędne dialogi mogą zaowocować kolejnym problemem – inną wariacją „kawy na ławę" – wkładamy w usta bohaterów gotowe wnioski, zamiast sprawić, by dawali widzowi jedynie wskazówki, jak do owych wniosków dojść. Każemy im wygłaszać ogólniki, zamiast barwne spostrzeżenia czy szczegóły, które naprowadzą widza na właściwy trop. Tym sposobem mówimy widzom, co mają myśleć, nie pozwalamy im wyciągać wniosków. W poniższym przykładzie dwaj policjanci rozmawiają w barze:

     WNĘTRZE. TAWERNA JOE – NOC

     Duszny, ciasny pub. Znudzony ZESPÓŁ COUNTRY gra
     smętną PIOSENKĘ. Nick i Buddy sączą letnie piwo.

                    NICK
          Jestem idiotą. Ona mnie nienawidzi.

                    BUDDY
          Nieprawda.

```
                              NICK
            Właśnie że tak. To już koniec.

                                        CIĘCIE DO:
```

Stwierdzenia „jestem idiotą" i „nienawidzi mnie" to gotowe wnioski; dowiadujemy się, co sądzi bohater, ale bardzo ogólnikowo. Nie wiemy, co go doprowadziło do tej konkluzji. Dialog stanie się ciekawszy, jeśli skupimy się na szczegółach:

```
WNĘTRZE. TAWERNA JOE - NOC

Duszny, ciasny pub. Znudzony ZESPÓŁ COUNTRY gra
smętną PIOSENKĘ. Nick i Buddy sączą letnie piwo.

                              NICK
            Kupiłem jej nawilżacz powietrza.

                              BUDDY
            Na Walentynki?

                              NICK
            Pojechała do domu, do matki.

                                        CIĘCIE DO:
```

Możemy sami wywnioskować, że ukochana go nienawidzi i że on czuje się jak idiota (albo nim jest). Dialog nadal jest oszczędny, ale zamiast gotowych wniosków mamy określenie czasu, konkretne wydarzenie i kontekst.

Przeanalizujmy kolejny przykład. Oto dialog pełen oczywistych wniosków:

```
WNĘTRZE. POKÓJ HENRY'EGO W PENSJONACIE - DZIEŃ

Henry spokojnie sączy kolejne piwo. Darla wbiega,
niesie torebkę, kilka ciężkich siatek z zakupami
i pęk kluczy. Dobiega do kontuaru w ostatniej
chwili. Jedna z siatek pęka.

                              DARLA
            Nic dziwnego, że wszyscy cię nienawidzą.
```

                    HENRY

        Nie wiesz? Wszyscy mnie kochają.

                    DARLA

        Niby kto? Nie znasz nawet jednego
        człowieka, który czytałby twoje książki.

                    HENRY

        Nieprawda.

                    DARLA

        Nie widzę ich w księgarniach. Szukałam
        i szukałam, ale nigdzie ich nie ma.
        Jesteś strasznie zadufany w sobie.

                    HENRY

        Daj spokój albo się wkurzę!

                    DARLA

        Wydaje ci się, że jesteś popularny, ale
        to nieprawda. Nikt cię nie czyta. Nikt!

                                CIĘCIE DO:

Koszmarny dialog. A teraz ta sama scena z dialogiem, który doprowadza widza do
tych samych wniosków, ale nie podsuwa mu ich na talerzu.

WNĘTRZE. POKÓJ HENRY'EGO W PENSJONACIE - DZIEŃ

Henry spokojnie sączy kolejne piwo. Darla wbiega,
niesie torebkę, kilka ciężkich siatek z zakupami
i pęk kluczy. Dobiega do kontuaru w ostatniej
chwili. Jedna z siatek pęka.

                    DARLA
        Jezu, co ty sobie wyobrażasz! Pisać pamflet
        na Miss Ameryki? Nikt tego nie kupi!

                    HENRY
        Moje książki są w druku. Sto tysięcy
        egzemplarzy.

```
                    DARLA

          Druk na własny koszt się nie liczy.


                    HENRY

          Nigdy nie drukowałem na własny koszt!


                    DARLA

          Niby kogo chcesz oszukać? W piwnicy
          piętrzą się książki, których nikt nie
          chce czytać!


                    HENRY

          Przestań już! Słyszysz? przestań!


                              CIĘCIE DO:
```

Nie oznacza to, że pod żadnym pozorem nie można wkładać w usta postaci gotowych wniosków, jednak zachowaj takie rozwiązanie dla kluczowych momentów, a w pozostałych scenach stosuj inne techniki.

Nie gadaj o miłości, okaż ją!

I znowu: zamiast kazać bohaterom rozprawiać o uczuciach i emocjach, pozwól by opowiadali o okolicznościach i sytuacjach, które je wywołały. Wracamy do podtekstu. Jeśli postać jest nieśmiała, ostatnie, co powinna zrobić, to mówić o tym jasno. Lepiej, niech się męczy usiłując ubrać w słowa swój problem. Ilekroć bohater przestaje działać, a zaczyna mówić o uczuciach, akcja zamiera; rusza z miejsca, gdy dana postać mówieniem reaguje na uczucia czy emocje.

Na przykład kobieta, która podejrzewa, że mąż ma romans, poruszy temat kolejnego dziecka. Tym sposobem sprawdza, czy mąż nadal jest nią zainteresowany, a jednocześnie nie ujawnia prawdziwego motywu swoich pytań. Rozmowa dotyczy kolejnego dziecka, choć podtekst to „Boję się, że mnie zostawisz". Jak widać na przykładzie *Wielkiego otwarcia*, za sprawą tego, o czym mowa, widzimy to, czego nie słychać. Jest to pisanie między wierszami; to, czego nie słyszymy, jest ważniejsze niż kwestie, które padają z ekranu.

Wróćmy do naszych policjantów. Nicka i Buddy'ego.

```
WNĘTRZE. TAWERNA JOE - NOC

Duszny, ciasny pub. Znudzony ZESPÓŁ COUNTRY gra
smętną MELODIĘ. Nick i Buddy sączą letnie piwo.
```

                    NICK
        Rzygać mi się chce, kiedy widzę, jak
        patrzysz na Sally.

                    BUDDY
        Czy mi się zdaje, czy uważasz, że lecę na
        twoją żonę?

                    NICK
        Niczego ci nie udowodnię, ale czuję to.

                    BUDDY
        Wyluzuj, mam żonę.

                    NICK
        Nie kochasz Amelii.

                    BUDDY
        Może nie, ale nie nienawidzę jej.

                    NICK
        Jezu, czasami strasznie mnie wkurzasz.

I znowu: koszmarny dialog i wszystko podane na talerzu. Akcja nie rusza się ani
na krok, bo Buddy i Nick rozmawiają o uczuciach, zamiast je pokazać poprzez
działanie albo w rozmowie z podtekstami. Efektem ubocznym jest schematycz-
ność postaci.

    Oto ta sama scena, lecz uczucia wyrażają się w działaniu i podtekstach:

WNĘTRZE. TAWERNA JOE – NOC

Duszny, ciasny pub. Znudzony ZESPÓŁ COUNTRY gra
smętną MELODIĘ. Nick i AMELIA, żona Buddy'ego,
sączą letnie piwo.

Nick łypie ponuro na parkiet.

Buddy tańczy z Sally, mocno tuli ją do siebie.
Co prawda to nie Ginger Rogers i Fred Astair, ale

mężczyźni uwielbiają tańczyć z Sally i Buddy wcale
się od nich nie różni.

PIJANI STARUSZKOWIE obserwują ją. Mijając ich,
Sally zalotnie macha spódnicą. Są zachwyceni.

Nick szuka jej wzroku, ale Sally unika jego
spojrzenia. Nick słyszy, jak Buddy flirtuje z jego
żoną.

                    BUDDY
          ...i wtedy zza rogu wyjeżdża taksówka,
          mija matkę, ale wali w wózek, i gna
          jeszcze z dziesięć przecznic, ciągnąc
          wózek miedzy krawężnikiem a maską. To
          wyglądało jak na czwartego lipca,
          mnóstwo iskier!

                    SALLY
          Hm. Lubię, jak się iskrzy.

Buddy przyciąga Sally do siebie, przyciska do
piersi.

Nick nie może tego wytrzymać. Podchodzi, klepie
Buddy'ego w ramię.

                    NICK
          Odbijany. Chcę zatańczyć z moją żoną.

                    BUDDY
          Jesteśmy partnerami, Nick. Mamy się
          wszystkim dzielić.

Nick patrzy na niego lodowato. Buddy wzrusza
ramionami i oddaje mu Sally, która nadal zwraca się
do niego.

                    SALLY
          ...a co z dzieckiem?

```
Nick ją odciąga, ucina rozmowę.

                    NICK
        Nic mu się nie stało. Wszystko w porządku.


PW Nicka -- Buddy idzie do Amelii, do baru. Amelia
uśmiecha się i wstaje radośnie, ale Buddy siada
i zamawia piwo. Amelia osuwa się z powrotem na
stołek, rozczarowana. Oboje milczą.

                                    CIĘCIE DO:
```

Teraz emocje Nicka i zamiary Buddy'ego są jasne, choć wcale o nich nie rozmawiali; widzimy także różnice w ich charakterach. Niech twój bohater nie stoi z boku i nie rozprawia o uczuciach, które ma pokazać.

Słuchasz?

Pisanie dialogu to coś więcej niż wkładanie w usta postaci poszczególnych kwestii; to także słowa, które twoi bohaterowie słyszą i na które reagują. Rzadko kiedy słyszą dokładnie co mówi inna postać. Zazwyczaj filtrują to przez własne oczekiwania, potrzeby i emocje. Interpretują na swój sposób, jak my. Pisząc dialog, miej na uwadze nie tylko to, co się mówi, ale także to, co się słyszy. To czasami dwie całkiem różne rzeczy. Przyjrzyjmy się prostej wymianie zdań:

```
John nerwowo zagląda do kuchennych szafek. Sally
chyba tego nie zauważa.

                    JOHN
        Skarbie, gdzie kawa?

                    SALLY
        W lodówce.

                    JOHN
        A cukier?

                    SALLY
        Obok kawy, po lewej stronie.
```

To nudny dialog. Dlaczego? Bo Sally i John słyszą się doskonale i odpowiadają na to, co usłyszeli. Ich rozmowa to tylko wymiana informacji. Zobaczmy jednak, co się stanie, kiedy dodamy podtekst:

John nerwowo zagląda do kuchennych szafek. Sally chyba tego nie zauważa.

                    JOHN
        Skarbie, gdzie kawa?

Sally nie zwraca na niego uwagi.

                    JOHN
        Skarbie?

                    SALLY
        Chyba nie sądzisz, że to wiem?

John szuka dalej, wreszcie znajduje.

                    JOHN
        A cukier?

                    SALLY
        Sprawdzasz mnie?

Albo:

John nerwowo zagląda do kuchennych szafek. Sally chyba tego nie zauważa.

                    JOHN
        Skarbie, gdzie kawa?

                    SALLY
        Lekarz powiedział wyraźnie: żadnej
        kofeiny.

> JOHN
>
> Nie o to pytałem.
>
> SALLY
>
> Zażyłeś lekarstwa?

W powyższych przykładach odpowiedź na proste pytanie została najwyraźniej zinterpretowana inaczej, niż zamierzał pytający, ale dzięki temu ta wymiana zdań dodaje smaku nudnej rozmowie i wpływa na rozwój akcji.

Nie mów tego! (problemy z dialogiem)

Początkujący scenarzyści często popełniają podstawowe błędy, których łatwo uniknąć. Najczęstsze to: wypełniacze i niepotrzebne przemowy, zbędne wyjaśnienia (postacie informują się o rzeczach, o których już wiedzą), banały i nauki moralne.

Wypełniacze. Są to słowa i zdania, które wypełniają pustą przestrzeń między prawdziwymi konfliktami i myślami. Zwroty takie jak: "co chcesz przez to powiedzieć?" czy „o co ci chodzi?" można spokojnie opuścić. Zdania typu: „nie mieści mi się w głowie, że wyjeżdżasz na Alaskę" czy „co ty na to?" to kiepski początek rozmowy i należy ich unikać, chyba że chcemy, by dialog wypadł ciężko i niezgrabnie. Scenariusz musi być pełen życia i energii, rozmowy powinny zaczynać się spontanicznie, bez zbędnych zdań. Redagując własną pracę, przekonasz się że większość „cóż" i „więc" można wykreślić, co widać na przykładzie:

> JOE
>
> I jak, idziesz na pogrzeb?
>
> ALLEN
>
> ~~Cóż~~, spóźnię się do pracy.
>
> JOE
>
> ~~Cóż~~, uważam, że powinieneś. Musisz zamknąć tę część życia.
>
> ALLEN
>
> ~~Więc jak~~? Pytasz mnie czy każesz?

Kolejny zbędny wypełniacz to imiona. Bohaterowie nadużywają imion. To także rzuca się w oczy przy redagowaniu.

                    CLARA
    ~~Sally~~, nie mówiłaś mu o tym, prawda?

                    SALLY
    ~~Och, Claro~~, uważa, że świetnie sobie
    radzę z naszym skromnym budżetem.

                    CLARA
    Dzięki, że zapłaciłaś za terapię
    małżeńską, ~~Sally~~.

                    SALLY
    Nie ma sprawy, ~~Claro~~.

Wypełniacze sugerują, że autor sam nie wie do końca, co powinno być w danym dialogu.

Mowa, mowa! Monologi świetnie się sprawdzają na scenie, ale nie na ekranie. Wyjątki to głos z offu albo przemowy, na przykład prawników w sądzie, czy William Wallace zagrzewający oddziały do walki. Kolejny przykład z *Braveheart*: Edward Longshanks zastanawia się, po zabójstwie ukochanej syna, co zrobić, żeby pokonać Wallace'a. Lecz to wyjątki, a i takie monologi trzeba starannie zaplanować. Zwyczajni ludzie rzadko wygłaszają długie kwestie, więc monolog brzmi nienaturalnie. Długie monologi spowalniają tempo filmu, bo nie ma akcji i brak interakcji z innymi postaciami. Są nudne dla widza. Staraj się dzielić monolog na mniejsze, poręczniejsze cząstki, najlepiej dialogi. Według anegdoty pewien producent wziął linijkę, zmierzył monolog w scenariuszu i krzyknął: „trzy cale? Skrócić o dwa!" To ekstremum, ale wiesz, o co chodzi.

Kolejny problem: bohater rozwiązuje swoje dylematy formułując długie, złożone wypowiedzi, zamiast wdać się w rozmowę z innymi postaciami. Taki dialog sprawia, że postać skupia się na sobie, a nie wchodzi w interakcję z innymi. W poniższym przykładzie dwaj prawnicy kłócą się o materiał dowodowy. Zauważ, że nie rozmawiają; każdy wygłasza swoje myśli na głos.

                    ZOOKER
    To było dwadzieścia lat temu. Ludzie się
    zmieniają. Jaka jest prawda dzisiaj?
    Powinieneś był coś powiedzieć. Zażądać
    dowodów. Nie możesz dzisiaj obwiniać
    kogoś za to, jak postąpił dwadzieścia
    lat temu. Trzeba było zgłosić sprzeciw!

>   ACE
> Dzięki, że mi mówisz, jak mam wykonywać
> moją pracę, ale zakończyliśmy
> posiedzenie, zanim mogłem to zrobić.
> Zadali pytanie. Pytanie, na które nie
> mogłem odpowiedzieć, bo bałem się, że
> oskarżyciel ma to samo, co ja.
> Dowód!

Ace wyciąga orzeczenie rozwodu.

>   ACE
> Wykradłem to z akt okręgu na początku
> procesu. Byłem porządnym adwokatem
> zwykłego człowieka, ratowałem tyłek
> mojego klienta. Jestem w tym dobry.

A teraz ta sama scena, tyle że zamiast mów mamy dialog. Jest teraz bardziej realistyczna; bohaterowie rozmawiają, nie wygłaszają monologów.

>   ZOOKER
> To było dwadzieścia lat temu. Ludzie się
> zmieniają. Jaka jest dzisiaj prawda?
> Trzeba było coś powiedzieć —

>   ACE
> Dzięki, że mi mówisz, jak mam wykonywać
> moją pracę —

>   ZOOKER
> - zażądać dowodów.

>   ACE
> Zamknęliśmy posiedzenie, zanim —

>   ZOOKER
> Nie możesz dzisiaj obwiniać kogoś
> za to, jak postąpił dwadzieścia lat
> temu. Trzeba było zgłosić sprzeciw!

>   ACE
>   Nie mogłem! Bałem się, że oskarżyciel
>   ma to samo, co ja! Dowód!
>
> Ace wyjmuje orzeczenie rozwodu.
>
>   ACE
>   Wykradłem to z akt okręgu na początku
>   procesu. Byłem porządnym adwokatem
>   zwykłego człowieka, ratowałem tyłek
>   mojego klienta. Jestem w tym dobry.

Teraz jest to scena realistyczna, wiarygodna i naładowana energią.

Uwaga, banał! Banał to zwrot wyświechtany i nadużywany. „Bez cienia wątpliwości", „prawda wyjdzie na jaw", „nie ujdzie ci to na sucho" to banały, które słyszymy na ekranie i poza nim. W filmach jest ich dużo więcej: "jestem za stary na to{przekleństwo do wyboru}", „dobrze się czujesz? ", „wchodzę w to" to tylko kilka przykładów zwrotów właściwie bez znaczenia, których należy unikać. Ludzie czasami używają banałów, ale scenariusz to nie rzeczywistość; twój język ma kreować świat, a nie popularyzować i tak banalny kicz. Wyjątek stanowią postacie takie jak szekspirowski Poloniusz; banały, które wypowiada, obrazują jego płytki charakter.

Nie nauczaj. Postacie, które nauczają, (jeśli nie jest to wspomniany już Poloniusz) to zazwyczaj dzieci początkujących scenarzystów, którzy chcą przekazać światu przesłanie. Efekt? Dydaktyka i propaganda. Twoje przesłanie powinno się wyrażać w podtekście; masz je sugerować, a nie prezentować otwarcie. Jeśli twój bohater musi się wypowiedzieć na dany temat, niech to będzie skutek rozwoju akcji, ale pozwól, by akcja wyprzedziła słowa. Jak w *Czarnoksiężniku z Oz*, gdy Dorotka na końcu doszła do wniosku, że „wszędzie dobrze, ale w domu najlepiej" czy w *Pulp Fiction*, gdzie Jules tłumaczy, dlaczego został ocalony. Pokaż przesłanie, nie narzucaj go. Dialog to komunikacja, a nie pranie mózgu.

Urodziłem się w drewnianej chałupie, którą zbudowałem własnymi rękami...

Prezentacja to kwestia, która wprowadza albo tłumaczy fabułę, taka rozmowa na pierwszej randce. Nawiązuje do wydarzeń, które miały, mają lub będą miały miejsce poza filmem; dotyczy wszystkiego między jego początkiem a końcem. Zazwyczaj jest wizualna; widzimy, co się dzieje albo działo, w retrospekcji albo prologu, lecz czasami scenarzysta ucieka się do dialogu. Wbrew powszechnemu mniemaniu nie ma nic złego z prezentacją w formie dialogu, jednak czyha tu na scenarzystę wiele pułapek.

Jeśli jedynym celem dialogu ma być prezentacja, czyli wprowadzenie widza, scena będzie nudna, bo statyczna; akcja zamiera. Prezentacja musi być częścią akcji, musi się przyczyniać do jej rozwoju. Problemem jest także tłumaczenie widzowi rzeczy oczywistych albo wdawanie się w zbędne szczegóły.

To oczywiste. Zdania takie jak: „jak widzisz...” czy „jak wiesz...” albo „pamiętasz, mówiłem ci...” czy „jak wczoraj wspominałem...” to niechybne sygnały nadciągającej prezentacji typu „kawa na ławę”. Bohaterowie nie rozmawiają; informują widza. Początkujący autorzy często wpadają w tę pułapkę. Nie wiedzą, jak inaczej wprowadzić widza w to, co ich zdaniem musi wiedzieć. Przed laty nasz przyjaciel napisał scenkę na ten temat. Wyglądała mniej więcej tak:

```
            SYN NR 1
Jak mama?

            SYN NR 2
Biorąc pod uwagę fakt, że ma prawie
siedemdziesiąt lat, trzyma się świetnie.

            SYN NR 1
Fatalnie, że miała zawał w zeszłym roku.

            SYN NR 2
Nie było łatwo. Leżała trzy miesiące w
szpitalu.

            SYN NR 1
Opiekowałem się nią, pamiętasz? Byłem
tam co wieczór, aż pielęgniarki mnie
wyrzucały.

            SYN NR 2
A ja? Byłem u niej co rano.

            SYN NR 1
To prawda. To dobra matka. Pamiętasz,
jak skłamała, ile mamy lat, żeby nas
przyjęto do drużyny?

            SYN NR 2
Jak mógłbym zapomnieć? Gdyby nie ona, nie
zostałbym zawodowcem.
```

```
        SYN NR 1
A ja nie byłbym fryzjerem, gdyby mi nie
pozwalała eksperymentować na sobie.
```

To komiczny przykład złego dialogu, ale i świetna ilustracja bardzo częstego problemu. Obaj bracia wiedzą wszystko, co sobie mówią, więc po co to robią? Bo autor ich do tego zmusza. Jeśli informacja zawarta w dialogu jest niezbędna dla rozwoju akcji, należy znaleźć zręczniejszy sposób zapoznania z nią widza.

Ale o co chodzi? Zanim napiszesz prezentację, zadbaj, aby miała bezpośredni wpływ na akcję, tu i teraz. Zbędna prezentacja uświadamia nam rzeczy, które już wiemy, zawiera informacje niepotrzebne do zrozumienia fabuły, opisuje to, co się dzieje na naszych oczach lub co się wydarzy w przyszłości, a co i tak zobaczymy, albo coś, co nie wpływa na rozwiązanie intrygi. Autor zawsze musi zadać sobie pytanie: czy musimy to wiedzieć? Na przykład, czego Henry Fonda uczył w *Nad złotym stawem*? Albo co właściwie sprzedawał Willy Loman w *Śmierci komiwojażera*? Nie wiemy, bo to nieistotne detale, bez wpływu na fabułę. Prezentacja powinna zawierać tylko te elementy, bez których nie sposób zrozumieć obecnych wydarzeń i bohaterów. Jeśli ich nie ma, jest zbędna.

Powiedzmy tak... (rozwiązania w dialogach)

Kiedy już wiesz, że w prezentacji posłużysz się dialogiem, musisz wymyślić, w jaki sposób wpleść go w akcję. Dysponujemy różnymi metodami, by to osiągnąć: można ukryć prezentację jako przedakcję, konflikt, humor, pytania i odpowiedzi, rozmowę z powiernikiem i za pomocą narratora.

Posłuchaj mnie! Najprostszy i najczęściej stosowany sposób zamaskowania prezentacji to konflikt. Postacie mówią i jednocześnie działają albo się kłócą, albo i jedno, i drugie. W *Terminatorze* Kyle Reese opowiada, kim jest, skąd i po co przybył – podczas dramatycznej ucieczki samochodem. Ucieka z Sarah Connor przed niebezpieczeństwem, o którym opowiada. Sarah nie mieści się to w głowie, uważa, że oszalał, błaga, żeby ją puścił i próbuje uciec. Konflikt pojawia się między nimi i antagonistą, ale też między parą protagonistów, i tak prezentacja nie zwalnia przebiegu akcji, tylko podkreśla to, co się dzieje tu i teraz. Widz łyka haczyk, nie koncentrując się na prezentacji.

Oczywiście kłótnia i walka muszą być częścią opowieści i wynikać z charakteru bohaterów. To nic trudnego, bo scenariusz nie opowiada o ludziach, którzy się ze sobą zgadzają, w każdym razie nie na długo. Pamiętaj, konflikt to podstawa.

Chyba żartujesz. Jeśli publiczność się śmieje, nie zwraca uwagi na prezentację werbalną. Spójrzmy na dowolny film Woody Allena. Zazwyczaj w chaotycznym zjadliwym monologu opowiada on, kim jest, jaki ma stosunek do innych bohaterów, czego chce i czego się boi, lecz to wszystko niknie w ironii i żartach. W *Szklanej pułapce* Bruce Willis i Alan Rickman opowiadają przedakcję w zabawnych ekspozycjach, lecz to dla nich normalne, wynika z konstrukcji postaci. Humor musi wyrastać z bohatera i konfliktu w danej scenie.

Szloch na ramieniu. (Powiernicy) Powiernik to postać, której głównym zadaniem jest służyć bohaterowi ramieniem, gdyby ten chciał się wygadać. Widzowie słuchają razem z powiernikiem. Sztuka polega na tym, żeby powiernik miał w scenariuszu jeszcze jakieś zadanie, nie tylko słuchanie: niech będzie kochankiem, mentorem, sprzymierzeńcem, rodzicem. Każda postać ma w scenariuszu określone zadanie; wysłuchanie prezentacji to za mało.

Dawno, dawno temu... Dzisiaj uważa się ekspozycję z offu za niekinową. Filmowcy uciekają się do coraz bardziej wyrafinowanych środków i bezcielesny głos wydaje się niezręczny i staroświecki. Głos z offu to często podpórka; scenarzysta nie wie, jak inaczej rozwiązać problem prezentacji. Jednak zastosowany właściwie stanowi wspaniałe rozwiązanie – wystarczy spojrzeć na takie filmy jak *Wielki Mały Człowiek*, *Annie Hall*, *Odmiana losu* czy *Bulwar Zachodzącego Słońca*. W *Wielkim Małym Człowieku* narrator to staruszek, który udziela wywiadu młodemu sceptycznemu dziennikarzowi. W jego słowach znajdziemy humor, pogardę i ironię, dzięki którym my i młody dziennikarz nabieramy dystansu do opowieści i jednocześnie wyczuwamy w niej prawdę. A w *Annie Hall* głos z offu narzuca kontekst, humorystyczny i filozoficzny. W *Odmianie losu* i *Bulwarze Zachodzącego Słońca* narrator nie żyje albo jest nieprzytomny, a jego głos podkreśla tematykę filmów; subiektywność wiedzy, ambicji i ostatecznych wyroków. Innymi słowy, narrator jest częścią opowieści. Nie pozwól, by twój narrator był tylko źródłem informacji, której nie umiesz przekazać inaczej.

Zapowiedź tego, co będzie dalej. To wariacja na temat pisania między wierszami; pozornie normalne, codzienne dialogi są zabarwione przeczuciem, dyskretnie nawiązują do tematyki filmu.

Weźmy *Terminatora*. Na początku filmu Sarah ma za sobą koszmarny dzień w pracy. Inna kelnerka żartuje: „kogo to będzie obchodziło za sto lat?" A wiemy, że los ludzkości za sto lat będzie w rękach Sarah. Później, kiedy ze współlokatorką szykują się na randkę, ta patrzy na nią i oznajmia: „aż za dobrze dla zwykłego śmiertelnika". Reese, mężczyzna, który spada z obłoków, z przyszłości, to ktoś więcej niż zwykły śmiertelnik. Kiedy Reese i Sarah uciekają przed Terminatorem, prosi, żeby Reese opowiedział o jej synu. Reese mówi: „jest mojego wzrostu. Ma twoje oczy." Wtedy jeszcze nie wie, że będzie to także jego syn; wie to scenarzysta i w tej krótkiej wymianie zdań daje nam delikatnie do zrozumienia, co nastąpi później.

Dobrze napisany dialog z zastosowaniem tej techniki sugeruje przyszłe wydarzenia, ale nie psuje konstrukcji filmu, pozwalając, by widz zgadł, co się wydarzy. Wypowiedzi typu: „zdaje się, że nadciąga burza. Rzeka pewnie wyleje. Oby nikt nie zginął" czy „uważaj na zakręcie, coś tam teraz budują i podobno używają dynamitu" to kiepskie aluzje. Nie sugerują niczego, mówią wprost o zagrożeniu, i gdyby do tych wydarzeń naprawdę doszło, widz nie będzie zaskoczony. A jeśli nic się nie stanie, poczuje się oszukany. Wskazówka musi być ukryta, zawoalowana. Często lepiej niebezpieczeństwo pokazać niż o nim mówić.

Klasyczny przykład aluzji wizualnej to „strzelba na ścianie"; widzimy ją gdzieś w tle i przeczuwamy, że w którymś momencie wystrzeli, być może do antagonisty. Podobnie kwestie takie jak: „w młodości był strażakiem, ale potem zabrakło mu odwagi" to sygnał, że w filmie wydarzy się pożar i dany bohater będzie musiał stanąć do walki z żywiołem. W *Pretty Woman* Richard Gere mówi Julii Roberts, że ma lęk wysokości. Stopniowo coraz dalej wychodzi na balkon, aż w końcu wchodzi po schodach pożarowych, by dowieść swej miłości. Jeśli wspominasz o takiej słabości, wykorzystaj ją, inaczej widz poczuje się oszukany.

Zmyłka. Istnieje odstępstwo od tej reguły – zmyłka. Widz myśli, że wie, jak się potoczy akcja, a tymczasem chciałeś wprowadzić go w błąd. Zazwyczaj zmyłka to coś więcej niż kwestia w dialogu, to cała postać albo wątek poboczny, lecz dialog bywa niezbędny w konstruowaniu skutecznej zmyłki. Na przykład w kryminale mamy zawoalowane wskazówki, że wiele postaci miało powód, by zamordować ofiarę, a może autor skupi się na jednej, która później okaże się niewinna? Zmyłka to świetny pomysł, ale trzeba konstruować ją ostrożnie, żeby fabuła nie straciła przejrzystości. Lepiej, żeby i ten element był przede wszystkim wizualny.

Kilka słów o formie

Przyjrzyjmy się teraz formalnym aspektom pisania dialogu: zasadom interpunkcji, rozmowom telefonicznych, językom obcym i dialektom.

Interpunkcja.

Znaki interpunkcyjne mają za zadanie lepiej oddać znaczenie dialogu. Stosujemy te same zasady interpunkcji, z tym że niektóre znaki powtarzamy dla większego efektu.

Podwójny myślnik. Podwójny myślnik (--) sugeruje, że wypowiedź przerwano.

> FRED
>
> Odezwij się jeszcze raz do tej Kathy, a ja
> ci pokażę! Spójrz na nią, a --

> SAM
> Zamknij się i wyjdź stąd!

Wielokropek. (...) Używany, gdy zdanie się urywa, jest niedokończone. Postać gubi wątek, zamyśla się albo zmienia temat.

```
                    BUDDY
        Nie wiem, czy zdajesz sobie sprawę,
        z tego, co tu się stało. Zacząłem te
        rozmowę, bo... Słuchaj, powiedziałem ci
        komplement. Wykazałem zainteresowanie
        i... Ale ciebie to nie obchodzi.
```

Wielokropek oznacza wolniejsze tempo. Chcąc oddać dynamikę szybkiej rozmowy, możesz posłużyć się myślnikiem:

```
                    SALLY
        Nie wierzę! Stałam tam sobie, ale
        - nagle się pojawił nie wiadomo skąd
        i - Jezu, chyba złamał mi rękę!
```

Kursywa i kapitalizacja. Czasami scenarzysta wyróżni jakieś słowo kursywą, jednak należałoby tej techniki unikać (patrz rozdział 2). Wielkie litery oznaczają, że bohater krzyczy:

```
                    BETH
        O mnie? Rozmawiacie o mnie? Na moich
        oczach? Świetnie! IDŹCIE WSZYSCY DO
        DIABŁA!
```

Kursywa i wielkie litery są tu zbędne:

```
                    BETH
        O mnie? Rozmawiacie o mnie? Na moich
        oczach? Świetnie! Idźcie wszyscy
        do diabła!
```

W myśl zasady, że najlepszym doradcą jest prostota, należałoby zrezygnować z takich środków technicznych, chyba że bez nich przesłanie jest niejasne. W takim wypadku powinno się przeredagować daną scenę lub kwestię.

Skróty. Skrótów używamy tylko wtedy, gdy i postać ich używa. Na przykład, jeśli nasz bohater powie „AGD" zamiast „artykuły gospodarstwa domowego", możemy tak napisać. Z innych skrótów rezygnujemy, bo musimy słyszeć słowa. Liczby piszemy słownie – „piętnaście" nie „15".

Przecinek. Przecinek sugeruje wahanie, naturalny element mowy, więc nie bój się go używać. Właściwe stosowanie przecinków pozwala aktorom i reżyserowi odnaleźć właściwe tempo danej kwestii.

Inne kwestie

W scenopisarstwie funkcjonują już pewne konwencje dotyczące takich aspektów jak zapis rozmów telefonicznych, kwestii w obcym języku czy akcentu.

Telefon. Choć rozmowy telefoniczne to często spotykany zabieg, powinno się je pisać jak najrzadziej. Co widzimy? Faceta ze słuchawką przy uchu, stąd cały ciężar sceny spoczywa na dialogu. Staraj się unikać rozmów telefonicznych – lepiej, niech postacie rozmawiają oko w oko. (O formacie w rozdziale 2).

Języki obce. Jeśli bohater mówi w obcym języku, recenzent zanudzi się na śmierć, jeśli naprawdę będziesz się bawił w kwestie w suahili. Ogranicz się do zwrotu lub dwóch, reszta niech będzie w języku zrozumiałym dla recenzenta. Albo jeszcze lepiej, całkiem zrezygnuj ze suahili, tylko zaznacz w nawiasie, że bohater mówi w tym języku (patrz rozdział 2).

Akcent. Jeśli dana postać mówi z akcentem, zaznacz to w nawiasie (tylko raz), ale nie w fonetycznym zapisie dialogu. Postaraj się napisać jej kwestię uwzględniając słownictwo i składnie typową dla danego dialektu, ale stronę dźwiękową zostaw aktorowi:

```
                    DARLA
              (z południowym akcentem)
        Wszystko dlatego, że nie mężczyźni uczą
        chłopców jak być mężczyznami, tylko
        matki. A czy ci się to podoba, czy nie,
        to ojciec uczy dziewczynkę, jak być
        kobietą, choć rzadko kończy.
```

Zapis fonetyczny czyta się bardzo ciężko, zwłaszcza jeśli postać pochodzi z Południa albo jest włoskim mafioso. Posługując się dialektem, żeby zasugerować pochodzenie społeczne bądź wykształcenie postaci, jesteś o krok od popadnięcia w stereotypy. Nie sądź, że wiesz, jak mówi się w danym regionie kraju. Badania to podstawa. Nie opieraj się na tym, co słyszysz w filmach i telewizji; może scenarzysta, którego naśladujesz, był leniwy, może aktorowi nie chciało się uczyć trudnego akcentu. Scenarzysta musi zrozumieć swojego bohatera, a także czynniki, które wpłynęły na dany region, jego mieszkańców, jego dialekt. Żaden scenarzysta nie każe mówić rolnikowi z Warwick w Rhode Island w tym samym tempie, co rolnikowi z Cuthbert w Georgii. Choć obaj uprawiają ziemię, ukształtowały ich różne siły społeczne, ekonomiczne, historyczne i religijne.

Głośniej, na miłość boską!

Nie piszesz dialogu do czytania; twoje kwestie padną na głos. Jedyny sposób, by się przekonać, czy dialog działa, to czytać na głos, albo jeszcze lepiej, słuchać, jak czytają inni. Dramatopisarze, dla których dialog to podstawa, robią to od wieków. Kiedy uznasz, że twój scenariusz jest gotowy, zrób kilka kopii, zaproś przyjaciół (najlepiej aktorów, ale niekoniecznie), przydziel role (włącznie ze wskazówkami scenicznymi) i słuchaj. Niech cię nie kusi, by samemu przeczytać jedną z ról; w takiej sytuacji nie stać cię na obiektywizm, za bardzo będziesz przejęty rolą, by słuchać. Siedź cicho i słuchaj. Notuj, analizuj. Może niektóre kwestie są nudne? Prezentacja zbyt oczywista? Może pozwoliłeś sobie na oczywiste stwierdzenia? Czy kwestie wydają się naturalne? W tej chwili nie oczekujesz pochwał, tylko szukasz słabych punktów, nad którymi trzeba popracować. Głośne czytanie bywa przerażającym, upokarzającym przeżyciem: to, co wydawało się wspaniałe na papierze, w ustach aktora brzmi pusto i niezgrabnie. Ale o to chodzi. Dowiesz się, co się udało, a co nie. Jeśli czas pozwoli, wróć do kwestii problemowych i pozwól, by aktorzy improwizowali. Dobrym pomysłem jest też nagranie seansu – czasami pierwsze wrażenia okazują się błędne, albo przy drugim słuchaniu dostrzeżesz inne problemy. Zapisz to wszystko. Miej pod ręką dużo papieru i świadomość, że czeka cię mnóstwo poprawek.

Na zakończenie

Bla, bla, bla. W tym rozdziale podkreślamy cały czas, że dialog określa postać i odwrotnie. Powtarzamy to celowo, w nadziei, że w końcu to zapamiętasz! Słowa bohatera i sposób, w jaki je wygłasza wiele o nim mówią. Brudny Harry staje naprzeciwko napastnika. Bandyta przyciska lufę pistoletu do głowy jego ulubionej kelnerki. Harry nie krzyczy, nie błaga, by odłożył broń, nie chce negocjować. Wymierza w bandytę ze swojej broni i mówi: „No, dawaj, zrób mi frajdę." To tylko kilka słów, ale ile się z nich dowiadujemy! Harry jest nieustraszony, ryzykuje życiem własnym i cudzym, ma czarne poczucie humoru, wybiera najprostsze rozwiązanie problemu, i, co najważniejsze, w głębi duszy na niczym mu nie zależy. Ta pewność dociera też do napastnika; wierzy, że Harry będzie patrzył na śmierć przyjaciółki tylko po to, żeby później rozkoszować się zemstą. Jasno, zwięźle, na temat, a jednak wieloznaczne – właśnie takie dialogi chcesz pisać.

Ćwiczenia

Wszystkie ćwiczenia to dialogi z problemami. Postaraj się je poprawić.

1.   Poniższa scena zawiera wypełniacze i zbędne słowa. O ile słów możesz ją skrócić, ile przeskoczyć, nie tracąc jednocześnie niczego z akcji?

WNĘTRZE. CZYTELNIA MIKROFILMÓW - NOC

Sama w ciemnościach, Grace pochyla się nad
czytnikiem. Przesuwa mikrofilm, zatrzymuje się,
ustawia ostrość. Pochyla się do przodu. Znalazła.

PW GRACE

Nagłówek w gazecie głosi: „GLINIARZ PRZYZNAJE SIĘ
DO WINY".

                    TŁUSTY GLINIARZ(z OFFU)
        Grace!

                    GRACE
        Jestem tu, w czytelni mikrofilmów.

Wbiega TŁUSTY GLINIARZ.

                    TŁUSTY GLINIARZ
        Chcą cię widzieć, teraz, zaraz.

                    GRACE
        Dlaczego teraz?

                    TŁUSTY GLINIARZ
        Masz przechlapane u góry.

                    GRACE
        U kogo?

                    TŁUSTY GLINIARZ
        U kapitana. I szefa policji.
        U burmistrza. Wszyscy się złoszczą.

                    GRACE
        Co ty właściwie chcesz mi powiedzieć?
        Nie spodobał się im mój artykuł?

                    TŁUSTY GLINIARZ

          Cóż, sam się przekonasz, są
          wkurzeni. Chcą się z tobą zobaczyć,
          natychmiast.

                    GRACE
          Wprowadź ich.

                    TŁUSTY GLINIARZ

          Nie ma ich tutaj, przysłali mnie po
          ciebie, mam cię zabrać do miasta.
          I to zaraz.

                                        CIĘCIE DO:

2.   W poniższej scenie bohaterowie wypowiadają się za pomocą oczywistych
      stwierdzeń. Przepisz ją tak, by widz sam doszedł do odpowiednich wniosków.
      Użyj tej samej lub mniejszej ilości słów.

      WNĘTRZE. GABINET TERAPEUTY – DZIEŃ

      TERAPEUTA JOHANSON wygląda jak ostatni
      przedstawiciel wymarłego gatunku gigantycznych
      ptaków. Patrzy z góry na George'a dwudziestolatka,
      który wygląda jak nastolatek.

                    TERAPEUTA JOHANSON
          Oblałeś.

                    GEORGE
          Wiem, ale to nie znaczy, że jestem
          głupi.

                    TERAPEUTA JOHANSON
          Ja tak uważam. Twoja matka też.

                    GEORGE
          Nienawidzę jej.

                    TERAPUTA JOHANSON

    Mam cię dość, George. Kiedy ty w końcu
    dorośniesz?

                    GEORGE

    Jestem dorosły.

                    TERAPEUTA JOHANSON

    Zachowujesz się jak dziecko. Ba, ty
    nawet wyglądasz jak dziecko. Niczego nie
    osiągniesz, póki nie dojrzejesz.

                              CIĘCIE DO:

3. W tej scenie bohaterowie opowiadają o swoich uczuciach, zamiast je pokazać.
    Przepisz ją tak, by postacie ani razu nie mówiły o uczuciach, lecz by były one
    oczywiste dla widza.

    WNĘTRZE. SALA LEKCYJNA – DZIEŃ

    MARY, asystentka po trzydziestce, siedzi
    niespokojnie. Czeka, aż George, jej przełożony
    na wydziale, podniesie głowę znad stosu testów
    studentów Mary.

                    GEORGE
    Wiem, że się denerwujesz.

                    MARY
    I to bardzo. Od rana nie mogę usiedzieć
    spokojnie.

                    GEORGE
    Moja córka chodziła do ciebie na
    „Wprowadzenie do wiedzy o teatrze”. Bardzo
    jej się podobało.

                    MARY
    Lubię ją. Sprawiała, że czułam, że to, co
    robię, ma sens.

GEORGE

Cóż, ja uważam, że „Wstęp do wiedzy
o teatrze" to łatwizna. Za proste. Wolę
większe wyzwania.

MARY

Wcale nie takie proste. Mam tylko
piętnastu studentów, a i tak jestem
przepracowana.

GEORGE

Pracująca matka dwójki dzieci? Pewnie
padasz ze zmęczenia.

MARY

Ledwo żyję. Czasami sama nie wiem, co
robię.

GEORGE

Tak myślałem. A wiedziałaś, co robisz,
kiedy mojemu skarbeńkowi postawiłaś
niedostateczny? To mnie naprawdę wkurzyło.

CIĘCIE DO:

4. W tym dialogu bohaterowie rozmawiają, zamiast działać. Napisz scenę,
w której akcja i elementy wizualne zastępują większość dialogu.

GARRY

Naprawdę powinieneś spróbować dogadać
się z ojcem. Wiesz, nie zatęsknisz
za nim, póki nie będzie za późno.

ROSS

Cudowna myśl.

GARRY

Mój ojciec zawsze miał mnóstwo złudzeń co
do mnie. Pewnego dna postanowiłem otworzyć

Nagle gierki się skończyły.
Po raz pierwszy szczerze spojrzeliśmy
sobie w oczy. Nic, tylko nagie uczucia
na stole. Natychmiast złapał się
za serce, osunął na łóżko i zmarł. I co
powiesz na takie poczucie winy?

                    ROSS
Powiedziałeś mu, że jesteś gejem?

                    GARRY
Nie, aktorem.

                    ROSS
Uwierzył ci?

                    GARRY
A czemu nie?

                    ROSS
Gdybym wiedział, że będę miał podobne
efekty, zastosowałbym tę samą technikę
z moim ojcem. Uroczy facet? — O, nie!
Jako dzieciak, od kiedy miałem pięć lat,
błagałem o rękawicę baseballową.
W końcu ją dostałem, na zakończenie
szkoły średniej. Na złą rękę!

5. W tej scenie bohaterowie wygłaszają mowy, zamiast rozmawiać. Przepisz ją
    tak, by zaistniała interakcja między postaciami.

                    DORIS
Słuchaj, wiem, że chcesz jak
najlepiej, ale szykowanie mu drinka to
nasz wieczorny rytuał. Dla niego to
bardzo ważne, że przywiązuję wagę
do drobiazgów. Moim zdaniem tak
postępuje dobra żona. Chcę tylko,
żeby mój mąż był szczęśliwy. Czy nie
zechcesz tego samego dla swojego męża,
kiedy go będziesz miała?

SHARON

Nie! To, że on ma ochotę na drinka, nie
oznacza, że ty masz wszystko rzucać,
zrywać się na równe nogi i biec do barku.
Przecież on też ma dwie nogi. Nawet nic
nie mówi, tylko na ciebie patrzy. W życiu
nie wyjdę za kogoś takiego.

DORIS

Jest małomówny, ale wrażliwy. Na
przykład drink musi być idealnie
zmieszany, bo go nie tknie. Ma bardzo
rozwinięte kubki smakowe. Nigdy nie
palił. Pamiętasz, ile ja kopciłam przez
pięć lat? Bogu dzięki, że ojciec wybił
mi to z głowy.

SHARON

Mamo, wszyscy bywamy samotni. Ojciec
był potworem, pamiętam, jak cię
taktował. Zapewne jego śmierć odbiła
się na nas wszystkich, ale nie
wychodź za tego faceta tylko dlatego,
że przypomina ci tatę. Mamo, może ci
się wydaje, że to miłość, ale to nie
jest i nigdy nie była miłość, tylko
posłuszeństwo.

DORIS

Albo prostytucja, mam rację? Daj
spokój, powiedz, jeśli chcesz,
już to słyszałam. To słowo jest
w słowniku, wiesz? Prostytutka. Cóż,
rzeczywiście względy praktyczne
odgrywają pewną rolę. Ma pieniądze.
Mówiłam ci, jaki jest praktyczny? Nie
ma w tym nic złego. Złościsz się, bo
jestem szczęśliwa. Bo znowu kocham.
Na mój sposób. Brzmi jak romans
z supermarketu, co? Ale czasami właśnie
tak się w życiu układa.

6.   Spójrz na twoją wersję sceny z ćwiczenia 5 i omiń jak najwięcej słów.

7.   W poniższej scenie prezentacja jest zbyt oczywista. Przeredaguj ją i rozwiąż
     problem prezentacji za pomocą humoru, konfliktu lub postaci powiernika.

                         SAL
           Więc kiedy się przeniosłeś
           do Cleveland?

                         TED
           Prawie dwa lata temu.

                         SAL
           Chyba żartujesz. Ja też dwa lata temu.

                         TED
           Czym się zajmujesz?

                         SAL
           Pracuję w dużym banku.

                         TED
           A ja jestem sędzią sportowym.

                         SAL
           Kocham baseball, ale nie mam czasu
           nawet chodzić na mecze, a co dopiero
           grać. W naszej firmowej drużynie byłem
           miotaczem.

                         TED
           Mnie to właściwie zaczyna nudzić.

                         SAL
           Jak to? Wszyscy kochają baseball. A moje
           dzieciaki najbardziej.

                    TED
          Ja nie mam dzieci.

                    SAL
          Wydawało mi się, że jesteś żonaty.

                    TED
          Byłem. Jestem rozwiedziony. Moja żona
          była straszną egoistką, nie chciała,
          żeby dziecko zniszczyło jej figurę.

                    SAL
          Ja mam troje świetnych dzieciaków.

                    TED
          Super.

                    SAL
          Każde z innego małżeństwa. Za trzecim
          razem się udało; moja żona to wspaniała
          kobieta.

ROZDZIAŁ 14

REDAGOWANIE

Spiesz się powoli

Świetnie. Skończyłeś pierwszą wersję; to istna perła. Jesteś zachwycony, nie możesz się doczekać, kiedy pokażesz swoje dzieło agentowi, producentowi i całemu światu, i wierzysz, że sukces jest już tuż-tuż. Oczywiście, musisz jeszcze popracować nad kilkoma drobiazgami, doszlifować scenę w środku, ale to szczegół i nikt nie zwróci na to uwagi. Więc właściwie wszystko gotowe, prawda?

Nie, nie, nie. Nie łudź się, że pierwsza wersja to skończony scenariusz. Na dziewięćdziesiąt procent – nie. Jak głosi stare przysłowie: „Pisanie to redagowanie", i jest w tym tylko trochę przesady. Pierwszy, najważniejszy powód, dla którego warto zredagować gotowy scenariusz, jest oczywisty: choćbyś nie wiadomo jak się starał i uważał, zawsze znajdą się sceny, które można napisać lepiej, wyciąć albo zmienić czy sekwencje, bez których scenariusz będzie bardziej czytelny. Pierwszą wersję możesz pokazać jedynie zaufanym przyjaciołom, którzy, miejmy nadzieję, wskażą usterki. Niewykluczone, że i w drugiej wersji znajdziesz niedoskonałości. Zawodowi scenarzyści wypuszczają z rąk dopiero trzecią, a niektórzy nawet piątą wersję.

Ma to także przyczyny praktyczne: jeśli wyślesz scenariusz zbyt wcześnie, zmarnujesz swoją szansę. Pamiętaj, masz tylko jedną szansę. Jeśli recenzent odrzuci twoje dzieło, to koniec. Dane o twoim scenariuszu trafiają do bazy danych (patrz rozdział 1) i zostają tam na zawsze. Nawet kilka lat później, jeśli przerobiłeś cały tekst, ale nie wpadłeś na sprytny pomysł, by zmienić tytuł, kolejny recenzent znajdzie twoje dzieło w bazie danych – i koniec. Jeśli recenzent to twój znajomy, okłamie cię i powie, że przeczyta go jeszcze raz, ale zapewne tego nie zrobi. Nikt nie sięgnie po raz odrzucony scenariusz, chyba że Leonardo DiCaprio osobiście będzie o to błagał na kolanach, bo za wszelką cenę chce zagrać główną rolę w twoim filmie. Nie licz na to. Straciłeś szansę, przynajmniej w tym studiu. A nie ma ich tak wiele.

Nabierz więc tchu i daj wypieszczoną, ukochaną pierwszą wersję do czytania przyjaciołom, a sam postaraj się zapomnieć, że cokolwiek napisałeś. Kiedy będzie cię stać na dystans, wysłuchaj krytycznych uwag i zredaguj scenariusz według naszych wytycznych i powtarzaj to, aż będzie idealny. Nie żałuj czasu i pracy, jeśli nie chcesz zmarnować całego wysiłku, jaki włożyłeś w pisanie.

Super! Zaraz to zmienimy

Znacie ten stary kawał? Scenarzysta i producent zabłądzili na pustyni. Umierają z pragnienia. Scenarzysta ma halucynacje: widzi oazę, zielone drzewa, cień i kryształowo czyste źródełko. Ma tak bujną wyobraźnię, jego wizja jest tak przekonywująca, że nawet producent ją widzi... I nagle wizja staje się rzeczywistością. Zachwycony pisarz biegnie do źródełka, żeby się napić. Producent woła: „Poczekaj!" Odpycha scenarzystę, rozpina rozporek i załatwia się do źródła. Odsuwa się. „No", mówi zadowolony „teraz jest idealnie". Rzecz w tym, że nawet jeśli napisałeś świetny scenariusz, nawet jeśli udało ci się go sprzedać i wszedł do produkcji, i tak ktoś będzie przy nim majstrował. Hollywood to kraina rozbuchanych ego i całkowitego braku pewności siebie, dwóch stron tej samej monety. Hollywood kocha redagowanie. Zmienia się scenariusze nieustannie, na każdym etapie produkcji; poczynając od autora, poprzez przygotowania do produkcji, samą realizację filmu, po montaż, który, nota bene, czasem nazywa się ostateczną redakcją. A wszystkich tych zmian rzadko dokonuje autor oryginalnego scenariusza. Są w Hollywood scenarzyści, którzy świetnie zarabiają zmieniając dzieła innych.

Zawodowi scenarzyści dyskutują zawzięcie, czy poprawianie gotowych scenariuszy to ważny i potrzebny aspekt ich pracy czy kanibalizm i pasożytnictwo (bardzo opłacalne – niektórzy zarabiają i 100 000 dolarów za tydzień). Niektórzy nawet podpisują zobowiązanie, że nie będą redagować dzieł innych scenarzystów, inni tylko się śmieją pod nosem.

Nie da się ukryć, że wiele dobrych scenariuszy, a co za tym idzie, i filmów, ucierpiało wskutek tego procederu, ale nie jest to regułą. Czasami scenariuszowi po prostu czegoś brak i nieważne, jak bardzo autor się stara; tylko świeże spojrzenie uratuje jego dzieło. Jeśli chodzi o twój scenariusz, musisz zrobić, co w twojej mocy, by spojrzeć na swoje dzieło z dystansu i przekonać producenta, że kolejna przeróbka przez innego autora jest zbędna.

Nie sprzeciwiaj się (obiektywizm)

Producenci nagminnie zatrudniają nowych scenarzystów, żeby pracowali nad scenariuszami w trakcie realizacji. Przy jednym filmie może pracować nawet kilkunastu scenarzystów, ale ze względu na ograniczenia wprowadzone przez WGA tylko kilka nazwisk pojawi się w napisach filmu. Reszta to „murzyni". Skąd tylu scenarzystów? Mówiąc najprościej, producentom brak obiektywizmu. *Najgorsze, że dzisiejsi producenci sami nie wiedzą, czego chcą,* narzeka Lucy Stille, agentka scenarzystów. *Nic dziwnego, że zmieniają scenarzystów, skoro nie wiedzą, co chcą osiągnąć.* Tacy producenci popełniają podstawowy błąd – nalegają na przeróbki, nie wiedząc, co ma powstać w efekcie.

Czego właściwie chcą? Tego, o czym marzą wszyscy producenci, reżyserzy, aktorzy i scenarzyści: świetnego scenariusza. Skąd go wziąć? Skąd wiadomo, że obecna wersja nie jest idealna? Niełatwo to zauważyć, niełatwo się zdobyć na obiektywizm. W środowisku krąży anegdota, jak to kiedyś grupa scenarzystów wspólnie pracowała nad przeróbkami filmu dla dzieci. Dni mijały, termin się zbliżał, a fabuła nadal się nie układała. W oryginalnym scenariuszu była postać uroczego konika, który po przeróbkach nigdzie nie pasował. Po kolejnej całonocnej sesji, o świcie, jeden nagle zapytał: "jaki konik?" Okazało się, że kurczowo trzymali się pomysłu, który już nie działał. Fabuła się rozwinęła, dla uroczego konika nie było miejsca. Rozwiązanie było oczywiste, ale do tego stopnia pochłonęły ich przeróbki, że go nie widzieli. Wycięli konika i skończyli na czas.

Dobra redakcja to sztuka. Pisane pierwszej wersji to magia, pisanie drugiej albo poprawianie czyjegoś dzieła to żmudna praca. Co chwila zadajesz sobie pytanie: „jaki konik?". Musisz być obiektywny, skupiony i nie zapominać o technice. Jeśli masz te cechy, redagowanie cudzych tekstów to praca dla ciebie. Jednak nawet jeśli chcesz przerobić jedynie własny tekst, musisz się nauczyć rozwiązywać problemy. Obiektywizm w tym wypadku oznacza, że zanim zasiądziesz do kolejnej wersji, wiesz, co jest nie tak w obecnej. Dopiero z tą wiedzą możesz zabrać się do pracy.

Pod tym względem redakcja przypomina pisanie pierwszej wersji; musisz mieć plan ataku. Problem w tym, że po miesiącach życia tą samą fabułą, z tymi samymi postaciami, wizja się zawęża, kreatywne rozwiązania uciekają. Scenarzysta potrzebuje wtedy świeżego spojrzenia, żeby zobaczyć dzieło z dystansu. Są na to trzy sposoby: czas, czytanie i notatki.

Chwileczkę! Czas to twój przyjaciel

Czy zdarzyło ci się czytać nowelkę lub wiersz, które napisałeś przed laty? I co, nie spodobały ci się? Wtedy wydawało ci się, że to arcydzieło, teraz widzisz wszystkie usterki. Dystans pozwala zobaczyć wszystko w szerszej perspektywie. Grecki filozof Heraklit powiedział: *nie można wejść dwa razy do tej samej rzeki.* Świat się zmienia, a ty wraz z nim, i to o wiele szybciej, niż ci się wydaje. Parmenides, następca Heraklita, wyraził się jeszcze jaśniej: *nie można wejść nawet raz do tej samej rzeki.* Czas teraźniejszy staje się przeszły. Wszyscy się zmieniamy, w każdej chwili. I kiedy ponownie otworzysz swój scenariusz, będziesz już innym człowiekiem.

Wykorzystaj to. Po zakończeniu pracy nad pierwszą wersją odłóż scenariusz na półkę, zamknij na klucz, zapomnij. Nie potrzeba lat, zazwyczaj wystarczy kilka tygodni. Zdziwisz się, jak szybko zmienisz zdanie, jak szybko zobaczysz wiele rzeczy w innej perspektywie. Niektórzy scenarzyści pracują w tym czasie nad nowym scenariuszem, inni robią sobie urlop (nawet scenarzysta zasługuje na chwilę wytchnienia). Nieważne, na co się zdecydujesz; przerwa pozwoli ci nabrać dystansu, odświeży wyobraźnię. Po, powiedzmy, dwóch tygodniach, przeczytaj scenariusz jeszcze raz. Nagle zobaczysz usterki, dostrzeżesz ukryte słabości, mocne i słabe strony staną się oczywiste. Najważniejsze, że prawdopodobnie szybko się z nimi uporasz. Czas to najlepszy redaktor, a dystans uczy obiektywizmu.

Uwaga, uwaga (czytanie)

Kolejny sposób na obiektywne spojrzenie na własny scenariusz to głośne czytanie. To nic trudnego: zaproś przyjaciół (najlepiej aktorów, ale niekoniecznie), rozdaj kopie, przydziel role i słuchaj, jak twój scenariusz ożywa.

Kilka wskazówek, jak zorganizować udane czytanie. Po pierwsze, postaw wszystkim pizzę, niech to będzie impreza. Dalej: w scenariuszach występuje wiele postaci, zapewne jedna osoba będzie musiała czytać kilka ról. Pomóż aktorom, zaznacz im ich kwestie; dzięki temu unikniesz niezręcznych przerw, gdy ktoś się zgubi albo szuka swojej kwestii. Niech wskazówki sceniczne czytają dwie osoby na zmianę. Pamiętaj także, by czytać scenariusz z marszu, czyli bez prób. To ważne, bo ma być zrozumiały przy pierwszym czytaniu. Próby tylko ukryją usterki. Jeśli dialog kuleje, jeśli scena jest niespójna, nie obwiniaj aktorów. Jeśli myślisz: „scenariusz jest super, to ich wina", niepotrzebnie się łudzisz.

Podczas czytania ogranicz się do słuchania, niech cię nie kusi, by samemu czytać choćby wskazówki sceniczne. Siedź z kopią scenariusza przed nosem, słuchaj i notuj, co działa, co nie. Kiedy czytający zatnie się na danej kwestii, zaznacz ją, żeby nad nią popracować. Nie próbuj robić tego na gorąco, nie przerywaj czytania, nie staraj się w trakcie lektury omówić problemu, bo przerwiesz ciągłość. Zapisz tylko w punktach, w czym tkwi problem. Dobrym pomysłem jest też nagrać czytanie i później do niego wracać.

Mówiąc najprościej, głośne czytanie to okazja, byś zobaczył, jak na twój scenariusz reagują inni; w cudzych ustach każde słowo brzmi inaczej. Potknięcia językowe, zabawne i głupie pomyłki, nudne wskazówki sceniczne, niejasna akcja i niedopracowane opisy – nagle wszystko zobaczysz wyraźnie.

Gdyby w trakcie czytania któryś z aktorów poprosił o chwilę przerwy albo powiedział, że musi iść do łazienki, zaznacz, kiedy to zrobił. Prawdopodobnie akcja w tym momencie zwalnia. Od dobrego scenariusza nie można się oderwać; czytelnik nie powinien mieć okazji, by przerwać lekturę. Podczas czytania usadź gości na najbardziej skrzypiących krzesłach, jakie ci się uda znaleźć. Znudzeni aktorzy zaczną się wiercić; zorientujesz się, jak bardzo się nudzą, słuchając krzeseł. Jeśli nie masz skrzypiących krzeseł, zwróć uwagę, jak często ziewają i zakładają nogę na nogę. Zaznacz, które strony czytają wyjątkowo długo. Kiedy akcja za bardzo zwalnia? Kiedy bohaterowie postępują nielogicznie? Gdzie fabuła się dłuży?

Pod koniec sesji twoja kopia scenariusza będzie czerwona od notatek – masz już podstawy, by zabrać się za drugą wersję. Jeśli byłeś zachwycony, jeśli nie chcesz niczego zmienić, prawdopodobnie nie słuchałeś wystarczająco uważnie, więc poproś aktorów o konstruktywną krytykę i słuchaj, co mają do powiedzenia. Przyjaciele zazwyczaj starają się dodać otuchy, więc zapewnij ich, że nie chcesz pociechy, tylko szczerych uwag, i nie obrazisz się za słowa krytyki. Nie dyskutuj, nie tłumacz się, tylko słuchaj. Pamiętaj, tu nie chodzi o ciebie, tylko o scenariusz. Lepiej usłyszeć to teraz niż stracić jedyną szansę na sukces. Czasami wszyscy widzą, że coś jest nie tak, i zazwyczaj mają rację. Jest takie powiedzenie: „jeśli wszyscy ci mówią, że jesteś pijany, oddaj kluczyki, bez względu na to, czy się z nimi zgadzasz, czy nie". Najczęściej czytelnicy nie są zgodni i wówczas musisz sam zdecydować.

Często widzą, że coś jest nie tak, ale nie umieją dokładnie określić, co. Coś im się nie podoba, ale każdy doszukuje się problemu w innej scenie, innej kwestii, a prawdziwy winowajca może się kryć dwie sceny dalej. Jeśli w sekwencji z trzema scenami: A, B i C jedna osoba narzeka na scenę A, a druga na scenę C, niewykluczone, że problem kryje się w B. Wszystko zależy od kontekstu. I znowu, najważniejszy jest obiektywizm. Przyznaj, że musisz popracować nad tym fragmentem, nieważne, czy będzie to scena A, B czy C. Podczas redakcji zanalizujesz całą sekwencję i znajdziesz słaby punkt.

To bolesne doświadczenie, ale koniec końców bardzo pozytywne, bo błędy, które wykryjesz z przyjaciółmi, pomogą ci udoskonalić kolejną wersję. Dramatopisarze czytają na głos swoje dzieła od tysięcy lat. W niektórych teatrach co tydzień odbywa się czytanie nowych sztuk (więcej o pisaniu sztuk i czytaniu w rozdziale 18).

Notatki z podziemia

Gdzie znaleźć uczciwą opinię? Komu zaufać? Młodzi scenarzyści gorączkowo szukają mentorów, którzy poprowadzą ich przez labirynt pułapek. Pragną pochwały, że dobrze się spisali, i wskazówek, jak pisać jeszcze lepiej. W Internecie aż się roi od takich doradców, zazwyczaj za pieniądze, ale co to za goście? Większość z nich niczego nie napisała. Wszyscy chętnie radzą, ale prawdziwego mentora ze świecą szukać.

W UCLA, podczas zajęć ze scenopisarstwa, wykładowca rzucił mimochodem sugestię dotyczącą scenariusza studenta. Ten kurczowo chwycił się sugestii i przerobił dzieło. Tydzień później, blady z niewyspania, przyszedł na zajęcia; od kilku nocy biedził się, jak zrealizować radę wykładowcy. Przeczytali nowy scenariusz na zajęciach. Było gorzej niż przedtem. Profesor mruknął: „nie, jednak nic z tego". Student nie wierzył własnym uszom. Nie wszystkie rady są dobre. Nawet bardzo doświadczony ekspert może się mylić. Skąd wiadomo, kto ma rację, kto nie? Co zadziała, co sprawi, że scenariusz będzie świetny, że uda ci się go sprzedać? Tego nie wie nikt. Jeden recenzent uzna cię za geniusza, inny za amatora. Opinie innych są ważne, ale najważniejsze jest twoje zdanie. Pamiętaj, to twoja opowieść, twoja inspiracja – i ty jesteś za wszystko odpowiedzialny. Wierz w siebie i swoje dzieło; jeśli naprawdę podoba się tobie, spodoba się innym.

Uwaga, uwaga!

Ważna uwaga: zanim poprosisz ludzi o notatki, zaznacz, że to nie znaczy, że staną się współautorami tekstu. Jeśli się choćby zająkną na temat współpracy, nie słuchaj! Twoja praca należy tylko do ciebie i nie musisz się nią dzielić tylko dlatego, że ktoś ci podsunął dobre rozwiązanie. Na zajęciach to się nie zdarza, ale poza uczelnią – owszem. Póki nie sprzedasz pracy, masz do niej całkowite prawo, a to znaczy, że nawet jeśli ktoś zaproponuje ci inne rozwiązanie danej sceny, a ty z tej propozycji skorzystasz, nie tracisz prawa do swojego dzieła. Co jednak nie oznacza, że ludzie nie próbują wmówić ci, że jest inaczej. Odbyło się sporo procesów w takich sprawach. Sędziowie orzekli, że o współautorstwie jest mowa jedynie wtedy, gdy wkład drugiego autora można wyodrębnić i obie strony, a więc ty i druga osoba, od początku zakładaliście, że pracujecie razem. To rzadka sytuacja, ale jeśli nieuczciwy komentator domaga się korzyści tylko dlatego, że podsunął ci rozwiązanie, nie daj się omamić. Prawo jest po twojej stronie, ale na wszelki wypadek lepiej ustalić takie rzeczy na początku. Oczywiście sytuacja się zmienia, kiedy sprzedasz scenariusz.

Rozłożyć na części i zmontować z powrotem.

Widzisz już słabe punkty scenariusza, ale to dopiero pierwszy etap. Teraz musisz się zastanowić, jak usunąć usterki. Jeśli sprawia ci to kłopoty, zapewne starasz się rozwiązać wszystkie kłopoty naraz. Redakcja to tysiące małych decyzji, więc na początku postaraj się wyłapać wszystkie usterki i rozwiązuj problemy krok po kroku. Radzimy postępować w następującej kolejności.

Precyzja (jasno określ problem)

Musisz po prostu usystematyzować komentarze czytelników i wszystkie uwagi, które ci się nasunęły podczas powtórnej lektury. Zbierz je i przeanalizuj. Jeśli wydają ci się zbyt ogólnikowe, zastanów się, jakiego problemu dotyczą. Stwierdzenia typu: „środek jest nudny" czy „ta postać się nie sprawdza" to za mało. Co jest nudne? I dlaczego scenariusz traci tempo? Które ujęcia? Dlaczego dana postać się nie sprawdza? Kiedy? Może jest niepełna? Zapisuj wszystko, co ci przyjdzie do głowy.

Wykryj wroga (wyodrębnienie usterki)

Mówiąc najprościej, musisz wyłowić każdy element opowieści, wypruć go z tkaniny scenariusza i przeanalizować, gdzie się ukrył problem. Sprawdzasz, czy fabuła, obrazy, postacie i dialogi są spójne od początku do końca, szukasz niezamierzonych przerw i luk. Można to zrobić wyodrębniając badany element spośród innych.

OPOWIEŚCI Z FRONTU

Robin

Jedna ze studentek napisała kiedyś scenariusz, w którym antagonista znika na czterdzieści stron. Działo się tyle interesujących rzeczy, że nawet nie zauważyła, kiedy główny konflikt odszedł w zapomnienie. Znalazła fragment, gdzie antagonista znika, zapisała numery stron i przeredagowała tę część tak, żeby odpowiadała całości.

Przykładowo, jeśli chcesz prześledzić daną postać, wyeliminuj ze scenariusza wszystko poza scenami z daną postacią. Teraz nic nie rozprasza twojej uwagi; widzisz jak na dłoni, jak dany bohater się rozwija i działa, możesz sprawdzić, czy posługuje się takim samym, spójnym językiem, czy może nagle używa slangu albo postępuje nielogicznie. Śledzenie dialogu pozwala także zredukować liczbę słów.

W ten sposób można przeanalizować każdy element scenariusza: miejsca, otoczenie, temat. Jeśli twój świat wydaje się chaotyczny albo sprzeczny z drogą bohatera, przeanalizuj poszczególne sekwencje. Upewnij się, czy umacniają scenę, czy kontrastują z jej znaczeniem. Jeśli problematyczny jest sprzymierzeniec albo inna postać drugoplanowa, ta technika pozwoli ci się przekonać, czy pojawiają się we właściwych scenach. Podobnie jak z dialogiem, także i wśród bohaterów zdarzają się zbędne postacie. Może się okazać, że dwie pełnią te same funkcje i można stworzyć z nich jedną, nową, silniejszą.

Szczególnie ważne, byś prześledził prezentację tematu. Jeśli znajdziesz sceny, które nie oddają, o czym jest film, musisz je zmienić lub wyciąć. Nie odchodź od tematu, to kręgosłup twojej opowieści.

Głową o ścianę, część pierwsza (szukanie rozwiązań)

Znasz już słabości scenariusza, rozłożyłeś go na czynniki pierwsze; teraz trzeba się zastanowić, jak go naprawić. Wróć do początku. Czy jest konflikt? Czy narasta, scena po scenie? Czy bohaterowie są spójni, czy działają nielogicznie? Czy temat jest jasny? Nie bój się szczegółów. Redakcja opiera się na konkretach.

Musisz zrobić to samo, co na początku, kiedy po raz pierwszy budowałeś fabułę. Mimo starannego planowania pojawiły się pewne problemy, co było nieuniknione.

Poniżej wzór tabelki, która pomoże ci uporać się z pewnymi problemami. Od ciebie zależy, do jakiego stopnia wdasz się w szczegóły.

Problem	Technika
Fabuła się dłuży.	1. Podbij stawkę; w tej chwili na szali leży jedynie praca Billa. Niech w niebezpieczeństwie będzie także życie jego i Emily, jego córeczki. 2. Zbyt wiele wskazówek scenicznych poświęconych opisom świata i emocji postaci, zamiast akcji. Skróć i skup się na akcji. 3. Zbyt długie przerwy między głównymi wydarzeniami. Usuń wątek poboczny o samochodzie Jill. 4. Dialogi zbaczają od tematu. Zastanów się, co Bill tak naprawdę chce powiedzieć.
Protagonista nie budzi sympatii.	1. Osłódź go. Dodaj mu psa, niech uroczy kundel włóczy się za Billem, aż ten go zaadoptuje. 2. Słaba motywacja, za mało pozytywnych powodów do działania. Związane ze stawką; niech życie Billa będzie w niebezpieczeństwie.
Protagonista wydaje się płytki, papierowy.	1. Dodaj skazę albo ducha. Konflikt wewnętrzny: Billa nie było przy bracie, gdy ten umierał w podobnych okolicznościach. 2. Bohater za dobrze zna samego siebie; przeredaguj dialogi, żeby nie był taki pewny tego, co robi, ani dlaczego postępuje tak a nie inaczej. Dodaj błędną motywację, ukryj prawdziwe powody.
Konflikt nie wciąga.	1. Niech antagonista będzie silniejszy od protagonisty. Póki co, Bill za szybko zaczyna zwyciężać. 2. Zmień konsekwencje działania protagonisty. Niech przez niego powstanie więcej kłopotów.
Ekspozycja jest zbyt oczywista.	1. Niech otoczenie rozwiąże problem ekspozycji, nie dialog. 2. Wpleć konflikt w momenty, gdy jest oczywista. Niech Bill opowiada Jill historię swego życia podczas ucieczki przed policją, nie przy kolacji.

Scena z narzeczo-nym jest za długa.	1. Wprowadź scenę najpóźniej jak się da i zakończ jak najszybciej. 2. W scenie nie ma konfliktu, tylko gadanina. Może to samo można powiedzieć krócej i prościej?
Scenariusz liczy 130 stron, za dużo.	1. Redaguj. Przeanalizuj każdą scenę, każdy wątek poboczny. Narzeczony Jill jest niepotrzebny; pozbądź się go. Wytnij wszystkie sceny z nim. 2. Przyjrzyj się wskazówkom scenicznym: może są przegadane?
Fabuła nie jest spójna.	1. Potasuj karty scen i przeanalizuj cały film. Przyjrzyj się strukturze; czy widzisz ciąg przyczynowo-skutkowy? 2. Do czego dąży protagonista? Czy każda scena filmu nawiązuje do jego dążeń? 3. Czy fabuła rozwija się zgodnie z wymogami gatunku?

Oczywiście można by wymieniać jeszcze wiele problemów; cała nasza książka to jedna wielka tabelka z problemami i sposobami rozwiązań. Jeśli uda ci się obiektywnie spojrzeć na swoje dzieło i dostrzec jego usterki, przekonasz się, że redakcja bywa przyjemniejsza od aktu tworzenia. Po redakcji z przeciętnego scenariusza powstaje arcydzieło.

Głową o ścianę, część druga (wyłącz wewnętrznego krytyka)

Kolejna przeszkoda na drodze do idealnego scenariusza to zbyt krytyczne podejście do własnego dzieła. Nie odrzucaj od razu wszystkich pomysłów. Najlepiej zapisz wszystko, co ci przyjdzie od głowy, a później wybierz najlepsze rozwiązanie. Przeprowadzono kiedyś następujące badanie: zamknięto grupę naukowców w odizolowanym pomieszczeniu i postawiono przed nimi pewien problem. Powiedziano im, że jeśli jeden wpadnie na pomysł rozwiązania, mają go wspólnie przeanalizować. Po całym dniu nie udało im się znaleźć rozwiązania. Następnego dnia dostali równie trudne zadanie, ale teraz mieli tylko proponować rozwiązania, nie analizować ich, nawet nie zastanawiać się nad prawdopodobieństwem. Po południu poproszono ich, by krytycznie ocenili poranne pomysły. Udało się. Rozwiązali zagadkę, a dzięki braku natychmiastowej analizy stać ich było na większą kreatywność.

To samo dotyczy scenarzystów. Nie oceniaj krytycznie każdego pomysłu, który przyjdzie ci do głowy, nie tłum kreatywności. Stojąc przed trudnym problemem zapisz wszystkie możliwe rozwiązania. Nie zastanawiaj się, czy są możliwe do zrealizowania. Później przeanalizuj każde wyjście z impasu – jest szansa, że tym sposobem znajdziesz idealne rozwiązanie.

Na zakończenie

Dziecko a woda z kąpieli. W Hollywood istnieje brutalne powiedzenie: „zabij dzieciątko"; jeśli w scenariuszu jest fragment, do którego jesteś szczególnie przywiązany, jeśli to twoje „dziecko", wytnij je, bo prawdopodobnie nie przemawia do innych. Często tak rzeczywiście jest: zachowujemy daną kwestię czy scenę, choć w głębi duszy wiemy, że nie ma dla niej miejsca w scenariuszu. Zdarza się, że jest to kwestia lub scena, która podsunęła ci pomysł całego scenariusza, lecz niewykluczone, że przy którejś wersji zapytasz jak scenarzyści, o których mowa w tym rozdziale: „jaki konik?" Musisz być gotów zmienić wszystko, co już napisałeś.

Jednak nie usuwaj owego „dziecka" automatycznie. Czasami to istna perełka i świetnie się sprawdza! Chcąc wiedzieć, które „dzieci" zachować, naucz się obiektywizmu, zidentyfikuj słabe strony, usuń usterki. Jeśli masz szczęście i sprzedasz scenariusz, przygotuj się, że wszystko zacznie się od początku.

Ćwiczenia

1. Zorganizuj czytanie twojego scenariusza. Siedź cicho z tyłu i notuj. Słuchaj, nie czytaj.

2. Znajdź drobny problem w scenariuszu i zastosuj następujące kroki w szukaniu rozwiązania: określ problem, podziel go na mniejsze cząstki i poszukaj rozwiązania dla każdej usterki.

Sporządź własną tabelkę z problemami i sposobami ich usuwania.

CZĘŚĆ IV

SPRZEDAŻ

JAK SPRZEDAĆ SCENARIUSZ W USA

SPOTKANIE NA SZCZYCIE

ROZDZIAŁ 15

SPRZEDAĆ SCENARIUSZ W USA

Show biznes

Fade out – koniec. Dużo czasu upłynęło, zanim mogłeś napisać te słowa; jeszcze więcej zajęło ci szlifowanie i korygowanie poprzedzających je stronic. Skończyłeś swój super scenariusz, ale to dopiero połowa drogi. Sprzedanie go może oznaczać lata pisania listów, niezliczone spotkania i recenzje. Szacuje się, że dziennie około trzystu scenarzystów pisze KONIEC i na rynek wchodzi trzysta nowych „super-hitów". Co roku powstają dziesiątki tysięcy scenariuszy; sprzedają się niecałe dwa tysiące, a zaledwie trzysta lub czterysta trafi na ekrany.

Wobec takiej konkurencji musisz się przede wszystkim upewnić, że twój scenariusz jest gotowy. Jak każdy produkt na sprzedaż musi być jak najbardziej przyswajalny. A to oznacza: ciekawy świat, dobrą strukturę, intrygujących bohaterów, odpowiedni format i oczywiście brak błędów. Liczy się pierwsze wrażenie, więc musi być imponujący i wciągający, taki, żeby nie sposób było się od niego oderwać.

Skoro już masz produkt, który chcesz sprzedać, czas poszukać agenta, zwrócić się do studiów filmowych i niezależnych firm producenckich; czas rozpuścić wici. A żeby to zrobić, musisz mieć względne pojęcie o WGA, rejestracji, prawie autorskim, agentach, producentach i rynku.

Writers Guild of America

Hollywood to miasto związkowe. Mamy tu związki reprezentujące aktorów (SAG – Screen Actors Guild, AFTRA – American Federation of Television and Radio Artists), reżyserów (DGA – Directors Guild of America). Jest nawet związek zawodowy statystów (Background Actors Union). Dosłownie każdy członek ekipy filmowej jest członkiem odpowiedniego związku. Scenarzystów reprezentuje WGA (Writers Guild of America). Musisz być członkiem, jeśli piszesz scenariusz dla którejkolwiek wytwórni czy producenta, którzy podpisali dokumenty o przestrzeganiu zasad gildii. Ich lista jest bardzo długa: są na niej giganci: NBC, ABC, CBS, Paramount, Columbia, Fox, Warner Bros i setki innych firm i studiów filmowych. Tylko bardzo małe firmy producenckie nie respektują wymagań związku; najczęściej są to nieodpowiedzialne, jednodniowe twory, które powstają, żeby wyprodukować jeden niskobudżetowy film przeznaczony na rynek wideo.

Niestety, nie możesz tak po prostu zapisać się do WGA. Zasady są następujące: o ile nie pracujesz dla firmy partnerskiej z WGA, nie możesz należeć do związku, ale nie możesz pisać dla takiej firmy, o ile nie jesteś członkiem WGA. Zamknięty krąg, ale jest na to sposób; żeby się zapisać, musisz sprzedać scenariusz firmie respektującej zasady gildii albo zebrać 24 punkty. To skomplikowany proces. Każde zlecenie jest warte określoną ilość punktów. I tak na przykład za program telewizyjny krótszy niż pół godziny dostajesz cztery punkty. Za film lub program na półtorej godziny – dwanaście. Jeśli uda ci się sprzedać scenariusz pełnometrażowego filmu fabularnego, zgarniesz całą potrzebną pulę, dwadzieścia cztery punkty. Więcej informacji na ten temat znajdziesz w Internecie: www.wga.org/manual/admisson.html.

WGA: co to jest, co robi, dlaczego to dla ciebie ważne

Jeśli uda ci się sprzedać scenariusz albo zebrać wystarczającą ilość punktów, musisz zapisać się do związku. Dostaniesz rachunek w wysokości 2500 dolarów – to opłata członkowska. Dalej, co roku musisz wpłacać 1.5% dochodów z pisania na konto związku. Członkostwo jest drogie, ale się opłaca: związek pilnuje, by stawki były wysokie, dba o interesy scenarzystów i oferuje bezpłatną opiekę zdrowotną i plany emerytalne, (jeśli spełnia się określone warunki). WGA monitoruje i ściąga należne tantiemy, w kraju i za granicą, utrzymuje bibliotekę, rozstrzyga spory, ustala zasady pracy i ogłasza strajki.

Kiedy WGA strajkuje (nie zdarza się to zbyt często), jej członkowie przestają pracować, tym samym paraliżując studia telewizyjne i filmowe. Jako pierwsze odczuwają to opery mydlane; stacje nagle nadają stare odcinki seriali komediowych, a z czasem zamierają i studia filmowe, bo nie kupują nowych scenariuszy i nie ma komu przerabiać tych w fazie realizacji. WGA to potężny związek, bezlitosny dla łamistrajków. Jeśli WGA strajkuje, wszyscy scenarzyści powinni się przyłączyć. Jeśli pracujesz dla firmy współpracującej ze związkiem w czasie strajku, nie masz szans na członkostwo w związku, nawet jeśli jeszcze do niego nie należysz. W Hollywood co jakiś czas słyszy się o młodych, zdolnych scenarzystach, którzy stracili swoją szansę, nie przestrzegając strajku.

Związek powstał w 1933 r., w czasach wielkiego kryzysu. Przedtem scenarzystów skupiała luźna formacja, Screen Writers' Guild, która bardziej przypominała kółko towarzyskie niż związek zawodowy. Mieli swoją siedzibę i organizowali różne imprezy, ale nie dbali o interesy scenarzystów. Kiedy Louis B. Mayer, szef MGM, chciał wykorzystać depresję jako pretekst i obniżyć zarobki scenarzystów o 50%, narodziła się gildia. Był to czas bardzo nieprzychylny związkom zawodowym. Studia filmowe usiłowały powstrzymać powstanie związku, zakładając własny: Screen Playwrights Guild. Wojna między związkami trwała prawie 10 lat. Początkowo działaczom WGA zarzucano lewackie przekonania i związki z „komuchami". Dopiero w 1942 r. Screen Playwrights Guild przestała istnieć i WGA stała się jedynym reprezentantem interesów scenarzystów. Z czasem związek wziął na siebie też walkę o interesy scenarzystów piszących dla stacji telewizyjnych, a niedługo obejmie opieką także twórców filmów animowanych. (Mają własny związek, ale o małym zasięgu i sile przebicia).

Dzisiaj WGA liczy mniej więcej 8000 członków, z czego połowa to ludzie na emeryturze i scenarzyści, którzy sprzedali jeden scenariusz i zrezygnowali z dalszego pisania. Oznacza to, że w Hollywood niewielu scenarzystów pracuje w pełnym wymiarze godzin. Ogromną część filmów, seriali i programów telewizyjnych pisze cztery tysiące ludzi (2500 dla telewizji, 1500 dla filmu). To ekskluzywne towarzystwo, ale przynależność do WGA nie gwarantuje ani pracy, ani zarobków. Rocznie tylko 45% członków znajduje zatrudnienie. Dochód przeciętnego członka to 60 tys. dolarów; niewiele w porównaniu z 130 tysiącami tych nielicznych szczęściarzy, którzy znajdują stałe zatrudnienie. Wracaj na ziemię.

Więcej informacji o WGA znajdziesz na ich stronie internetowej:www.wga. org. Możesz także napisać do oddziału związku w twojej okolicy:

The Writers Guild of America (West)
7000 W. Third St.
Los Angeles, CA 90048-4329
(323) 951-4000

The Writers Guild of America (East)
555 W. 57th St., Ste. 1230
New York, NY 10019
(212) 767-7800

Writers Guild of Canada
366 Adelaide St. W, Ste.401
Toronto, Ontario
Canada, M5V IR9
(416) 979-7907

Australian Writers' Guild
8/50 Reservoir St.
Surry Hills, NSW 2010
(0) 2 9281 1554

New Zealand Writers Guild
P.O. Box 47 886
Ponsonby, Auckland
(0) 9 360 1408

Writers' Guild of Great Britain
15, Britannia St.
London, England WC1 X9JN
(0) 20 7833 0777

Written By – miesięcznik WGA

WGA wydaje miesięcznik pod tytułem *Written By* – jest to obowiązkowa lektura dla wszystkich scenarzystów. W każdym numerze znajdziemy artykuły na temat zasad pisania scenariuszy w Hollywood, a także przydatne kontakty i informacje o serialach, przy których można ubiegać się o pracę. Członkowie dostają miesięcznik za darmo, ale i niezrzeszeni mogą go zamówić. Roczna prenumerata kosztuje 40 dolarów (W Kanadzie 45, w innych krajach – 50 dolarów). Można ją zamówić, dzwoniąc na bezpłatny numer (888) WRITNBY albo wysłać czek albo potwierdzenie przelewu do *Written By*, Writers Guild of America West, 7000 W Third St., Los Angeles, CA 90048. Magazyn można także nabyć w dużych księgarniach i salonach prasowych w dużych miastach.

Prawo autorskie a rejestracja

Zanim zdecydujesz się sprzedać scenariusz, zapewne zechcesz go zastrzec albo zarejestrować w WGA. Są to dwie różne sprawy. Kiedy zastrzegasz scenariusz, gwarantujesz, że masz do niego prawo. Jest to prawna ochrona praw autora do dzieła. Rejestracja w WGA to tylko prawny dowód, którego dnia zastrzegłeś dzieło.

Teoretycznie wszystkie scenariusze są zastrzeżone od momentu powstania, nie znaczy to jednak, że nie powinieneś potwierdzić prawa autorskiego w Copyright Office of the Library of Congress. To proste. Musisz napisać do:

Register of Copyrights
Copyright Office
Library of Congress
Washington, DC 20540

Możesz też zadzwonić pod (202) 707-9100, przez cały dzień, na gorącą linię Library of Congress Forms. Może upłynąć kilka tygodni, zanim przyślą ci określony formularz, ale możesz go ściągnąć z ich strony internetowej; adres poniżej. Wyślij wypełniony formularz i potwierdzenie przelewu 20 dolarów i wyślij do Register of Copyrights. Upewnij się, że wysyłasz wszystko, a więc potwierdzenie przelewu, formularz i scenariusz w tej samej kopercie. Może upłynąć nawet kilka miesięcy, ale w końcu dostaniesz certificate of registration, czyli oficjalne potwierdzenie praw autorskich. Szegółowe informacje na ten temat znajdziesz pod numerem telefonu (202) 707300; pod tym samym numerem telefonu możesz zasięgnąć porady specjalisty w godzinach 8:30-17:00 czasu wschodniego, od poniedziałku do piątku. A najlepiej, jeśli zajrzysz na stronę Library of Congress:

www.lcweb.loc.gov/copyright/.

Możesz zgłosić prawa autorskie do sztuk, powieści, scenariuszy, nawet ich streszczeń. Nie możesz natomiast zastrzec tytułu, nazwiska bohatera, zwrotu czy kwestii ani pomysłu.

Rejestracja w WGA to nie zastrzeżenie praw autorskich, to usługa, dzięki której scenarzysta ma dowód, że ukończył dane dzieło w określonym czasie. Innymi słowy, rejestracja w WGA daje autorowi jedynie prawo do podawania się za autora dzieła i potwierdza datę ukończenia pracy. To ważne, bo gdyby ktoś chciał ukraść twój pomysł, mając numer rejestracyjny WGA dowiedziesz, że byłeś pierwszy. W przeciwieństwie do prawa autorskiego, które obejmuje całe życie autora plus pięćdziesiąt lat po jego śmierci, rejestracja w WGA jest ważna tylko pięć lat, ale można ją przedłużyć na kolejne pięć. Później materiał ulega zniszczeniu. Dlaczego więc tylu scenarzystów ubiega się o rejestrację w WGA, skoro zastrzeżenie praw autorskich daje im o wiele więcej? Bo rejestracja w WGA jest szybsza i, dla członków związku, tańsza.

Można rejestrować scenariusze, ich streszczenia, szkice, scenariusze filmowe i telewizyjne, sztuk, powieści, wiersze, reklamy, teksty piosenek i rysunki, ale nie tytuły.

WGA rejestruje rocznie 30 tysięcy dzieł. Usługa jest dostępna dla wszystkich, członków i niezrzeszonych. Można zarejestrować dzieło osobiście, można skorzystać z Internetu albo poczty. Konieczny jest egzemplarz dzieła, bez zszywek, na jednostronnie zadrukowanym papierze. Pierwsza strona musi zawierać tytuł, nazwisko autora, numer ubezpieczenia społecznego, adres zwrotny i telefon kontaktowy. Opłata rejestracyjna wynosi 20 USD, 10 dla członków WGA. Więcej informacji na temat tej usługi uzyskasz pod numerem telefonu (323) 782-4500, numer faksu to (323) 782-4803. Zajrzyj także na ich stronę internetową:

www.wga.org/manual/registration.html

Wyślij materiał, który chcesz zarejestrować, do:

WGA, Registration Department
7000 West Third St
Los Angeles, CA 90048

FAQ (prawo autorskie i rejestracja)

PYTANIE: KIEDY POWINIENIEM SIĘ UBIEGAĆ O PONOWNE ZASTRZE-ŻENIE PRAW AUTORSKICH ALBO PONOWNĄ REJESTRACJĘ?

Odpowiedź: Tylko jeśli materiał uległ znaczącym zamianom, to znaczy jeśli zmie-niło się co najmniej 30 % zawartości (nowe postacie, dialogi, akcja).

PYTANIE: CZY PLAGIATY TO POWAŻNY PROBLEM?

Odpowiedź: Było kilka głośnych przypadków, jak sprawa Buchwald kontra Paramount, ale to się rzadko zdarza. Jeśli się obawiasz plagiatu, zastrzeż albo zarejestruj swój scenariusz, wyślij listy ze wzmiankami o scenariuszu do wszyst-kich, z którymi o nim rozmawiałeś i egzemplarz do siebie. (Tym sposobem „przy-pominasz" wszystkim, że scenariusz jest twój i zarazem zostawiasz papierowy trop prowadzący do wszystkich, którzy mieli kontakt z twoim scenariuszem, na wypadek gdyby sprawa trafiła do sądu.) Zachowuj wszystkie listy z odmową, ale nie popadaj w paranoję. Po pierwsze, jeśli twój scenariusz jest na tyle świetny, że warto go ściągnąć, producent i tak będzie musiał komuś zapłacić, żeby to zro-bił, więc czemu nie miałby go po prostu kupić od autora? Po drugie, producenci i studia filmowe bardzo nie lubią procesów. Zawodowi scenarzyści nie zawracają sobie tym głowy, wielu takich, którzy mają agentów, nie fatyguje się nawet, żeby swoje dzieło zarejestrować, bo wiedzą, że agencja zostawia papierowy trop po każdym scenariuszu, który dostaje.

PYTANIE: CZY WGA MOŻE TAKŻE ZASTRZEC PRAWA AUTORSKIE DO SCENARIUSZA?

Odpowiedź: Nie. To leży tylko w gestii Library of Congress.

PYTANIE: CZY REJESTRACJA POMOŻE MI ZOSTAĆ CZŁONKIEM WGA?

Odpowiedź: Nie. Rejestracja to tylko usługa proponowana przez WGA i nie pomo-że ci zostać członkiem związku. Nie udzieli ci także porad prawnych ani pomocy, wyda jedynie potwierdzenie rejestracji.

PYTANIE: CZY WARTO ZASTRZEC PRAWA AUTORSKIE I ZAREJESTRO-WAĆ DZIEŁO W WGA?

Odpowiedź: Nie, to tylko zbędne wydawanie pieniędzy.

Reprezentacja

Agenci

Mało który hollywoodzki producent weźmie pod uwagę realizację scenariusza, którego nie przysłała mu agencja. Minęły już czasy młodych scenarzystów, którzy płodzili arcydzieło, szli z nim pod pachą do kawiarni i niechcący wpadali na właściwego człowieka. Dzisiaj nie poradzisz sobie bez agenta, ale szukanie go to strata czasu, jeśli nie jesteś gotów. Skąd wiadomo, że jesteś? Po pierwsze, masz przynajmniej dwa gotowe, wypieszczone scenariusze, doskonałe, do tego stopnia, że sam nie wiesz, który jest lepszy. Najlepiej, żebyś miał ich jeszcze więcej; agenci nie bawią się w niańczenie początkujących scenarzystów; interesują ich autorzy dojrzali i płodni, a nie twórcy jednego przeboju. Muszą mieć pewność, że napiszesz kolejne dobre scenariusze. Dalej, powinieneś mieć więcej niż jeden scenariusz, bo agenci często proszą o drugą próbkę. Jeśli spodobał im się twój styl, ale nie temat pierwszego scenariusza, często pytają, co jeszcze masz. Musisz mieć pod ręką inny scenariusz. Nie znaczy to, że nie uda ci się sprzedać jednego scenariusza, ale im więcej napiszesz, tym większa szansa na sukces.

Nie chcemy mrozić twojego entuzjazmu chodnym profesjonalizmem. Dawniej dobry scenariusz wystarczał, żeby zdobyć agenta, ale czasy się zmieniły. Zainteresowanie zawodem wzrasta, coraz więcej ludzi pisze scenariusze; stąd coraz trudniej o dobrego agenta (bo zły agent jest gorszy niż jego brak). Postaw się na miejscu agenta. Codziennie dostają setki scenariuszy i listów. Są przepracowani i zmęczeni tymi, którym wydaje się, że umieją pisać, i tymi, którzy naprawdę to potrafią. Konkurencja się nasila. W ciągu ostatnich lat koszty produkcyjne i oczekiwania wobec filmów sprawiły, że to niemal niemożliwe, by debiutant opcję na prawa do

OPOWIEŚCI Z FRONTU

Robin

Poprosiłem kiedyś moją agentkę, dobrą znajomą, żeby reprezentowała też innego scenarzystę. Przeczytała jego dzieło i przyznała, że postacie są świetnie skonstruowane i akcja ciekawa, ale świat obu scenariuszy był tylko intrygujący, a to za mało. Przyjmie tylko takiego klienta, którego opowieści nie pozwalają się oderwać, pod każdym względem. Zabrałem ten scenariusz do innego znajomego, producenta, żeby uzyskać drugą opinię i ewentualnie obietnicę kupna, co zmieniłoby zdanie agentki. Usłyszałem identyczną opinię: świetny styl, intrygujący świat... I koniec. To spotykało ten scenariusz za każdym razem. Mój znajomy nadal nie ma agenta. Tak więc upewnij się, że twój scenariusz jest idealny pod każdym względem, zanim zaniesiesz go do agencji.

OPOWIEŚCI Z FRONTU

Bill

Wiele lat temu byłem pod opieką wielkiej agencji telewizyjnej. Zainteresowali się mną, bo pisałem seriale komediowe, a w wolnym czasie wysmażyłem scenariusz, na tyle dobry, że zainteresował Stirlinga Silliphanta, zdobywcę Oskara i scenarzystę, autora takich filmów jak *Tragedia Posejdona*, *Płonący Wieżowiec*, *W upalną noc*. Stirling wyświadczył mi przysługę: zaniósł mój scenariusz do Filmways, firmy, która miała kłopoty finansowe; zgodzili się OPTION mój scenariusz za 5 tys. dolarów. Szanse, że w oparciu o mój scenariusz naprawdę powstanie film, były minimalne, ale pisarze zawsze ryzykują, poza tym cieszyłem się na myśl o współpracy ze Stirlingiem Silliphantem. Poszedłem ze scenariuszem i radosną nowiną do mojego agenta. Przeczytał go, wezwał mnie, rzucił scenariusz na podłogę i zapytał, czego od niego oczekuję. Jak to, czy to nie oczywiste? Chciałem, żeby przejrzał kontrakt, doprowadził sprawę do końca. Odmówił. Scenariusz mu się nie podobał, nie wierzył, że kiedykolwiek zostanie zrealizowany, więc to strata jego czasu. Wyszedłem dotknięty i zły. Dopiero kilka lat później spojrzałem na całą sytuację jego oczami. Miałem dostać za scenariusz tylko 5 tysięcy dolarów, czyli agencja zarobiłaby na tym zaledwie 500 dolarów, 10%. Większość klientów mojego agenta zarabiała znacznie więcej w ciągu tygodnia. Sprawdzenie kontraktu przez prawnika agencji kosztowałaby więcej niż zysk. A do tego Filmways to mała firma z dużymi problemami. Koniec końców okazało się, że agent miał rację. Filmways zbankrutowało, wielki Stirling Silliphant umarł, a wraz z nim zainteresowanie scenariuszem. Dobry agent ma nosa i wyczuwa, czy dany projekt ma potencjał czy nie.

scenariusza, dawniej podstawę utrzymania większości scenarzystów. Dzisiaj żaden dobry, czyli zajęty agent nie spojrzy na twój scenariusz, chyba że już na pierwszy rzut oka widać, że to będzie hit. Ma już pod opieką doświadczonych autorów, których będzie mu łatwiej sprzedać. Agent nie ma czasu ani ochoty chuchać na dojrzewający talent. Musisz być w pełni uformowany, żeby zechciał cię reprezentować. Agent chce zarobić, to proste. Nie bierz tego osobiście; taki jest show biznes; jeśli twój scenariusz nie przyniesie zysków, nic ich nie obchodzi.

Gdzie znaleźć agenta

Napisałeś już kilka świetnych scenariuszy, wiesz, jakimi kryteriami kieruje się agent; teraz potrzebna ci lista agencji i dynamiczny list wstępny.

WGA nie pomaga scenarzystom znaleźć agenta, ale udostępnia wszystkim (zrzeszonym i nie) listy agencji, a to już coś na początek. Oczywiście WGA utrzymuje kontakt tylko z agencjami sygnatariuszami różnych umów o ochronie praw scenarzystów. Na przykład agencje – sygnatariusze nie mają prawa pobierać opłat za czytanie scenariusza. Inne, niezrzeszone, liczą sobie za to od 40 do 200 dolarów. Jeśli chcesz tego uniknąć, korzystaj jedynie z agencji zaaprobowanych przez WGA. Uzyskasz ich spis pisząc do WGA (nie zapomnij dołączyć zaadresowanej koperty zwrotnej i czeku na dwa dolary), albo za darmo, że strony internetowej WGA: www.wga.org/agency.html. Znajdziesz tam także informację, czy dana agencja szuka nowych autorów.

Lista WGA to adresy numery telefonów całych agencji, nie poszczególnych agentów, a w każdej pracuje od jednej do stu osób. Musisz adresować swój list do konkretnej osoby, nie do całej agencji. Nazwiska konkretnych agentów znajdziesz w spisie branżowym Hollywood. Najprościej to zrobić odwiedzając stronę WWW: wwwhcdonline.com. Możesz ją zamówić albo sprawdzać regularnie uaktualnianą bazę danych. Możesz się także skontaktować telefonicznie: (323) 308-3490 albo (800) 815-0503.

Tym sposobem zyskasz nazwiska kilkudziesięciu agentów. Kolejny krok to napisać list i wysłać go do wszystkich na liście. W Hollywood nie ma nic złego w jednoczesnym przesyłaniu materiałów do kilku agencji.

List wstępny

Nikt już dzisiaj nie czyta. To smutne, ale prawdziwe – agenci nie mają czasu na niezamówione scenariusze. Najczęściej jednak wygospodarują chwilę na dobrze napisany list wstępny. Zawiera krótkie wprowadzenie, dynamiczne streszczenie scenariusza, kilka słów o tobie i wszystko to, co sprawi, że agent zechce przeczytać cały scenariusz. Zawsze dołączaj kopertę ze znaczkiem i adresem zwrotnym, na wypadek gdyby agent chciał odpowiedzieć. Jeśli się zgodzi, twój scenariusz to praca zamówiona i ktoś ją przeczyta.

Początek. Już w pierwszych słowach twojego listu musi kryć się haczyk, coś, co sprawi, że agent pomyśli: „może to co innego". Haczykiem może być wszystko: wspólny znajomy; idealnie, żeby ten znajomy cię polecił: „rozmawiałem z pana klientem Williamem Goldmanem i powiedział, że szuka pan scenarzystów takich jak ja". Nie podawaj jednak informacji wyssanych z palca, bo agent woli poświęcić pięć minut na telefon, żeby potwierdzić twoją wersję, niż dwie godziny na czytanie scenariusza. Może to być coś, co zrobiłeś: „jestem absolwentem studiów filmowych w UCLA", sukces zawodowy: „mój scenariusz doszedł do finału w konkursie Nicholls Fellowship", praca (zwłaszcza jeśli ma to związek ze scenariuszem), „jestem obrońcą Jeffreya Dahmera i napisałem scenariusz o procesie", albo coś innego, cokolwiek, co sprawia, że jesteś wyjątkowy, na przykład: „siedziałem z Jeffreyem Dahmerem w jednej celi". Haczyk musi być jasny i na temat.

James K. Polk
1600 White House Drive
Los Angeles, California 90024
(213)555-8879, fax (213)555-8879, e-mail: polk@usa.com

12 czerwca 2001

Ethel Mertz
The Fred Mertz Agency
1459 Desi Arnaz Blvd.
Beverly Hills, CA 90201

Szanowna Pani Mertz,

Jestem studentem scenopisarstwa na UCLA. Mój promotor, Roger Jetson, uważa, że byłaby Pani zainteresowana moim ostatnim scenariuszem pt. BRAD HAWK. Doszedł do pół-finałów w konkursie scenopisarskim Austin Screenwriting Contest.

BRAD HAWK to komedia o przystojnym chłopaku (Johnny Depp), który wypracował sobie szwindel doskonały. Przyjeż-dża do nowego miasta, uwodzi dziewczynę z bogatej rodziny i sprawia, że jej krewni go nienawidzą. Zawsze oferują mu okrągłą sumkę, byle się z nią nie żenił.

Wszystko się udaje, póki nie zrobi się o nim głośno po pro-gramie Oprah. Brad wie, że to już koniec, ale chce przejść na emeryturę w wielkim stylu. Znajduje jedyne miejsce w całych Stanach Zjednoczonych, gdzie nikt nie ogląda Oprah – Uni-wersytet Stanford. Jego cel? Córka prezydenta USA.

To mój trzeci scenariusz. Gdyby zechciała Pani go przeczytać, proszę tylko napisać „Tak" na tym liście i odesłać go w załą-czonej zaadresowanej kopercie zwrotnej, albo zadzwonić pod podany numer telefonu.

Bardzo dziękuję za poświęcony mi czas,

James K. Polk

James K. Polk

Streszczenie. Teraz przechodzisz do sedna sprawy. Musisz ująć twój film w kilku zdaniach. Rzeczowy, intrygujący opis ma się zamknąć w jednym-dwóch akapitach, nie dłuższych niż trzy-cztery zdania.

Zakończenie. Podziękuj agentowi za poświęcony czas i poproś o odpowiedź. Przypomnij, że załączyłeś kopertę z adresem i znaczkiem i dodaj, że jedyne, co musi zrobić, to napisać „Tak" na twoim liście. Niektórzy autorzy zamiast koperty załączają pocztówkę i proszą, żeby agent napisał na niej swoją decyzję.

Przyjęcie

Jeśli 5% agentów, z którymi się kontaktowałeś, wyraziło zainteresowanie twoim scenariuszem, masz szczęście. Ogromna większość listów pozostaje bez odpowiedzi, nikną w zamkniętej czasoprzestrzeni pod tytułem Hollywood. Czasami wracają ze standardową formułką:

„Nie jesteśmy zainteresowani."

„Jesteśmy zajęci."

„Nie szukamy nowych klientów."

„Nie jest to nasz obszar tematyczny."

Jeśli masz szczęście i dostaniesz odpowiedź twierdzącą, wyślij scenariusz i krótki liścik z podziękowaniem. Wysyłając, napisz na kopercie MATERIAŁ ZAMÓWIONY, żeby agent wiedział, że nie jest to kolejne dzieło, które zjawiło się nie wiadomo skąd. Jeśli chcesz, żeby scenariusz do ciebie wrócił, załącz kopertę ze znaczkami i adresem zwrotnym, jeśli nie, dopisz, że mogą go wyrzucić po lekturze, ale dodaj małą kopertę, na wypadek, gdyby chcieli ci przesłać uwagi. Nie licz na to jednak i nigdy, przenigdy, w żadnym wypadku, pod żadnym pozorem nie wysyłaj jedynej kopii scenariusza.

Odrzucenie

Większość scenariuszy jest odrzucana bez słowa komentarza. W żadnym wypadku nie dzwoń do agenta żądając uzasadnienia, dlaczego odrzucił twój scenariusz. Zazwyczaj nie ma czasu na tłumaczenia i tylko go zdenerwujesz tym telefonem. Jeśli chcesz się przekonać, czy recenzent w ogóle przeczytał twoje dzieło, sklej kilka stron, powiedzmy nr 5, 25 i 50 odrobiną kleju z lewej strony, tuż przy bindowaniu. Kiedy scenariusz do ciebie wróci, sprawdź, czy nadal są sklejone; jeśli tak, nikt ich nie czytał albo recenzent znudził się, zanim dotarł do danej strony.

Nie licz na szybką odpowiedź. Zazwyczaj mija kilka tygodni, zanim agencja zareaguje na list, a przeczytanie scenariusza zajmuje nawet trzy miesiące. Jeśli po upływie tego czasu nie odezwali się do ciebie, zadzwoń i grzecznie zapytaj, czy scenariusz nie zaginął po drodze. Jeśli dalej się nie odzywają, to koniec. Odrzucili go i nawet cię nie zawiadomili.

Czasami razem z decyzją odmowną przychodzi notatka, że nie interesuje ich ten scenariusz, ale podoba im się twój styl i daj znać, kiedy napiszesz coś nowego. To kolejna okazja. Zrób listę wszystkich agentów, którym posłałeś scenariusze i listy, i zaznaczaj reakcję; to ci pomoże przy kolejnym scenariuszu.

Jak zdobyć agenta (10 pomocnych rad)

1. Napisz świetny scenariusz.
2. Napisz dowcipny zwięzły list wstępny z chwytliwym streszczeniem.
3. Bądź uprzejmy, ale nie dawaj za wygraną.
4. Polecenie profesjonalistów.
5. Mieszkaj w Los Angeles albo Nowym Jorku.
6. Zapisz się do szkoły filmowej.
7. Bierz udział i zdobywaj nagrody w konkursach scenopisarskich.
8. Polecenia znajomych agenta, zwłaszcza producentów.
9. Miej jednego agenta szukając drugiego.
10. Przekonaj reżysera, producenta albo aktora do twojego scenariusza.

Jak zrazić do siebie agenta (10 przestróg)

1. Napisz długi, rozwlekły list wstępny.
2. Nie zwracaj uwagi na literówki i błędy gramatyczne.
3. Napisz nudne, bezbarwne albo głupie streszczenie: Gwiezdne wojny i Bambi w jednym.
4. Używaj drukarki igłowej albo rozmazanych fotokopii.
5. Wysyłaj materiał niedopracowany.
6. Co chwila dzwoń do agenta i pytaj, dlaczego tak długo to trwa.
7. Przeproś za list.
8. Upewniaj się co chwila, że agencja nie chce ukraść twojego genialnego pomysłu.
9. Kłam: powiedz, że reżyser, producent czy aktor, którego nikt nie zna (albo znają wszyscy) jest zainteresowany twoim scenariuszem.
10. Wyślij niedokończony scenariusz.

Sztuczki, żeby zdobyć agenta

Początkujący scenarzyści wymyślają najróżniejsze sposoby, żeby zainteresować agenta swoją pracą. Oczywiście najlepszym sposobem jest świetny scenariusz, ale są różne sposoby, żeby zwiększyć swoje szanse na wymarzone „tak".

Po pierwsze, szukaj nowych, młodych agentów. W prawie każdej agencji znajdziesz takich, którzy dopiero zaczynają, a co za tym idzie, szukają nowych klientów. Poproś grzecznie sekretarkę, a poda ci nazwisko najnowszego członka załogi. Uprzejmość dla sekretarek popłaca; często pomagają początkującym autorom, udzielając poufnych informacji albo kładąc ich scenariusz na szczycie sterty. W Hollywood mówi się nawet: "dzisiaj sekretarka, jutro agentka". Bądź dla nich miły, a może zrewanżują się w przyszłości.

Inna metoda to rekomendacja. To naturalne, że agent prędzej zainteresuje się scenariuszem, który ktoś mu poleca. Początkujący scenarzyści robią co w ich mocy, by zdobyć rekomendację zawodowców: scenarzystów, reżyserów i producentów. To niełatwe, bo polecając cię, dany człowiek ryzykuje swoją reputacją. Pamiętaj także, że polecenie innego pisarza ma w oczach agenta najmniejszą wartość. Za to inaczej ma się sprawa z producentem. Dlaczego? Agent to sprzedawca, a producent to kupiec, jeśli więc kupujący powie sprzedawcy: „moim zdaniem ten produkt się sprzeda", ten posłucha.

Kolejna metoda to szukać agenta, który specjalizuje się w twoim gatunku. Przykładowo: napisałeś thriller science fiction. Idziesz do wypożyczalni video i zapisujesz nazwiska scenarzystów ostatnich hitów z tego gatunku. Następnie dzwonisz do WGA i prosisz o połączenie z działem agencji. Tam podadzą ci nazwiska agentów trzech scenarzystów. Piszesz dobry list do wybranego agenta i zaznaczasz, że twój scenariusz zapewne go zainteresuje, bo piszesz w podobnym klimacie jak jego inni klienci.

Czy wielkość się liczy?

Duże agencje. Ich główna zaleta to siła przebicia; ich wada to właśnie wielkość; początkujący scenarzysta może się zgubić wśród setek innych. Twój agent może po prostu nie mieć dla ciebie czasu, pochłonięty innymi, ważniejszymi klientami.

Agencje wiązane. Usiłują dodać do scenariusza swoich reżyserów i aktorów i sprzedać to wytwórni jako pakiet i zgarnąć kilka prowizji. Jeśli twój scenariusz odpowiada wymogom ich reżyserów i aktorów, świetnie; jeśli nie, tracą zainteresowanie. Zazwyczaj duże agencje działają w ten sposób.

Agencje butikowe. Są to nieduże agencje, które specjalizują się w określonym gatunku. Na przykład Broder/Kurland/Webb/Uffner i Kaplan/Stahler to nieduże agencje, które specjalizują się w rynku telewizyjnym i odnoszą na tym polu duże sukcesy.

Małe agencje. Małe agencje mają niewielu klientów, więc masz gwarancję, że zajmą się tobą jak należy, jednak często brakuje im siły przebicia. Pamiętaj, żeby nie wiązać się z agencją, która ma nieuregulowany stosunek do WGA; to znak, że są nieuczciwi albo nieskuteczni.

Masz szansę... co dalej

Czasami musi upłynąć kilka lat i powstać wiele scenariuszy, ale czekanie się opłaca. Jeśli agent zechce cię reprezentować, każe ci podpisać kontrakt, który gwarantuje jego agencji wyłączność reprezentowania cię na określony okres (zazwyczaj są to dwa lata). Wyłączność ta może dotyczyć tylko pisania scenariuszy, albo także innych dziedzin. Oznacza to, że zabiorą ci 10% z dochodów także z innych źródeł. Załóżmy, że wyrobiłeś sobie nazwisko jako wolny strzelec, dziennikarz, i nie chcesz płacić agencji procentów z tego źródła dochodu; musisz to wyraźnie zastrzec w kontrakcie, żeby nie było nieporozumień. Każdy kontrakt trzeba uważnie czytać. Podpisując umowę z agencją przestrzegającą zasad WGA, masz pewność, że stosują się do zaleceń związku, powstałych, by cię chronić, na przykład umowa z agencją sygnatariuszem musi zawierać klauzulę, że jeśli w ciągu 90 dni nie sprzedadzą twojego dzieła, możesz odstąpić od kontraktu. Jeśli nie wiesz, czy dana agencja współpracuje z WGA, zadzwoń do związku.

Kiedy już masz agenta, następuje miesiąc miodowy – będzie cię w kółko wysyłał na spotkania i prezentacje. Jeśli masz szczęście i sprzedasz scenariusz, agent zainkasuje 10% i będzie się tobą zachwycał – z tego żyje. Ale jeśli długo niczego nie sprzedasz...

Czasami agenci proponują początkującym scenarzystom niepełną reprezentację. To znaczy, nie podpisują z nimi umowy, nie chcą reprezentować wszystkich dzieł danego autora, godzą się tylko pokazać jeden wybrany scenariusz kilku osobom. Jeśli scenariusz wraca z odmową, autor nie ma nic, nawet agenta. Nie jest to do końca złe; przynajmniej recenzenci w różnych firmach przeczytają twoje dzieło. Ale to nie to samo co posiadanie agenta, który ma sprzedać ciebie, wszystkie twoje produkty.

Jeśli agent proponuje ci takie rozwiązanie, potraktuj to jako komplement – uważa, że twój scenariusz jest coś wart. Jednak zanim się zgodzisz, poważne przemyśl konsekwencje. Jeśli ktoś kupi scenariusz, agent podpisze z tobą kontrakt i wszyscy będą żyli długo i szczęśliwie, ale jeśli nie (a to zdarza się najczęściej), nie masz ani agenta, ani pojęcia, kto i w jakiej firmie czytał twój scenariusz. Scenariusz jest zmarnowany, autor przegrywa.

Agenci: dobrzy, źli i nijacy

Po Hollywood krąży kawał o agentach: Początkujący scenarzysta wraca do domu i widzi wielki pożar. Przerażony podbiega do strażaka i krzyczy: „co się stało?" Strażak na to: „przyjechał pana agent, zamordował pana rodzinę, zabrał samochód i podpalił dom". A scenarzysta, zdumiony: „Agent? Przyjechał do mnie?"

Agenci zazwyczaj trzymają się z dala. Czasami zdarza się przyjaźń między agentem a scenarzystą, ale to rzadkość. Większość agentów nie ma na nic czasu; każda chwila rozmowy z tobą to czas, który mogliby poświęcić na szukanie kogoś, kto kupi twój scenariusz. Mimo tego większość autorów uważa, że agenci

OPOWIEŚCI Z FRONTU

Bill

Kiedy zdobyłem pierwszego agenta, nie posiadałem się z radości. Uczciliśmy to z żoną kolacją w restauracji. Tydzień później – nic. Miesiąc później – nic. Dwa miesiące później zadzwoniłem zapytać, jak sytuacja. Usłyszałem: „kiedy kolejny scenariusz?" Rok i trzy scenariusze później nadal nic nie drgnęło, więc przeniosłem się do bardziej prestiżowej agencji. Minął miesiąc, dwa... Nic. Akurat odbywało się czytanie mojej komediowej jednoaktówki w niewielkim teatrze. Pełny sukces, wszyscy się zaśmiewali. Po czytaniu podszedł do mnie jeden z widzów i zapytał, czy pisałem już dla telewizji. Okazało się że jego przyjaciel ze studiów jest producentem seriali komediowych w NBC. Zaproponował, że pokaże mu zarys scenariusza. Miałem koło dwudziestu scenariuszy. Pamiętaj, los sprzyja przygotowanym. Dwa tygodnie później dzwoni moja agentka i chwali się, jak to dzięki jej wysiłkom tenże producent zainteresował się moim scenariuszem i mam pracę.

niewystarczająco się angażują w promowanie ich dzieł. Zapytaj pierwszego lepszego scenarzystę; powie ci, że sam musiał sobie wszystko załatwić.

Z drugiej strony to twoja kariera i powinieneś robić co w twojej mocy, by nadać jej rozpędu. Działaj. To, że masz agenta, to jeszcze nie wszystko. Agent może jedynie otworzyć ci drzwi, ale to ty musisz przekonać innych, że warto w ciebie inwestować.

Menadżer

Coraz popularniejszą alternatywą dla agenta jest menadżer. Niektórzy autorzy mają obu. Przywykliśmy już do menadżerów aktorów; ich zadaniem jest pomagać czynnie klientowi w rozwoju kariery. Teoretycznie menadżer zapewni taki sam dostęp do studia i producenta jak agent, a jest bardziej dostępny. Zazwyczaj pomaga także klientowi znaleźć agenta. Jednak ta instytucja ma też pewne wady. Po pierwsze, menadżerowie często życzą sobie wyższej prowizji (do 20%, choć najczęściej jest to 10-15%). Po drugie, menadżer nie ma obowiązku przestrzegać regulacji WGA, stąd nadużycia. Nie ma obowiązku załatwiać umów dla klienta, choć zazwyczaj to robi. Może się domagać, żebyś zatrudnił prawnika, kiedy wypertraktował korzystną umowę, a to oznacza dalsze koszty. Co więcej, agent nie ma prawa wiązać się z projektem klienta jako producent, natomiast menadżer – tak. To oznacza, że przedstawiając twój scenariusz, dołącza do oferty siebie i swoje koszty jako producenta. Ostatnio agenci i menadżerowie zakładają spółki zainteresowane początkującymi scenarzystami właśnie z tego powodu – ich zyski będą większe. Co więcej, wielu, choć nie wszyscy, godzą się zrezygnować z prowizji, jeśli wynagrodzenie za produkcję będzie jej równe lub większe, a to kusi wielu autorów. Jeśli twój menadżer jest znany i ma układy, może się okazać bardzo pomocny, jednak najczęściej potencjalny kupiec widzi w nim tylko balast. Mimo wszystko w dzisiejszych czasach menadżer może się okazać świetnym rozwiązaniem, jeśli szukasz reprezentanta.

Prawnik

Kolejna alternatywa (albo dodatek) to prawnik. Można go zatrudnić za stawkę godzinową albo 5% wartości sprzedanego produktu. Niektórzy zastępują agentów i liczą sobie za to 10%. Ponieważ negocjują kontrakty i łatwiej do nich dotrzeć (to tylko umowa), stanowią dobry sposób na wejście w branżę. Czasami mają także kontakty z kupującymi (choć w niewielkim stopniu, bo mają niewiele czasu, by ich szukać) i jeśli chcesz, pomogą ci zdobyć agenta. W pewnym momencie i tak będziesz potrzebował prawnika, bo agent zechce, żeby przejrzał dany kontrakt. Tylko wielkie agencje mają swoich prawników.

Firmy producenckie

Nie będziemy się tu rozwodzić o wielkich studiach i ich filiach, niezależnych firmach związanych z gigantami, bo bez dobrego agenta nie ma szans się do nich dostać.

Istnieje jednak plejada firm niezależnych. Ma to zarówno dobre, jak i złe strony. Zdolność producencka firm niezależnych zmienia się co kilka lat; niektóre zdobyły sobie nisze na rynku i trwają, inne znikają po roku czy dwóch. Zazwyczaj powstają w nich filmy niskobudżetowe. Firmy te nie współpracują z WGA, czyli nie obowiązują ich regulacje finansowe. Te firmy są przychylnie nastawione do początkujących scenarzystów i wielu debiutantów zaczyna właśnie w nich, choć zarobki są mizerne. Na przykład często oferują dosłownie jednego dolara za opcję na rok, a nawet jeśli film powstanie (scenarzysta zazwyczaj dostaje pełne honorarium, gdy padnie pierwszy klaps), płacą mało, kilka tysięcy dolarów. O tantiemach właściwie nie ma mowy. Roger Corman słynie z głodowych stawek, ale i z tego, że daje szansę debiutantom, z których później wyrastają giganci (np. Jim Cameron).

To się jednak zdarza rzadko i nawet Corman przyznaje, że czasy się zmieniły. Dawniej nietrudno było rozprowadzać w kinach niezależne produkcje, a później sprzedawać je na chłonny rynek wideo. Teraz jednak wielkie firmy dzierżą władze nad multipleksami, rynek wideo się nasycił. Dlatego większość niezależnych firm walczy o życie i najczęściej przegrywa. Jednak pojawiają się nowe rynki: stacje kablowe i satelitarne i błędem byłoby pominąć firmy, które dla nich pracują.

Niezastąpionym źródłem niezależnych firm producenckich jest *Writer's Market*, wydawany co roku i dostępny w księgarniach albo pod adresem:

Writer's Digest Books
9933 Alliance Rd.
Cincinnati, OH 45242

Niezależne firmy producenckie dzielą się na trzy rodzaje:

Sztuka dla sztuki

Są to firmy takie jak Strand Releasing czy Tribeca Films, które produkują eklektyczne, wyszukane filmy niskobudżetowe (np. Jima Jarmuscha, Gregga Araki czy Hala Hartleya), przeznaczone na rynek festiwalowy i do kin specjalizujących się w kinie niezależnym. Zazwyczaj firmy te kupują prawa do filmów nakręconych z prywatnych środków, ale czasami także finansują produkcję. Dostęp do nich nie jest trudny, ale są to firmy bez pieniędzy, za to z wielkimi wymaganiami. Jeśli kupią twój scenariusz, zarobisz grosze, ale film powstanie i będziesz mieć powód do dumy.

Pot i łzy

Wyzysk. To słowo-klucz dla innego rodzaju firm producenckich. Wyciskają co się da z danego gatunku, powiedzmy horroru, filmu akcji czy thrillera erotycznego. I znowu, są to firmy niezrzeszone i produkują filmy niskobudżetowe, bez żadnych ambicji. Dostarczają pożywki stacjom kablowym, zapełniają rynek wideo i zagraniczny, zadziwiająco chłonny. Zapłacą ci grosze, a efekt końcowy będzie taki jak to, co kupili. Wskazówka: nie szukają arcydzieła, tylko tanich, banalnych scenariuszy.

Kabel i satelita

Trzeci rodzaj niezależnych firm producenckich obsługuje lepsze stacje kablowe. Firmy te produkują różnego rodzaju firmy wyłącznie na potrzeby telewizji. Powstają dzieła o zróżnicowanej jakości; stawki natomiast są lepsze, bo w znakomitej większości firmy te współpracują z WGA. Jednak bardzo rzadko, o ile w ogóle, dają szanse młodym twórcom; wolą pracować z doświadcznymi scenarzystami. Być może uda ci się sprzedać im scenariusz, ale prędzej kupią pomysł albo prawa do scenariusza i zatrudnią kogoś innego, by napisał go na nowo.

Robota papierkowa

Jeśli twojego scenariusza nie reprezentuje agent, będziesz musiał zapewne podpisać oświadczenie, w którym, mówiąc krótko, pozwalasz producentowi na czytanie twojego scenariusza i oświadczasz, że nie obarczysz go odpowiedzialnością, gdyby się okazało, że twoje dzieło zostało skradzione, zgubione albo uległo zniszczeniu, że zdajesz sobie sprawę, że przeczytanie scenariusza nie stanowi żadnego zobowiązania i że nie pozwiesz producenta do sądu, jeśli wyprodukuje coś podobnego. Producent musi się chronić, zanim w ogóle rzuci okiem na twoje dzieło; niewykluczone, że już zaczął kręcić coś podobnego. To standardowa procedura. Przeczytaj umowę i podpisz, jeśli ci odpowiada. Zazwyczaj tak nie jest, ale jeśli nie podpiszesz, nikt nawet nie rzuci okiem na twój scenariusz.

Kupno, opcje i prawo zakupu

Co prawda nie jest to książka o sprzedaży scenariusza, jednak musisz mieć choćby blade pojęcie, w jaki sposób producent nabywa materiał. Pierwszy i najmniej popularny sposób to zakup z góry, wynegocjowany z agentem i prawnikiem. W grę wchodzi mnóstwo szczegółów do ustalenia, takie jak wysokość tantiem, ewentualność dalszych części, wysokość honorarium, gdyby film stał się podstawą serialu telewizyjnego i tak dalej. Bardzo rzadko zdarza się taka transakcja, bo wiąże się ona z ogromnym wydatkiem dla producenta, który może nie mieć takiej sumy do dyspozycji albo woli zainwestować ją w przygotowania do filmu. Nawet duże studia filmowe nie lubią wydawać pieniędzy niepotrzebnie.

O wiele popularniejszy był zakup opcji scenariusza, ale teraz ta praktyka przechodzi do przeszłości. Polegało to na tym, że sygnatariusze porozumień z WGA musieli zapłacić ci co najmniej 10% najniższej kwoty zakupu. Za tę sumę mieli na określony czas, zazwyczaj rok albo półtora, prawo do scenariusza. Dokładnie mówiąc, dane studio lub producent rezerwował sobie prawo wykupu tego scenariusza i miał czas, by szukać źródeł finansowania albo aktorów i reżyserów, nie martwiąc się, że ktoś inny sprzątnie mu scenariusz sprzed nosa. To rozsądne z jego punktu widzenia; producent zdaje sobie sprawę, że większość scenariuszy i tak nie trafia do realizacji, więc lepiej ryzykować mniejsze sumy.

Ostateczna cena zakupu nie jest zazwyczaj ustalona, wyznaczają ją widełki. Przykładowo, dostajesz 10 tys. dolarów jako opcję za film i zgadzasz się na ostateczną kwotę w wysokości 3% budżetu filmu, jednak z widełkami 100 tys. – 300 tys. Oznacza to, że zapłacą ci co najmniej 100 tys., nawet jeśli jest to więcej niż 3% budżetu, ale nie więcej niż 300 tys., nawet jeśli to więcej niż określony procent budżetu. Przyjęta cena scenariusza to 2 – 5 % budżetu. Czasami, dla osłody, w kontrakcie znajduje się osobna klauzula zastrzegająca możliwość podwyżki honorarium, jeśli budżet albo wpływy okażą się znacznie wyższe. Wypłata następuje, kiedy padnie pierwszy klaps.

Producenci wiedzą, że wszystko może nawalić, aż do ostatniej chwili przed realizacją filmu, a czasem nawet później, więc starają się ocalić jak najwięcej pieniędzy. Zazwyczaj w umowie jest prawo do przedłużenia opcji o kolejny okres, za dodatkową opłatą.

Dzisiaj, wobec rosnących kosztów filmów i fali nowych scenariuszy, pojawiła się nowa praktyka. Opcje w wysokości 10% należą do rzadkości. Dzisiaj, jeśli producent albo szefowie studia widzą w danym scenariuszu murowany hit, dobijają targu płacąc z góry 75% ustalonej sumy, a pozostałe 25% po pierwszym klapsie.

Choć to nie zakup z góry, suma zazwyczaj kusi autora, a studio oszczędza część pieniędzy. Z drugiej strony, jeśli producent (ale nie studio) ma do czynienia ze scenariuszem, który chciałby zrealizować, ale nie wie, czy będzie to przebój, po prostu prosi twojego agenta o opcję – za darmo. Agenci często udzielają na to zgody kilku producentom jednocześnie, zastrzegając, że dany producent może się zwrócić tylko do jednego studia, w którym ma znajomości albo układy. Nie ustala się ceny; wszystko wisi w powietrzu, dopóki któreś studio nie połknie przynęty.

Środowisko

To coś więcej niż plotki, to sztuka życia w określonej grupie i umiejętność bycia we właściwym miejscu w odpowiednim czasie. Wszyscy znają kogoś, kto zna kogoś, kogo po prostu trzeba znać. Zapisuj wszystkie osoby z branży, które poznasz; dodawaj opisy, żebyś bezbłędnie kojarzył twarze z nazwiskami, wysyłaj kartki świąteczne, nigdy nie lekceważ zaproszenia na przyjęcie, nigdy z niego nie wychodź, nie wręczywszy swojej wizytówki, rozmawiaj z mówcami na prelekcjach, chodź na wykłady, zajęcia, nawiązuj kontakty.

Musisz przy tym przestrzegać pewnych zasad. Po pierwsze, nigdy nie okazuj rozpaczy ani nadmiernej pewności siebie. Tak, łatwo się to mówi, ale wysoko postawieni nie lubią ponuraków i nie ufają arogantom. Pamiętaj, jesteś tylko scenarzystą, który napisał świetny tekst. Niech twoja osobowość i praca załatwią resztę. Zdesperowany scenarzysta jest jak natrętny żebrak, którego chcesz się jak najszybciej pozbyć. Scenarzysta pewny siebie jest denerwujący i podejrzany. Nie zaczynaj więc rozmowy z producentem od: "mam tu super scenariusz, sto razy lepszy niż ten gniot, który wszedł na ekrany w zeszłym tygodniu". Po pierwsze, wychodzisz na dupka. Po drugie, niewykluczone, że rzeczonego gniota wyprodukował właśnie twój rozmówca. I tu dochodzimy do kolejnej sprawy, czyli:

Wiedza to władza

Zanim się odezwiesz, słuchaj, staraj się dowiedzieć jak najwięcej o nowych znajomych, o nich i o ich pracy. Musisz się orientować, kto jest kim w Hollywood. Czytaj dokładnie gazety branżowe – nie szmatławce z supermarketu, ale poważne pisma, jak *Variety* i *The Hollywood Reporter*. Właśnie tam znajdziesz zapis codziennych drgań sejsmicznych małego światka filmowego: jaka firma kupiła jaki scenariusz, kto doprowadził do transakcji, jakie studio zmieniło kierownictwo. To o wiele ważniejsze niż rozważania twojego idola na temat odchudzania. Początkowo będzie to nic nie znaczący potok nazwisk i nazw, ale z czasem się zorientujesz. W gazetach tych znajdziesz także listy powstających albo planowanych filmów i seriali. Załóżmy, że zabierasz się właśnie do arcydzieła o Joannie d'Arc; otwierasz *Variety* i okazuje się, że akurat kręci się nie dwa, ale cztery filmy na jej temat. Nadal chcesz poświęcić jej pół roku życia? Poznaj najważniejsze nazwiska, słuchaj, co w trawie piszczy. Nie tak dawno na przyjęciu pewien mężczyzna podszedł do laureatki Oscara, Miry Sorvino i zapytał, czy jest aktorką. Fatalny początek, jeśli chcesz, żeby rzuciła okiem na twój scenariusz.

Pamiętaj jednak, żeby nie przesadzać, kiedy się przedstawiasz. Chcesz, żeby cię zapamiętali, ale pozytywnie. Pocztówki i podziękowania to dobry pomysł, ale niektórzy przesadzają nawet w tej dziedzinie. Pewien znany nam scenarzysta wysyła wszystkim, których zna, dwumiesięczny biuletyn ze swoimi dokonaniami. Rodzice puchną z dumy, inni kręcą głowami, zażenowani.

Dalej, nigdy nie pomniejszaj wartości swojego scenariusza. Jesteś na przyjęciu, poznajesz producenta i zaczynasz: „sam nie wiem, jest jeszcze niegotowy, w sumie kiepski, ale może rzucisz na niego okiem?" Wspaniałe! Zajęty producent nie ma nic innego do roboty, jak czytać nieskończony produkt. Pokorni może wejdą do królestwa niebieskiego, ale scenariusza nie sprzedadzą.

I na koniec: oczywiście kontakty można znaleźć wszędzie, ale największe szanse masz mieszkając tam, gdzie dzieje się najwięcej, czyli w Hollywood. Jednak nawet najlepsze kontakty nie pomogą ci sprzedać kiepskiego scenariusza. Kiedy poznasz kogo trzeba, musisz im pokazać idealny produkt.

Strony WWW i magazyny

W Internecie jest wiele stron i portali, na których można umieszczać fragmenty scenariusza. Idea jest taka, że agenci i producenci je przeczytają i zgłoszą się po więcej. Niektóre takie strony szczycą się wysoką skutecznością. Problem w tym, że jeśli umieścisz tam scenariusz, wszyscy mają do niego dostęp. Nie masz pojęcia, kto cię czyta, kto się zainteresuje twoim dziełem, kto zechce je ukraść. Pamiętaj, pomysłów nie można zastrzec. Zanim się zdecydujesz na taki krok, dowiedz się jak najwięcej o danym serwisie i bądź świadom ryzyka.

Nie daj się wrobić

To może najcenniejsza rada, jakiej możemy ci udzielić: nie rób nic za darmo, chyba że znasz daną osobę od dawna i już razem pracowaliście. Jeśli jesteś członkiem WGA, nie wolno ci wykonywać pracy za darmo, a sygnatariusze nie mają prawa cię o to prosić. W Hollywood jednak prędzej czy później natkniesz się na debiutujących producentów, którzy mają świetny pomysł i chcieliby, żebyś z nimi nad nim popracował. Zaczyna się tak: „słuchaj, wydajesz się sensownym kolesiem, chciałbym z tobą pracować. Mam świetny pomysł i znam jednego aktora (ewentualnie sponsora, dystrybutora, reżysera), który też jest tym zainteresowany. Mam już połowę kasy, ale potrzebny mi scenariusz (albo treatment), żeby sfinalizować umowę. Napiszesz coś dla mnie? Na razie nie mogę ci zapłacić, ale umówimy się na płatność z dołu". Płatność z dołu oznacza, że nie dostaniesz ani grosza, póki nie znajdzie się producent i póki film nie powstanie. Wszystko jest w porządku, jeśli projekt już ma zielone światło, najczęściej jednak nie zobaczysz ani grosza, bo to zwykli oszuści i naciągacze bez liczących się powiązań. Liczą, że zdobędą coś, co uda im się sprzedać, a że ty zainwestowałeś w scenariusz kilka miesięcy, nic ich nie obchodzi. Sprawiają wrażenie ustosunkowanych i godnych zaufania i pokusa będzie wielka... A jeśli to twoja wielka szansa? Nie łudź się; jeśli coś dla nich napiszesz, to oni zarobią na tym majątek, nie ty, bo to oni są właścicielami oryginalnego pomysłu.

To samo dotyczy bezpłatnych przeróbek dla producentów, którzy zaadaptowali albo kupili twój scenariusz. WGA zabrania takich praktyk, nie znaczy to jednak, że producenci nie próbują. Zazwyczaj w kontrakcie jest klauzula o możliwości dokonania zmian, jednak jeśli jej nie ma, nie zmieniaj ani słowa, póki ci za to nie zapłacą. Będziesz miał wyrzuty sumienia – jakby nie było, zapłacili ci i chcesz być fair, ale nie ulegaj. Hollywood lubi budzić poczucie winy. Rzetelny producent zapłaci za dodatkowe zlecenie. Jeśli nie chce, podziękuj za to, co zarobiłeś, powiedz, że chętnie znowu dla niego popracujesz, jeśli ci zapłaci, i szukaj dalej. Twój czas i umiejętności są cenne – więc je ceń.

Szkoły filmowe

Być może to dziwne, że piszemy o szkołach filmowych w rozdziale o sprzedawaniu scenariusza, ale to w rzeczywistości szkoły zawodowe, które mają przygotować cię do zawodu. Zrobiło się o nich głośno, gdy kilku absolwentów zrobiło karierę. Sukcesy Francisa Forda Coppoli (UCLA), Stevena Spielberga (Cal State Long Beach), George'a Lucasa (USC) i innych sprawiły, że o szkołach filmowych zrobiło się głośno. Dzisiaj trudno się do nich dostać. Rośnie ich liczba, ale też ilość chętnych. Do najlepszych jest kilkuset kandydatów na kilkadziesiąt miejsc. Najlepsze to:

UCLA (University of California, Los Angeles)

USC (University of Southern California)

AFI (American Film Institute)

NYU (New York University)

Columbia University

Większość oferuje studia magisterskie na reżyserii, filmoznawstwie i scenopisarstwie. Nauka trwa dwa – trzy lata. Studia filmowe to droga impreza, ale dają możliwość doskonalenia warsztatu dzięki kontaktom z fachowcami – w najlepszych szkołach wykładają wyłącznie doświadczeni zawodowcy. Absolwenci szkół filmowych mają w Hollywood dobrą markę; agenci ich szukają, co więcej, absolwenci mają różne kontakty, bo podczas studiów poznają innych adeptów sztuki filmowej. Studia filmowe nie zastąpią talentu i szczęścia (bez jednego i drugiego nie masz szans dostać się do jednej z najlepszych szkół), ale ułatwią początek w zawodzie.

Więcej informacji o studiach filmowych znajdziesz w *Film School Confidential* Karin Kerlly i Toma Edgara.

Na zakończenie

Taki jest show biznes. Mówi się, że sukces scenarzysty to talent i wytrwałość. Scenarzysta nie ponosi klęski, tylko rezygnuje. I większość rzeczywiście rezygnuje; nawet absolwenci kierunków filmowych dochodzą do wniosku, słusznego zresztą, że są łatwiejsze sposoby zarabiania na życie. To przykre; nieważne, jak ciężko pracujesz, odrzucenie to twój chleb powszedni. Napiszesz pewnie dziesięć, piętnaście scenariuszy, zanim uda ci się jeden sprzedać, a i ten odrzuci tuzin producentów. I to tylko pod warunkiem, że masz agenta. Jeden recenzent uzna, że jesteś genialny, inny uzna cię za amatora. Musisz nauczyć się z tym żyć i pisać dalej. Scenariusz się nie sprzedaje z dwóch powodów: jest kiepski albo nie nadaje się na dany rynek. Pierwszy powód to tylko i wyłącznie twoja wina. Drugi... Można go przypisać wielu, ale koniec końców to autor musi się starać, by jego dzieło trafiło w odpowiednie ręce. Scenarzysta w Hollywood to artysta i akwizytor w jednym.

Ćwiczenie

Napisz list wstępny do agenta; zaprezentuj siebie i swój scenariusz. Przeczytaj go na zajęciach i przekonaj się, jak zareagują koledzy.

ROZDZIAŁ 16

SPOTKANIE NA SZCZYCIE

Godzilla i czułe słówka

Spotkaniem określamy tu wyprawę do biura producenta, któremu opowiesz o swoim scenariuszu z nadzieją, że go kupi. Sprzedajesz nie tyle scenariusz, co pomysł. Jeśli producentowi spodobał się skrypt, zaprosi cię na spotkanie i zechce wysłuchać twoich propozycji, często jednak zatrudni innego scenarzystę, żeby napisał z nich scenariusz. Tym sposobem łatwo zdobyć pracę w telewizji, ale tylko 12% filmów powstaje wskutek takich spotkań (*Written By*, lipiec 1998, str. 20; jak agitować w telewizji – w rozdziale 17). Jednak nawet tak mały odsetek udanych transakcji wystarczy, by takie spotkania były chlebem powszednim scenarzystów Hollywood.

Iść czy nie

Masz dwa wyjścia: uznać, że takie spotkanie to strata czasu, który możesz poświęcić na pisanie scenariusza, zamiast tylko o nim opowiadać. Niektórzy scenarzyści uważają, że opowiadanie nienapisanej historii pozbawia ją tajemniczości i sprawia, że staje się płaska i nudna. Podejście drugie: takie spotkania to świetny sposób sprzedawania pomysłów, których masz tyle, że wszystkich nigdy nie spiszesz. Poza tym, opowiadanie twojej historii pomoże ci ją udoskonalić. Homerowi to nie przeszkadzało: przecież *Odyseja* i *Iliada* były początkowo przekazywane ustnie.

Wyznajemy to drugie podejście. Tak, wiemy, scenarzysta to delikatna istota i umiera ze wstydu, przemawiając w sali pełnej ludzi. Na papierze sprawia cuda, ale nie jest w stanie skrócić swojego arcydzieła do kilku akapitów prezentacji. Wielu producentów uważa, że autor jest ostatnim człowiekiem, który powinien prezentować swoją historię właśnie z tego powodu. To jednak nie zmienia faktu, że spotkania to ważny element wobec morderczej konkurencji. A jeśli chcesz pisać dla telewizji, nie unikniesz tego. Nieważne więc, jakie masz obiekcje; zapomnij o nich. Oto kilka najważniejszych powodów:

Grzyby w barszczu

Co najmniej kilka miesięcy musi upłynąć, zanim napiszesz scenariusz na tyle dobry, że warto go komuś pokazać. Najpłodniejsi autorzy rzadko piszą więcej niż cztery scenariusze rocznie; większość ogranicza się do dwóch. Większość ma jednak także w zanadrzu wiele pomysłów, a Hollywood kupuje nie tylko scenariusze, pomysły także. Jeśli nie chcesz zwlekać, aż będziesz miał chwilę, żeby z pomysłu narodził się scenariusz (co może nastąpi w następnej dekadzie), jest tylko jeden sposób, żeby się przekonać, czy ktoś zechce go kupić. Musisz chodzić na spotkania. Ba, są tacy (jak legendarny Bob Kosberg), którzy tylko sprzedają pomysły i zatrudniają się przy ich realizacji jako producenci. Tacy spryciarze sprzedają nawet i tuzin pomysłów rocznie.

Znaj i bądź znany

Ważne, abyś był znany wśród tych, którzy mogą kupić twój pomysł i pchnąć karierę do przodu. Światek filmowy jest mały i dlatego ważne, kogo znasz i kto zna ciebie. Jeśli producent kojarzy inteligentną twarz z anonimowym scenariuszem, twoje szanse rosną. Większość agentów wymaga, żeby ich scenarzyści mieli w zanadrzu także streszczenie nowego scenariusza; jeśli producentowi nie spodoba się scenariusz, może się skusi na pomysł.

Kto czego chce?

Takie spotkania pozwolą ci zrozumieć, czego szuka producent. Bądź wierny sobie i swojej wizji, ale jeśli chcesz się przebić, musisz wiedzieć, co cieszy się zainteresowaniem na rynku. W branży pojawiają się różne trendy, jak przekonanie, że „w przyszłym roku hitem będą komedie dla nastolatków" albo że „superprodukcje kina akcji tracą popularność". Zorientujesz się w tych tendencjach, rozmawiając z ludźmi, którzy je kreują. Może się dowiesz, że rozsądnie będzie popracować nad komedią romantyczną, a dramat historyczny odłożyć na bok.

Powiedz to jeszcze raz, Sam

Takie spotkania pozwolą ci także wyszlifować fabułę. Kiedy opowiadasz, szybko się orientujesz, które fragmenty są naprawdę dobre, a które się ciągną i spowalniają przebieg akcji. Nagle się przekonasz, że opowiadając opuszczasz zawsze te same sceny; niewykluczone, że są po prostu niepotrzebne. Kiedy opowiadasz, postacie stają się bardziej wyraziste, podobnie jak świat i konflikt. Dobry producent zadaje trudne pytania, nad którymi wcale się dotąd nie zastanawiałeś, ale to nie znaczy, że nie będziesz musiał na nie odpowiedzieć.

Nie marnuj czasu

Scenarzysta marnuje najwięcej czasu, pisząc scenariusz, którego nikt nie chce. Zapewne ci się to nie spodoba, ale to ważna uwaga. Jeśli się zorientujesz, że nikogo nie obchodzi historia, którą opowiadasz – może wcale nie jest taka wspaniała, jak ci się wydawało – oszczędzisz sobie kilka miesięcy pracy, które poświęciłbyś na napisanie jej. Nie znaczy to, że masz tracić zapał po pierwszym: „nie, dziękujemy"; spotkaj się z każdym, kto zechce cię wysłuchać. Jeśli jednak niczego nie załatwiłeś, a powody odrzucenia są zadziwiająco podobne – poszukaj innej fabuły. Znasz stare powiedzenie: "Jeśli wszyscy ci mówią, że jesteś pijany, to jesteś."

Oczywiście może się okazać, że mylili się wszyscy ci, którzy zrezygnowali z twojego pomysłu; jest tak wspaniały, że po prostu musisz go napisać. Zrób to, może gotowy scenariusz będzie bardziej przekonywujący niż pomysł. Może lepiej piszesz niż opowiadasz. Musisz jednak słuchać rozmówców. To kupcy; jeśli nie są zainteresowani towarem, musisz zmienić asortyment. Zapewne w tej chwili się złościsz i masz wrażenie, że radzimy, żebyś porzucił początkową wizję. Nie. Pamiętaj jednak, że twój scenariusz musi przekonać określonych ludzi, a jeśli tak się nie stanie, wyląduje w szufladzie albo będzie ci tylko zajmował miejsce na twardym dysku.

Jedynka jest samotna

I na koniec: pisanie to najbardziej samotny aspekt pracy w branży filmowej. Siedzisz sam za biurkiem, dzień za dniem, tydzień za tygodniem, i tworzysz świat, który, oby, ożyje w filmie. Jeśli nie chcesz tracić kontaktu ze światem za oknem, światem, w którym żyjesz, i ludźmi, którzy mogą ożywić świat papierowy, spotykaj się z nimi.

Pod drzwiami

Bez agenta trudno umówić się na spotkanie, ale jeszcze trudniej przekonać producenta, żeby przeczytał twój scenariusz. Jeśli masz agenta, załatwi ci spotkanie; jeśli go nie masz, nie wszystko stracone. Poszukaj kogoś na niższym szczeblu drabiny sukcesu. Odrób pracę domową; dowiedz się, jakie firmy produkują jakie filmy. Mówiąc firmy, mamy na myśli firmy produkcyjne, a nie wielkie studia filmowe. Pracownicy z wielkich studiów rozmawiają tylko ze znanymi scenarzystami, z którymi chcą pracować. Natomiast firmy produkcyjne są bardziej otwarte na początkujących twórców. Sięgnij po aktualne wydanie *Hollywood Creative Directory* i dowiedz się, kto jest dyrektorem kreatywnym. (*Hollywood Creative Directory* jest dostępne w księgarniach, w Internecie, na stronie www. hcdonline.com albo pod numerem telefonu (323) 308-3490). Nie sugeruj się różnymi wymyślnymi tytułami, jak prezydent i wice-prezydent, interesuje cię jedynie dyrektor kreatywny. Ci wyżej postawieni nie spotkają się z młodym, nieznanym autorem. Szukasz kogoś młodego, spragnionego sukcesu i otwartego.

Masz już nazwisko? Szukaj dalej: co ostatnio wyprodukowała dana firma? Poszukaj w Internecie i rocznikach *Variety* i *The Hollywood Reporter*. Sprawdź, może twój przyszły rozmówca wspominał coś o konkretnym projekcie; może zrobił to jego szef? Wiedza to władza, więc dowiedz się jak najwięcej o potencjalnym kupcu. Zazwyczaj jest to ambitny dwudziestoparolatek, na pierwszym drugim samodzielnym stanowisku, pełen energii i nadziei, że znajdzie świetny projekt i zrobi karierę.

Odrobiłeś już pracę domową? Zadzwoń do niego i postaraj się umówić na spotkanie. Załóżmy, że dzwonisz do Johna Smitha, dyrektora kreatywnego w Hot Tamale Pictures, na terenie wytwórni Foxx. Masz jego numer telefonu i już trzymasz słuchawkę w dłoni. Po pierwsze, nie dzwoń o 9:00. W Hollywood nikt nie przychodzi do biura wcześniej niż o 10:00. Do południa trwają różne spotkania, później lunch, od 13 do 15, więc dzwoń między dwunastą a pierwszą albo po trzeciej. Odbierze sekretarka albo asystentka. Rozmowa będzie wyglądała mniej więcej tak:

> SEKRETARKA
>
> Halo, Hot Tamale Pictures, proszę czekać
>
> Mija pięć minut.
> Słucham, w czym mogę pomóc?
>
> TY
>
> Dzień dobry, moje nazwisko Jim Beam.
> Chciałbym rozmawiać z panem Johnem
> Smithem.
>
> SEKRETARKA
>
> Czy wie, w jakiej sprawie?

(Uwaga, pierwsza przeszkoda)

> TY
>
> Nie. Jestem scenarzystą i chciałbym
> się z nim umówić na spotkanie.
> (Jeśli ktoś ci go polecił, powołaj
> się teraz)
>
> SEKRETARKA
>
> Rozumiem. Proszę poczekać.

Po kolejnych pięciu minutach albo cię połączy albo poprosi, żebyś zostawił swój numer, a John oddzwoni, przy czym to drugie jest bardziej prawdopodobne. Pod koniec dnia lub tygodnia, kiedy załatwi wszystkie ważniejsze sprawy, John zadzwoni.

                        TY
              (odbierasz telefon)
        Słucham, Jim Beam.

                       JOHN
        Dzień dobry, John Smith z Hot Tamale
        Pictures. Dzwoniłeś do mnie.

                        TY
        Tak, witaj, John. Dzięki, że
        oddzwaniasz. Dzwoniłem do was, bo bardzo
        mi się podobał wasz ostatni film, The Big
        Hoo-Hah, i mam pomysł na coś w podobnym
        stylu.

                       JOHN
        Tak? A masz agenta?

Kolejna przeszkoda, niewykluczone, że nie do pokonania, ale niekoniecznie.
Wiedziałeś, że o to zapyta; jesteś przygotowany. Powstrzymaj nerwowy chichot
i brnij dalej.

                        TY
        Cóż, chwilowo nie, ale znam X (tu
        nazwisko osoby, którą John może znać)
        i właśnie X uznał, że powinienem ci
        opowiedzieć o moim pomyśle; bardzo
        pochlebnie się o tobie wyraża.

To oczywiście kłamstwo. Wiesz to ty, wie John, ale i tak będzie mu miło. Tylko nie
przesadzaj, bo go zirytujesz.

                        TY
        John, zdaję sobie sprawę, że jesteś
        bardzo zajęty, ale chciałbym wpaść
        i opowiedzieć ci mój pomysł. Jestem
        przekonany, że to się spodoba Tamale
        Pictures.

W tym momencie John albo powie, że nie interesują go pomysły ludzi z zewnątrz,
albo poprosi o streszczenie. Miej je przygotowane, jeśli trzeba, napisz wcześniej na
kartce. Nie jąkaj się, nie zacinaj, nie bełkocz, nie tłumacz. Niech to będzie jedno
– dwa zdania, ale spraw, żeby uznał, że to najciekawsze, co w tym roku słyszał. Jeśli
wydasz się inteligentny, pewny siebie i pełen entuzjazmu, John poduma, pogryzie
końcówkę długopisu i zdecyduje, że nic się nie stanie, jeśli się z tobą spotka. Kto
wie, może naprawdę masz coś dobrego. Jeśli to możliwe, umów się jak najwcześ-

niej. Unikaj popołudnia, kiedy będzie zmęczony, spóźniony i zły, że jeszcze siedzi w pracy. Prawdopodobnie umówi cię na wpół do szóstej.

Świetnie. Umówiliście się na czwartek; czas do pracy. Teoretycznie John zarezerwował dla ciebie pół godziny, może nawet trzy kwadranse; w rzeczywistości masz dziesięć minut (odpowiednik zasady pierwszych dziesięciu stron, patrz rozdział 10), żeby go zainteresować. Po tym czasie albo cię spławi, albo będzie chciał usłyszeć coś więcej. Musisz przygotować dwie wersje pomysłu: krótszą, żeby połknął haczyk, i dłuższą, na wypadek, gdyby chciał wiedzieć więcej.

Jak się robi karierę? – Praktyką

Przed spotkaniem ćwicz na wszystkich dokoła: na rodzinie, przyjaciołach, a zwłaszcza ludziach z branży, którzy mogą udzielić ci fachowych rad. Nie złość się; słuchaj. Może za późno przechodzisz do sedna sprawy? Patrzysz rozmówcy prosto w oczy czy oglądasz podeszwy własnych butów? Nie gubisz wątku? Postaraj się zlokalizować i rozwiązać wszystkie problemy. Nie wyłapiesz wszystkich, ale przynajmniej poćwiczysz.

Spotkanie – sekcja

Spotkanie tylko wydaje się nieformalne. W rzeczywistości prawie zawsze odbywają się według określonego schematu. Po pierwsze, musisz odpowiednio wyglądać. W Hollywood scenarzyści ubierają się z wystudiowaną niedbałością.

Dalej, bądź punktualnie; może się zdarzyć, że John się nie spóźni. (Mało prawdopodobne, ale cuda się zdarzają), więc wyjdź z domu na tyle wcześnie, żebyś znalazł firmę i miejsce do parkowania. John albo sekretarka wytłumaczą ci przez telefon, jak do nich trafić i obiecają, że przy bramie będzie czekała przepustka. Mogą jednak o tym zapomnieć albo komputer się zawiesi i strażnik będzie musiał zadzwonić i potwierdzić, że jesteś umówiony. Da ci przepustkę i wytłumaczy, gdzie możesz zostawić

OPOWIEŚCI Z FRONTU

Robin

Umówiłem się na pierwsze spotkanie; żona nalegała, żebym poszedł w garniturze. Przywitał mnie producent w wystrzępionych szortach, koszulce bez rękawów i klapkach. Oczywiście to ja wyszedłem na idiotę. Nie przesadzaj z elegancją. Idź ubrany jak na co dzień. Jeśli to oznacza garnitur i krawat, zamień je na dżinsy, t-shirt, kowbojki. Czapka baseballowa jest jak najbardziej na miejscu.

samochód. Jesteś nikim, więc zapewne skieruje cię na parking dla gości, z którego do biura będzie dobrych dziesięć minut marszu. Uwzględnij to w planach.

Kiedy już dotrzesz do biura, sekretarka, być może ta sama, z którą rozmawiałeś telefonicznie, powie, że John się spóźni kilka minut. Zaproponuje coś do picia. Zgódź się, choćbyś nie miał ochoty. Uspokoisz się i będziesz miał coś do roboty, kiedy czekasz. Ale nie stawiaj zbyt wygórowanych wymagań. Nie proś o nektar brzoskwiniowy, ogranicz się do coli, kawy albo wody. I nie pij wszystkiego, zachowaj część na spotkanie. Po pierwsze, nie chcesz, żeby natura przerwała ci w połowie zdania. Po drugie, napój w ręku to ważny rekwizyt, ale o tym później.

Po mniej więcej dziesięciu – trzydziestu minutach (w zależności od tego, jaką rangę ci wyznaczyli) zjawi się albo John we własnej osobie, albo jego asystentka, i zaprowadzi cię do gabinetu. Asystentka najczęściej towarzyszy wam podczas spotkania; notuje, prawie się nie odzywa. Nie denerwuj się. Zaczerpnij głęboko tchu. Usiądź, najlepiej tyłem do okna, żeby nie mrużyć oczu, obserwując Johna, kiedy opowiadasz. Omijaj łukiem skórzaną kanapę; zapadniesz się i będzie ci głupio.

Teraz czas na obowiązkowe pięć minut rozmowy o niczym; pochwalisz widok z okna i ostatni film Hot Tamale, a John przeprosi za bałagan na biurku (właśnie się przenosi) i zada ci kilka pytań. Jeśli sprawdziłeś go, możesz zapytać, jak mu się podoba w nowej firmie w porównaniu z Cold Fish Productions; będzie mu pochlebiało, że śledzisz jego karierę, choćby mizerną, i może się okazać przychylniej nastawiony. Potem powie: „więc co masz?" Teraz twoja kolej. Zacznij od krótszej wersji.

Krótka wersja zajmuje najwyżej dziesięć minut. Są różne szkoły rozpoczynania opowieści. Niektórzy uważają, że powinieneś od razu przejść do sedna sprawy; fabuła przykuje uwagę. Inni, wśród nich autorzy niniejszej książki, są zdania, że producenci godzą się na spotkania, bo chcą wiedzieć, o jakim gatunku mowa. Zaczynamy więc od tej informacji i podsuwamy inne (kasowe) filmy, podobne do naszego. Wydaje się sztampowe, ale producenci najczęściej w ten sposób podchodzą do nowych pomysłów. Przykład: „mój pomysł, *Przypływ*, to thriller i film akcji, dzieje się w środowisku straży granicznej na Karaibach. Skrzyżowanie *Francuskiego łącznika* z *Mieć i nie mieć*". To stare filmy; jeśli znasz młodsze, posłuż się nimi: „*Na krawędzi* i *Podejrzani* na Karaibach". Jednak jeśli nie znasz współczesnych filmów, opieraj się na klasykach.

Następnie przejdź do krótkiego, treściwego opisu protagonisty, antagonisty i konfliktu. Dobrze jest posługiwać się analogiami do gwiazd, zwłaszcza jeśli wiesz, że dana wytwórnia szuka filmu dla danej gwiazdy. W scenariuszu tego nie zrobisz, ale w rozmowie – owszem. Dalej streść fabułę, zatrzymaj się przy kilku najlepszych scenach, rzuć kilka kwestii, jeśli je pamiętasz.

Daj się ponieść emocjom. Nie musisz siedzieć; niektórzy wstają i przechadzają się po pokoju. To mały spektakl. Są w Hollywood scenarzyści, którzy chodzą na zajęcia z aktorstwa, żeby lepiej wypaść w takiej sytuacji. Nieważne, jak opowiesz swoją historię; nie wolno ci być nudnym.

Póki się tego nie nauczysz, będziesz się denerwował i możesz stracić wątek. Zawsze miej przy sobie ściągawkę z najważniejszymi punktami, żebyś mógł sprawdzić, dokąd doszedłeś. I właśnie w takiej chwili przyda się napój. Jeśli stracisz wątek, przerwij, napij się i przypomnij sobie, gdzie byłeś.

Cały czas utrzymuj kontakt wzrokowy z rozmówcą. Po pierwsze, opowiadasz mu historię i chcesz, żeby był zainteresowany. Po drugie, tym sposobem zorientujesz się, kiedy tracisz jego zainteresowanie; zacznie zerkać na niedokończony raport i zegar na ścianie. Jeśli to zobaczysz, za bardzo się rozgadałeś i opowiadasz dłużej niż dziesięć minut. Czas na dramatyczne zakończenie. Możesz też podkreślić przesłanie filmu.

Oto przykład spotkania zakończonego sukcesem. Producent od razu połknął haczyk.

JOHN – PRODUCENT
(do telefonu)

Nie łącz mnie, dzięki.

SCENARZYSTA

No dobra. Film się nazywa Brad Hawk. Widzimy super porsche. Na siedzeniu pasażera – Brad (Johnny Depp). Za kierownica kobieta zdecydowanie dla niego za brzydka, za bardzo przypomina Abrahama Lincolna. Mówi: „Zrobimy to?" dziewczyna się zgadza, odpala silnik i wjeżdżają przez bramę na teren wielkiej posesji. Jesteśmy w bibliotece, a tam, za biurkiem wielkości fortepianu siedzi stary dziad, ojciec dziewczyny. Prosi córkę, żeby wyszła na chwilę. Ledwie zamkną się za nią drzwi, stary mówi: „Nie ożenisz się z moją córką". Brad nie daje za wygraną: „Prosiłem ją o rękę; kocha mnie". Stary wyjmuje 20 tysięcy z szuflady i rzuca na biurko: „Nie ożenisz się z moją córką". Brad nie posiada się z oburzenia: „jest już dorosła, nie potrzebuje pańskiego zezwolenia". Kolejne 20 kawałków. Brad przechodzi samego siebie: „Jak pan śmie! Miłości nie można kupić!" Stary dorzuca kolejny plik banknotów: „Nie ożenisz się z moją córką". Brad patrzy na stertę pieniędzy, zerka przez okno, zastanawia się i mówi: „Pod warunkiem, że dorzuci pan porsche". Cięcie do jesiennych liści w powietrzu, gdy Brad Hawk wyjeżdża z miasteczka w nowym porsche.

Dzwoni telefon. John odbiera. Scenarzysta czeka pięć minut.

> JOHN
>
> Przepraszam. Mów dalej.

> SCENARZYSTA
>
> To film o przystojniaku, który znalazł doskonały sposób na robienie kasy: podrywa najbogatszą dziewczynę w mieście, sprawia, że jej rodzina go nienawidzi, oświadcza się i czeka, aż rodzinka go spłaci, byle zniknął z życia córeczki.

Znowu telefon. John klnie pod nosem i podnosi słuchawkę. Scenarzysta wie już, że połknął haczyk. Może poczekać kolejne pięć minut.

> JOHN
>
> Przepraszam, kłopoty na planie. Mów dalej.

> SCENARZYSTA
>
> Brad jest na tropikalnej wyspie, wydaje łup. Siedzi nad basenem, w telewizji – Oprah. Nagle widzi swoje zdjęcie, a Oprah rozmawia z jego ostatnią ofiarą. Okazuje się, że wszystkie dziewczyny cieszą się, że go poznały, bo dzięki niemu zrozumiały, czym jest miłość, ale teraz chcą go obedrzeć ze skóry. Brad wie, że gra się skończyła, ale chce zrobić jeszcze jeden, pożegnalny numer. Musi tylko znaleźć jedno miejsce w kraju, gdzie kobiety są brzydkie, ojcowie bogaci i nikt nie ogląda Oprah. Odpowiedź – Stanford. Jego cel? Córka prezydenta Stanów Zjednoczonych.

Dzwoni telefon. John odbiera, zdenerwowany. Scenarzysta czeka. John ciska słuchawkę na widełki i wrzeszczy do asystentki.

> JOHN
>
> Nie łączyć żadnych rozmów! Przepraszam, mów dalej.

John pochyla się do przodu. Asystentka pisze
zawzięcie.

> SCENARZYSTA
>
> W Stanford zabiera się do pracy...
> wszystko układa się jak po maśle.
> Brzydka córka prezydenta zakochuje
> się w nim błyskawicznie. Brad
> dostaje zaproszenie do Białego domu
> i robi co w jego mocy, by wszyscy go
> znienawidzili – przystawia się do
> Pierwszej Damy, do brata, do pokojówki.
> Lecz ma problem na studiach – ma
> wrażenie, że ciągle go śledzi ładniutka
> studentka. (Dziennikarka? Agentka
> Służb Specjalnych?). W końcu zmusza
> ją do szczerej rozmowy i przyznaje,
> że widziała go w Oprah, ale go nie
> zdradzi – pod jednym warunkiem. Pisze
> prace magisterska o zachowaniach
> amerykańskiego samca, a Brad jest
> doskonałym okazem. Jeśli nie pozwoli się
> opisać, zdradzi go. Brad się zgadza.
> Wszystko idzie jak po sznurku, póki
> Brad się nie zakocha, po raz pierwszy w
> życiu, i to właśnie w studentce. Chce
> jej powiedzieć, co czuje, ale stać go
> tylko na banały, którymi posługiwał
> się wobec ofiar. Dziewczyna wszystko
> starannie notuje. Nadchodzi dzień
> zapłaty. Ale prezydent mówi: „jesteś
> sukinsynem, synu. Ja też... witaj w
> rodzinie. A tak przy okazji – jeśli
> wykręcisz jakiś numer mojej córeczce,
> zabiję cię". Agenci pilnują, żeby
> Brad nie uciekł, jego konto bankowe
> pustoszeje, śliczne porsche znika.

Znowu telefon. John łypie na drzwi i nie odbiera.

        SCENARZYSTA

        Brad nie ma wyjścia, musi iść do
        ołtarza. Jeszcze raz próbuje powiedzieć
        ukochanej, co do niej czuje, i rusza do
        kościoła. To huczna uroczystość, tysiące
        gości. Idzie do ołtarza, wszędzie
        kamery i światła, i nagle pojawia się
        Oprah, patrzy do kamery i mówi: „Panie
        i panowie, mamy drania!" Prezydent
        pokazuje mu środkowy palec. Pod Bradem
        uginają się kolana.

Telefon dzwoni — na zewnątrz. W końcu.

        SCENARZYSTA

        Dwie godziny później Brad, bez
        pieniędzy, dziewczyny i samochodu, łapie
        okazję przy wyjeździe z miasta. Jest mu
        zimno, ma już dosyć, gdy zatrzymuje się
        mały volkswagen garbus. To studentka.
        I po raz pierwszy Brad umie wyrazić
        uczucia: „Miłość to zauroczenie
        i wiedza. Jeśli kogoś znasz, znasz jego
        wady i niedoskonałości i nadal jesteś
        zauroczony — to jest miłość". Studentka
        przyznaje, że ona też się zakochała.
        Razem odjeżdżają w stronę zachodzącego
        słońca.

W tym momencie John albo zechce usłyszeć coś więcej, albo zapyta, kiedy możesz opowiedzieć to jego szefowi. Spodobało mu się. Załatwi ci spotkanie z szefem. Połowę drogi masz za sobą.

Długie streszczenie. Jeśli chce usłyszeć więcej, czas na dłuższe streszczenie. Musisz mieć w głowie plan ważniejszych scen, bohaterów i tematu, żebyś się nie plątał, kiedy o coś zapyta. Ale to nadal tylko pomysł, więc jeśli zapyta o coś, czego nie wiesz, nie zmyślaj. Powiedz, że jeszcze tego nie dopracowałeś.

Rzeczywistość

Niestety, najczęściej podziękuje ci po krótkim streszczeniu i wyprosi za drzwi ze smutną informacją, że to niestety nie dla nich albo że akurat pracują nad czymś podobnym; może doda okrutną obietnicę, że porozmawia z kimś wyżej i się do ciebie odezwie (nie licz na to). Jeśli kończy spotkanie, nie usiłuj go przeciągać. To koniec, przegrałeś. (Tak, spotkania się wygrywa i przegrywa, jak zauważyła Lynda Obst w swojej relacji *Hello, He Lied*.) Nie przeciągaj struny; niech John ma wrażenie, że dałeś z siebie wszystko i niech cię nie skreśla na przyszłość, kiedy wymyślisz coś nowego.

Niektórzy autorzy idą na spotkanie z kilkoma pomysłami, żeby nie marnować okazji, jeśli producent przerwie im po dwóch zdaniach mówiąc, że pracuje nad czymś podobnym. To dobre rozwiązanie, ale tylko pod warunkiem, że wszystkie pomysły masz równie starannie dopracowane. Jeśli nie, nie prezentuj niedopracowanego zarysu, bo i tak go nie sprzedasz, a zapamiętają cię jako amatora. Nie przychodź też z tuzinem pomysłów; to znaczy, że nie zaangażowałeś się w żaden z nich. Inaczej ma się sprawa w telewizji, tam cztery – siedem pomysłów to standard. Więcej na ten temat w rozdziale 17.

Odpowiedz na pytania i zapytaj, czy interesuje ich coś jeszcze. Jeśli nie, podziękuj i zapytaj, czy w danej chwili interesuje ich szczególny gatunek filmowy. Często usłyszysz: „cokolwiek, co jest dobre", ale czasem konkretne życzenie. Na przykład John powie: „szukamy czegoś z klimatu akcji dla Michelle Pfieffer, czegoś w stylu *Nikity*". Jeśli masz odpowiedni scenariusz albo pomysł, powiedz to; może zechce go przeczytać albo zaproponuje następne spotkanie. Jeśli nie, podajcie sobie ręce i wyjdź. Niczego tu nie załatwisz. Nawet jeśli rozważają kupno twojego pomysłu, sporo czasu minie, zanim się o tym dowiesz.

Zanim wyjdziesz, zapyta cię zapewne, czy masz coś na piśmie, na przykład treatment (streszczenie fabuły na 5-15 stron). I znowu, są dwie szkoły: mieć czy

OPOWIEŚCI Z FRONTU

Bill

Przed laty stałem w sklepie przy Sunset Boulevard, gdy usłyszałem za plecami głęboki, niski głos, dobrze mi znany. Obejrzałem się – za mną stał aktor Billy Dee Williams i zamawiał kanapkę. Skorzystałem z okazji i powiedziałem: "Dzień dobry, studiuję scenopisarstwo w UCLA, właśnie skończyłem scenariusz". Uśmiechnął się uprzejmie, ale przecząco. Nie był zainteresowany. Nie dałem za wygraną: „To współczesna wersja *Otella*, w środowisku policjantów z Chicago". Uśmiechnął się i powiedział: „przykro mi, nie..". Urwał, pomyślał i dokończył: „chętnie przeczytam!"

nie mieć, ba, pisać czy nie. Zdaniem niektórych lepiej liczyć, że przekaz ustny była na tyle przekonywujący, że nie warto go mącić suchym streszczeniem; inni uważają, że lepiej, żebyś zostawił ślad po twojej historii własnymi słowami, a nie tylko w notatkach asystentki. Naszym zdaniem na dwoje babka wróżyła. Masz dobry treatment – zabierz go ze sobą. Jeśli masz tylko notatki, daruj sobie.

W domu napisz do Johna króciutki liścik z podziękowaniem, że poświęcił ci czas i zechciał omówić twój pomysł; pamiętaj, żebyś podał tytuł i jednozdaniowe streszczenie. Poślij to poleconym i zachowaj odcinek i kopię listu. Po pierwsze, przypominasz Johnowi, kim jesteś; takich spotkań ma tygodniowo koło dwudziestu. Po drugie, sam pamiętasz, gdzie już byłeś. Po trzecie, masz dowód na wypadek, gdyby dana firma chciała sobie pożyczyć twój pomysł i zdecydujesz się ich pozwać. Dasz im jednocześnie do zrozumienia, że nie warto ci robić takich numerów. To się zdarza naprawdę bardzo rzadko, Hollywood za bardzo obawia się procesów, ale jednak co jakiś czas dochodzi do takich incydentów.

Na zakończenie

Wszystko na sprzedaż. Spotkania rodzą możliwości, a z możliwości bierze się rzeczywistość. Nie zawsze wszystko się udaje. Ba, najczęściej się nie udaje, ale scenarzysta musi być zawsze gotów prezentować swoje wspaniałe pomysły.

Ćwiczenia

1. Przygotuj dziesięciominutowe streszczenie ulubionego filmu. Zredukuj je do kilku zdań; co jest najważniejsze? Jakie kwestie, jakie wydarzenia nadają fabule spójność?

2. Przećwicz streszczanie swojej historii. Nie ucz się na pamięć, stracisz wtedy naturalność. Opowiadaj, jakbyś dzielił się z przyjacielem ekscytującym przeżyciem.

CZĘŚĆ V

ALTERNATYWY

PISANIE DLA TELEWIZJI

SCENARZYSTA DRAMATOPISARZEM

ROZDZIAŁ 17

PISANIE DLA TELEWIZJI

Mały ekran

W Hollywood mówi się, że telewizja to środek wyrazu scenarzysty. Jest inna niż kino; w porównaniu z wielkim ekranem o wiele przyjaźniejsza scenarzyście. W kinie niepodzielnie rządzi producent i reżyser; scenarzysta to pośledni członek załogi. W telewizji hierarchia przedstawia się inaczej. Scenarzyści często pną się w górę; zostają producentami i głównymi autorami, a reżyser to tylko najemnik, który ma wykonać określone zadanie. Oznacza to, że telewizja daje scenarzyście o wiele więcej możliwości. Napisy w serialach komediowych czy filmach godzinnych zawierają mnóstwo tytułów, a wszystkie dotyczą scenarzystów.

Telewizja kusi także i tym, że nie jest tak przytłaczająca (napisanie półgodzinnego odcinka nie przeraża tak jak perspektywa napisania dwugodzinnego filmu) i pozwala więcej zarobić. Scenarzysta telewizyjny pisze regularnie za duże pieniądze albo przynajmniej sprzedaje kilkanaście scenariuszy rocznie. Wszystko ma jednak swoją cenę. Tempo jest zabójcze, scenarzystów wielu; gotowy odcinek często prawie nie przypomina oryginalnego pomysłu autora.

Omówimy trzy rodzaje produkcji telewizyjnych, do których pisze się scenariusz: seriale komediowe, godzinne filmy fabularne i filmy tygodnia. Zajmiemy się przede wszystkim serialami komediowymi, bo dwa pozostałe gatunki niewiele się różnią od filmu fabularnego, choć omówimy pewne wyjątki.

Nie omówimy pisania oper mydlanych ani programów dokumentalnych, takich jak *America's Most Wanted*. Świat oper mydlanych to zamknięty światek. Obecnie jest czynnych zawodowo około 150 autorów tych seriali i nie ma wśród nich żółtodziobów. Główny scenarzysta decyduje o rozwoju akcji w danym sezonie, a poszczególne odcinki są przydzielane innym. Następnie główni scenarzyści poprawiają wszystkie odcinki tak, by zachować spójność. Większość scenarzystów w tej branży odniosła wcześniej sukcesy w innej (jako dziennikarze, autorzy scenariuszy do filmów godzinnych i tak dalej) albo ma rekomendację głównego scenarzysty. Także programy dokumentalne niewiele oferują scenarzystom, kiepsko płacą i powoli znikają z rynku.

Praca w telewizji

Nie łudźmy się; niełatwo jest się załapać do telewizji, a sprzedać film tygodnia to niemal niemożliwość. Zleceń jest mało, natomiast konkurencja ogromna; więcej scenarzystów usiłuje się zaczepić w telewizji niż w filmie. Scenarzyści telewizyjni dzielą się na dwa typy: stałych i wolnych strzelców. Stali otrzymują stałe wynagrodzenie, piszą dany serial przez cały sezon bądź jego część. Wolni strzelcy sprzedają pomysły na odcinek, ewentualnie go piszą, jeśli studio im to zleci. Każdy stały scenarzysta zaczynał jako wolny strzelec; niektórzy mają też za sobą przeszłość aktorską, reżyserską.

W danym sezonie na ekranie pojawia się koło pięćdziesięciu seriali komedio- wych. Zazwyczaj przy każdym pracuje ośmiu stałych scenarzystów, czyli w sezonie można się ubiegać o mniej więcej czterysta stanowisk. Stali współpracownicy piszą większość odcinków. Wolni strzelcy tworzą niewielki ułamek, może trzy odcinki w danym sezonie, tak więc jest szansa na 150 zleceń. Walczą o nie tysiące scenarzystów, zdecydowanych zrobić wszystko, by wykroić dla siebie kawałek z tego małego tortu. Sytuacja na rynku filmów godzinnych jest niewiele lepsza, a z filmami tygodnia wręcz tragiczna – powstaje zaledwie kilka rocznie i piszą je zazwyczaj stali współpracownicy danej stacji telewizyjnej.

Ogromne zainteresowanie pisaniem dla telewizji staje się zrozumiale, jeśli spojrzymy na ich zarobki. Stali współpracownicy zarabiają 3000-8000 dolarów tygodniowo. Ci, którzy zajmują się także produkcją, wyciągają o wiele więcej. Oprócz tygodniowego wynagrodzenia, często dostają honorarium za każdy napi- sany odcinek; obecnie jest to koło 18 000 za odcinek serialu komediowego i 26 000 za serialu godzinnego. Do tego tantiemy, czyli pewna suma wypłacana ilekroć dany odcinek pojawia się na ekranie. Czasami zdarza się że tantiemy wynoszą więcej niż podstawowe wynagrodzenie. Zdobycie posady o tak wysokich zarobkach wymaga zaangażowania, planowania, sił, by pisać dzień w dzień i oczywiście talentu.

Jakimi technikami posługiwali się ci szczęściarze, którym się udało?

W Hollywood wszyscy opowiadają, jak ich odkryto. Słyszy się różne wersje: od przypadkowych spotkań poprzez wspólnych znajomych do niewiarygodnych zbie- gów okoliczności, ale zawsze wszystko sprowadza się o tego samego; trzeba być we właściwym miejscu w odpowiednim czasie. Niestety szczęście odgrywa nieposlednią rolę w szukaniu pracy, lecz scenarzysta może szczęściu dopomóc na wiele sposobów. Pasteur powiedział: „szczęście sprzyja przygotowanym". Przygotowanie do pracy do telewizji to umiejętność pisania scenariuszy próbnych, przeprowadzka do Hollywood, szukanie agenta, pisanie kolejnych scenariuszy próbnych i spotkania.

Próba

Pierwszy krok do zdobycia wymarzonej posady to pisanie świetnych scenariuszy próbnych. To karta przetargowa scenarzysty; to dowód, że ma talent. Jeden to za mało. Musisz napisać kilkanaście, żeby wyczuć specyfikę pisania dla telewizji, a jeszcze więcej, zanim agenci zaczną traktować cię poważnie. Scenariusze próbne rzadko się sprzedają; pisze się je głównie po to, żeby udowodnić, że się umie pisać. To taki casting dla scenarzystów.

Sprzedaje się je rzadko, bo mało który producent dobrze przyjmie scenariusz próbny do swojego serialu. Wyda ci się to dziwne, ale jeśli starasz się o pracę przy serialu *Zwariowany świat Malcolma*, ostatnie, co powinieneś pokazać producentowi to scenariusz odcinka *Malcolma*. Dlaczego? Producent to też scenarzysta i zazdrośnie strzeże swojego serialu. Wydaje mu się, że wie wszystko na temat danych postaci i fatalnie znosi ich krytykę. Tak więc nawet jeśli uda ci się uchwycić poczucie humoru i atmosferę serialu, producent wyczuje w tym fałsz albo uzna, że twój odcinek kieruje serial na tory, które mu nie odpowiadają, i zaraz go odrzuci. Szansa, że go zadowolisz, jest minimalna. Dlatego lepiej pokazać mu scenariusz odcinka innego serialu, z którym nie jest w żaden sposób związany, a zatem oceni twoją pracę obiektywnie. Tak więc, żeby dostać pracę w *Zwariowanym świecie Malcolma*, powinieneś zaprezentować producentowi scenariusze podobnych seriali, powiedzmy, Frasiera czy Suddenly Susan. Najlepiej dwa. Choć zdarzają się szczęściarze, początkujący scenarzyści telewizyjni potrafią wysmażyć i trzydzieści scenariuszy próbnych, zanim dostaną zlecenie.

Pisząc taki scenariusz musisz uważać na trzy rzeczy. Nie pisz odcinka pilotowego. Pilot to pierwszy odcinek nowego serialu. Po pierwsze, to kiepski sposób na pokazanie, że umiesz pisać w ramach istniejącego już serialu, bo producent nie może tego z niczym porównać. Po drugie, nieważne, jak dobrze ci poszło, agentów ani producentów nie interesują piloty pisane przez początkujących. Tylko doświadczeni scenarzyści wymyślają nowe seriale. Kiedy będziesz już powszechne uznanym stałym współpracownikiem, możesz się pokusić o wymyślenie serialu. Póki co, pisz scenariusze do emitowanych już seriali.

Po drugie, nie marnuj czasu na odcinki seriali o niskich notowaniach czy emitowanych w małych stacjach kablowych, które są zbyt dziwaczne, za bardzo odbiegają od gustów przeciętnego widza, by producenci z większych stacji byli nimi zainteresowani.

Po trzecie, daruj sobie seriale, które zeszły z anteny, więc wspaniałe scenariusze *Seinfelda*, które napisałeś, do niczego ci się nie przydadzą. Dalej, jeśli piszesz seriale komediowe, unikaj slapstikowych gagów; taki humor nie sprawdza się na papierze i nie pozwoli ci się wykazać kunsztem scenopisarskim.

Pisząc scenariusz próbny, wybieraj seriale znane, popularne, które jeszcze długo utrzymają się na ekranie. Czasami scenarzyści piszą odcinki nowych seriali w nadziei, że agenci i producenci jeszcze się nie znudzili czytając je. Scenariusze próbne napływają do Hollywood w ilościach hurtowych. To dobry pomysł, pod warunkiem, że masz też gotowe scenariusze odcinków innych, bardziej popularnych seriali. Dalej, regularnie oglądaj wybrany serial. Jego producenci nigdy nie docenia twojego zaangażowania; zobaczą je ci, którym pokażesz swój scenariusz.

Wskaźnik Nielsena; papierek lakmusowy. Wiadomo, że serial jest popularny, jeśli następnego dnia po emisji wszyscy o nim rozmawiają. Zanim napiszesz scenariusz próbny, upewnij się, że dany serial jest popularny wśród wszystkich, nie tylko wśród ciebie i twoich znajomych. Najlepszym miernikiem popularności jest wskaźnik Nielsena. Podaje procent i udział. Przykładowo, dany serial zdobył 11.9 % i udział 20. Oznacza to, że 11.9% wszystkich gospodarstw domowych go oglądało. Udział to ilość gospodarstw domowych, w których telewizor jest nastawiony na dany serial. Choć trudno w to uwierzyć, nie wszyscy mają telewizory włączone przez cały czas. Jeśli serial ma udział 20, oznacza to, że spośród wszystkich oglądających telewizję w danym momencie, 20% oglądało właśnie ten program. Dane oglądalności można znaleźć w dużych dziennikach, pismach branżowych jak *Variety* czy *The Hollywood Reporter* albo w Internecie.

Skoro już wybrałeś serial, skup się teraz na pomyśle, strukturze i postaciach.

Mam lepszy pomysł. Ile razy oglądałeś beznadziejny odcinek i myślałeś: „napisałbym to o wiele lepiej?". I to prawda, zapewne zrobiłbyś to lepiej. W przeciwieństwie do scenarzystów telewizyjnych masz czas, żeby wszystko przerobić, poprawić, zmienić. Scenarzysta telewizyjny wiecznie ma termin na karku. Pisze w zabójczym tempie. W środowisku funkcjonuje powiedzenie: „nie chcę, żeby to było dobre; chcę, żeby było na wtorek!" Opowiada się też anegdotę o młodym scenarzyście, który dostał pierwsze zlecenie i miał napisać odcinek. Zapytano go, ile czasu potrzebuje. „Dwa tygodnie?" zapytał nieśmiało. Producent nie wierzył własnym uszom. „Synu, przez dwa tygodnie to ja poprawię całą *Biblię* i dorzucę sporo kawałów". Pamiętaj, twój scenariusz próbny musi być lepszy niż to, co w danej chwili jest na ekranie. Masz czas, niech twoja wizytówka będzie doskonała.

Doskonałość zaczyna się od pomysłu. Musi być nowy i oryginalny, a jednocześnie pasować do serialu. W każdym serialu mamy ustalonych bohaterów, struktury i fabułę; nie możesz tego zmieniać, bo za bardzo ingerujesz w kwintesencję programu. Z czasem coraz trudniej jest wymyślić coś oryginalnego, zwłaszcza jeśli już długo jest na ekranie. Nie chcesz przecież napisać czegoś, co już było, a zatem musisz znaleźć towar w telewizji najrzadszy – nowy pomysł, a przynajmniej taki, którego dawno nie było.

Srebrny ekran pochłania nowe pomysły w takim tempie, że musi się uciekać do starych i sprzedać je ponownie. Dawniej śmialiśmy się z Lucy i Ricky Rocardo, teraz te same gagi bawią nas u Laury i Roba Petrie. Zabawne wydarzenia z życia Cleaverów powraca u Huxtable'ów. Pomysły się odświeża, odnawia, doprawia i zmienia, żeby wydawały się nowe. Oczywiście najlepszy jest pomysł oryginalny, ale nie ma nic złego w posiłkowaniu się starym, o ile go ukryjesz i dopasujesz do specyfiki danego serialu. Skąd się biorą pomysły? Z oglądania telewizji, czytania opisów w gazetach z programem telewizyjnym, z oglądania starych sztuk i filmów. Inne wartościowe źródło to książka Joela Iesnera i Davida Krinsky'ego *Television Comedy Series*; mamy tam streszczenie każdego odcinka 153 seriali. Chodzi o to, byś umiał wymyślić coś oryginalnego, co zarazem pasuje do klimatu serialu. Jak to ujął pewien producent: „chcę tego samego, tylko na różne sposoby".

Na początku spisz wszystkie pomysły, które przychodzą ci do głowy. Na tym etapie nie zadręczaj się krytyką. Kreatywność i krytyka to funkcje dwóch różnych półkuli mózgowych. Ciągłe odrzucanie własnych pomysłów zaowocuje poczuciem niemożności i brakiem zapału do pracy. Zadawaj sobie pytanie: co by było, gdyby... Po pewnym czasie będziesz miał listę pomysłów. Dla serialu *Frasier* mogłaby wyglądać tak:

1. Niles i Frasier wprowadzeni do ekskluzywnego klubu dla mężczyzn. Wszystko idzie świetnie, póki Daphne nie zechce też się zapisać.

2. Frasier wpada w panikę, gdy się okazuje, że nowa właścicielka jego stacji radiowej jest kobieta, którą przed laty rzucił.

3. Eddie (pies) zaczyna brykać. Daphne kupuje książkę o tresurze. Okazuje się, że książka co prawda nie działa na Eddiego, za to na Frasiera i Nilesa – znakomicie.

4. Frasier ma wygłosić mowę na pogrzebie dawnego kolegi z klasy. Problem w tym, że za nic nie może sobie przypomnieć czegokolwiek o zmarłym.

5. Wszyscy chodzą na paluszkach dokoła ojca Frasiera; myślą, że ma wysokie ciśnienie i nie chcą go zdenerwować. Okazuje się, że nic mu nie jest, ale udaje chorego, żeby mu usługiwali.

We wszystkich pomysłach pojawia się ciekawy zwrot akcji. Coś się dzieje i trzeba jakoś zareagować. Innymi słowy, sytuacja wyjściowa się komplikuje. To sedno wszystkich dobrych pomysłów, nie tylko do seriali komediowych. W serialach komediowych komplikacja to źródło dowcipów; w serialach – dramatu. A skoro mowa o używaniu starych pomysłów – tresura psa pochodzi z cudownego starego filmu *If a Man Answers*, a pomysł z ciśnieniem – ze sztuki Kaufmana i Harta *The Man Who Came to Dinner*.

Masz już listę pomysłów? Dopiero teraz pozwól sobie na krytykę. Czy pasują do serialu? A może to już było? Czy w wymyślonej prze ciebie sytuacji jest wystarczająca dawka zaskoczenia i konfliktu?

Bez względu na to, do którego serialu piszesz, jest kilka zasad, których powinieneś przestrzegać:

Jak najmniej postaci z zewnątrz. Nie chcesz napisać scenariusza, w którym dominuje nowa postać. Wyjątek to seriale takie jak *Dotyk Anioła*, gdzie w każdym serialu są nowi bohaterowie. Na przykład pisząc odcinek serialu *Dharma i Greg*, nie możesz pozwolić, by ekscentryczna ciotka Grega zdominowała odcinek; może to być jedynie postać epizodyczna. Producenta i agenta interesuje, czy umiesz pisać istniejące postacie, a nie tworzyć nowe.

Wciągnij głównego bohatera. Niech intryga dotyczy gwiazd serialu. Pamiętaj, żeby główni bohaterowie byli w centrum zainteresowania.

Nie rób bałaganu na planie. Wszystkie seriale mają swoje miejsce, określony świat, który się nie zmienia. Bohaterowie funkcjonują w tych samych miejscach. Może się czegoś uczą, ale ich świat zostaje taki sam. Innymi słowy nie ma sensu pisać odcinka, w którym umiera matka Dharmy. Matka może iść do szpitala, ale na koniec niech wróci do domu, żeby wszystko wróciło do normy. Owszem, czasami dochodzi do poważnych zmian, jak w *Szaleję za tobą*, gdy pojawiło się dziecko, ale takie decyzje leżą w gestii producentów i nie ma dla nich miejsca w scenariuszu próbnym.

Korzystaj ze scenografii. Staraj się wykorzystać standardową scenografię danego serialu. Musisz udowodnić, że jesteś w stanie napisać odcinek, który nie wymaga specjalnych nakładów.

Trzymaj tempo. Konkurencja jest zabójcza. Agent czyta scenariusz przez kilka minut; jeśli w tym czasie go nie zaintryguje, trafia do kosza, więc niech akcja się zaczyna już na samym początku.

Struktura

Masz już świetny pomysł; teraz musisz go wpasować w wymogi serialu. Każdy serial ma inną strukturę. Najprościej to zrozumieć, nie oglądając odcinka dla zabawy, ale dokonując jego sekcji. Jak to się robi? Rozpisz dany odcinek na fiszki scen (rozdział 9). Jest to proces odwrotny do tworzenia scenariusza. Nagraj dany odcinek i odtwarzaj go scena po scenie. Po każdej scenie zatrzymuj taśmę i zapisuj na fiszce, o co w niej chodziło, gdzie miała miejsce, ile trwała, kto brał w niej udział, w jaki sposób wpływa na rozwój akcji, co stanowi główny konflikt. Analizuj seriale nowe, nadawane w najlepszym czasie antenowym, nie powtórki z mniejszych stacji. To ważne, bo sposób pisania seriali się zmienia, a zależy ci na poznaniu najnowszych struktur. Poza tym w serialach powtarzanych zdarzają się cięcia, żeby zmieścić więcej reklam i analiza może być utrudniona, skoro dany odcinek wygląda dziś inaczej niż gdy początkowo go emitowano.

Po rozpisaniu odcinka na sceny struktura serialu powinna być jasna. Ułóż je po kolei, zaznacz teasery, tagi i akty. Teaser to krótka scena tuż przed napisami na początku. Tag to krótka scena tuż po ostatniej przerwie reklamowej i przed napisami końcowymi. W niektórych serialach są tylko tagi, w innych tylko teasery, w jeszcze innych – jedno i drugie albo nic. W telewizji akt to wszystko, co się dzieje między tagiem i teaserem i reklamami. Zazwyczaj seriale mają dwa akty (*Frasier*), rzadziej trzy (*The Simpsons*). Seriale godzinne mają ich pięć, ale to wyjątek.

Masz już karty przed sobą? Przeanalizuj strukturę serialu. Zauważ, że niemal każdy akt kończy się zwrotem akcji. Scenarzysta wie, że widz ogląda telewizję z pilotem w dłoni, gotów w każdej chwili przeskoczyć na inny kanał, więc akt musi się zakończyć w sposób nieoczekiwany, dramatyczny, żeby widz wytrzymał przerwę na reklamy i nie zmienił kanału. Twój scenariusz musi być napisany w ten sam sposób.

Czasami w jednym odcinku jest kilka historii; określa się je wtedy historiami „A" i „B"; czasami zdarzają się też historie „C" i „D". Historia „A" to główny wątek odcinka i dotyczy głównego bohatera; historia „B" dotyczy postaci drugoplanowej, a historia „C" to tylko gag. Przykładowo, historia „A": Frasier spotkał nową kobietę swego życia, ale ciągle mu się śni, że to mężczyzna; historia „B" to Niles, który idzie na zawody w przeciąganiu liny z ojcem. Historia „C" – ktoś ciągle wypija Frasierowi jego napój i dopiero na końcu odcinka dowiemy się, kto to robi. Każda jest zamkniętą całością, ma początek, rozwinięcie i zakończenie. Czasami dwie historie zaczynają się osobno, ale w trakcie odcinka splatają w jedną (nowa miłość Frasiera wygrywa zawody w przeciąganiu liny). Dobra historia „B" nawiązuje do historii „A", na przykład bohaterowie obu chcą gorączkowo dowieść swojego heteroseksualizmu.

Po przeanalizowaniu kilku odcinków wiesz już, jak wygląda struktura danego serialu. Odejście od utartego schematu nie dowodzi kreatywności, tylko niekompetencji w oczach producenta.

Pamiętaj jednak, że w telewizji wszystko się zmienia. Steve Peterman, producent takich serialowych hitów jak *Murphy Brown*, tak opisuje obecną sytuację na rynku sitcomów:

> *W ciągu ostatnich kilku lat pojawiły się nowe alternatywy, nowe propozycje, co oznacza, że trzeba jak najszybciej przykuć uwagę widza, żeby go nie stracić. Jednocześnie mamy do czynienia z widzem o wiele bardziej wyedukowanym, świadomym języka telewizji, więc wprowadzenie w fabułę nie zajmuje tyle czasu co dawniej. Klasycznym przykładem jest tu Seinfeld. Początkowo każdy odcinek opowiadał jedną historię, najwyżej dwie. Szybko jednak pojawiły się cztery równoległe historie dotyczące czterech głównych bohaterów. Ani się obejrzeliśmy, z serialu dwuaktowego, przy czym w pierwszym akcie były trzy sceny, w drugim cztery, mamy odcinki liczące po dwadzieścia dwie, dwadzieścia pięć scen. Czasami odcinek zaczyna się tak: widzimy George'a w taksówce z kobietą; najwyraźniej są razem od pewnego czasu. Nie znamy tej kobiety, nie wiemy, jak się poznali, nie widzieliśmy ich pierwszej randki, nie słyszeliśmy, jak komuś o niej opowiada. Teraz nikt nie zawraca sobie tym głowy. Widzimy związek w chwili kryzysowej. Coraz więcej sitcomów pisze się w ten sposób. Stacje mówią: Nie musicie opowiadać historii tak tradycyjnie, eksperymentujcie, miejcie zaufanie do inteligencji widza.*

Stąd coraz większy nacisk na kilka historii w jednym odcinku, przy czym historia „A" bywa bardzo emocjonalna, a „B" to tylko komizm.

> *Jeśli uda ci się połączyć dwie historie i dodać trzecią, dasz widzowi cały przekrój różnych uczuć.*

Petersen podkreśla jednak, że historia „A" zawsze dotyczy głównych bohaterów, a przynajmniej muszą oni mocno zaangażować się w historię kogoś innego. I nawet jeśli kusi cię poważny temat, musi się wpasować w ogólną atmosferę serialu.

Postacie

Analizując serial nie wolno ci zapomnieć o postaciach; musisz rozumieć, czym się kierują, jakie są, do czego dążą. Musisz sobie zadać te same pytania, które pomagają tworzyć nową postać (rozdział 5). Tajemnicą napisania istniejącej już postaci jest zrozumienie jej zachowania. Każdy bohater ma specyficzny sposób mówienia i zachowania, efekty jego sposobu myślenia, logiki, wykształcenia i pochodzenia, ale przede wszystkim jest to zasługa aktora, który go gra.

Chcąc dobrze poznać sposób mówienia postaci, słuchaj aktora, choć to bardzo czasochłonne. Możesz na przykład nagrać odcinek na kasetę audio i słuchać go w drodze do pracy. Tym sposobem wyczulisz ucho na wszystkie niuanse w sposobie mówienia danej postaci i z czasem nauczysz się pisać kwestie pasujące do danego bohatera. W idealnym scenariuszu próbnym recenzent powinien odgadnąć, kto mówi po samym sposobie mówienia, nie czytając określenia postaci. Sprawdź, czy to działa; wymaż korektorem wszystkie nazwiska i pokaż odcinek przyjacielowi, który zna serial. Jeśli nie wie, kto co mówi, nie jesteś gotów. Rzecz w tym, żeby bohater mówił po swojemu, a jednocześnie niósł powiew świeżości.

Dialog jest oszczędny. W każdej kwestii musi być odniesienie do konfliktu, każda kwestia musi nam coś mówić o danej postaci, a w przypadku sitcomu – być zabawna. Pamiętaj, że humor nie bierze się z dowcipów opowiadanych przez bohaterów, lecz z ich komicznych reakcji na sytuację. Jeśli dana kwestia nie spełnia tych wymagań, nie ma dla niej miejsca w scenariuszu. Steve Peterman twierdzi, że w scenariuszach próbnych szuka dwóch rzeczy:

> *Szukam tekstu, który sprawi, że pożałuję, że nie ja go napisałem. I jeszcze jedno: dowcip musi pasować do postaci.*

Przypomina odcinek *Murphy Brown*, w którym Murphy poszła do łóżka z bohaterem granym przez Scotta Bakulę.

> *Murphy była matką, kobietą po czterdziestce, i jak większość jej rówieśniczek martwiła się, że się starzeje. Była tam fantastyczna scena; poszli do łóżka, Murphy miała na sobie trzy warstwy sportowych ciuchów i robiła co w jej mocy, żeby się przykryć i jednocześnie nie zepsuć nastroju. Powiedziała: Dużo czasu upłynęło, odkąd ostatnio rozbierałam się przed facetem i zawartość, no cóż, mogła się poprzemieszczać podczas lotu. To było świetne, zupełnie w stylu Murphy. Wiele kobiet się z tym identyfikowało. Było to nieszablonowe wyjście z sytuacji...*

Humor ma korzenie w konflikcie. Jeśli szukasz gotowego wzorca, znajdziesz jedynie stare kawały. Zaskoczenie oznacza, że nie trzymasz się wzorca.

Format

Poprawny format to konieczność. Agenci i producenci zwracają uwagę na wygląd scenariusza – jeśli coś jest nie tak, uznają cię za amatora i twoje dzieło wyląduje w koszu. W telewizji używa się dwóch formatów. Jeden dotyczy seriali godzinnych i filmów tygodnia i bardzo przypomina format scenariusza filmowego. Drugi ogranicza się właściwie wyłącznie do sitcomów.

Sitcomy kręci się w studio; bardzo rzadko, jeśli w ogóle, zdarzają się zdjęcia w plenerze. Niemal nigdy nie w nich scen w plenerze, jeśli już, widzimy krótkie ujęcie domu lub miejsca, ale nie jest to właściwa scena, jedyne pokazanie miejsca akcji. Sitcomy często nagrywa się z udziałem publiczności. Postaci jest mało, scenografia ogranicza się do trzech – czterech różnych wnętrz.

Seriale godzinne i filmy tygodnia kręci się w plenerze i w studio, ale bez udziału publiczności. Właściwie są to zwykłe filmy, tyle że o wiele niższym budżecie i z zaplanowanymi przerwami na reklamy. Do tej kategorii należą, między innymi, *Ostry dyżur* i *Dotyk anioła*.

Przyjrzyjmy się podstawowym elementom formatu w tych produkcjach.

Strona tytułowa. Scenariusz telewizyjny ma nieskomplikowaną stronę tytułową. Żadnych wymyślnych plastikowych czy kolorowych okładek, wystarczy zwykła biała kartka. Mniej więcej sześć centymetrów od góry piszemy tytuł serialu, kapitalikami i z podkreśleniem (FRASIER, OSTRY DYŻUR). Poniżej, w odstępie dwóch linijek, tytuł twojego odcinka. Choć na wizji tytuł pojawia się rzadko, ma go każdy odcinek. Piszemy go zwykłą czcionką, w cudzysłowie („Dlaczego piosenkarz nie operuje sobie nosa”, „Tchórzliwa nerka”). Mniej więcej dwa centymetry poniżej tytułu piszesz swoje nazwisko (Will Smith). W prawym dolnym rogu – adres, telefon i adres poczty elektronicznej, ewentualnie namiary na twojego agenta, jeśli go masz. I to wszystko. Na następnej stronie zaczyna się scenariusz.

Bindowanie. Scenariusze telewizyjne bindujemy tak samo jak filmowe, trzy dziurki, nity tylko w pierwszej i trzeciej.

Seriale godzinne i filmy tygodnia

Seriale godzinne i filmy tygodnia mają ten sam format co filmy fabularne (rozdział 2). Jedyna znacząca różnica to długość i oznaczone przerwy między aktami.

Długość. Scenariusz serialu godzinnego ma mniej więcej pięćdziesiąt – sześćdziesiąt stron, filmu tygodnia – sto – sto dwadzieścia stron. Długość ma znaczenie, bo każdy odcinek musi się zmieścić w ściśle określonym czasie. Nie licząc napisów i przerw reklamowych, seriale godzinne trwają w rzeczywistości czterdzieści sześć minut. Scenariusz jest dłuższy ze względu na podział na akty.

Akty. Seriale godzinne mają zazwyczaj pięć aktów, filmy tygodnia trwają dwie godziny i siedem aktów. Każdy nowy akt zaczyna się na nowej stronie. Cztery centymetry od góry, wyśrodkowany, podkreślony napis kapitalikami AKT PIERWSZY, AKT DRUGI i tak dalej. Następnie piszemy FADE IN, tak samo jak w scenariuszu. Kiedy akt się kończy, piszemy KONIEC AKTU PIERWSZEGO, znowu pośrodku i kapitalikami z podkreśleniem. Przechodzimy na nową stronę.

Tak jak w scenariuszu nie podajemy numerów scen, nie zastrzegamy też prawa autorskiego na każdej stronicy, bo to zdradza amatora. Na szczycie strony ma być tylko jej numer, w prawym górnym rogu.

Sitcomy

Format sitcomów jest inny. Żeby jeszcze bardziej skomplikować sprawę, żaden sitcom nie opiera się na tym samym formacie, poszczególne seriale różnią się odrobinę między sobą. Poniżej próba usystematyzowania formatu serialu komediowego. Żeby się zapoznać z formatem określonego sitcomu, musisz obejrzeć scenariusz jednego z gotowych odcinków.

Długość. W zwykłym scenariuszu strona tekstu to mniej więcej minuta na ekranie; w sitcomie to tylko trzydzieści sekund, więc scenariusz liczy od czterdziestu pięciu do sześćdziesięciu stron. Nie licząc napisów i reklam, odcinek serialu komediowego trwa mniej więcej dwadzieścia trzy minuty.

Numerowanie scen i aktów. Na pierwszej stronie piszemy AKT PIERWSZY, cztery centymetry od góry, wyśrodkowane i podkreślone. Poniżej podwójna spacja i numer sceny. Sceny z danego aktu numerujemy A, B, C i tak dalej. Sceny z teasera i taga, o ile się pojawiają, nie mają numerów, są jedynie oznaczone jako TEASER I TAG.

Określenia miejsca i czasu. Następnie mamy nagłówki scen. Podobnie jak w scenariuszu określamy, czy scena rozegra się we wnętrzu czy w plenerze, choć seriale komediowe rzadko wychodzą na światło dzienne, następnie podajemy miejsce i porę dnia. Główna różnica między scenariuszem filmowym jest następująca: w serialu komediowym zaraz po określeniu miejsca i czasu mamy, w nawiasach, listę postaci występujących w danej scenie. Na przykład:

```
WNĘTRZE. TRYBUNA NA STADIONIE BASEBALLOWYM - RANEK
(Murphy, Frank)

WNĘTRZE. BAR PHILA - POPOŁUDNIE
(Murphy, Frank, Phil, Statyści)

WNĘTRZE. GABINET MUPRHY - CAŁY DZIEŃ
(Murphy, Miles)
```

Wskazówki sceniczne. Po określeniu miejsca i wyliczeniu postaci – podwójna spacja i wskazówki sceniczne. Zawierają krótkie streszczenie danej sceny albo informację o jej miejscu, o ile nie jest to jedno z typowych wnętrz. Są zawsze krótkie i zwięzłe. Piszemy je z pojedynczą spacją, w kapitalikach. W niektórych serialach także podkreślamy.

Dialogi. Niczym się nie różnią od dialogów w zwykłym scenariuszu, poza podwójną spacją. Marginesy po obu stronach wynoszą ok. pięciu centymetrów. Postać piszemy ok. ośmiu centymetrów od lewego brzegu, kapitalikami. Po postaci – podwójna spacja. Wskazówki aktorskie – w kwestii.

Koniec scen i aktów. Na koniec każdej sceny piszemy PRZEJŚCIE DO: ALBO CIĘCIE DO:, kapitalikami, z podkreśleniem, z prawej strony. Każda nowa scena zaczyna się na nowej stronie. Oznaczenie sceny (A,B,C) poniżej numeru aktu. (AKT II wyśrodkowane, dalej pojedyncza spacja i SCENA D). Na koniec aktu piszemy: FADE OUT, znowu podkreślone, kapitalikami i z prawej strony, a później, pośrodku, KONIEC AKTU PIERWSZEGO.

Numery stron. Umieszczamy je w prawym górnym rogu. Numery aktów – poniżej, zazwyczaj cyframi rzymskimi, po nich mamy myślnik i literę oznaczającą scenę. Na przykład:

11.
I-B

Sceny numerujemy ciągle, czyli akt drugi zacznie się do sceny D, a nie znowu od A.

Czcionka. Seriale komediowe piszemy Courierem 12p.

Programy komputerowe

Format telewizyjny jest o wiele bardziej skomplikowany niż filmowy, ale można sobie ułatwić pracę za pomocą różnych programów komputerowych, takich jak FinalDraft albo Movie Master. Jeśli jednak dopiero zaczynasz, nie ma sensu wydawać setek dolarów na oprogramowanie. Możesz sam stworzyć odpowiedni styl w edytorze tekstu albo ściągnąć format z Internetu.

Zdobyć scenariusz

Obejrzałeś kilka odcinków, przeanalizowałeś strukturę danego serialu; teraz czas obejrzeć oryginalny scenariusz. Można je dostać w niektórych księgarniach wysyłkowych. Zamawiając scenariusz, upewnij się, że dostaniesz ostateczny pro-

Format komedii sytuacyjnej – wzór

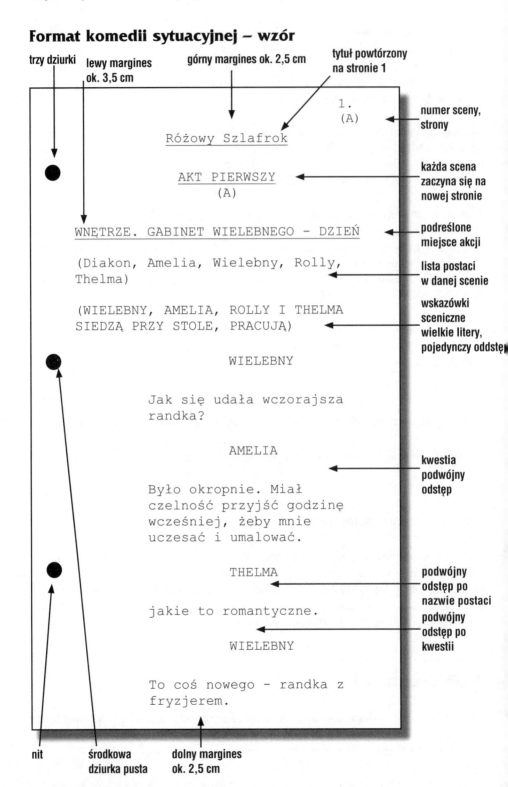

trzy dziurki   lewy margines
ok. 3,5 cm

górny margines ok. 2,5 cm

tytuł powtórzony
na stronie 1

1.
(A)

numer sceny,
strony

Różowy Szlafrok

każda scena
zaczyna się na
nowej stronie

AKT PIERWSZY
(A)

WNĘTRZE. GABINET WIELEBNEGO - DZIEŃ

podreślone
miejsce akcji

(Diakon, Amelia, Wielebny, Rolly,
Thelma)

lista postaci
w danej scenie

(WIELEBNY, AMELIA, ROLLY I THELMA
SIEDZĄ PRZY STOLE, PRACUJĄ)

wskazówki
sceniczne
wielkie litery,
pojedynczy oddstęp

                    WIELEBNY

        Jak się udała wczorajsza
        randka?

                    AMELIA

kwestia
podwójny
odstęp

        Było okropnie. Miał
        czelność przyjść godzinę
        wcześniej, żeby mnie
        uczesać i umalować.

                    THELMA

podwójny
odstęp po
nazwie postaci

        jakie to romantyczne.

podwójny
odstęp po
kwestii

                    WIELEBNY

        To coś nowego - randka z
        fryzjerem.

nit   środkowa
         dziurka pusta

dolny margines
ok. 2,5 cm

dukt, a nie pierwszą wersję. Prawdziwy scenariusz ma zazwyczaj numer serialu, listę postaci i spis dekoracji potrzebnych w danym odcinku.

Może się zdarzyć, że na marginesie zobaczysz gwiazdki (*) – to znak, że w kwestiach dokonano zmian. Na planie aktor, reżyser czy producent nie dostaje nowego scenariusza, ilekroć pojawi się jakaś zmiana, tylko dane strony. Każda seria zmian jest zaznaczana innym kolorem. Poniedziałkowe są, powiedzmy, na żółtych kartkach, wtorkowe na zielonym i tak dalej. Pod koniec tygodnia scenariusz ma wszystkie kolory tęczy.

Możesz także ściągnąć scenariusz z Internetu, ale często takie odcinki mają zły format i nigdy nie masz gwarancji, czy tak właśnie wyglądał oryginalny scenariusz.

Zdobycie agenta

Wszystkie te wysiłki mają na celu jedno – zdobycie agenta. Musisz go mieć, jeśli piszesz dla telewizji. Jeśli nie masz specjalnych układów u producenta, nikt nie przeczyta niezamawianego scenariusza próbnego. Nieważne, jak wspaniały twój scenariusz, nieważne, jak intrygujący list wstępny – wrócą do ciebie bez słowa komentarza. Ta zimna wojna między producentami a scenarzystami ma dwie przyczyny: po pierwsze, producenci nie chcą się narażać na posądzenie o plagiat. Jeśli wysyłasz im scenariusz podobny w treści do odcinka, który akurat kręcą albo nakręcili (a o to nietrudno; dostają tysiące scenariuszy, możliwe, że któryś będzie podobny), możesz ich pozwać do sądu. Zapewne przegrasz, ale sprawa będzie kosztowała producenta czas i pieniądze. Nie chcąc się na to narażać, producenci przyjmują tylko scenariusze przedstawione im przez agenta. Agencje wiedzą, czego szukają producenci poszczególnych seriali i wiedzą, co, gdzie i kiedy złożono. Drugi powód tak rygorystycznych zasad przyjmowania nowych scenariuszy to chęć wyeliminowania słabszych prac. Producent wie, że agent nie pokaże mu słabego czy przeciętnego scenariusza. Stąd założenie, że scenariusz bez agenta jest kiepski; gdyby było inaczej, autor miałby agenta.

Czasami jednak zdarza się, że ktoś przeczyta scenariusz próbny. Steve Peterman radzi:

> Jeśli znasz osobiście jednego ze stałych scenarzystów serialu, może on podsunie twój scenariusz producentowi. W ciągu roku są okresy, gdy producenci mają czas, żeby rzucić okiem na niezamówione prace. Na przykład koniec sezonu – większość seriali kończy się w lutym, marcu i na początku kwietnia – warto wysłać list błagalny, doprawiony humorem i szczerością.

Pamiętaj jednak, że producenci właściwie nigdy nie czytają scenariuszy próbnych do własnego serialu. Wyjątkiem jest tu jedynie *Star Trek*; zdarza się, że czytają niezamówione scenariusze próbne.

Masz już kilka świetnych scenariuszy próbnych, najlepszych, na jakie cię stać. Teraz musisz zwabić agenta. Musisz mieć kilka, najlepiej kilkanaście scenariuszy, bo agent chce mieć pewność, że piszesz szybko i dobrze przez cały czas, zanim weźmie cię pod opiekę. Pamiętaj jednak: musisz mieć agenta w Los Angeles. Znajdziesz ich w całym kraju, ale jeśli chcesz pracować w telewizji, twój agent musi być tam, gdzie wszystko się dzieje.

Los Angeles – twoje miejsce na ziemi

To trudne, ale możliwe – filmy fabularne można pisać gdziekolwiek, ale scenariusze telewizyjne – nie. I ty, i twój agent musicie być na miejscu, w Los Angeles. Sukces to wypadkowa następujących elementów: talentu, przygotowania, znajomości i bycia we właściwym miejscu we właściwym czasie. Wszystkie czynniki, poza talentem, wymagają pobytu w Los Angeles, przynajmniej na początku. Los Angeles to pępek świata seriali i sitcomów. Pewnie, kilka powstaje w Nowym Jorku, Kanadzie czy Chicago, ale macierzą przemysłu filmowego jest Los Angeles. Chcesz pracować w telewizji? Poznaj ich, stań się jednym z nich; większe szanse masz w Los Angeles niż w Iowa City. Zanim się przebijesz, zatrudnij się w studio czy agencji jako asystent czy sekretarka; tym sposobem będziesz miał na rachunki i poznasz potrzebnych ludzi. W najgorszym wypadku zobaczysz na własne oczy, jak funkcjonuje przemysł filmowy. Poza tym, pisząc sitcomy, warto zobaczyć nagrywanie odcinka na oczach publiczności, a zgadnij, gdzie to się dzieje?

Nawet jeśli się zaczepisz jako scenarzysta, powinieneś zostać w Los Angeles. W przeciwieństwie do scenarzystów filmowych, którzy, jeśli mają agenta, mogą mieszkać gdziekolwiek i nadal liczyć na sukces, scenarzysta telewizyjny nie ma szans, jeśli opuści Los Angeles. Telewizja to pociąg ekspresowy; nie czeka na nikogo, nie toleruje spóźnień. Agenci i producenci oczekują, że w każdej chwili możesz stawić się na spotkaniu, a jeśli los się do ciebie uśmiechnie i zostaniesz stałym scenarzystą, musisz pracować w studio. Nawet dziś, w epoce wideo konferencji i Internetu scenarzysta telewizyjny powinien mieszkać blisko studia. Może kiedyś to się zmieni, póki co jednak musi być w centrum akcji.

Zanim jednak wyruszysz w drogę do Los Angeles, napisz kilka scenariuszy próbnych. Bycie we właściwym miejscu i poznanie właściwych ludzi będzie na nic, jeśli nie masz produktu, który ich przekona. Nie pakuj się więc, póki nie będziesz gotowy.

Spotkania telewizyjne

Świetnie, napisałeś doskonały scenariusz próbny i zdobyłeś agenta. Teraz wystarczy tylko usiąść z założonymi rękami i czekać na oferty pracy, tak? Niestety. Na razie przygotowałeś tylko bazę. Nikt ci nie obiecywał, że łatwo pójdzie. Twój agent rozsyła gotowe scenariusze; ty w tym czasie pisz następne. Agenci potrzebują ciągle nowych próbek; nie mogą w kółko rozsyłać tego samego materiału. Czasami powie ci, na jakim serialu masz się skupić. Słuchaj go; całymi dniami wisi na telefonie i wie, czego szukają producenci. Tymczasem licz na szczęście; może któryś producent zaprosi cię na spotkanie.

Spotkania w telewizji przypominają spotkania z producentami filmów fabularnych (rozdział 16), choć jest kilka wyjątków. Po pierwsze, tu pracujesz z istniejącymi już postaciami, a nie prezentujesz nowego materiału, jak w kinie. Zanim pójdziesz na spotkanie, dostaniesz „biblię" serialu. Zawiera informację o bohaterach, spis wyemitowanych odcinków i przykład scenariusza. Dostałeś to, bo producent nie chce, żebyś proponował mu pomysł, który już wykorzystali.

Przestudiuj „biblię", obejrzyj tyle odcinków, ile się da i wymyśl pięć – osiem nowych. Każdy pomysł musi być w pełni ukształtowany: mieć początek, rozwinięcie i zakończenie. Masz na to tydzień; potem wyruszasz na spotkanie.

Zwiększysz swoje szanse, jeśli będziesz przestrzegał następujących wskazówek: dowiedz się jak najwięcej o serialu i producencie Wypytaj agenta. Producentom podobają się scenarzyści, którzy znają serial na wylot.

Dalej: przećwicz prezentację swoich pomysłów. Nigdy nie idź na spotkanie „na żywca"; nie chcesz przecież wyjść na amatora i zaciąć się w kulminacyjnym momencie. Pamiętaj też, że to co zabawne na papierze, w rzeczywistości może okazać się mizerne.

OPOWIEŚCI Z FRONTU

Bill

Byłem na spotkaniu z producentem sitcomu *Amen* i zobaczyłem za jego plecami białą tablicę z wypisanymi tytułami nowych odcinków. Co prawda nie dostałem zlecenia, ale spotkanie się udało i zaprosili mnie na następne. Tym razem przyszedłem z historyjką, która moim zdaniem pasowała do jednego z tytułów na tablicy. Od niej zacząłem. Producent przerwał mi w połowie i powiedział: „przykro mi, nikt jeszcze o tym nie wie, ale już na to wpadliśmy". I dodał: „dobrze znasz ten serial, co?" Spodobała im się następna historyjka. Zatrudnili mnie, bo udowodniłem, że wiem, o czym piszę, ale też zaprezentowałem coś nowego.

Podczas pracy nad My two dads, pierwszego sitcomu Paula Reisera, byłem zdumiony słysząc, ilu scenarzystów wpadło na pomysł „trzeciego taty". Producenci nie mogli już tego słuchać. Jeśli sumiennie się przygotujesz, unikniesz nudnych pomysłów. Steve Peterman mówi: „Musisz wymyślić historyjkę z jasnym początkiem, rozwinięciem i zakończeniem. Główny bohater musi mieć jasno określony stosunek do wydarzeń. Wątek B i C się przydają, ale najważniejsze żebyś wiedział, z czego wynika humor".

Treatment

WGA ustaliła, że producent nie może żądać od scenarzysty treatmentu ustnych prezentacji. Warto tego przestrzegać nawet jeśli nie należysz do gildii, bo producenci są zachwyceni, jeśli pracuje się za darmo, a tego przecież nie chcesz. Można jednak zostawić plan, jeśli go masz. Wolisz przecież, żeby pamiętali twój pomysł w twoich słowach, a nie na podstawie notatek, prawda? Poniżej plany prezentacji odcinka serialu godzinnego i sitcomu. Bill sprzedał pomysł na sitcom. Jak już wspominaliśmy, telewizja często odkurza stare pomysły; oparłem się na starym filmie z Deanem Martinem i Jerrym Lewisem.

KSIĄŻĘ Z BEL AIR

Tytuł: Coś za nic

W skrócie: Partnerzy w kancelarii prawniczej Philipa od dziesięciu lat wydają kolację i urządzają loterię na cele dobroczynne. Do tej pory właściciel zwycięskiego kuponu oddawał wszystko fundacji dobroczynnej. W tym roku Will chce zatrzymać wygraną.

DRABINKA

teaser   SALONIK

Will domaga się wielkiego nowego sprzętu stereo. Wuj Phillip uważa, że to doskonała okazja, by nie dopuścić do głośnej muzyki w domu i przy okazji nauczyć Willa, że trzeba zarobić, zanim się coś kupi. Carlton i Hilary mu potakują; oni także muszą zacząć zarabiać.

I-1   SALONIK

Will, Carlton i Hilary oskarżają się wzajemnie, że wpakowali się w takie tarapaty. Wuj Phillip oznajmia, że załatwił im pracę; będą kelnerowali na corocznej kolacji dobroczynnej w jego kancelarii.

I-2   KUCHNIA

Lokaj uczy ich kelnerowania.

I-3   KOLACJA DOBROCZYNNA

Prawnicy szukają głównego kelnera. Nastolatki mają tego dosyć.

Przerwa Ogłaszają zwycięzcę loterii – to Will.

II-2   SALONIK
        Wuj Phillip jest oburzony zachowaniem
        Willa. Will nie rozumie: wygrał pieniądze
        uczciwie. Wuj Phillip nalega, żeby chłopak
        zwrócił wygraną.

II-3   PUSTA JADALNIA
        Will niechętnie zwraca wygraną szefowi
        fundacji... i dowiaduje się, że ten był
        pełen podziwu dla jego hucpy. Will może
        zachować pieniądze.

II-4   W DOMU
        Will przekazuje wygraną na rzecz
        organizacji dobroczynnej w sąsiedztwie...
        i w nagrodę dostaje nowe stereo. Phillip
        nie wie, co powiedzieć.

STAR TREK

TYTUŁ: Dziecko Beverly

W skrócie: Statek kosmiczny Enterprise trafia na
poważnie uszkodzony pojazd Ferengi. Umowa nie doszła
do skutku. Żyje tylko jedna pasażerka, młoda ciężarna
Ferengi. Beverly stara się uratować jej życie; na
próżno. Udaje jej się natomiast przenieść żywy płód do
swojego łona.

DRABINKA

Teaser: Enterprise odbiera sygnał SOS
          z uszkodzonego statku Ferengi. Najwyraźniej
          umowa nie doszła do skutku. Zginęli
          wszyscy, jeśli nie liczyć młodej kobiety
          w zaawansowanej ciąży, która jest w stanie
          krytycznym.

Akt 1   Doktor Crusher usiłuje za wszelką cenę
          uratować kobietę; na darmo. Podtrzymuje
          funkcje życiowe kobiety na kilka minut;
          dziecko też zaraz umrze.

          Podejmuje ostatni, desperacki wysiłek;
          donosi dziecko we własnym łonie.

Akt 2	Transfer płodu się powiódł, ale wskutek tego zabiegu doktor Crusher przyjmuje ogromne ilości hormonów Ferengi, żeby utrzymać dziecko przy życiu. Zaczyna chorować. Nagle ma ochotę na robaki.
	Picard postanawia odwiedzić bazę, z której wyruszył zniszczony statek Ferengi.
Akt 3	Doktor Crusher ma coraz mniej czasu. Rosną jej uszy i zęby, kłamie i dobija dziwacznych targów z członkami załogi.
	Wiedząc, że jej życie jest w niebezpieczeństwie, Picard każe jej urodzić.
Akt 4	Doktor Crusher przechodzi cesarskie cięcie. Dziecko przychodzi na świat za wcześnie, ale żywe.
	Docierają do bazy Ferengi. Starsze małżeństwo pyta Beverly, ile chce za dziecko; jest oburzona i nie zgadza się oddać im maleństwa.
Akt 5	Nawet Picard nie może jej namówić, by zmieniła zdanie. Zbyt wiele przeszła, jest zbyt zmęczona; musi znaleźć dobry dom dla dziecka.
	Koniec końców Picard musi dobić targu z Ferengi; za olbrzymią cenę otrzymuje informację na temat przyszłych losów dziecka.
	Załoga nie wierzy własnym uszom, gdy ta sama starsza para wchodzi na pokład i przyznaje, że są dziadkami dziecka. Myśleli, że Beverly zależy na pieniądzach, a im chodzi jedynie o dobro wnuka. Naprawdę troszczą się o dziecko. Beverly jest wzruszona. Kamień spadł jej z serca.

Jak poszło?

Po spotkaniu scenarzysta dzwoni do agenta i opowiada, jak poszło: jak zareagowali producenci. Teraz agent dzwoni do producenta i pyta, czy jest zainteresowany którymś z pomysłów. Nie ma zakupu – koniec, przynajmniej na razie. Agent wysyła próbki do innych wytwórni, scenarzysta wymyśla kolejne pomysły i czeka, aż zadzwoni telefon.

Jeśli natomiast producent jest zainteresowany, przechodzimy do następnego etapu – na spotkanie odcinkowe. Na takim spotkaniu scenarzyści na stale zatrudnieni przy danym serialu badają wolnego strzelca; rozważają różne pomysły, wymyślają dowcipy, starają się zbudować odcinek. Tak, ty go zbudowałeś, ale teraz twoje dzieło jest na łasce innych i odcinek będzie zmieniony, czy ci się to podoba, czy nie. Twój plan pokazuje im jedynie, że mniej więcej wiesz, co robisz; teraz ich kolej. Wolny strzelec powinien wszystko skrupulatnie notować. Takie spotkania często ciągną się godzinami. W końcu zmęczony wolny strzelec wraca do domu; teraz ma kilka dni, żeby napisać szczegółowy plan odcinka: podwójna spacja, 6-10 stron, podzielone na sceny i akty, napisane w czasie teraźniejszym. Plan ten musi uwzględniać wszystkie zmiany, ustalone na spotkaniu. Po ukończeniu planu autor dostaje kolejną porcję notatek i wraca do domu, napisać cały odcinek. Czasami na tym jego praca się kończy; dostaje honorarium za fabułę, a scenariusz odcinka pisze stały współpracownik. Za fabułę dostaje się koło 4 000 dolarów.

Oto szczegółowy plan tego samego odcinka *Księcia z Bel Air*. Fabuła ma niewiele wspólnego z początkowym pomysłem autora; wszystko uległo zmianie podczas spotkania.

```
                    KSIĄŻĘ BEL AIR

                    "COŚ ZA NIC"

                    SZCZEGÓŁOWY PLAN


        AKT PIERWSZY - SCENA „A"


WNĘTRZE. SALONIK - DZIEŃ

Rodzina Banksów świetnie się bawi. Wszyscy stoją
przy automatycznej wyrzutni piłek golfowych z kijami
w rękach. Carlton podchodzi, celuje starannie i...
pudło. Phillip udziela mu mnóstwo nieprzydatnych rad.
Jeden dyskretny ruch ręką i zjawia się Geoffrey; szybko,
monotonnie, zasypuje Carltona komplementami; wychwala
jego kondycję, doświadczenie i sam fakt istnienia.

Wchodzi Will, ciekaw, co się dzieje. Carlton wyjaśnia,
że Country Club Bel Air jest sponsorem 10 Turnieju
Golfowego dla młodych konserwatywnych rodzin. Mają
zaledwie jeden dzień, by się przygotować na słodycz
zwycięstwa i gorycz porażki. Udział bierze cała rodzina,
bo rodzice Młodych Konserwatystów wystąpią jako chłopcy
```

do piłek. Will dyskretnie zauważa, że nikt go nie pytał
o zdanie, ale nikt go nie słucha.

Will usiłuje zwrócić na siebie uwagę twierdzeniem,
że golf to głupia gra. Carlton odpowiada, że to jedna
z najpoważniejszych gier. Uderza. Piłka wpada do dołka,
w urządzeniu otwiera się klapka, wyskakuje plastikowy
klaun z chorągiewką z napisem: TRAFIONY!

Kolej na Hilary. Wszyscy się chowają, pamiętając, ile
szkód wyrządziła w zeszłym roku. Vivian twierdzi,
że Hilary nie jest taka zła. Gdyby wszyscy ją
dopingowali, poszłoby jej o wiele lepiej, zresztą,
to tylko golf. Jednak w ostatniej chwili Vivian także
się chowa. Hilary uderza. Piłka leci w stronę drzwi.
Bum. „Ojej".

Wchodzi Geoffrey z piłką. Pytają, czy coś mu się
stało. „Nie, skądże", odpowiada piskliwie. Zapowiada
Breta Lukera, nieskazitelnego prezesa Młodych
Konserwatystów. Bret jest ciekaw, czy rodzina Banksów
jest gotowa do turnieju, który sponsoruje jego
organizacja. Są, a jakże. Will liczy, że go zaproszą;
na darmo. Nikt nie reaguje na jego aluzje.

Bret i rodzina wspominają najpiękniejsze chwile
z zeszłorocznego turnieju. Carlton i Philip dostrzegli
głębię szesnastego dołka. Hilary i Vivian spędziły
uroczy dzień, gdy Hilary niechcący zniszczyła pół
stoiska.

Kolejne aluzje Willa; nadal na darmo. W końcu życzy
im miłego rodzinnego dnia i wychodzi. Tylko Vivian
to zauważa. Chce, żeby Philip zaproponował Willowi
uczestnictwo w turnieju. Philip zauważa, że Will nigdy
nie grał, więc nie będzie się dobrze bawił i tylko
narobi im wstydu. „A o co ci właściwie chodzi", pyta
Vivian, „o trofeum czy poczucie wspólnoty rodzinnej?"
Philip odpowiada, że poczucie wspólnoty to fajna rzecz,
ale trofea to istne cacka. Vivian jest oburzona i żąda,
żeby zaczął traktować Willa jak członka rodziny.

Philip niechętnie woła Willa, który, tak się składa,
czekał tuż za rogiem. Philip przeprasza, że nikt go nie

uwzględnił. Will odpowiada, że pewnie i tak nie będzie
się dobrze bawił. Golf go nie obchodzi, tylko nudzi.
Chciał tylko, żeby go zaprosili. To mu wystarczy, żeby
się poczuć członkiem rodziny. Philip kiwa głową, ale
Will zauważa, że oficjalnie nadal mu nie zaproponował
uczestnictwa. Philip ulega: „Pójdziesz z nami?" Will
zgadza się ochoczo.

AKT PIERWSZY – SCENA „B"

WNĘTRZE. KUCHNIA – RANEK PRZED TURNIEJEM

Vivian pyta Ashley, jak się rozwija jej szkolny projekt
(zakładanie własnej firmy). Jest pewna, że jej firma,
Salon modystyczny Ashley, sprzeda miliardy kapeluszy
i dzięki niemu dostanie piątkę. Vivian zachwyca się
jej kreatywnością. Jej ostatni projekt? Czapki do gry
w golfa! Podnosi gotowy model. Wyglądają koszmarnie,
a kosztują zaledwie 19.95$. Vivian nie ma wyboru,
nie chce jej zniechęcać, więc kupuje. Ashley wymusza
na niej obietnicę, że założy ją na turniej i biegnie
sprzedawać następne egzemplarze.

Wchodzi Geoffrey, podbiega do telefonu i dzwoni do firmy
szklarskiej w Bel Air. Vivian nie rozumie, po co to
robi, nikt nie zbił okna. Geoffrey tłumaczy: Hilary
przed chwilą poszła poćwiczyć uderzenie. Łomot. Rozbite
okno w kuchni. „Znowu ojej!" Geoffrey wychyla się przez
dziurę i pyta Hilary, jak długo ma zamiar ćwiczyć.

Odpowiada, że pięć minut. Geoffrey zamawia pięć szyb
i biegnie ostrzec sąsiadów.

Wchodzi Carlton w kapeluszu Ashley. „Mamy problem".
Vivian przyznaje mu rację, ale nie chce sprawić Ashley
przykrości. „Nie, nie taki problem".

Wchodzi Will z całym ekwipunkiem golfowym: ma koszulkę
futbolową, fajkę do nurkowania i kapelusz Ashley. Widać,
że nie ma zielonego pojęcia o golfie. Carlton uznaje,
że niezbędna jest natychmiastowa lekcja, żeby Will
nie przyniósł im wstydu. Usiłuje wtajemniczyć Willa
w niuanse gry: odpowiednia postawa, zamach, filozofia,
strategia... Will nie pojmuje, o co tyle hałasu: walisz,

krzyczysz „byle nie piasek!" i idziesz do następnej
dziury.

Niezbędne są pomoce naukowe. Carlton taszczy automat.
Will krzyczy i skacze. Carlton pyta grzecznie, co do
licha wyprawia. Will nie wie, o co chodzi. Jordan
strzela kosze, gdy tysiące usiłują wytrącić go
z równowagi; niby dlaczego w golfie ma być inaczej?
Usiłuje zablokować Carltona, który mu tłumaczy, że golf
to nie jest sport kontaktowy. Kolej na Willa: pompuje
sobie buty do tenisa, zakłada okulary słoneczne, poprawia
spodnie. Uderza.

Wchodzi Philip w jednym z koszmarnych kapeluszy Ashley.
Krzyczy coś miłego do córki za kulisami, zamyka drzwi
i mruczy, że to nie jego dziecko. Vivian nie pozwala
mu wyrzucić kapelusza; tłumaczy, że to zdusiłoby jej
zapał i kreatywność w zarodku. Philip mamrocze, że chyba
nikomu by to nie zaszkodziło.

Philip cieszy się widząc, że Carlton ćwiczy; zaraz
udziela mu różnych rad, wtrąca się we wszystko. Carlton
nie jest zachwycony, ale Phillip się nie przejmuje,
zachowa ojcowskie mądrości do ostatniej chwili,
dopiero na polu golfowym, kiedy będzie pomocnikiem
syna... Carlton przyznaje, że w tym roku poprosił już
o to Geoffreya; zdaje się że w zeszłym usłyszał zbyt
dużo ojcowskich rad. Więc czyim pomocnikiem będę?
Dopytuje się Phillip. Vivian uprzedza, że będzie
z Hilary, żeby zminimalizować szkody. Zostaje tylko...
Will się uśmiecha.

AKT PIERWSZY - SCENA „C"

PLENER. POLE GOLFOWE - DZIEŃ TURNIEJU

Ludzie biegną na łeb, na szyje. Ktoś krzyczy „uwaga,
nadchodzi". Zbliża się Hilary. Zaliczyła już wybite
szyby w budynku klubu; na kolację będzie dziś kaczka
- dzięki jej zadziwiającej umiejętności trafiania
wszystkiego na drodze. Hilary zwierza się Vivian, że dla
niej w golfie najważniejsze to wypatrzeć wśród widzów
przystojniaka i w niego celować. Jeśli trafi, będzie
musiał z nią porozmawiać. Chyba nie tak trudno umówić
się na randkę?

Bret Luker oznajmia, że Carlton zaliczył całe pole
i jest faworytem turnieju. Wszyscy mu gratulują,
pozostali Młodzi Konserwatyści rezygnują z dalszej gry.
Chwileczkę; Will krzyczy, że został mu jeszcze jeden
dołek. Carlton daje Willowi do zrozumienia, że jak
na nowicjusza grał świetnie, ale jego jedyną szansą
na zwycięstwo jest trafić za jednym razem.

Will woła swojego „grubaska pomocnika". Nadchodzi
Philip, obładowany szerokim asortymentem akcesoriów
golfowych według Willa; taszczy nawet wszystkie sześć
smaków napoju Gatorade.... Will życzy sobie, by mu
otarł pot z czoła. Philip ma tego dość, ale Vivian go
powstrzymuje.

Nadbiega Ashley z kapeluszem golfowym Philipa; znalazła
go w śmietniku. Philip nie pojmuje, jak do tego doszło.
Zakłada go; to ostateczne upokorzenie.

Will się ustawia, celuje i... trafia za pierwszym razem!
Ludzie nie wierzą własnym oczom. Will spokojnie wyjmuje
z kieszeni drugą piłeczkę i oznajmia, że chyba wie,
o co w tym chodzi, pograjmy jeszcze. Impreza zaczyna
się na dobre. Nawet Philip jest dumny z Willa i mówi
do niego „synu". Zbierają się wszyscy uczestnicy
turnieju. Will jest bohaterem. Podchodzi Bret
i informuje go, że wygrał główną nagrodę, 1000 dolarów.
Philip czule tuli niewielki puchar.

Bret oznajmia, że, jak to jest przyjęte, „dżentelmen"
Will przekaże zapewne wygraną na rzecz Młodych
Konserwatystów. Słucham? Will nie chce o tym słyszeć.
Bret, Philip i Carlton tłumaczą, że musi, że taka jest
tradycja. Nie moja, odpowiada Will. Moja tradycja to
zanieść czek do banku.

Biją się o czek, flesze błyskają, zaciemnienie.

                    KONIEC AKTU PIERWSZEGO

AKT DRUGI - SCENA"D"

WNĘTRZE. SALONIK - KILKA DNI PÓŹNIEJ

Widzimy zdjęcie z biuletynu klubowego. Na fotografii
Will, Bret i Philip walczący o czek. Philip zarzuca
Willowi, że przyniósł wstyd jemu i całej rodzinie
na oczach przyjaciół i partnerów służbowych. Will się
nie zgadza. Wygrał te pieniądze; może z nimi zrobić, co
zechce.

Carlton trzyma z ojcem, Vivian z Willem, a Hilary
jest w rozpaczy, bo zrobili jej zdjęcie w koszmarnym
kapeluszu Ashley.

Wchodzi Ashley, załamana. Źle jej idzie na zajęciach.
Pyta Vivian, czy powinna dać sobie spokój. Odpowiedź
- po badawczym spojrzeniu na Philipa - stanowcze „nie".
Sprzedała kapelusze członkom rodziny. Nie pojmuje,
w czym problem. Dlaczego jej firma się nie rozwija? Teraz
już wszyscy się martwią.

Vivian uznaje, że wszyscy przesadzają; wszystko się
ułoży, a tymczasem może pójdą do klubu na kolację?
Zobaczycie, wszyscy na pewno już zapomnieli o tej
dziecinnej awanturze. Przechodzimy do...

AKT DRUGI - SCENA „E"

WNĘTRZE. RESTAURACJA W COUNTRY CLUB - TEN SAM WIECZÓR

Siadają przy zarezerwowanym stoliku, na którym czeka
już wizytówka. Philip czyta: „Nie masz gotówki? Brak
ci pieniędzy? Niskie raty bez żyrantów. Zadzwoń do
Uczciwego Harry'ego" Rozmawiają z Henry Furthem:
„A przy okazji, prezydent Reagan powiedział, że tobie
będzie to bardziej potrzebne niż jemu". Zwraca Philipowi
jego datek, i to z nawiązką. Rozjuszony Philip pyta,
czemu wszyscy traktują go jak biedaka. W tej chwili
pojawia się młody kelner i mówi smutno: „Nie trzeba
napiwku, proszę pana; dzisiaj ja stawiam".

Henry przyznaje w końcu, że w całym klubie aż huczy,
że mają problemy finansowe - przecież musieli zatrzymać
sobie wygraną z turnieju. Philip tłumaczy, że zrobił
to Will, który do rodziny nie należy. Skoro tak,
powątpiewa Henry, dlaczego najmłodsza córka Philipa

sprzedaje czapki golfowe w holu klubu? Obok przechodzi para w dziełach Ashley: „Zrobimy wszystko, żeby wam pomóc".

Will jest zachwycony; jego zdaniem są traktowani lepiej niż kiedykolwiek. Wszyscy są mili, zaproponowano mu nowy płaszcz, darmowe posiłki... nawet nie wiedział, że ma tylu przyjaciół. Hilary macha na kelnera i podnosi szklankę; przechodzący członek klubu wrzuca do niego drobne. Hilary wpada w szał.

Hilary i Carlton złoszczą się na Willa. Żądają, żeby Philip coś z tym zrobił i wychodzą, mrucząc, że nie przeżyją takiego upokorzenia. Philip chce, żeby Will przekazał wygraną Młodym Konserwatystom. Will mówi, że nie może tego zrobić, bo już nie ma ani grosza. Philip zakłada, że wszystko wydał, i odsyła go do domu bez kolacji. Ma szlaban.

AKT DRUGI - SCENA „F"

WNĘTRZE. SALON - NASTEPNY DZIEŃ

Ashley chwali się, że dostała szóstkę za projekt. Dzięki hojności członków klubu zarobiła fortunę. Niektórzy tylko płacili, nawet nie brali kapeluszy!

Geoffrey zapowiada przybycie Breta Lukera i innych Młodych Konserwatystów. Carlton nie śmie na nich spojrzeć. Wchodzą i wiwatują na cześć Willa, że wpłacił na ich konto tak wysoką sumę.

Carlton gratuluje ojcu, że w końcu przemówił Willowi do rozumu. Philip tłumaczy, że Will zabrał czek, bo uznał, że suma jest za mała i chciał ją podwoić. Chłopcy chcą osobiście podziękować Willowi za dwa tysiące dolarów, ale Philip nawet nie chce o tym słyszeć. Will wchodzi do pokoju, siada na kanapie, wita się ze wszystkimi.

Philip gorączkowo stara się ukryć prawdę, ale szybko wychodzi na jaw, że wpłacił pieniądze na rzecz Młodych Konserwatystów w imieniu Willa. Will zaprzecza, jakoby dał im choćby centa i szybko się domyśla, kto naprawdę jest darczyńcą. Jest wściekły. Philip zarzuca mu ogromny egoizm. Zaczyna wielką przemowę na temat pomocy biednym, brania i dawania.

Z kuchni idzie Vivian i dwie zakonnice. Dziękują Willowi za tysiąc dolarów na dokarmianie bezdomnych. Philip nagle nie wie, co powiedzieć.

Bret Luker pojmuje, co się dzieje, przestaje dziękować Willowi i zwraca się do Philipa. Każe chłopcom, by przynieśli, co zostało kupione za jego pieniądze – nowiutką trampolinę do basenu w klubie. Jak najszybciej usuną pamiątkową tabliczkę z nazwiskiem Willa i umieszczą taką z nazwiskiem Philipa. Philipowi nie mieści się w głowie, że jego pieniądze poszły na taki „płytki" cel, a Will przekazał wygraną na szczytne cele. Chce się ratować, mrucząc: „Prawnik daje, prawnik odbiera". Wyrywa Młodym Konserwatystom trampolinę i wręcza zakonnicom. Tłumaczą, że im niepotrzebna, bo basen w ich ośrodku pomocy od lat stoi pusty. Will gra na uczuciach Philipa, aż ten proponuje, że zapłaci za remont basenu.

Zakonnice dziękują wszystkim; nigdy nie spotkały równie hojnej rodziny. Zrzucają welony i widzimy kapelusze Ashley. Idealna darowizna – wprowadzi trochę życia do zakonu. Ashley jest wniebowzięta, rodzina zadowolona, zaciemnienie...

<u>KONIEC</u>

Dostałeś zlecenie – i co teraz?

Komedia sytuacyjna nie różni się w zasadzie od innych gatunków filmowych; musisz mieć dobrze skonstruowane postacie, konflikt, komplikacje, kryzys i punkt kulminacyjny. Oczywiście, celem nadrzędnym komedii sytuacyjnej jest rozśmieszyć, ale to nie wszystko; każdy odcinek musi odzwierciedlać styl i poczucie humoru całej serii. Niektóre seriale komediowe bazują na pomysłach kontrowersyjnych, inne to tradycyjne, konserwatywne opowiastki z morałem, niektóre pisze się z myślą o późniejszej godzinie emisji, stąd mnóstwo podtekstów erotycznych, inne są skierowane do całej rodziny i nie ma mowy o seksie. Zadaniem scenarzysty jest uwzględnić humor serialu, nie własny.

Są trzy sposoby, by się przekonać, czy twój scenariusz jest wystarczająco śmieszny. Po pierwsze, mniej więcej w połowie każdej strony narysuj grubą czerwoną linię, a później upewnij się, że powyżej i poniżej kreski jest co najmniej jeden śmieszny element. Innymi słowy, ważne żeby komizm pojawiał się co najmniej co pół strony (15 sekund na ekranie). Dalej, zorganizuj głośne czytanie scenariusza (patrz rozdział 13, redagowanie).

Jeśli scenariusz nie bawi, natomiast śmieszne z założenia są miejsce i sytuacja, problemem mogą być przegadane dialogi: zbyt wiele słów gasi dowcip. W komedii dialogi muszą być zwięzłe i krótkie.

Poniżej scena ze scenariusza odcinka serialu *Murphy Brown*, pióra studenta. Najpierw przeczytaj scenę ze skreślonymi fragmentami, później – bez nich. Zauważ, że scena nadal ma sens, ale jest zabawniejsza.

```
WNĘTRZE. REDAKCJA - RANO
(Jim, Frank, Miles, Corky i Murphy)
     Miles przechadza się nerwowo.


                    MILES
     Słuchajcie, uspokójcie się, mam wam
     coś ważnego do powiedzenia. Nie jest
     tajemnicą, że nasza oglądalność spada
     na łeb, na szyję; czas coż z tym zrobić.


                    MURPHY
     A co z podejściem z godnością do
     oglądalności, na którym ci tak
     zależało?


                    FRANK
     Przyznaję to z bólem serca, ale nic
     z tego nie wyszło.


                    MILES
     Już od dawna się zastanawiałem, jak
     wam to powiedzieć. To nie jest łatwe.
     Wymyśliłem trzy nowe sposoby.


                    MURPHY
     Może po prostu powiedz prawdę.


                    MILES
     O tym akurat nie pomyślałem. No dobra,
     cztery sposoby. Podjąłem też pewną
     decyzję. Ściągnąłem Jerome Reardona do
     naszego zespołu.
```

MURPHY

Chyba nie tego złośliwego felietonistę
z New York Timesa?

MILES

(poprawia ją) złośliwego felietonistę,
zdobywcę nagrody Pulitzera.

FRANK

~~O, znam go~~. Nie był przypadkiem krytykiem
teatralnym?

JIM

~~Tak, ale~~ dał sobie spokój po zamachu.
Nieudanym.

MURPHY

Zatrudniłeś Szatana i nas nie
zapytałeś?

MILES

Miałem tylko chwilę na decyzję,
konkurencja też ostrzyła sobie na niego
zęby.

JIM

Pamiętacie Lanforda Benleya? Taki zdolny
młody człowiek, napisał „Gej – weteran
z Wietnamu". ~~Świetny pisarz~~.

FRANK

Wspaniała sztuka.

JIM

~~Cóż~~, Reardon ją zniszczył. Biedny pisarz
tak się załamał, że rzucił to wszystko.

>   FRANK
>
> Jak to, zabił się z powodu kiepskiej
> recenzji? ~~Nie wierzę~~.
>
>   JIM
>
> Nie, sprzedał prawa do sztuki Danny'emu de
> Vito, przeniósł się na Kretę i nie napisał
> więcej ani słowa.
>
>   FRANK
>
> ~~Och, to~~ tragiczne. Naprawdę tragiczne.
>
>   JIM
>
> Byłem konsultantem w kwestii
> wietnamskiej. A jakże, urządziliśmy
> aktorom istne piekło. Kazaliśmy im spać
> w ziemiankach za teatrem, robiliśmy im
> pobudkę o czwartej rano i kazaliśmy się
> załatwiać do dziury w ziemi.
> ~~Nie wytrzymali~~. Trzech ma syndrom
> weteranów. To się nazywa aktorstwo!

Pisane zespołowe

W telewizji pisanie zespołowe to norma. Praca z partnerem ma wiele zalet, zwłaszcza przy pisaniu seriali komediowych, z tego prostego powodu, że zawsze masz pod ręką kogoś, kto oceni twoje żarty; zresztą dwie osoby wymyślą więcej w krótszym czasie. Jednak ten układ ma też pewne wady. Nie zawsze współpraca układa się gładko. Pisanie zespołowe jest jak małżeństwo; ba, czasami wymaga jeszcze większej bliskości. Będziesz spędzał z kolegą po piórze całe dnie i dlatego upewnij się najpierw, czy dobrze się rozumiecie. Szukaj wspólnika bardziej utalentowanego od ciebie – nie chcesz przecież partnera, którego musisz za sobą holować, bo ma mniej doświadczenia, talentu, zaangażowania. Kolejny aspekt wart rozważenia to fakt, że zespołom płaci się tyle samo, co pojedynczym autorom, więc weź pod uwagę, że musisz się podzielić wynagrodzeniem i przyszłymi tantiemami. A jeśli uda wam się sprzedać wspólnie napisany scenariusz, w oczach producentów stajecie się nierozłączni jak bliźnięta syjamskie; razem idzie wam świetnie, ale czy sam napiszesz coś równie dobrego? A może tylko jeden z was ma talent? Pytanie tylko, który? Rozstanie będzie niemal równie bolesne jak rozwód, a ty będziesz właściwie zaczynać wszystko od początku.

Wolny strzelec

Wolny strzelec całymi dniami nagrywa i analizuje odcinki poszczególnych seriali. Nie wie nigdy, który serial obrać za cel starań, stąd stara się poznać ich jak najwięcej. Tym sposobem, kiedy idą na spotkanie, mogą rozmawiać o wielu serialach. Niektórzy wolni strzelcy ograniczają się tylko do tej pracy, wyrabiają sobie nazwisko i czekają, aż zadzwoni telefon, jednak większość porzuca wolność w zamian za lukratywną posadę etatowego scenarzysty.

Scenarzysta etatowy

To bardzo stresująca praca. Zazwyczaj scenarzysta etatowy zjawia się w studio koło dziesiątej rano; rzadko kiedy wychodzi przed dziesiątą wieczorem. Czternastogodzinny dzień pracy to dla niego chleb powszedni. Scenarzysta etatowy podpisał kontrakt, w którym określono, ile odcinków ma napisać; poza tym, nadal chodzi na spotkania podobnie jak wolny strzelec. Pierwszy szkic to dzieło jednego scenarzysty, ale później za pomysł biorą się inni. Scenariusz ewoluuje przez cały czas, aż do nagrania. Miesiącem, w którym najłatwiej o posadę scenarzysty etatowego, jest maj, kiedy zatrudnia się autorów do serii jesiennych. Scenarzysta ma wówczas gwarantowaną pracę na okres od trzynastu do dwudziestu tygodni. Innymi słowy, jeśli się nie sprawdzisz, po tym okresie nie przedłużą ci umowy. Co dwa, trzy tygodnie reżyser i aktorzy mają tydzień przerwy, ale scenarzystów nie stać na taki luksus. Mają za dużo pracy przy kolejnych odcinkach.

Na zakończenie

TV: tak czy nie? Francuski dramaturg Moliere powiedział: *pisanie jest jak prostytucja. Najpierw robisz to z miłości, potem dla przyjaciół, na koniec dla pieniędzy.* A pisanie dla telewizji bardzo się opłaca, lecz i koszty są wysokie. Owszem, scenarzyści telewizyjni mają więcej władzy w porównaniu z tymi piszącymi na potrzeby filmu, ale też muszą się zmagać z ograniczeniami dotyczącymi bardzo określonej tematyki, braku czasu i ścisłych wzorców. Telewizją rządzi oglądalność, nie sztuka. Jak to ujął aktor, scenarzysta i producent telewizyjny Garry Marshall: *chcesz uprawiać sztukę? Idź do domu i pisz wiersze. Ale jeśli chcesz sobie coś kupić...*

ROZDZIAŁ 18

SCENARZYSTA DRAMATOPISARZEM

Może scena?

Pisanie dla telewizji i filmu to ciężki kawałek chleba, co do tego nie ma wątpliwości. Co więcej, jeśli nie mieszkasz w Los Angeles, twoje szanse na sukces drastycznie maleją. To jednak nie znaczy, że masz od razu się spakować i wyruszyć do słonecznej Kalifornii; większość z nas nie ma takiej możliwości. Więc co robić? Pisać. Pisać codziennie. Doskonalić warsztat. Szkolić się. Jak? Na przykład pisząc sztukę. To świetny sposób na szlifowanie warsztatu, i, co ważniejsze, większa szansa na zobaczenie swego dzieła na scenie. Istnieje tyle małych niezależnych teatrów, że łatwiej jest wystawić sztukę niż sprzedać scenariusz. Zresztą nie każdy pomysł nadaje się na film. Wiele świetnych fabuł lepiej sprawdza się na scenie, nie na ekranie. W każdym układzie praca nad sztuką pozwoli ci udoskonalić warsztat, popracować nad dialogami, konstrukcją bohaterów i akcji. To, czego się nauczysz, z pewnością przyda się przy następnym scenariuszu.

Oczywiście nie sugerujemy, że możesz się tego nauczyć po lekturze jednego rozdziału. Nie, chcemy ci tylko przedstawić podstawy, żebyś miał o tym choćby blade pojęcie. Szczegółów szukaj w książce Williama Missouri Downsa i Lou Ann Wright *Playwriting: From Formula to Form*.

Dramat a scenariusz

Przejście z pisania scenariuszy na dramaty jest prostsze niż odwrotnie. Dlaczego? Wszystko, co robi dramatopisarz wpisuje się w formułę scenariusza, natomiast nie wszystkie zabiegi scenarzysty spełniają wymogi sztuki. Główne różnice: sztuka a rozrywka, zasięg a budżet, kontrola kreatywna a związki zawodowe, i werbalizacja a wizualizacja.

OPOWIEŚCI Z FRONTU

Bill

Kilka lat temu pracowałem jako wolny strzelec na rynku telewizyjnym. Włączyłem odcinek serialu *Książę z Bel Air*, który napisałem jakiś czas wcześniej. I nie rozpoznałem go! Oglądałem przez pół godziny, rozpaczliwie czekałem na jeden żart, jedną kwestię, która pochodziłaby spod mojego pióra. Wymieniano mnie jako autora scenariusza, dostałem czek na pokaźną sumę, ale to wszystko. Scenarzyści etatowi wszystko zmienili. Kiedy odcinek się skończył, zadzwonił telefon Kolega po fachu, też wolny strzelec:

- Bill, stary, właśnie skakałem po kanałach i trafiłem na twój odcinek! Słuchaj, to jedna z lepszych rzeczy, jakie napisałeś!

Przełknąłem dumę i podziękowałem. W telewizji i kinie inni w kółko zmieniają twoje dzieło. To fakt. Sprzedając scenariusz, tracisz kontrolę kreatywną i prawa autorskie. Inaczej ma się sprawa ze sztuką.

Sztuka a rozrywka

W tym, jak scenarzysta i dramatopisarz postrzega swoje dzieło jest ogromna różnica. Scenarzysta często posługuje się słowami „rozrywka" i „rzemiosło"; dla dramaturga jego dzieło to sztuka. Miedzy sztuką a rozrywką jest ogromna różnica. Choć czasami są sobie bliskie, czasami nawet się zlewają, mają z założenia różne cele.

Zadaniem sztuki, podobnie jak nauki i religii, jest poprawić albo zrozumieć naturę. Nauka dąży do tego za pomocą badań i logiki, religia – wiary. Artysta ma do dyspozycji estetykę. Artysta przedstawia swoją wizję świata przefiltrowaną przez własną wrażliwość. Zmusza odbiorcę do myślenia, do wydania opinii, nie cofa się przed określonymi tematami tylko dlatego, że są niepopularne. Artysta, podobnie jak naukowiec i przywódca religijny, dąży do prawdy. Kwintesencją sztuki jest opinia jej twórcy, tak więc sztuka jest z gruntu polityczna. Rozrywka natomiast, choć czasem sztuką bywa, różni się od niej przede wszystkim tym, że się nie angażuje. Rozrywka nie obraża odbiorcy, nie zmusza go do myślenia. Rozrywka porusza tylko bezpieczne tematy.

W efekcie dramatopisarz jest wolny; może pisać o czym chce, a scenarzysta musi się ograniczać, żeby się wpasować w gusta większości. Przykładowo, homoseksualizm to drażliwy temat, poruszany delikatnie i ostrożnie w produkcji hollywoodzkiej; w sztukach bywa analizowany dogłębnie. Im bardziej zaangażowane dzieło, tym mniejsza oglądalność. Publiczność teatralna to zaledwie mały ułamek milionów, które chodzą do kina. To nie tak, że nie powstają filmy artystyczne i sztuki komercyjne, jednak jeśli chcesz otwarcie wyrazić swoje zdanie, scena daje ci większe możliwości.

Zasięg i budżet

Sztuka z założenia ma ograniczony zasięg. Oznacza to, że fabuła ma się zamknąć w kilku godzinach z życia kilku bohaterów, w ograniczonej scenografii.

Musisz się zmieścić w ograniczeniach narzucanych przez scenę. Dramaturg wybiera i kondensuje najważniejsze aspekty życia w dzieło sztuki. Mówiąc: „wybiera i kondensuje" nie chcemy powiedzieć, że zamyka w krótkim czasie mnóstwo wydarzeń (chyba że pisze farsę), tylko wybiera najważniejsze momenty z życia bohaterów i analizuje uczucia i konflikty.

Kolejna kwestia to budżet. Większość teatrów z trudem wiąże koniec z końcem. Chcąc zaoszczędzić na obsadzie i scenografii, szukają sztuk z minimalną ilością bohaterów i skromnymi dekoracjami. Jeśli w twoim dziele jest więcej niż sześć osób i dwa zestawy dekoracji, szanse na wystawienie są minimalne. Oczywiście nie wszędzie i nie zawsze, ale pamiętaj, że prostota to podstawa. Jeśli w twojej sztuce jest dużo postaci, które pojawiają się tylko raz czy dwa, postaraj się stworzyć z nich jednego bohatera. Pamiętaj też, żeby planować skromną scenografię. Częste zmiany dekoracji to już przeszłość w większości teatrów.

Kontrola kreatywna a związki

Scenarzysta pisze na zamówienie: sprzedaje scenariusz i traci do niego prawa. Tylko scenarzyści o ugruntowanej reputacji albo tacy, którzy sami produkują albo reżyserują swoje dzieła zachowują kontrolę nad scenariuszem. Dramaturg zaś nigdy nie traci prawa do swojej sztuki, a zatem bez jego pozwolenia nikt nie zmieni ani słowa. Dramaturg wynajmuje swoje dzieło i zachowuje kontrolę nad sztuką. Jednak trzeba za to zapłacić – tantiemy dramaturga rzadko kiedy równają się z czekiem scenarzysty.

Jako siedemdziesięciopięciolatek, po trzydziestu siedmiu latach hollywoodzkiej kariery, David Karp napisał: *[poprawki innych scenarzystów] to inwazja obcego umysłu, obcego ego, obcej osobowości, obcego etosu. Czasami twórca ma dobre intencje, czasami jego ingerencja wychodzi na dobre scenariuszowi. Jest to jednak pogwałcenie tego, co stanowi kwintesencję pisania i dlatego nigdy nie lubiłem pracować dla kina czy telewizji. Poznałem fajnych ludzi, dobrze się bawiłem i nieźle zarabiałem, ale nigdy nie miałem satysfakcji z wykonywanej pracy.* I dodaje: *moje najlepsze scenariusze nie widziały światła kamery i zapewne nigdy nie zobaczą* (*Written By*, sierpień 1997, str. 12-13). Pragniesz pieniędzy? – scenopisarstwo to praca dla ciebie, ale zapłacisz wysoką cenę. Nieznajomi będą poprawiać twoje dzieła, wiele dobrych scenariuszy w ogóle nie trafi do produkcji. Jeśli pragniesz czegoś więcej, jeśli twoje słowa są ci zbyt drogie, by pozwolić na zmiany, jeśli chcesz je usłyszeć w niezmienionej formie, pisz sztuki.

Scenarzyści filmowi i telewizyjni zarabiają lepiej, bo mają silny związek zawodowy, WGA. Dramaturdzy zarabiają kiepsko, bo ich związek, DGA (Dramatists Guild of America) nie ma siły przebicia i nie wymaga przynależności. Związki takie jak WGA, przynależność do których jest obowiązkowa, mogą ogłaszać strajk, jeśli pracodawcy nie spełniają ich żądań. W związkach takich jak DGA przynależność jest dobrowolna, stąd brak możliwości strajku i niższe płace. U podstaw tej dysproporcji leży wyrok Sądu Najwyższego USA: ponieważ dramaturg zachowuje prawa autorskie jeszcze wiele lat po śmierci, uważa się go za pracownika wyższego szczebla. A prawo zabrania związków zawodowych na szczeblu kierowniczym, tak więc dramatopisarzom zostaje tylko pomocna, ale słaba gildia. Scenarzysta pisze na zamówienie – sprzedaje prawa autorskie. Tym samym staje się pracobiorcą i jako taki ma prawo należeć do silnego związku.

Członkostwo w Dramatists Guild jest o wiele tańsze i bardziej dostępne niż w WGA. Wszyscy dramatopisarze mogą i powinni należeć do związku. Powstał w 1920 r. i od tego czasu świadczy podobne usługi co WGA dla scenarzystów. Wydaje publikacje, informuje o konkursach, podatkach, agentach. Ma także do dyspozycji gorącą linię, na której można uzyskać odpowiedzi na pytania z zakresu ekonomii i prawa, oferuje zniżki na bilety do teatru, ubezpieczenie zdrowotne i wspiera również działalność komitetów do spraw sztuk pisanych przez kobiety i inne mniejszości. Jeśli chcesz się zapisać, napisz do:

Dramatists Guild
1501 Broadway, Suite 701
New York, New York 10036

Czarowanie słowem

Scenarzysta opowiada obrazem, dramaturg – słowem. To podstawowa różnica i chcąc napisać sztukę, scenarzysta musi się nauczyć myśleć teatralnie, nie filmowo. Najlepiej zilustruje to niedawne czytanie sztuki scenarzysty-dramaturga. Ostatnie didaskalia brzmiały: *Sam wychodzi, słyszymy, jak wsiada do samochodu i widzimy przez okno, jak reflektory jego wozu znikają w oddali.* Autor patrzył filmowo, nie teatralnie. Niby jak scenograf ma pokazać reflektory znikające w oddali? Oczywiście, można to zrobić, ale koszty i nakład pracy nie są tego warte. Czy widzisz zbliżenia i najazdy kamery, kiedy sobie wyobrażasz fabułę? Czy akcja dzieje się w świecie rzeczywistym, czy na scenie? Pamiętaj, może jednak lepiej zostać przy filmie.

Scenarzysta myśli obrazem, dramaturg – słowem. Innymi słowy, jeśli reflektory znikają w oddali, inny bohater musi to zobaczyć i nam o tym powiedzieć. Wszystko o czym mowa w rozdziale 12 dotyczy także sztuk, (oczywiście poza zastępowaniem słów obrazem), lecz w sztuce dialog gra większą rolę. Tempo, rym, rytm mają o wiele większe znaczenie.

Malowanie słowem

Dramaturg maluje słowem. Wkłada w usta postaci słowa, które sprawią, że publiczność zobaczy, o czym mowa, uruchomi wyobraźnię. Podobnie działały słuchowiska radiowe sprzed epoki telewizji. W słowach zamyka się kwintesencja danej idei, danej emocji. Weźmy taką scenę: noc, księżyc w pełni. Parowiec mknie przez ciszę. Na bocianim gnieździe siedzi Edmund, młody mężczyzna, który wyruszył na poszukiwanie przygody. Dla scenarzysty taka scena to żaden problem. Opisałby, co widz ma zobaczyć, kazałby bohaterowi zachowywać się w taki sposób, byśmy wiedzieli, co czuje. Zapewne nie padłoby ani jedno słowo. W Titanicu nie trzeba słów, gdy zakochani stoją na dziobie statku. Wystarcza nam to, co robią; kiedy zaczynają mówić, wpadamy w irytację. Dramaturg tymczasem musi to wszystko opowiedzieć słowami.

Monolog

W przeciwieństwie do scenariusza, w sztuce jest miejsce na monolog, o ile jest dobrze napisany. Wszystko o monologu znajdziecie w książce Eudory Welty *One Writer's Beginnings*. Autorka opowiada, jak obserwowała matkę rozmawiającą przez telefon. Czasami siedziała ona bardzo długo i słuchała, co jakiś czas pomrukując tylko: „coś takiego" i „nie do wiary". Po kolejnej takiej rozmowie Eudora zapytała, o co chodziło, a matka odparła, że sąsiadka *po prostu dojrzała, żeby pogadać*. To samo dotyczy monologu. Dana postać musi mieć jakiś powód, by akurat w tym momencie wygłosić długi monolog. Musi dojrzeć, żeby pogadać.

Monolog to często podsumowanie wszystkiego, co się dotychczas wydarzyło, często także bohater usiłuje uporać się w nim ze swoimi problemami. Unikaj nudnych monologów, będących streszczeniem akcji. Unikaj także monologów dydaktycznych, przez które przebija twoja opinia. To szczególna chwila w sztuce, bohater ma mnóstwo do powiedzenia, nie przerywaj mu.

Akt Pierwszy, Drugi, Trzeci...

Sztuki bywają różnej długości. Standardowy scenariusz filmowy ma 110 stron; w sztuce panuje o wiele większa dowolność; to treść określa długość, a nie odwrotnie. Poniżej najczęściej spotykane typy sztuk:

Dwuaktówki. Najczęstszy rodzaj. Przerwa następuje mniej więcej w połowie.

Trzykatówki. Format rzadko dziś stosowany. Dwa antrakty sprawiają, że sztuka staje się dłuższa i bardziej sformalizowana.

Jednoaktówki tradycyjne. Sztuki bez przerwy, w których wszystko dzieje się za jednym razem, jak w filmie. Publiczność teatralna oczekuje co najmniej jednej przerwy, stąd są to najczęściej sztuki krótkie (zazwyczaj 70 – 90 minut).

Jednoaktówki. Trwają od kilkudziesięciu sekund do mniej więcej godziny. Mało który teatr wystawi tylko jedną sztukę tego typu, raczej umieści kilka w repertuarze jednego wieczora. Dla ciebie oznacza to konieczność ograniczenia scenografii do niezbędnego minimum, żeby dało się ją szybko zmienić w przerwie między jedną sztuką a drugą.

Etiudy. Wykładowcy od lat zadawali studentom etiudy jako sposób szkolenia warsztatu i poznania różnych technik dramatycznych. Dzisiaj stały się popularną formą, wiele teatrów jest nimi zainteresowanych. I znowu, jeśli dany teatr wystawia etiudy, często pokazuje nawet dziesięć za jednym razem, więc scenografia musi być skromna (często ma się do dyspozycji tylko stół i krzesło), a obsada ograniczona do maksimum czterech osób.

Akty, sceny, sceny francuskie

Największą jednostką podziału w sztuce jest oczywiście akt. Granicę między aktami wyznaczają przerwy, czyli antrakty. Każdy akt to osobna całość w ramach sztuki. Dalej mamy sceny. Podobnie jak w filmie, nowa scena zaczyna się wraz ze zmianą czasu i miejsca. W przeciwieństwie do filmu natomiast, częste zmiany scen są niepożądane. Dramatopisarz usiłuje łączyć krótkie ceny w jedną dłuższą, pełniejszą. Zmiany kostiumów i dekoracji spowalniają przebieg akcji, więc autor szuka rozwiązań, które nie zwalniają tempa.

W scenariuszu scena na cztery strony uchodzi za długą; w sztuce to tyle co nic. Pracując z dużymi scenami, dramatopisarze musieli jakoś rozbijać je na mniejsze, poręczniejsze cząstki. Tak powstały sceny francuskie. Scena francuska zaczyna się wejściem danej postaci i kończy kolejnym wejściem lub wyjściem. Przykładowo, jeśli w scenie John i Bob się biją i wchodzi mama, jej wejście to początek nowej sceny francuskiej. Rozmawiają przez jakiś czas, potem Bob wybiega – i rozpoczyna się nowa scena francuska. Nie sposób określić ilości scen francuskich w poszczególnej scenie, akcie czy sztuce. W farsie bywają ich tuziny, w sztuce bardziej statycznej – jedna lub dwie.

Sceny francuskie narodziły się, jakżeby inaczej, we Francji, przed laty, gdy druk nadal był drogą nowinką techniczną. Chcąc obniżyć koszty, dyrektor teatru dawał aktorowi jedynie te kartki ze sztuki, na których były jego kwestie. Najprostszym sposobem dzielenia sztuki było wyróżnić wejścia i wyjścia. Co prawda aktorzy w ten sposób nie byli w stanie analizować swoich postaci, za to teatr oszczędzał na papierze.

Ta przestarzała metoda już dawno poszłaby w zapomnienie, gdyby nie to, że jest bardzo przydatna przy pisaniu sztuki. Ponieważ w scenie francuskiej mamy do czynienia z określonymi postaciami w określonym momencie, pozwala podzielić sztukę na mniejsze, poręczne cząstki. Dla dramaturga każda scena francuska to zamknięta całość ze wstępem, rozwinięciem i zakończeniem.

Konstruując akcję autor może sporządzić listę ewentualnych scen francuskich, opisując krótko akcję w każdej z nich. Wygląda to mnie więcej tak:

Scena francuska	Postacie	Akcja
1.	Beth i Ojciec	Wzajemnie zarzucają sobie skandal na pogrzebie matki.
2.	Beth, Ojciec i Marc	Beth przedstawia Ojcu Marca, swojego chłopaka. Ojciec go nie cierpi.
3.	Ojciec i Marc	Ojciec oznajmia, że chce sprzedać dom.
4.	Beth i Marc	Marc informuje Beth o decyzji Ojca. Beth postanawia nie wracać z Markiem do domu, tylko wyjaśnić wszystko z ojcem.

W scenie francuskiej najważniejsza informacja (nowa wiadomość, konfrontacja,
zwrot akcji, dowcip itd.) pojawia się pod koniec danej sceny, tuż przed kolejnym
wejściem/wyjściem. Można także zakończyć scenę tuż przed punktem kulminacyjnym. Pojawienie się/wyjście bohatera sprawia, że konflikt jest nierozwiązany,
a to potęguje napięcie.

Plan

Plan to pierwszy etap pisania sztuki. Niektórzy autorzy szlifują go latami, zanim
napiszą choćby jedno słowo właściwej sztuki, innym wystarczą chaotyczne
notatki. Podstawowe elementy planu to tytuł roboczy, imiona bohaterów, zarys
akcji, miejsce, struktura i czasami problematyka. Poniżej przykładowy plan dla
dwuaktówki:

Tytuł roboczy: As w rękawie

Miasto : Nowy Jork

Miejsce akcji: William Henry Harrison, wiekowy hotel
na upper west side, stary pokój Ace'a Campbella. Sądząc
po wyblakłych wycinkach na ścianach, Ace mieszka tu
od lat.

Czas: dzisiaj

Lista postaci:
    PAN LAGATUTTA - wiekowy katolik
    PANI KONIGSBERG - stara rosyjska Żydówka
    WINK - wariat, który nie zna angielskiego
    SAPHIRO - prawnik
    SANDRA - pracownica urzędu miasta
    ACE - komik
    PANI ROLANDOWA DEFOE - bogaczka

Możliwe sceny francuskie:

Akt pierwszy

Scena	Postacie	Akcja
1.	Ace Pan Lagatutta Pani Konigsberg Wink	Kolejny dzień kłótni w starym hotelu. Lagatutta nie znosi Konigsberg. Ace uczy się nowego tekstu.
2.	Ace Pan Lagatutta Wink	Pani Konigsberg idzie gotować. Ace przyznaje, że jego czas dobiegł końca. Dzisiaj go wyrzucą.
3.	Ace Wink	Pan Lagatutta wychodzi. Ace zostaje z Winkiem. Dowiadujemy się, co ich łączy – to dobrzy przyjaciele, będą tęsknić. Konflikt?
4.	Ace Wink Saphiro	Wchodzi Saphiro, prawnik Ace'a. Ma plan, jak go uchronić przed eksmisją.
5.	Ace Pan Lagatutta Pani Konigsberg Saphiro	Lagatutta i Konigsberg deklarują pomoc, ale widać, że na nic się nie przydadzą.

6.	Ace Wink Saphiro	Saphiro rozmawia z Acem na osobności; informuje go, że nie wolno mu opuszczać pokoju. Podobno komornicy zmieniają zamki w drzwiach, kiedy lokator opuści mieszkanie.
7.	Ace Wink	Wink usiłuje poprawić Ace'owi humor jedynym angielskim zdaniem, które zna: „Kiepska sprawa"
8.	Ace Wink Sandra	Sandra, nowa pracownica urzędu miejskiego, przychodzi dokonać eksmisji Ace'a.
9.	Ace Sandra Pan Lagatutta Pani Konigsberg	Psikus czy cukierki – zabawna scena z Lagatuttą i Konigsberg.
10.	Ace Wink Sandra	Sandra pakuje Ace'a.
11.	Ace Sandra Pan Lagatutta Pani Konigsberg	Lagatutta i Konigsberg zapomnieli, że obiecali pomóc; na korytarzu bawią się w zabawy z dzieciństwa.
12.	Ace Sandra	Ace nie wytrzymuje, bierze zakładniczkę – Sandrę.
13.	Ace Sandra Pan Lagatutta Pani Konigsberg	Okazuje się, że Saphiro to były mąż Sandry.

Akt Drugi

Scena	Postacie	Akcja
14.	Ace Wink Sandra Pan Lagatutta Pani Konigsberg	Ace opowiada o swoim przeboju i zmarnowanej karierze. Sandra szuka kompromisowego rozwiązania. Okazuje się, że Saphiro w rzeczywistości pracuje dla właściciela budynku. Sandra, wolna, chce im pomóc.
15.	Ace Wink Sandra Pan Lagatutta Pani Konigsberg Saphiro	Zjawia się Saphiro. Zmuszają go do występu jako komik. Ucieka.
16.	Ace Wink Sandra Pan Lagatutta Pani Konigsberg	Ace już wie, że wszystko stracone. Skacze przez okno.
17.	Pani Rolandowa Defoe Wink Sandra Pan Lagatutta Pani Konigsberg	Wszyscy są załamani. Wchodzi pani Defoe. To nowa właścicielka budynku. Szuka swojego projektanta.
18.	Ace Pani Rolandowa Defoe Wink Sandra Pan Lagatutta Pani Konigsberg	Wraca Ace. Upadł na platformę pomywaczy okien i nic mu się nie stało. Wmawia pretensjonalnej pani Defoe, że Wink to słynny projektant. Sandra i Ace odchodzą, by zacząć nowe życie.
19.	Pani Rolandowa Defoe Wink	Pani Defoe omawia projekty z Winkiem, który nic nie rozumie.

Format

Format sztuki jest inny niż scenariusza, ale równie istotny. Oto kilka podstawowych zasad, by twoja sztuka nie wyglądała jak dzieło amatora:

Strona tytułowa: Taka sama jak scenariusza, tyle że możesz użyć kolorowego papieru. Przykład na końcu rozdziału.

Lista postaci. Zaraz po stronie tytułowej jest lista postaci: ich imiona, wiek, ewentualnie krótki opis (ale naprawdę krótki), np.: ojciec, siostrzenica Kim czy: cicha kobieta po trzydziestce. Czasami dramaturg sili się na wyrafinowanie i nazywa tę stronę Dramatis Personae; to też przyjęte.

Scenografia. Scenografię opisuje się na dole strony z listą postaci. Powinna być dobrze napisana, zwięzła i na temat. Napisz tylko to, co niezbędne, by lepiej zrozumieć bohaterów. Nie zagłębiaj się w zbytnie szczegóły, to sprawa scenografa. Unikaj szczegółowych instrukcji, gdzie będą drzwi i okna. Oto jak powinien wyglądać twój opis scenografii:

```
Czas: późne majowe popołudnie - dziś

Miasto: Galveston, Texas

Miejsce: Bar „Pod Okrągłym Stołem". Wiekowy budynek,
w którym bar mieści się odkąd Roosevelt zakończył
Prohibicję. Flippery, bilard, wyleniały łeb łosia
nad drzwiami, neonowe reklamy piwa.
```

Spis scen. Jeśli w twojej sztuce jest dużo scen, niewykluczone, że zechcesz je spisać. Możesz to zrobić na stronie ze spisem postaci albo na osobnej kartce. Wygląda to tak:

```
Akt I
Scena 1 - pokój w pensjonacie, Chicago 1973
Scena 2 - Salonik Bena, Nowy Jork 1994
Scena 3 - Poczekalnia szpitalna
Scena 4 - salonik Bena
Scena 5 - Kościół, dzień później

Akt II
Scena 1 - rodzinny dom Bena, Chicago 1973
Scena 2 - klasa, Chicago 1974
Scena 3 - salonik Bena, 1994
Scena 4 - kościół, dwa tygodnie później
```

Serce na dłoni

Moss Wiliams

                              Lista postaci:

NORMAN SENIOR.......Ojciec, lat 60

BELLE..............Matka, lat 50

NORMAN JUNIOR.......Jedynak, lat 23

KASEY..............Starsza siostra, lat 30

KAROLINE...........Ukochana, lat 25

LARRY..............Gazeciarz, lat 16

CZAS: Jesienne popołudnie

MIEJSCE: Flint, Michigan

Skromna kuchnia, w stylu lat 60. i 70. Czyste
linoleum w zielono-beżową szachownicę.
Jedyne wspomnienie niedawnego bałaganu
to zwiędłe i na wpół uschłe rośliny
na parapecie. Przy ścianie obitej sosnową
boazerią mały stolik, który niemal niknie
pod stosem paierów i wielką maszyną
do pisania. Na podłodze poniewierają się
książki. W kącie sterta ciężkich
kartonowych pudeł. Z tyłu ciasny korytarzyk,
zastawiony pralką. Dwoje drzwi; jedne
prowadzą do piwnicy, drugie do pozostałej
części domu. Nad nimi - poroże jelenia.
na ścianach plakaty z rodeo, kalendarze
i tuzin wędek.

Papier. Podobnie jak w przypadku scenariusza, piszemy jednostronnie, na białym papierze, formatu A4.

Czcionka. Najczęściej używana czcionka to *Courier 12*, ale inne czytelne są także uznawane. Jeśli piszesz na maszynie, idealna czcionka to *pica*, *elite* jest za mała.

Marginesy. 2.5 cm – marginesy górny, dolny i prawy. Lewy powinien być nieco szerszy, ok. 3 cm, żeby zostawić miejsce na bindowanie.

Bindowanie. Najprostsze możliwe, na spiralkach albo plastikowych grzebykach, dostępnych w każdym punkcie ksero.

Numerowanie stron. Numery stron umieszczamy w prawym górnym rogu. Nie numerujemy strony tytułowej i ze spisem postaci. Jeśli sztuka ma więcej niż jeden akt, numerujemy je: AKT 1 albo cyframi rzymskimi. Wszystkie poniższe sposoby są przyjęte:

```
                          Akt Pierwszy 12
                 Akt Pierwszy. Strona 12
                                    I-12
```

Jeśli w twojej sztuce są także sceny, możesz je wyróżnić używając małych rzymskich cyfr:

```
                               I-ii-50
                              II-iii-61
```

Numerujemy strony od początku do końca, nie zaczynamy od początku w nowej scenie czy akcie.

Nazwiska bohaterów nad kwestią. Podobnie jak w scenariuszu, nazwiska bohaterów nad kwestią są napisane kapitalikami, w odległości ok. ośmiu centymetrów od lewego marginesu.

Dialog. Inaczej niż w scenariuszu, w sztuce dialog dominuje i dlatego zajmuje najwięcej miejsca na stronie. Używamy pojedynczej spacji i piszemy od marginesu do marginesu.

```
                  HAZEL RUBY
        W ostatniej klasie w szkole średniej
        poproszono go, żeby wymyślił hasło
        na bal maturalny. Rzucił „Pobijmy
        Wietnam". Robiłeś kiedyś M-16 z bibuły
        i drutu?
```

Wskazówki sceniczne. Są podobne do wskazówek w scenariuszu, tyle że o wiele prostsze. Didaskalia zawierają opis fizycznych elementów sztuki, opisują ruch aktora na scenie, czasami sugerują też, w jaki sposób wygłosić daną kwestię.

Chcąc pisać dobre didaskalia trzeba pamiętać o trzech rzeczach. Po pierwsze, niech będą zwięzłe i przejrzyste. George Bernard Shaw mógł się rozwodzić w swoich didaskaliach i robić z nich małe eseje, ale współczesny dramaturg powinien z tego zrezygnować. W sztuce powinien dominować dialog. Dalej, nie wdajemy się w szczegóły, o ile nie są istotne dla przebiegu akcji. Po trzecie, piszesz wskazówki, nie rozkazy. Inscenizacja sztuki za każdym razem wygląda inaczej. Aktorzy i reżyserzy zawsze wnoszą coś swojego. Didaskalia mają zapraszać do współpracy, a nie narzucać określoną wizję. Piszemy je z pojedynczą spacją, w nawiasach.

Inaczej niż w scenariuszu, nazwisko postaci zawsze piszemy kapitalikami. Dzięki temu aktorzy szybko znajdują swojego bohatera w tekście.

```
                   (JANE podchodzi do okna
                           i bierze doniczkę.)
```

Nigdy nie umieszczamy w didaskaliach kwestii. Błędem jest napisać: „Wszyscy mówią „Na zdrowie". Poprawny zapis wygląda tak:

```
               WSZYSCY
       Na zdrowie!
```

Czego unikać. Przede wszystkim uwag w stylu: „MARTHA to urocza kobieta o uczciwych poglądach" czy „BETH to świetna towarzyszka, zwłaszcza po kilku lampkach wina". Takie cechy powinny wynikać z działań i dialogu. Nie wdawaj się także w zbędne detale dotyczące wyglądu bohatera. Pamiętaj, że mogą go grać różni aktorzy. Jeśli napiszesz, że bohater ma niebieskie oczy, a nie ma to dużego wpływu na przebieg akcji, wykluczysz wszystkich świetnych aktorów o oczach piwnych.

Nie pisz także rzeczy oczywistych. Jeśli bohater mówi, dajmy na to: „spójrz, jaki piękny widok, ile świateł", nie pisz w didaskaliach „patrzy przez okno". Nie wdawaj się w szczegóły, nie pisz "zaciąga się papierosem" czy „przechodzi na prawą stronę sceny". Ogranicz się do najważniejszych ruchów: „sięga po broń". Zostaw ruch sceniczny w gestii reżysera i aktorów.

Didaskalia wyjaśniają reakcję postaci, ale nie tłumaczą, co dany bohater ma na myśli. Nie wolno pisać:

```
                   (JOHN uważa, że powinien
                   przeprosić JANE,
                   więc czai się przy drzwiach.)
```

Powinno to brzmieć mniej więcej tak:

```
                   (Zmieszany JOHN
                   czai się przy drzwiach.)
```

Format sztuki – wzór

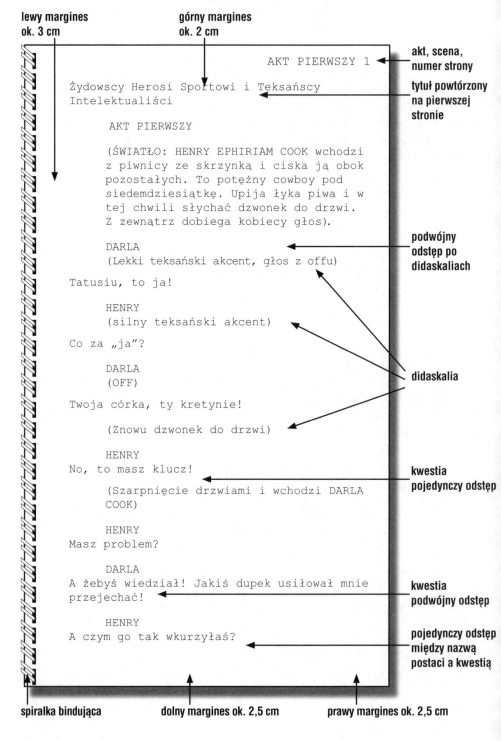

lewy margines
ok. 3 cm

górny margines
ok. 2 cm

akt, scena,
numer strony

AKT PIERWSZY 1

Żydowscy Herosi Sportowi i Teksańscy
Intelektualiści

tytuł powtórzony
na pierwszej
stronie

AKT PIERWSZY

(ŚWIATŁO: HENRY EPHIRIAM COOK wchodzi
z piwnicy ze skrzynką i ciska ją obok
pozostałych. To potężny cowboy pod
siedemdziesiątkę. Upija łyka piwa i w
tej chwili słychać dzwonek do drzwi.
Z zewnątrz dobiega kobiecy głos).

DARLA
(Lekki teksański akcent, głos z offu)

podwójny
odstęp po
didaskaliach

Tatusiu, to ja!

HENRY
(silny teksański akcent)

Co za „ja"?

DARLA
(OFF)

didaskalia

Twoja córka, ty kretynie!

(Znowu dzwonek do drzwi)

HENRY
No, to masz klucz!

kwestia
pojedynczy odstęp

(Szarpnięcie drzwiami i wchodzi DARLA
COOK)

HENRY
Masz problem?

DARLA
A żebyś wiedział! Jakiś dupek usiłował mnie
przejechać!

kwestia
podwójny odstęp

HENRY
A czym go tak wkurzyłaś?

pojedynczy odstęp
między nazwą
postaci a kwestią

spiralka bindująca

dolny margines ok. 2,5 cm

prawy margines ok. 2,5 cm

Widz nie wie, co dokładnie myśli dana postać, ale widzi jej reakcję. (Czyli w tym wypadku, że John się czai.) Innymi słowy, didaskalia funkcjonują na dwóch poziomach: na stronie i na scenie. Na stronie muszą być na tyle zwięzłe i oszczędne, by reżyser, producent, aktor znaleźli w nich wszystkie niezbędne informacje. Na scenie wszystko, co zawrzesz w didaskaliach musi dać się pokazać.

Wskazówki aktorskie. Wszystko, co powiedzieliśmy na temat wskazówek aktorskich w scenariuszu (rozdział 2), dotyczy także sztuki. Ograniczamy je do absolutnego minimum.

Koniec. Na ostatniej stronie sceny umieszczamy słowa (KONIEC SCENY), na końcu aktu – (KONIEC AKTU). Na końcu sztuki piszemy (KONIEC) albo, bardziej oficjalnie, (KURTYNA).

Czytanie

Wszystko, co pisaliśmy o głośnym czytaniu scenariusza (rozdział 14), dotyczy także czytania sztuki. Zorganizuj publiczne czytanie twojego dzieła. Wiele teatrów organizuje nieformalne spotkania z publicznością, podczas których czyta się nowe sztuki. To świetna okazja, by usłyszeć swoje dzieło w ustach innych, ale i szansa, jeśli teatr akurat szuka nowego repertuaru.

Konkursy

Konkursy na nowe sztuki istnieją od lat, jest ich o wiele więcej niż konkursów dla scenarzystów. Dzisiaj organizuje się setki konkursów rocznie. Pula nagród jest różna; czasami jest to nagroda pieniężna i wystawienie zwycięskiej sztuki, czasami tylko publiczne czytanie. Więcej informacji znajdziesz:

Insight for Playwrights P.O. Box 127778 San Diego. CA 92112-7778 *www.writersinsight.com*	*The Dramatists Source Book* Theatre Communications Group 520 Eight Ave., 24th Fl. New York, NY 10018	*Dramatists Guild Quarterly Director* The Dramatists Guild 1501, Suite 701 New York, NY 10036

Znajdziesz tam informacje o konkursach, ale i o agentach i teatrach zainteresowanych nowymi sztukami.

Przesyłanie prac

O wiele łatwiej jest namówić kogoś do przeczytania sztuki niż przekonanie hollywoodzkiego producenta, żeby rzucił okiem na scenariusz. Po pierwsze, w większości przypadków nie potrzebujesz agenta. Tylko 10% teatrów chce, żeby sztuki przesyłały im agencje, więc większość dramatopisarzy obchodzi się bez agenta. Jeśli uważasz, że jesteś gotów, by mieć profesjonalnego reprezentanta, sięgnij po uaktualnioną listę. Znajdziesz ją w *Dramatists Source Book*, najobszerniejsza jest w *Annual Resource Directory* publikowanej przez Dramatists Guild. Możesz także zabrać się za szukanie agenta teatralnego tak samo, jak filmowego (rozdział 15).

Kontrakty, tantiemy, opcje

Jeśli nie masz agenta, sam zajmujesz się wszystkim, także biznesową stroną swojej działalności. Tylko jedna publikacja pomaga dramaturgowi odnaleźć się w gąszczu przepisów i zasad marketingu, *The Stage Writers Handbook*, pióra Dany Singer, wydana przez Theatre Communications Group.

Na zakończenie

Sztuka, tylko sztuka. Emanuel Azenberg, producent z Broadwayu, powiedział: *w teatrze najwspanialszy jest autor. Kto pisze filmy? Miejsce twórcy jest w teatrze.* Rzeczywiście, może teatr to ostatnie schronienie dla pisarza z duszą artysty. W przeciwieństwie do scenarzysty dramaturg często widzi efekty swojej pracy. W przeciwieństwie do scenarzysty, często współuczestniczy w procesie tworzenia i zazna słodyczy i goryczy autorstwa. Dramaturg ma satysfakcję i rozwój duchowy, ale nie pieniądze.

FADE OUT...

Na zakończenie: kilka słów o życiu scenarzysty

Pisanie dla filmu i telewizji kusi, ale nie jest to zajęcie dla wszystkich. Wymaga lat pracy, nauki, wielu odrzuconych scenariuszy, trudnych wyborów i gorzkich porażek trudnych do przełknięcia. Nie możesz zaanagażowac się częściowo. Jak w starym dowcipie: zgorzkniały, cyniczny aktor w średnim wieku idzie na przyjęcie w rezydencji w Hollywood Hills. Przedstawiają mu gospodarza, gwiazdę, która ma wszystko. Skręca go z zazdrości, więc mówi, że też zrobiłby karierę, gdyby nie to, że jego matka umierała na raka. Opiekował się nią przez wiele lat i stracił swoją szansę. Aktorka słucha ponurej opowieści i odpowiada: „moja matka też była chora, ale ja zostałam gwiazdą". Aktor nie wie, jak to możliwe. Jak to, pyta, jak ci się udało pogodzić jedno z drugim? Gwiazda na to: „pozwoliłam jej umrzeć".

Nie chcemy przez to powiedzieć, że masz „pozwolić matce umrzeć", nie o to chodzi. Jednak to prawda, że jeśli naprawdę czegoś pragniesz, nic cię nie powstrzyma, zwłaszcza w Hollywood. W tym wypadku aktor w średnim wieku wybrał opiekę nad matką, nie karierę; może i ty dokonasz takiego wyboru. Nie rób sobie wyrzutów, jeśli inne rzeczy okażą się ważniejsze od pisania; to twój wybór, a twój wybór określa, kim jesteś. Sam ustalasz swoje priorytety, kariera scenarzysty jest na czele albo nie; jeśli nie jest w pierwszej trójce, twoje szanse z małych stają się minimalne.

Zbyt wielu adeptów liczy na sukces – piszą w nadziei, że sprzedadzą hit. Tylko nieliczni zarabiają fortunę. W latach 1985 – 1994 tylko 393 scenarzystów sprzedało scenariusz za milion dolarów albo więcej; w tym samym czasie 1333 osoby wygrały milion na loterii. Scenarzysta w Hollywood zarabia przeciętnie pięćdziesiąt tysięcy dolarów rocznie (*WGA Journal*, grudzień/styczeń, 1996). Mimo tych statystyk w samym Los Angeles mieszka pięćdziesiąt tysięcy scenarzystów, rozpaczliwie czekających na swoją szansę. Wszyscy – lekarze, prawnicy, policjanci, kelnerzy – piszą scenariusze. Nawet utalentowany scenarzysta będzie miał w Hollywood pod górkę.

Skoro rzeczywistość jest tak przytłaczająca, po co pisać?

Odpowiedź znajdziesz w filmie dokumentalnym *Wild Man Blues* o życiu i twórczości Woody'ego Allena. Zapytano go, jak wygląda jego życie. Odpowiedział krótko, że prowadzi życie pisarza: wstaje rano, pisze, idzie na spacer. Musisz prowadzić życie pisarza: wstawać i pisać, dzień w dzień, iść na spacer i wymyślać, co napiszesz jutro. Tylko prowadząc życie pisarza, tylko stawiając pracę na pierwszym miejscu, mamy szansę na sukces.

Nie oznacza to, że masz przymierać głodem, bo piszesz od świtu do nocy. Musisz znaleźć równowagę między obsesją a rezygnacją z marzeń, między śmiercią matki a rezygnacją z kariery. Większość scenarzystów pracuje: są wśród nich nauczyciele, dziennikarze, prawnicy. Praca w branży pozwoli ci zdobyć doświadczenie; czytaj scenariusze innych, obserwuj, jak pracują. Przemysł filmowy się rozwija; teraz szanse na to masz już nie tylko w Los Angeles i Nowym Jorku, ale i w Chicago, Dallas, Toronto, Vancouver, Baltimore. Nieważne jednak co robisz, pamiętaj, że przede wszystkim jesteś scenarzystą. Przyglądaj się współpracowni-kom; może to twoi przyszli bohaterowie; szukaj konfliktów w swoim otoczeniu, rodzinie, życiu. Scott Turow wykorzystał lata doświadczeń jako prokurator pisząc bestsellery. Szukaj oryginalnych opowieści w twoim życiu, doświadczeniu, pasji. Przede wszystkim jednak, codziennie, bez względu na wszystko, pisz. Niech nic ci w tym nie przeszkadza, niech nic cię nie odrywa, nie opóźnia. Jak głosi stare przysłowie: „odkładanie na później przedłuża iluzję geniuszu, bo nigdy nie trzeba się zmierzyć z rzeczywistością". Nie jesteś pisarzem, jeśli tylko myślisz o pisaniu.

A co, jeśli po latach pisania, po tysiącach przespacerowanych kilometrów, nadal będziesz biedny? Nadal będziesz mieszkał w małym domku, nie w rezydencji w Hollywood Hills? Co, jeśli nie odniosłeś sukcesu? Wtedy możesz przynajmniej spojrzeć za siebie i powiedzieć bez żalu: „prowadziłem życie pisarza". Bywa wspa-niałe, pełne odkryć i kreatywności. I kto wie? Może, przy odrobinie szczęścia i ogromnym nakładzie pracy, naprawdę „napiszesz film".

Załacznik A: Szablony

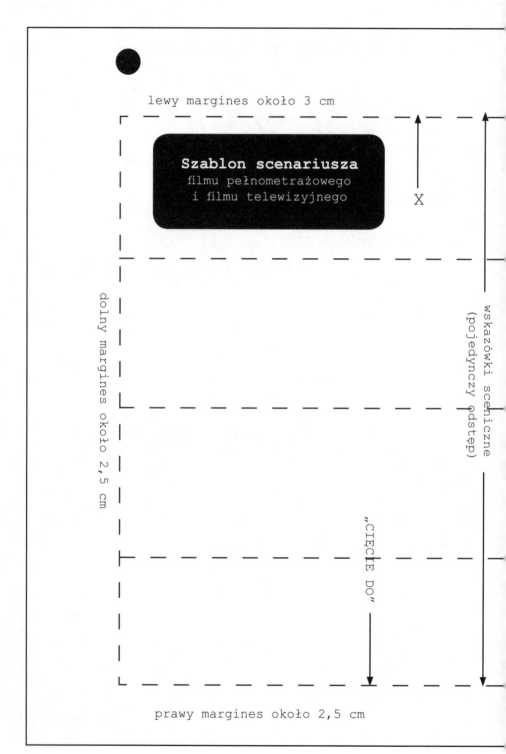

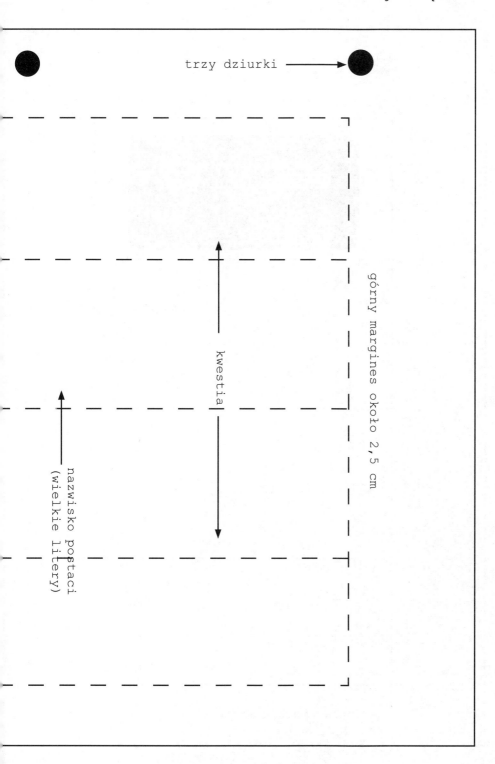

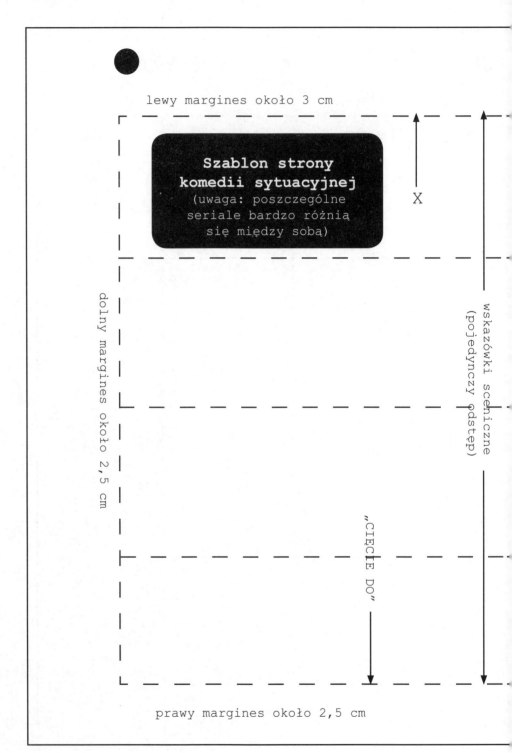

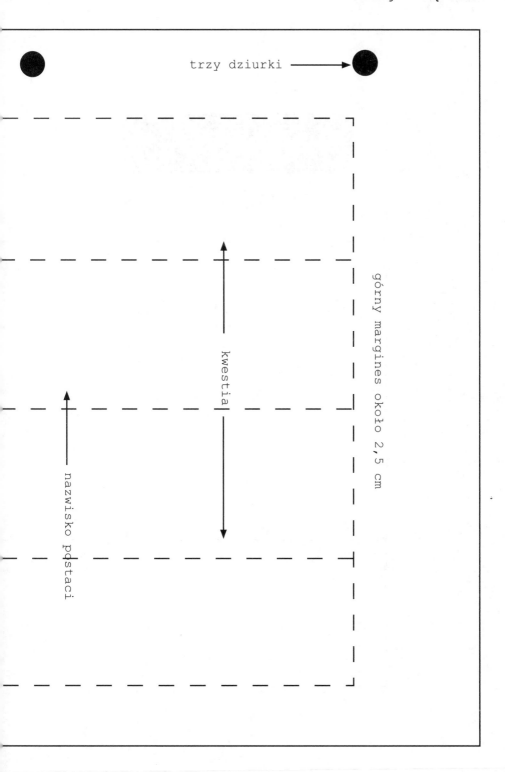

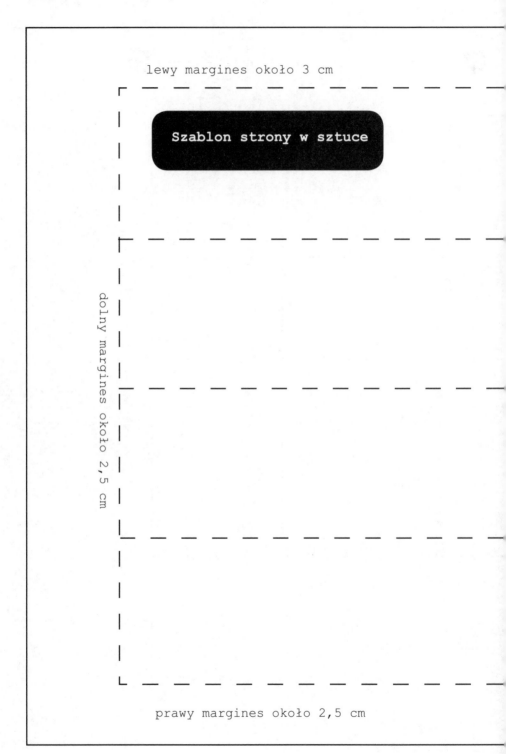

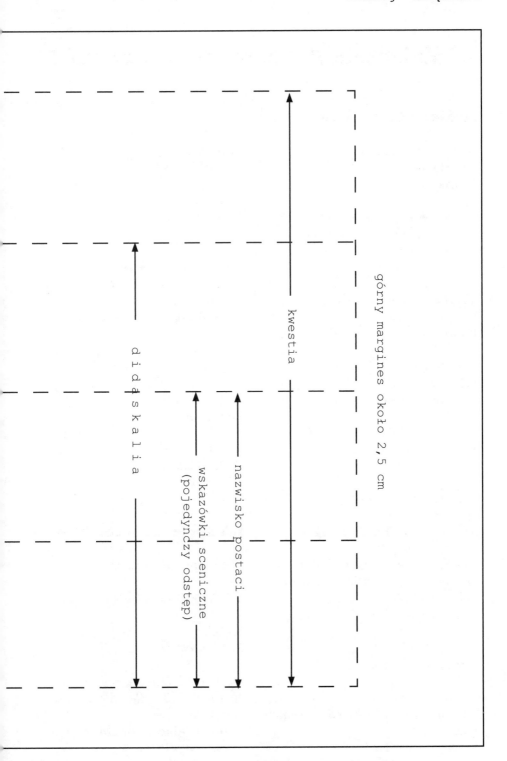

Załącznik B: Co warto przeczytać

Lektury obowiązkowe

Screenwriting 434
Lew Hunter
Perigee Book

Screenwriting: The Art, Craft And Business of Film and Television
Richard Walter
Plume Penguin Group

The Hero with a Thousand Faces
Joseph Cambell
Princeton University Press

The Art of Dramatic Writing
Lajos Egri
Simon & Schuster

Adventures in the Screen Trade
William Goldman
Warner Books

Backwards & Forwards
David Ball
Southern Illinois University Press

Story: Substance, Structure, Style and the Principles of Screenwriting
Robert McKee
Regan Books

Poetyka
Arystoteles

Making a Good Script Great: A Creativity Workbook for Screenwriters
Linda Seger
Samuel French Trade

Zen and the Art of Screenwriting 2
William Froug
Silman-James Press

Zen and the Art of Screenwriting
William Froug
Silman-James Press

Screenwriting from the Soul (Letters to an Aspiring Screenwriter)
Richard Krevolin
Wiley & Sons

Secrets of Screenplay Structure: How to Recognize and Emulate the Structural Frameworks of Great Films
Linda Cowgill
Lone Eagle

Which Lie Did I Tell?
William Goldman
Vintage Books

Jak sprzedać scenariusz

The Script Is Finished, Now What Do I Do?
The Scriptwriter's Resource Book and Agent Guide
K Callan
Sweden Press

Opening the Doors to Hollywood: How to Sell Your Idea, Story, Book, Screenplay
Carlos de Abreu, Howard Jay Smith
Three Rivers Press

*How To Sell Your Screenplay: The
Real Rules of Film and Television*
Carl Sautter
New Chapter Press

How To Write Irresistible Query Letters
Lisa Collier Cool
Writer's Digest

Selling Your Screenplay
Cynthia Whitcomb
Crown Publishers

How to Sell Your Idea to Hollywood
Robert Kosberg
Harper Collins

*Dealmaking in the Film and Television
Industry: from Negotiations to Final
Contracts*
Mark Litwak
Silman-James Press

Kilka słów o telewizji

*The Insider's Guide to Writing for
Screen and Television*
Ron Tobias
Writer's Digest

Successful Sitcom Writing
Jurgen Wolff , L. P. Ferrante
St. Martins Press

Comedy Writing
Milt Josefberg
Harper & Row

Writing for Daytime Drama
Jean Rouverol
Focal Press

*Funny Business:
the Craft of Comedy Writing*
Sol Saks
Lone Eagle

Kilka słów o dramacie

Playwriting: from Formula to Form
William Missouri Downs, Lou Anne
Wright
Harcourt Brace

Theory and Technique of Playwriting
John Howard Lawson
Hill and Wang

Dramatic Technique
George Pierce Baker
Simon & Schuster
Da Capo Press

*Play-making, a Manual
of Craftmanship*
William Archer
Dover Books

Lektury dodatkowe:

The Complete Book of Scriptwriting
J. Michael Straczynski
Writer's Digest

Elements of Screenwriting
Irwin R. Blacker
Collier Books
Macmillan

*Screenplay: the Foundations
of Screenwriting*
Syd Field
Dell

The Screenwriter's Handbook
Constance Nash, Virginia Oakey
HarperPerennial

Top Secrets: Screenwriting
Jurgen Wolf, Kerry Cox
Lone Eagle

Writing Screenplays That Sell
Michael Hauge
HarperPerennial

The Craft of the Screenwriter
(Interviews with Six Celebrated
Screenwriters)
John Brady
Simon & Schuster

Reading for a Living (How to Be a
Professional Story Analyst for Film
and Television)
T. L. Katahn
Blue Arrow Books

The Screenwriter's Bible: A Complete
Guide to Writing, Formatting and
Selling Your Script
David Trottier
Silman-James Press

Pisma fachowe

Creative Screenwriting
6404 Hollywood Blvd., Suite 415
Los Angeles, CA 90028
(323) 957-1405
www.creativescreenwriting.com

New York Screenwriter
655 Fulton St., 276
Brooklyn, NY 11217
(718) 398-7197
(800) 418-5637
www.nyscreenwriter.com/2000.htm

Hollywood Scriptwriter
PO Box 10277
Burbank, CA 91510
(866) 479-7483
www.hollywoodscriptwriter.com

Written By
7000 W. 3rd Street
Los Angeles, CA 90048
(888) 974-8629
www.wga.org

Scenario
3200 Tower Oaks Blvd.
Rockville, MD 20852-9789
(800) 222-2654

Załącznik C: Kto to napisał?

Filmy, sztuki i pisarze, o których mowa w książce

Adwokat diabła (The Devil's Advocate), scenariusz Jonathan Lemkin, Tony Gilroy (na podst. powieści Andrew Neidermana)
Amerykańskie graffiti (American Graffiti), scenariusz George Lucas
Annie Hall, scenariusz Woody Allen, Marshall Brickman
Arizona junior (Raising Arizona), scenariusz Ethan i Joel Coen
Arthur, scenariusz Steve Gordon
Babe – Świnka z klasą (Babe), scenariusz John Fusco
Baby Boom, scenariusz Nancy Meyers, Charles Shyer
Bez przebaczenia (Unforgiven), scenariusz David Webb Peoples
Bezsenność w Seattle (Sleepless in Seattle), scenariusz Nora Ephron, David S. Ward, Jeff Arch
Biały żar (White Heat), scenariusz Ivan Goff , Ben Roberts
Blask (Shine), scenariusz Jan Sardi, Scott Hicks
Blues Brothers, scenariusz Dan Aykroyd, John Landis
Braveheart – Waleczne serce (Braveheart), scenariusz Randall Wallace
Bulwar zachodzącego słońca (Sunset Boulevard), scenariusz Charles Brackett, Billy Wilder
Butch Cassidy i Sundance Kid (Butch Cassidy and the Sundance Kid), scenariusz William Goldman
Casablanca, scenariusz Julius Epstein, Phillip Epstein, Howard Koch
Casino Royale, scenariusz Wolf Mankowitz, John Law, Michael Sayers (na kanwie powieści Iana Fleminga)
Charly, scenariusz Stirling Silliphant (na podst. powieści Daniela Keyesa)
Chinatown, scenariusz Robert Towne
Co z Bobem? (What about Bob?), scenariusz Tom Schulman
Copland, scenariusz James Mangold
Cud przy 34 Ulicy (Miracle on 34th Street), scenariusz George Seaton
Czas zabijania (A Time to Kill), scenariusz Akiva Goldsman (na podst. powieści Johna Grishama)
Czekając na Godota (Waiting for Godot), Samuel Beckett
Czekając na miłość (Waiting to Exhale), scenariusz Terry McMillan, Ron Bass
Cztery wesela i pogrzeb (Four Weddings and a Funeral), scenariusz Richard Curtis

Czy leci z nami pilot? (Airplane!), scenariusz Jim Abrahams, David i Jerry Zucker
Długi pocałunek na dobranoc (The Long Kiss Goodnight), scenariusz Shane Black
Dni wina i róż (Days of Wine and Roses), scenariusz J. P. Miller
Dobranoc, mamusiu (Night Mother), scenariusz Marsha Norman
Dobry, zły i brzydki (The Good, the Bad and the Ugly), scenariusz Age Scarpelli. Luciano Vincenzoni, Sergio Leone
Don Juan de Marco, scenariusz Jeremy Leven
Dr Jekyll i Mr Hyde, (Dr Jekyll and Mr Hyde) scenariusz John Lee Mahin (na podst. powieści Roberta Louisa Stevensona)
Dzień Niepodległości (Independence Day), scenariusz Dean Devlin, Roland Emmerich
Dzień Świstaka (Groundhog Day), scenariusz Danny Rubin, Harold Ramis
Dziwna para (Odd Couple), scenariusz Neil Simon
Faceci w czerni (Men in Black), scenariusz Ed Solomon
Fargo, scenariusz Joel i Ethan Coen
Footloose, scenariusz Dean Pitchford
Forrest Gump, scenariusz Eric Roth (na podst. powieści Winstona Grooma)
Fort Apache w Bronx (Fort Apache, The Bronx), scenariusz Heywood Gould
Fortepian (The Piano), scenariusz Jane Campion
Francuski łącznik (The French Connection), scenariusz Ernest Tidyman
Frankenstein, scenariusz Garrett Fot, Frances Edward Faragoh, John Balderston (na podst. powieści Mary W. Shelley)
Gallipoli, scenariusz David Williamson (na podst. książki Alana Moorheada)
GI Jane, scenariusz Arthur Max
Głupi i Głupszy (Dumb and Dumber), scenariusz Peter Farrelly, Bennett Yellin, Bobby Farrelly
Gwiezdne wojny (Star Wars), scenariusz George Lucas
Halloween, scenariusz John Carpenter, Debra Hill
Harold i Maude (Harold and Maude), scenariusz Colin Higgins
Hook, scenariusz Jim V. Hart, Malia Scotch Marmo
Hot Shots, scenariusz Jim Abrahams, Pat Proft
Indiana Jones, scenariusz Willard Huyck, Gloria Katz
Into Thin Air scenariusz George Rubino
Jak uszyć amerykańską kołdrę (How to Make an American Quilt), scenariusz Jane Anderson (na podst. powieści Whitney Otto)
Jak zdobywano Dziki Zachód (How the West Was Won), scenariusz James Webb
Jerry Maguire, scenariusz Cameron Crowe
Karmazynowy przypływ (Crimson Tide), scenariusz Michael Schiffer
Kiedy Harry poznał Sally (When Harry Met Sally), scenariusz Nora Ephron
Klute, scenariusz Andy K. Lewis, Dave Lewis
Kłamca, Kłamca (Liar, Liar), scenariusz Paul Guay, Stephen Mazur

Kolacja z Andre (My Dinner with Andre), scenariusz Wallace Shawn, Andre Gregory

Krokodyl Dundee (Crocodile Dundee), scenariusz Paul Hogan, Ken Shadie

Król Edyp, Sofokles

Król Lir, William Szekspir

Lepiej być nie może (As Good As It Gets), scenariusz Mark Andrus, James Brooks

Licencja na zabijanie (License to Kill), scenariusz Howard Griffiths, Lindsay Shonteff (na podst. powieści Iana Fleminga)

Lista Schindlera (Schindler's List), scenariusz Steven Zaillian (na podst. powieści Thomasa Keneally)

Lot nad kukułczym gniazdem (One Flew over the Cuckoo's Nest), scenariusz Lawrence Hauben (na podst. powieści Kena Keseya)

Low Life, scenariusz John Enbom, George Hickenlooper

Łowca androidów (Blade Runner), scenariusz Hampton Fancher, David Peoples (na podst. powieści Philipa K. Dicka *Czy androidy śnią o elektrycznych owcach*)

Mała doboszka (Little Drummer Girl), scenariusz Loring Mandel (na podst. powieści Johna Le Carre)

Maratończyk (Marathon Man), scenariusz William Goldman (na podst. własnej powieści)

Medea, Eurypides

Menażeria (Animal House), scenariusz Harold Ramis, Douglas Kenney, Chris Miller

Mieć i nie mieć, scenariusz Jules Furthman, William Faulkner (na podst. powieści Ernesta Hemingwaya)

Miłość, szmaragd i krokodyl (Romancing the Stone), scenariusz Diane Thomas

Morze miłości (Sea of Love), scenariusz Richard Price

Most Dangerous Game, scenariusz James Creelman (na podst. książki Richarda Edwarda Connella)

Mój chłopak się żeni (My Best Friend's Wedding), scenariusz Ronald Bass

Mr Smith jedzie do Waszyngtonu (Mr Smith Goes to Washington), scenariusz Sidney Buchman

Muzyk (Music Man), scenariusz Marion Hargrove (na podst. powieści Meredith Willson)

Na krawędzi (Cliffhanger), scenariusz Michael France, Sylvester Stallone

Na zachodzie bez zmian (All Quiet on the Western Front), scenariusz Lewis Milestone, Maxwell Anderson, Del Andrews, George Abbott (na podst. powieści Ericha Marii Remarque)

Nad złotym stawem (On Golden Pond), scenariusz Ernest Thompson

Naga Broń (Naked Gun), scenariusz Jerry Zucker, Jim Abrahams, David Zucker

Nagi Instynkt (Basic Instinct), scenariusz Joe Eszterhas

Naked Prey, scenariusz Clint Johnston

Narzeczona dla księcia (Princess Bride), scenariusz William Goldman (na podst. własnej powieści)

Niebezpieczne związki (Dangerous Liaisons), scenariusz Christopher Hampton (na podst. powieści Choderlosa De Laclos)

Nietykalni (The Untouchables), scenariusz David Mamet

Niezwykła podróż (Homeward Bound), scenariusz Caroline Thompson, Linda Wolverton

Nikita (La Femme Nikita), scenariusz Luc Besson

Nocny kowboj (Midnight Cowboy), scenariusz Waldo Salt

Norma Rae, scenariusz Irving Ravetch, Harriet Frank

Obcy (Alien), scenariusz Dan O'Bannon

Obywatel John Doe (Meet John Doe), scenariusz Robert Riskin

Odmiana losu (Reversal of Fortune), scenariusz Nicholas Kazan (na podst. powieści Alana Dershowitza)

Ojciec Chrzestny (The Godfather), scenariusz Francis Ford Coppola, Mario Puzo (na podst. powieści Mario Puzo)

Ojczym (Stepfather), scenariusz Donald E. Westlake

Okno na podwórze (Rear Window), scenariusz John Michael Hayes (na podst. powieści Cornella Woolricha)

Okruchy dnia (Remains of the Day), scenariusz Ruth Prawer Jhabvala (na podst. powieści Kazuo Ishiguro)

Ostatni seans filmowy (The Last Picture Show), scenariusz Larry McMurtry, Peter Bogdanovich

Ostatni Skaut (The Last Boy Scout), scenariusz Shane Black

Park Jurajski (Jurassic Park), scenariusz Michael Crichton, David Koepp (na podst. powieści Michaela Crichtona)

Piąty Element (The Fifth Element), scenariusz Luc Besson, Robert Mark Kamen

Pieskie popołudnie (Dog Day Afternoon), scenariusz Frank Pierson

Plusk (Splash), scenariusz Lowell Ganz, Babaloo Mandel, Bruce Jay Friedman, Brian Grazer

Pluton (Platoon), scenariusz Oliver Stone

Płonące Łóżko, (The Burning Bed), scenariusz Faith McNulty

Płonący wieżowiec (The Towering Inferno), scenariusz Stirling Silliphant (na podst. powieści Richarda Martina Sterna)

Podejrzani (The Usual Suspects), scenariusz Christopher McQuarrie

Podróż do wnętrza Ziemi (Journey to the Center of the Earth), scenariusz Walter Reisch, Charles Brackett (na podst. powieści Juliusza Verne'a)

Pole marzeń (Field of Dreams), scenariusz Phil Alden Robinson

Powiększenie (Blow-Up), scenariusz Michelangelo Antonioni

Powrót Robin Hooda (Robin and Marian), scenariusz James Goldman

Północ, Północny Zachód (North by Northwest), scenariusz Ernest Lehman

Pretty Woman, scenariusz J.F. Lawton

Przypadkowy turysta (Accidental Tourist), scenariusz Frank Galati, Lawrence Kasdan (na podst. powieści Anne Tyler)

Pulp Fiction, scenariusz Quentin Tarantino, Roger Avary

Rambo: pierwsza krew (Rambo: First Blood), scenariusz Michael Kozoll, William Sackheim, Sylvester Stallone

Rocky, scenariusz Sylvester Stallone

Romeo i Julia, William Szekspir

Rozenkrantz i Guildenstern nie żyją (Rosencrantz and Guildenstern Are Dead), Tom Stoppard

Rozmowa (Conversation), scenariusz Francis Ford Coppola

Rozważna i romantyczna (Sense and Sensibility), scenariusz Emma Thompson (na podst. powieści Jane Austen)

Ryszard III, William Szekspir

Siedem (Seven), scenariusz Andrew Kevin Walker

Silkwood, Nora Ephron, scenariusz Alice Arlen

Skazani na Shawshank (the Shawshank Redemption), scenariusz Frank Darabont (na podst. opowiadania Stephena Kinga)

Sling Blade, scenariusz Billy Bob Thornton

Słodkie życie (La Dolce Vita), scenariusz Federico Fellini, Tullio Pinelli, Ennio Flaiano, Brunello Rondi

Spartakus (Spartacus), scenariusz Dalton Trumbo (na podst. powieści Howarda Fasta)

Sposób na blondynkę, scenariusz Ed Decter, John J. Strauss, Peter Farrelly, Bobby Farrelly

Sprawa Kramerów (Kramer vs. Kramer), scenariusz Robert Benton

Star Trek, scenariusz Harold Livingstone (na podst. serialu telewizyjnego stworzonego przez Gene'a Roddenberry)

Stowarzyszenie Umarłych Poetów (Dead Poets Society), scenariusz Tom Schulman

Sułtani westernu (City Slickers), scenariusz Lowell Ganz, Babaloo Mandel

Szczęki (Jaws), scenariusz Peter Benchley, Carl Gottlieb (na podst. powieści Petera Benchleya)

Szepty i Krzyki, scenariusz Ingmar Bergman

Szeregowiec Ryan (Saving Private Ryan), scenariusz Robert Rodat

Szklana Pułapka (Die Hard), scenariusz Jeb Stuart, Steven E. Souza (na podst. powieści Rodericka Thorpa)

Sztorm (White Squall), scenariusz Todd Robinson

Ścigany (The Fugitive), scenariusz Jeb Stuart, David Twohy (na podst. serialu stworzonego przez Quinn Martin Productions)

Śmierć Komiwojażera (Death of a Salesman), scenariusz Arthur Miller

Świadek (Witness), scenariusz Earl B.Wallace, William Kelley

Świąteczna gorączka (Jingle All the Way), scenariusz Randy Kornfield

Terminator, scenariusz James Cameron, Gale Anne Hurd (częściowo na podst. opowiadań *Soldier, Demon with a Glass Hand* i *A Boy and his Dog* Harlana Ellisona)

The Truman Show, scenariusz Andrew Niccol

Thelma i Louise (Thelma & Louise), scenariusz Callie Khouri

Titanic, scenariusz James Cameron

Tragedia Posejdona (The Poseidon Adventure), scenariusz Stirling Silliphant (na podst. powieści Paula Gallico)

Trzy dni kondora (Three Days of the Condor), scenariusz Lorenzo Semple, David Rayfiel (na podst. powieści Jamesa Grady)

Twister, scenariusz Michael Crichton, Anne-Marie Martin

Tylko z moją córką (Not Without My Daughter), scenariusz David W. Rintels

Upiór w operze (Phantom of the Opera), scenariusz John Elder (na podst. powieści Gastona Leroux)

Uwolnić orkę (Free Willy), scenariusz Keith A. Walker, Corey Blechman

W samo południe (High Noon), scenariusz Carl Foreman

W upalną noc (In the Heat of the Night), scenariusz Stirling Silliphant

Wall Street, Stanley Weiser, scenariusz Oliver Stone

Werdykt (The Verdict), scenariusz David Mamet (na

Werdykt (The Verdict), scenariusz David Mamet (na podst. powieści Barry Reeda)

Wesele Muriel (Muriel's Wedding), scenariusz P.J.Hogan

Wielki chłód (Big Chill), scenariusz Lawrence Kasdan, Barbara Benedek

Wielki Gatsby (The Great Gatsby), scenariusz Francis Ford Coppola (na podst. powieści F. Scotta Fitzgeralda)

Wielki kanion (Grand Canyon), scenariusz Meg i Lawrence Kasdan

Wielki Mały Człowiek (Little Big Man), scenariusz Calder Willingham (na podst. powieści Thomasa Bergera)

Wielkie otwarcie (Big Night), scenariusz Stanley Tucci, Joseph Tropiano

Wojna i pokój (War and Peace), scenariusz Bridget Boland, Robert Westerby, King Vidor, Mario Camerini, Ennio de Cocini, Ivo Perelli (na podst. powieści Lwa Tołstoja)

Wożąc panią Daisy (Driving Miss Daisy), scenariusz Alfred Uhry

Wróg publiczny (Enemy of the State), scenariusz David Marconi

Wszyscy ludzie prezydenta (All the President's Men), scenariusz William Goldman (na podst. książki Boba Woodwarda i Carla Bernsteina)

Wulkan (Volcano), scenariusz Jerome Armstrong, Bill Ray

Wybuch (Blow-Out), scenariusz Brian de Palma

Wystarczy być (Being There), scenariusz Jerzy Kosiński (na podst. własnej powieści)

Zabójcy (Assassins), scenariusz Michael Sloan

Zabójcza broń (Lethal Weapon), scenariusz Shane Black

Zapach kobiety (Scent of a Woman), scenariusz Bo Goldman

Zbrodnia doskonała (Poodle Springs), scenariusz Tom Stoppard (na podst. powieści
Raymonda Chandlera i Roberta B. Parkera)
Zmień kapelusz (Crossing Delancey), scenariusz Susan Sandler
Zostawić Las Vegas (Leaving Las Vegas), scenariusz Mike Figgis
Zwykli ludzie (Ordinary People), scenariusz Alvin Sargent (na podst. powieści
Judith Guest)
Żądło (The Sting), scenariusz David Ward
Życie jest cudowne (It's a Wonderful Life), scenariusz Frances Goodrich, Albert
Hackett, Frank Capra

UWAGA: fragmenty scenariuszy studentów nie pochodzą z konkretnych dzieł,
to zlepki różnych prac omawianych na zajęciach.

Załącznik D: Uwaga, banał!

Oto banały, których unikaj za wszelką cenę. Wiele innych znajdziesz w Internecie i w rewelacyjnej książeczce Rogera Eberta *Ebert's Little Movie Glossary*.

Tylko nie brawa

W filmach romantycznych i akcji w finałowej scenie bohaterowie często się całują na oczach licznej grupy ludzi, nierzadko zupełnie obcych, którzy entuzjastycznie biją brawo. Jak wspomniano, jest to afirmacja życia, ale powtarzano ją już miliony razy. Jeśli taka scena jest ci niezbędna, pomyśl, jak przedstawić ja w nowy, ciekawy sposób.

Wszystko w porządku?

Niemal każdego kuszą te słowa w którymś momencie pisania. Postaraj się nie ulec pokusie – przecież nic nie znaczą. Podobnie jak narzekanie bohatera, zazwyczaj starszego, który się zarzeka: „jestem na to za stary." Te kwestie są zdecydowanie za stare do nowego scenariusza.

WYBUCH jak się patrzy

Najgorszy banał w filmie akcji? Bohater, zazwyczaj ciągnąc za rękę bezradną towarzyszkę, ucieka w ostatniej chwili przed wybuchem, przy czym kobieta, choćby nie wiadomo jak sprawna i silna, po drodze łamie sobie obcas, ewentualni się potknie i upadnie. Mężczyzna pomaga jej wstać, biegną, ale podmuch eksplozji rzuca ich na ziemię. Oczywiście wychodzą z tego bez szwanku.

Dziwka o złotym sercu

Chociaż ta postać pojawia się w niezliczonych filmach, żeby wymienić tylko *Zostawić Las Vegas* i *Kasyno*, unikaj tej bohaterki. Tak, dziwka o złotym sercu to personifikacja stereotypu kobiety w naszym społeczeństwie, madonny i dziwki zarazem, ale jako postać filmowa jest stara jak świat (żeby się posłużyć kolejnym banałem).

Architekt, pisarz, grafik? – Dziękujemy

Wymyśl inny zawód, w którym twój bohater wykaże się inteligencją, kreatywnością i talentem.

Czynnik Godzilli

Widzowie są coraz bardziej wymagający, świetne efekty specjalne już im nie wystarczą. Nawet w science fiction nie może zabraknąć dobrego scenariusza.

Efekt Eszterhasa (Czyli: „mniej czasem znaczy więcej")

Imponujący nagi biust nie musi być wspaniałym efektem specjalnym i nie uratuje kiepskiego scenariusza. Przykłady? *Showgirls* Joe Eszterhasa i *Striptiz* z Demi Moore.

Załącznik E: Indeks

Załącznik F: Po polsku

Literatura po polsku:

- Martin Schabenbeck *Format scenariusza filmowego*
- Christopher Vogler *Podróż autora. Struktury mityczne dla scenarzystów i pisarzy*
- Maciej Karpiński *Niedoskonałe odbicie filmu, czyli nieznośny ból dupy*
- Piotr Wereśniak *Alchemia scenariusza filmowego*
- Bogusław Lewicki *Scenariusz. Literacki program struktury filmowej*
- Raymond G. Frensham *Jak napisać scenariusz*
- William Goldman *Przygody scenarzysty*
- Syd Field, Rolph Rilla *Pisanie scenariusza filmowego*
- Oliver Schütte *Praca nad scenariuszem*

Pisania scenariusza można nauczyć się w:

- Krakowska Szkoła Scenariuszowa Akademia Filmu i Telewizji
- Państwowej Wyższej Szkole Filmowej, Telewizyjnej i Teatralnej im. Leona Schillera, w Studium Scenopisarstwa,
- Warszawskiej Szkole Filmowej, na kursie scenariuszowym

Pisania scenariuszy można również nauczyć się w wielu uczelniach na zajęciach w ramach różnych specjalizacji:

- Uniwersytet Warszawski
- Uniwersytet Śląski
- Uniwersytet Adama Mickiewicza

Ponadto wiele klubów filmowych prowadzi kursy i warsztaty z zakresu scenopisarstwa.

O autorach

Robin U. Russin kształcił się na uniwersytetach Harvard, Oxford, Rhode Island School of Design i UCLA , gdzie studiował pisanie scenariuszy. Stypendysta The Rhodes Scholarship, członek bractwa Phi Beta Kappa, pisze dla filmu, teatru, telewizji i czasopism. Dwukrotnie zdobył Jack Nicholson Award za scenariusz.

Wśród jego scenariuszy znajdują się między innymi: przebój kasowy *On Deadly Grounds* (*Na Zabójczej Ziemi*), ekologiczny thriller ze Stevenem Seagalem i Michaelem Caine (napisany wspólnie z Edem Horowitzem). Russin sprzedał zarówno studiom filmowym, jak i niezależnym producentom, wiele innych scenariuszy. Wyprodukował też niezależny film fabularny *Shark in a Bottle*. Na potrzeby telewizji pisał, produkował i reżyserował wiele odcinków i wydań specjalnych programu *America's Most Wanted*, brał także udział w realizacji serialu animowanego. Wyprodukował serial Vital Signs, emitowany w telewizji ABC w najlepszym czasie antenowym, był współproducentem *Alcatraz – A True Story*, godzinnego programu stacji Fox TV. Jego sztukę, *Painted Eggs*, wystawiono w Harman Avenue Theater w Los Angeles.

Wykłada sztukę pisania scenariuszy na University of California w Riverside.

William Missouri Downs skończył studia ze specjalnością pisanie scenariuszy na UCLA , studiował także aktorstwo na University of Illinois. Przez wiele lat studiował dramatopisarstwo pod kierunkiem Lanforda Wilsona i Milana Stitta w Circle Repertory Theatre w Nowym Jorku. W Hollywood Downs pisał na potrzeby seriali komediowych stacji NBC, takich jak: *My Two Dads, Amen, Fresh Prince of Bel Air* (*Książę z Bel Air*). Studio Tri-Star Pictures kupiło jego scenariusz Executive Privilege. Downs zdobył także Jack Nicholson Award za scenariusz.

Jego sztuki wystawiano na całym świecie, przede wszystkim w Kennedy Center, Berkeley Repertory Theatre, na Międzynarodowym Festiwalu Teatralnym w Izraelu i Hexis w Singapurze. Napisał między innymi: *Innocent Thoughts* (zdobywca National Playwrights Award), *Jewish Sports Heroes and Texas Intellectuals* (główna nagroda Mill Mountain Theatre's Festival of New Plays), *Dead White Males* (półfinał w Eugene O'Neill Theatre) i *Kabuki Medea* (główna nagroda Bay Area Critics Award za najlepszy spektakl w San Francisco i Jefferson Award za najlepszy spektakl w Chicago).

Downs jest współautorem książki *Playwriting: From Formula to Form*, wydanej przez Harcourt Brace College Publishers. Mieszka w Wyoming.

Filmowe Wydawnictwo
Wojciech Marzec

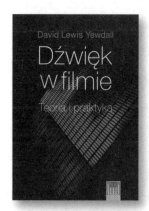

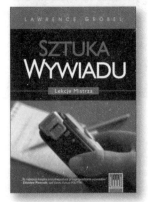